lua de papel

E L James

As Cinquenta Sombras de Grey

Fifty Shades of Grey

Traduzido do inglês por

Ana Álvares e Leonor Bizarro Marques

Título Original
Fifty Shades of Grey

A autora publicou uma versão anterior desta história *online*, com personagens diferentes, como "Masters of the Universe", sob o pseudónimo Snowqueen's Icedragon.

1.ª edição / Julho de 2012
11.ª edição / Novembro de 2012

ISBN: 978-989-23-1995-7
Depósito Legal n.º: 352 167/12

lua de papel®

[Uma chancela do grupo LeYa]
Rua Cidade de Córdova, n.º 2
2610-038 Alfragide
Tel. (+351) 21 427 22 00
Fax. (+351) 21 427 22 01
luadepapel@leya.pt
editoraluadepapel.blogs.sapo.pt
www.luadepapel.pt

Para Niall,
o senhor do meu universo

AGRADECIMENTOS

Estou grata às seguintes pessoas pela sua ajuda e apoio:

Ao meu marido, Niall, obrigada por tolerares a minha obsessão, por seres um deus do lar e por fazeres a primeira revisão.

À minha chefe, Lisa, obrigada por me aturares durante o último ano, em que me dediquei a esta loucura.

A CCL, nunca o direi, mas obrigada.

Às minhas acérrimas fãs originais, obrigada pela vossa amizade e apoio constantes.

A SR, obrigada por todos os valiosos conselhos que deste desde o início e por dares o pontapé de saída.

À Sue Malone, obrigada por me dares uma direção.

À Amanda e a todas as pessoas da TWCF, obrigada por apostarem.

CAPÍTULO UM

Olhei descontente para a minha imagem no espelho. Bolas para o cabelo – não havia forma de ficar no sítio, e bolas para a Katherine Kavanagh por estar doente e me submeter àquele suplício. Eu devia estar a estudar para os meus exames finais, que eram já na semana seguinte, mas ali estava a tentar submeter o cabelo à escova. *Não posso dormir com ele molhado. Não posso dormir com ele molhado.* Recitando várias vezes este mantra, procurei, mais uma vez, controlá-lo com a escova. Revirei os olhos, exasperada, e pus-me a olhar para a rapariga pálida de cabelo castanho e olhos azuis desproporcionadamente grandes que olhava fixamente para mim, e desisti. A minha única opção era prender o meu cabelo rebelde num rabo-de-cavalo e esperar ter um aspeto minimamente apresentável.

Kate partilhava o apartamento comigo, e escolhera logo o dia de hoje para ficar com gripe. Portanto, não podia ir à entrevista que tinha conseguido marcar com um magnata, um megaindustrial de quem nunca ouvi falar, para o jornal académico. Por isso fui recrutada. Eu devia era estar a matar-me a estudar para os exames finais. Tinha um trabalho para entregar e naquela tarde devia ir trabalhar, mas não – tinha de fazer 265 quilómetros até ao centro de Seattle para me encontrar com o enigmático diretor-geral da Grey Enterprises Holdings, Inc. Como empreendedor excecional que era, e destacado mecenas da nossa universidade, o seu tempo revelava-se extraordinariamente precioso – muito mais precioso do que o meu –, mas concedera uma entrevista à Kate. Um verdadeiro furo, disse-me ela. Bolas para as atividades extracurriculares dela.

Ela estava encolhida no sofá da sala.

– Ana, sinto muito. Levei nove meses a conseguir a entrevista. São precisos mais seis para marcar outra data, e aí já as duas terminámos a faculdade. Sou a editora do jornal, não posso dar cabo disto. Por favor – implorou-me Kate, com aquela voz arranhada de quem tem a garganta dorida.

Como é que ela fazia aquilo? Até doente tinha aquele ar de *gamine*, deslumbrante, loira ruiva, cabelo bem penteado e olhos verdes e vivos, ainda que agora estivessem raiados de vermelho e lacrimejantes. Ignorei o meu impulso de simpatia não desejada.

– Claro que vou, Kate. Devias voltar para a cama. Queres um Cêgripe ou um Tylenol?

– Um Cêgripe, por favor. Estão aqui as perguntas e o meu gravador digital. Basta carregares aqui para gravar. Tira notas, eu transcrevo tudo.

– Não sei nada dele – murmurei, tentando sem sucesso suprimir o pânico que começava a aumentar.

– As perguntas orientam-te. Vai. Tens muito que conduzir. Não quero que chegues atrasada.

– OK, estou de saída. Volta para a cama. Fiz-te uma sopa para aqueceres mais logo.

Olhei carinhosamente para ela. *Só por ti, Kate, é que eu fazia isto.*

– Está bem. Boa sorte. E obrigada, Ana. Como de costume, salvaste-me a vida.

Com um sorriso amarelo, peguei na mochila e saí para o carro. Não conseguia acreditar que tinha deixado a Kate convencer-me a fazer isto. Mas, vendo bem, a Kate conseguia convencer qualquer pessoa a fazer o que quer que fosse. Ia dar uma jornalista excecional. Era comunicativa, forte, persuasiva, combativa, linda – e era a minha amiga mais querida.

As estradas estavam desimpedidas quando saí de Vancouver, Washington, na direção da Interestadual 5. Era cedo e só tinha de estar em Seattle às duas da tarde. Felizmente, a Kate emprestara-me o desportivo dela, o Mercedes CLK. Não me parece que a Wanda, o meu carocha super antigo, conseguisse fazer a viagem a tempo. Oh, o Mercedes era muito fixe de conduzir, e os quilómetros voavam quando metia o prego a fundo.

O meu destino era a sede da empresa global do Mr. Grey, um edifício de escritórios enorme, vinte andares de vidro e aço, todo em linhas curvas, a fantasia utilitária de um arquiteto, com "Grey House" escrito discretamente a aço por cima das portas de vidro da entrada principal. Faltavam quinze minutos para as duas quando cheguei e entrei, muito aliviada por não estar atrasada, no enorme átrio – francamente intimidante – de vidro, aço e granito branco.

Atrás da secretária de granito maciço, uma mulher jovem, muito atraente, bem arranjada e loira, sorriu-me agradavelmente. Vestia o *blazer* e a camisa branca mais impecáveis que eu alguma vez vi. Tinha um ar imaculado.

– Vim para falar com Mr. Grey. Anastasia Steele, da parte de Katherine Kavanagh.

– Só um momento, Miss Steele. – Arqueou a sobrancelha e eu fiquei ali de pé, constrangida, à frente dela. Comecei a desejar ter pegado num dos *blazers* formais de Kate, em vez de ter vestido o meu blusão azul-marinho. Fiz o esforço de vestir a minha única saia, as minhas práticas botas castanhas até ao joelho e uma camisola azul. Tratando-se de mim, estava muito apresentável. Pus uma das madeixas de cabelo fugitivas atrás da orelha e fingi que ela não me intimidava.

– Estávamos à espera da Miss Kavanagh. Por favor assine aqui, Miss Steele. É o último elevador à sua direita, para o vigésimo andar. – Sorriu-me com simpatia, divertida, sem dúvida, enquanto eu assinava.

Entregou-me um cartão com a palavra "Visitante" bem visível. Não consegui evitar um meio-sorriso. De certeza que era óbvio que eu estava só de visita. Não me enquadrava nada ali. *Não era novidade.* Suspirei por dentro. Agradeci-lhe e dirigi-me para a zona dos elevadores, passando pelos dois seguranças, ambos muito mais bem vestidos do que eu, com aqueles fatos pretos de bom corte.

O elevador levou-me em velocidade terminal até ao vigésimo andar. As portas abriram-se e encontrei-me noutro grande átrio – mais uma vez, todo de vidro, aço e granito branco. Deparei-me com outra secretária de granito e outra mulher loira e jovem, esta impecavelmente vestida de preto e branco, que se levantou para me cumprimentar.

– Miss Steele, pode aguardar aqui, por favor? – disse, indicando uma área com cadeiras de pele brancas.

Por trás das cadeiras de pele estava uma espaçosa sala de reuniões com paredes de vidro e uma mesa escura de madeira igualmente ampla com pelo menos vinte cadeiras a condizer à sua volta. Atrás dela, via-se uma janela que ia do chão até ao teto com uma vista do recorte urbano de Seattle que atravessava a cidade em direção ao Sound[1]. Era uma visão deslumbrante e eu fiquei momentaneamente paralisada pela paisagem. Uau!

Sentei-me, pesquei as perguntas da mochila e revi-as, amaldiçoando baixinho a Kate por não me ter fornecido uma biografia breve. Não sabia nada sobre o homem que estava prestes a entrevistar. Podia ter noventa ou trinta anos. A incerteza era exasperante e o meu nervosismo reapareceu, deixando-me inquieta. Nunca me sentira confortável em entrevistas individuais, preferia o anonimato de uma discussão de grupo na qual podia sentar-me discretamente no fundo da sala. Para ser sincera, preferia a minha própria companhia, com um clássico inglês nas mãos, aninhada numa poltrona da biblioteca do *campus*. Não sentada a contorcer-me de nervos num edifício colossal de vidro e pedra.

Revirei os olhos, censurando-me a mim própria. *Controla-te, Steele*. A julgar pelo edifício, que era demasiado clínico e moderno, imaginei que Grey estivesse nos seus quarentas: em boa forma, bronzeado e loiro, para condizer com o resto do pessoal.

Outra loira elegante e impecavelmente vestida saiu de uma grande porta à direita. Mas que história é esta das loiras imaculadas? Parece Stepford[2]. Respirei fundo e pus-me em pé.

– Miss Steele? – chamou a última loira.

– Sim – respondi com voz rouca e aclarei a garganta. – Sim.

Pronto, pareceu mais confiante.

– Mr. Grey recebe-a já de seguida. Posso ficar com o seu casaco?

– Sim, por favor.

Tirei-o com alguma dificuldade.

– Já lhe ofereceram alguma coisa para beber?

1. Puget Sound; em português, estuário de Puget. (N. da T.)
2. Cenário do livro *Mulheres Perfeitas*, de Ira Levin (1972), posteriormente adaptado ao cinema. (N. da T.)

– Hã... não.

Ó céus! A Loira Número Um estaria metida em apuros?

A Loira Número Dois franziu as sobrancelhas e olhou para a jovem mulher que estava atrás da secretária.

– Deseja chá, café, água? – perguntou, voltando-se novamente para mim.

– Um copo de água, obrigada – murmurei.

– Olivia, por favor vai buscar um copo de água para a Miss Steele.

A voz era austera. A Olivia pôs-se logo a mexer e apressou-se a ir até uma porta do outro lado do *foyer*.

– As minhas desculpas, Miss Steele. A Olivia é a nova estagiária. Queira sentar-se. Mr. Grey demora mais cinco minutos.

A Olivia regressou com um copo de água com gelo.

– Aqui tem, Miss Steele.

– Obrigada.

A Loira Número Dois encaminhou-se para a secretária grande com o barulho dos tacões a ecoar no chão de granito. Sentou-se e ambas continuaram com o seu trabalho.

Talvez Mr. Grey insistisse que todas as empregadas fossem loiras. Perguntei-me distraidamente se seria legal quando a porta do escritório se abriu e saiu um homem de cor, alto e atraente, elegantemente vestido e com pequenas rastas. Definitivamente, eu tinha vestido a roupa errada.

Ele voltou-se para trás e disse lá para dentro: – Golfe esta semana, Grey?

Não ouvi a resposta. Ele virou-se, viu-me e sorriu, e apareceram-lhe umas ruguinhas nos cantos dos olhos. A Olivia levantou-se de um salto e chamou o elevador. Parecia ser muito boa a saltar da cadeira. Era mais nervosa do que eu!

– Tenham uma boa tarde, minhas senhoras – disse ele, entrando no elevador.

– Mr. Grey recebe-a agora, Miss Steele. Por favor entre – disse a Loira Número Dois.

Levantei-me algo trémula, tentando dominar os nervos. Peguei na mochila, abandonei o meu copo de água e dirigi-me para a porta parcialmente aberta.

– Não precisa de bater, basta entrar – disse ela com um sorriso prestável.

Empurrei a porta e entrei em desequilíbrio, depois de tropeçar nos meus próprios pés e de me atirar de cabeça para dentro do escritório.

Que figurinha! Eu e os meus dois pés esquerdos. Encontrava-me de quatro à entrada do escritório de Mr. Grey e senti umas mãos prestáveis à minha volta, a ajudarem-me a levantar. Estava tão envergonhada; bolas para a minha aselhice. Tive de me forçar a olhar para cima. Caramba. Ele era mesmo novo!

– Miss Kavanagh. – Estendeu-me uma mão de dedos compridos assim que me pus em pé. – Sou Christian Grey. Está bem? Quer sentar-se?

Tão novo; e atraente, muito atraente. Alto, vestido com um fato cinzento de bom corte, camisa branca e gravata preta, com cabelo escuro acobreado e olhos cinzentos intensos e vivos que me olhavam, incisivos. Demorei um bocadinho até conseguir falar.

– Pois. Na verdade... – balbuciei.

Se aquele tipo tinha mais de trinta, eu era a carochinha. Aturdida, estendi-lhe a mão e cumprimentámo-nos. Quando os nossos dedos se tocaram, fui percorrida por um peculiar arrepio de excitação. Constrangida, tirei apressadamente a mão. Devia ser eletricidade estática. Comecei a pestanejar, ao ritmo da minha frequência cardíaca.

– Miss Kavanagh está indisposta, e por isso enviou-me a mim. Espero que não se importe, Mr. Grey.

– E você é?

A voz dele era afável, possivelmente divertida, mas era difícil dizer, com aquela expressão impassível. Ele parecia minimamente interessado, mas mostrava-se, acima de tudo, educado.

– Anastasia Steele. Estudo literatura inglesa com a Kate, hã... Miss Kavanagh , na WSU Vancouver.

– Estou a ver – comentou simplesmente.

Julguei ver a sombra de um sorriso na sua expressão, mas não tive a certeza.

– Quer sentar-se?

Indicou-me um sofá em L de pele branco.

O escritório dele era manifestamente grande para um homem só. À frente das enormes janelas estava uma secretária moderna de madeira escura, onde cabiam à vontade seis pessoas a comer. Combinava com a mesa de apoio que estava ao lado do sofá. Tudo o resto era branco – teto, chão e paredes, exceto a parede ao lado, onde se via um mosaico de pequenos quadros, trinta e seis dos quais dispostos num quadrado. Eram preciosos – uma série de objetos mundanos, irrelevantes, pintados com tanto pormenor e precisão que pareciam fotografias. Juntos, eram impressionantes.

– Um artista local. Trouton – disse Grey quando o nosso olhar se cruzou.

– São admiráveis. Fazem do comum, extraordinário – murmurei, aturdida tanto por ele como pelos quadros.

Ele inclinou a cabeça para o lado e olhou-me intensamente.

– Não podia estar mais de acordo, Miss Steele – devolveu ele com uma voz suave, e por alguma razão inexplicável dei por mim a corar.

Para além dos quadros, o resto do escritório era frio, sóbrio e assético. Perguntei-me se refletiria a personalidade do Adónis que se deixava afundar graciosamente numa das poltronas brancas que tinha à minha frente. Abanei a cabeça, perturbada pela direção que os meus pensamentos tomavam e peguei na mochila para tirar as perguntas da Kate. A seguir, preparei o gravador digital e parecia que tinha mãos de manteiga; deixei-o cair duas vezes na mesinha à minha frente. Mr. Grey não disse nada, aguardando pacientemente – esperava eu – enquanto me sentia cada vez mais envergonhada e atrapalhada. Quando reuni coragem para olhar para ele, Grey observava-me, com uma mão pousada no colo, relaxada, e a outra no queixo, com o longo indicador sobre os lábios. Pareceu-me que tentava conter um sorriso.

– D-desculpe – gaguejei. – Não estou a habituada a isto.

– Leve o tempo que precisar, Miss Steele – disse ele.

– Importa-se que grave as suas respostas?

– Depois do trabalho que teve para preparar o gravador, pergunta-me agora?

Corei. Seria uma provocação? Esperava que sim. Olhei para ele e pestanejei, sem saber o que dizer, e pareceu-me que ele ficou com pena de mim porque condescendeu.

– Não, não me importo.

– A Kate, quer dizer, Miss Kavanagh, explicou-lhe para que era a entrevista?

– Sim, para figurar na edição do jornal académico da entrega dos diplomas, pois serei eu a entregá-los na cerimónia deste ano.

Ah! Para mim era novidade e incomodou-me momentaneamente o pensamento de que alguém não muito mais velho do que eu – OK, talvez uns seis anos, e OK, hiper bem-sucedido, mas, mesmo assim – me fosse entregar o meu diploma. Franzi as sobrancelhas, dirigindo a minha atenção desobediente para a tarefa que tinha entre mãos.

– Isso.

Engoli em seco com os nervos.

– Tenho aqui algumas perguntas, Mr. Grey.

Coloquei uma madeixa errante atrás da orelha.

– Foi o que assumi – disse ele, sem expressão.

Estava a fazer pouco de mim. Senti a cara a ficar quente e senti-me melhor, endireitei os ombros na tentativa de parecer mais alta e mais intimidante. Carreguei no botão do gravador e tentei assumir um ar profissional.

– É muito jovem e, no entanto, já construiu um império enorme. A que deve o seu sucesso?

Olhei para cima, para ele. Fez um sorriso grave, mas pareceu ligeiramente desiludido.

– Fazer negócios é lidar com pessoas, e eu sou muito bom a avaliar pessoas. Sei o que as estimula, o que as faz florescer e o que não faz, o que as inspira e como as incentivar. Emprego uma equipa excecional e recompenso-os bem.

Fez uma pausa e fixou-me com aquele olhar cor de cinza.

– É minha convicção que, para se ter sucesso em qualquer projeto, temos de ser capazes de dominar o assunto, conhecê-lo pelo direito e pelo avesso, todos os detalhes. Trabalho muito, mesmo muito, para o conseguir. Tomo decisões baseadas na lógica e nos factos. Tenho um instinto natural que me permite identificar e alimentar uma ideia boa, sólida, e pessoas boas. Porque a questão fundamental resume-se às pessoas.

– Talvez seja apenas uma questão de sorte.

Aquilo não estava na lista de Kate; mas ele era tão arrogante. Os olhos dele incendiaram-se momentaneamente de surpresa.

– Não me guio pela sorte nem pelo destino, Miss Steele. Quanto mais trabalho, mais a minha sorte parece aumentar. Na realidade, trata-se mesmo de ter as pessoas certas na equipa e de direcionar adequadamente as energias delas. Julgo que foi Harvey Firestone quem disse que "O crescimento e desenvolvimento das pessoas é a forma mais nobre de liderança".

– Parece um maníaco do controlo.

As palavras saíram-me pela boca antes de eu conseguir detê-las.

– Oh, exerço controlo sobre todas as coisas, Miss Steele – respondeu, sem o mínimo vestígio de humor no sorriso.

Olhei para ele, e ele, impassível, não desviou o olhar do meu. A minha pulsação aumentou e senti-me novamente a corar.

Porque é que ele me deixava tão perturbada? Por ser lindo de morrer, talvez? Pelos olhos dele, ardentes? Pela forma como passava o indicador no lábio? Quem me dera que parasse de fazer aquilo.

– Além disso, adquire-se um poder imenso quando nas nossas divagações secretas nos convencemos de que nascemos para controlar as coisas – prosseguiu com uma voz suave.

– Sente que tem um poder imenso?

Maníaco do controlo.

– Emprego mais de quarenta mil pessoas, Miss Steele. Isso confere-me um certo sentido de responsabilidade; poder, se desejar. Se eu resolvesse decidir que já não estava interessado no negócio das telecomunicações, e vendesse, passado um mês ou pouco mais, vinte mil pessoas ver-se-iam em apuros para pagar o empréstimo das suas casas.

A minha boca abriu-se. Fiquei desconcertada com aquela falta de humildade.

– Não tem de responder perante nenhum conselho de administração? – perguntei, indignada.

– A companhia pertence-me. Não tenho de responder perante conselho nenhum.

Mostrou-me uma sobrancelha erguida. Pois claro, era algo que eu saberia se tivesse pesquisado alguma coisa. Fogo, o homem era mesmo arrogante. Mudei de rumo.

– E tem algum interesse para além do seu trabalho?

– Tenho interesses variados, Miss Steele.

Passou-lhe a sombra de um sorriso pelos lábios.

– Muito variados.

E por qualquer razão, o seu olhar firme deixou-me confundida e com calor. Um brilho nos olhos dele denunciou algum pensamento malicioso.

– Mas se trabalha tanto, o que faz para descontrair?

– Descontrair?

Sorriu, revelando dentes brancos e perfeitos. Parei de respirar. Ele era realmente bonito. Não devia ser permitido ser-se tão atraente.

– Bom, para "descontrair" como disse, ando de barco, voo, dedico-me a várias atividades físicas. – Mudou de posição. – Sou um homem muito rico, Miss Steele, e tenho *hobbies* caros e absorventes.

Com vontade de mudar de assunto, olhei rapidamente para as perguntas da Kate.

– Investe na indústria. Porquê, especificamente? – perguntei.

Porque é que ele me deixava tão desconfortável?

– Gosto de construir coisas. Gosto de saber como elas funcionam: o que as faz mexer, como construir e destruir. E tenho paixão por navios. O que posso dizer?

– Parece mais o seu coração a falar do que a lógica e os factos.

O canto da boca dele começou a subir e olhou para mim com um ar avaliador.

– Possivelmente. Embora haja pessoas que diriam que eu não tenho coração.

– Porque diriam isso?

– Porque me conhecem bem.

Os lábios delinearam um sorriso seco.

– Os seus amigos diriam que é uma pessoa fácil de conhecer?

Arrependi-me da pergunta assim que a disse. Não estava na lista da Kate.

– Sou uma pessoa muito reservada, Miss Steele. Esforço-me por proteger a minha privacidade. Não dou entrevistas com frequência...

– Porque aceitou dar esta?

– Porque sou mecenas da universidade e porque, para todos os efeitos, não conseguia tirar Miss Kavanagh de cima de mim. Ela fartou-se de importunar a minha equipa do departamento de relações públicas e eu admiro esse tipo de tenacidade.

Eu sabia que ela conseguia ser muito persistente. Era por isso que eu estava ali sentada a contorcer-me diante do olhar penetrante dele, quando devia estar a estudar para os meus exames.

– Também investe em tecnologias agrícolas. Porque se interessa por essa área?

– Não podemos comer dinheiro, Miss Steele, e há demasiadas pessoas neste planeta que não têm o que comer.

– Isso parece muito filantrópico. É algo que o apaixona? Alimentar os pobres do mundo?

Ele respondeu com um encolher de ombros evasivo.

– É puro negócio – murmurou, embora me parecesse que estava a ser pouco honesto.

Não fazia sentido; alimentar os pobres do mundo? Não via nenhum ganho financeiro naquilo, apenas o virtuosismo do ideal. Espreitei a pergunta seguinte, confusa com a atitude dele.

– Tem alguma filosofia? Se sim, qual é?

– Não tenho uma filosofia nesse sentido. Talvez um princípio orientador – de Carnegie: "O homem que obtém a capacidade de se apropriar da sua mente por completo, pode apropriar-se de tudo o resto que lhe seja justamente devido". Sou uma pessoa muito singular, sou muito determinado. Gosto de ter controlo – sobre mim e sobre os que estão à minha volta.

– Então quer possuir coisas?

És um maníaco do controlo.

– Quero merecer possuí-las; mas sim, de facto, quero.

– Parece o consumidor supremo.

– E sou.

Sorriu, mas o sorriso não lhe chegou aos olhos. Mais uma vez, não batia certo com alguém que queria alimentar o mundo, por isso não conseguia evitar pensar que estávamos a falar de alguma outra coisa, mas não tinha a mínima ideia do quê. Engoli em seco. A temperatura do escritório estava a subir, ou talvez fosse apenas eu. Só queria que a entrevista acabasse. De certeza que a Kate já ficava com material que chegasse. Olhei para a pergunta seguinte.

– Foi adotado. Considera que isso influenciou muito a pessoa que é?

Oh, era muito pessoal. Fitei-o, esperando que não tivesse ficado ofendido. A testa dele enrugou-se.

– Não tenho forma de saber.

Despertou-me o interesse.

– Que idade tinha quando foi adotado?

– É uma questão do conhecimento público, Miss Steele.

O tom de voz era severo. *Raios*. Pois, claro – se eu soubesse que ia fazer a entrevista teria pesquisado alguma coisa. Atrapalhada, apressei-me a continuar.

– Sacrificou a família em prol do trabalho.

– Isso não é uma pergunta.

Foi seco.

– Desculpe.

Não sabia para onde me virar; fez-me sentir uma criança malcomportada. Fiz uma nova tentativa.

– Teve de sacrificar a família em prol do seu trabalho.

– Eu tenho família. Tenho um irmão e uma irmã e pais carinhosos. Não estou interessado em alargar a minha família para além disso.

– É *gay*, Mr. Grey?

Ele inspirou profundamente e eu encolhi-me, sem saber onde me enfiar. *Raios*. Porque não tinha preparado o caminho antes de desatar a ler aquilo? Não podia dizer-lhe que me limitava a ler as perguntas. Bolas para a Kate e a curiosidade dela.

– Não, Anastasia, não sou.

Franziu as sobrancelhas, um brilho frio nos olhos. Não parecia contente.

– Peço desculpa. Está, hã... aqui escrito.

Era a primeira vez que ele dizia o meu nome. A minha pulsação acelerou e senti outra vez a cara a aquecer. Nervosa, pus o cabelo solto atrás da orelha.

Ele inclinou a cabeça para o lado.

– As perguntas não são suas?

Senti-me a gelar.

– Eh... não. A Kate, a Miss Kavanagh, compilou as perguntas.

– São colegas no jornal académico?

Oh, não. Eu não tinha nada a ver com o jornal académico. Era a atividade extra curricular dela, não a minha. Tinha a cara a arder.

– Não. Divide o apartamento comigo.

Ele passou a mão pelo queixo em silenciosa deliberação, avaliando-me com os olhos cor de cinza.

– Ofereceu-se para fazer esta entrevista? – perguntou-me, com uma voz assustadoramente calma.

Calma aí, quem é que entrevistava quem, afinal? Os olhos dele penetraram-me e só consegui responder-lhe com a verdade.

– Fui chamada. Ela não está bem.

A voz saiu-me débil e acanhada.

– O que explica muita coisa.

Ouviu-se bater à porta e entrou a Loira Número Dois.

– Mr. Grey, peço desculpa pela interrupção, mas a sua próxima reunião é daqui a dois minutos.

– Ainda não acabámos, Andrea. Por favor cancele a minha próxima reunião.

Andrea hesitou e ficou boquiaberta a olhar para ele. Parecia perdida. Ele virou lentamente a cabeça para olhar para ela e ergueu as sobrancelhas. Ela ficou toda corada. *Ah, bem. Não era só eu.*

– Muito bem, Mr. Grey – balbuciou e depois saiu.

Ele franziu o sobrolho e prestou-me outra vez atenção.

– Onde íamos, Miss Steele?

Oh, agora voltámos à Miss Steele.

– Por favor, não deixe que o atrase.

– Quero saber mais sobre si. Parece-me justo.

Os olhos dele cintilavam de curiosidade. *Que grande porcaria. O que é que ele queria com aquilo?* Apoiou os cotovelos nos braços da poltrona e fez um triângulo com as mãos. A boca dele chamava muito a atenção. Engoli em seco.

– Não há muito para saber.

– O que planeia fazer depois de terminar o curso?

Encolhi os ombros, confusa com a atenção dele. *Mudar-me para Seattle com a Kate, procurar trabalho.* Na realidade não tinha pensado em mais nada para lá dos exames finais.

– Não fiz planos nenhuns, Mr. Grey. Só preciso de passar nos meus exames finais. – Para os quais devia estar a estudar naquele preciso momento, em vez de estar sentada no seu escritório sumptuoso, pretensioso e estéril, exposta ao seu olhar penetrante e a sentir-me desconfortável.

– Temos um programa de estágios excelente – disse numa voz calma.

Arqueei as sobrancelhas de surpresa. Estava a oferecer-me trabalho?

– Hum... Vou lembrar-me disso – murmurei, confusa. – Embora não tenha a certeza se me enquadraria muito bem aqui.

Oh, não! Estava outra vez a pensar alto.

– Porque disse isso? – Ele inclinou a cabeça para o lado, intrigado, com um sorriso a querer formar-se nos lábios.

– É óbvio, não é? Sou trapalhona, desleixada e não sou loira.

– Para mim não é.

O olhar dele era intenso, sem sombra de humor, e senti uns músculos estranhos no baixo-ventre a retesarem-se de repente. Salvei os meus olhos do escrutínio dele e olhei perdida para os meus dedos entrelaçados e tensos. *O que se passava?* Tinha de ir – imediatamente. Estiquei-me para a frente para agarrar no gravador.

– Quer que lhe mostre as instalações? – perguntou-me.

– De certeza que tem muito que fazer, Mr. Grey, e eu tenho uma longa viagem pela frente.

– Volta de carro para Vancouver? – Pareceu surpreendido, ansioso até. Olhou pela janela. Tinha começado a chover. – Bem, é melhor ir com cuidado. – Falou num tom severo, autoritário. Porque se importaria ele? – Tem tudo o que precisa? – perguntou ainda.

– Sim, senhor – respondi, enfiando o gravador na mochila. Ele semicerrou os olhos com um ar especulativo.

– Obrigada pela entrevista, Mr. Grey.

– O prazer foi todo meu – respondeu, educado como sempre.

Quando me levantei, ele pôs-se em pé e estendeu-me a mão.

– Até uma próxima, Miss Steele.

E aquilo pareceu um desafio, ou uma ameaça, não tenho a certeza de qual dos dois. Franzi a testa. Mas íamos voltar a encontrar-nos? Apertei-lhe mais uma vez a mão, perplexa por aquela estranha ligação se manifestar ainda entre nós. Deviam ser os meus nervos.

– Mr. Grey – saudei com um aceno de cabeça.

Ele alcançou a porta com uma graciosidade atlética e abriu-a completamente.

– Apenas para me certificar de que passa pela porta, Miss Steele.

Mostrou-me um pequeno sorriso. Referia-se obviamente à minha não tão elegante entrada no escritório. Corei.

– É muito atencioso da sua parte, Mr. Grey – devolvi, e o sorriso dele abriu-se.

Que bom que me achou divertida, resmunguei para dentro a caminho do *foyer*. Fiquei surpreendida quando ele saiu atrás de mim. Andrea e Olivia olharam ambas para cima, igualmente surpreendidas.

– Trouxe casaco? – perguntou Grey.

– Um blusão.

Olivia levantou-se de um salto e foi buscar-me o blusão, que Grey lhe tirou das mãos antes de ela conseguir entregar-mo. Ele segurou-o, e eu, muito acabrunhada, enfiei os braços. Deixou ficar as mãos por um momento nos meus ombros. O contacto deixou-me sem ar. Se ele reparou na minha reação, não deixou transparecer nada. Com o longo dedo indicador, carregou no botão para chamar o elevador e ficámos ali à espera – eu muito desconfortável, ele muito senhor de si. As portas abriram-se e eu apressei-me a entrar, desesperada por fugir dali. *Tinha mesmo de sair dali*. Quando me virei para olhar para ele, ele estava a olhar para mim, com uma mão apoiada ao lado da porta do elevador. Ele era mesmo muito, muito atraente. Era enervante.

– Anastasia – disse, a despedir-se.

– Christian – respondi. E por misericórdia as portas fecharam-se.

CAPÍTULO DOIS

Tinha o coração aos saltos. O elevador chegou ao primeiro andar e eu saí assim que as portas se abriram, tropeçando uma vez mais mas felizmente sem me estatelar no granito imaculado. Corri para as portas largas envidraçadas e senti-me livre no ar fresco, limpo e húmido de Seattle. Levantei a cara e recebi a chuva fria, refrescante. Fechei os olhos e inspirei profundamente, expurgando, tentando recuperar o que sobrara do meu equilíbrio.

Homem nenhum me afetara alguma vez como Christian Grey acabara de fazer e eu não conseguia descortinar porquê. Seria a beleza dele? Os modos? A riqueza? O poder? Não compreendia a minha reação irracional. Dei um enorme suspiro de alívio. Mas que raio tinha sido aquilo? Encostei-me a um dos pilares de aço do edifício, tentando corajosamente acalmar-me e pôr a cabeça em ordem. Abanei a cabeça. O que tinha sido aquilo? O meu coração regressou ao ritmo regular e quando consegui respirar normalmente fui para o carro.

Os limites da cidade ficaram para trás e eu revi mentalmente a entrevista, começando a sentir-me uma idiota envergonhada. De certeza que estava a ter uma reação desproporcionada a algo que era imaginário. OK, ele era muito atraente, confiante, autoritário, seguro de si – mas, por outro lado, era arrogante, e mesmo com as maneiras irrepreensíveis, autocrático e frio. Bem, à superfície. Senti um arrepio involuntário a descer-me pela espinha. Ele podia ser arrogante, mas também tinha direito de o ser – já conseguira tanto e ainda era tão novo. Não tinha pachorra para aturar ineptos, mas porque é que haveria de ter? Mais uma vez, fiquei irritada por Kate não me ter dado uma pequena biografia.

Enquanto conduzia calmamente o carro na direção da Interestadual 5, a minha mente continuava a divagar. Estava perfeitamente desorientada quanto ao que levava uma pessoa a procurar ter sucesso na vida com tanta determinação. Algumas das respostas dele tinham sido tão crípticas – como se tivesse uma agenda oculta. E as perguntas da Kate – *ugh*! A adoção e perguntar-lhe se era *gay*! Senti um arrepio. Nem acreditava que tinha dito aquilo. *Chão, engole-me imediatamente!* Todas as vezes que voltasse a pensar naquela pergunta, estremeceria de vergonha. Maldita Katherine Kavanagh.

Olhei para o conta-quilómetros. Conduzi com mais cuidado do que teria em qualquer outra ocasião. E sabia que era pela memória daqueles olhos cinzentos penetrantes e pela voz severa a dizer-me para guiar com cuidado. Abanando a cabeça, percebi que Grey era mais como um homem com o dobro da idade.

Esquece, Ana, repreendi-me a mim própria. Decidi que, no final de contas, tinha sido uma experiência muito interessante, mas que não devia ficar agarrada a ela. Tinha de a pôr para trás das costas. Nunca mais o veria. O pensamento deixou-me logo alegre. Liguei o rádio e aumentei o volume, recostei-me no assento e, ao som da batida ritmada do rock independente, carreguei no acelerador. Ao chegar à Interestadual 5, percebi que podia acelerar à vontade.

Vivíamos numa pequena comunidade de apartamentos dúplex, próxima do campus de Vancouver da WSU. Eu tinha sorte – os pais da Kate tinham-lhe comprado a casa, e eu pagava uma ninharia pela renda. Há quatro anos que era o meu lar. Encostei o carro já a pensar que a Kate ia querer um relatório minucioso, e ela era persistente. Bem, pelo menos tinha o gravador digital. Esperava não ter de dar muito mais informação do que o que tinha sido dito durante a entrevista.

– Ana! Voltaste. – A Kate estava sentada na zona comum, rodeada de livros. A estudar para os exames, sem dúvida – ainda com o pijama de flanela cor-de-rosa decorado com uns coelhinhos engraçados, aquele que ela reservava para o rescaldo dos rompimentos amorosos, para doenças de todo o tipo, e para a disposição depressiva em geral. Saltou para cima de mim e abraçou-me com força.

– Estava a ficar preocupada. Contava que voltasses mais cedo.

– Oh, achei que tinha feito um bom tempo, considerando que a entrevista tinha durado mais do que o previsto. Acenei-lhe com o gravador digital.

– Ana, muito obrigada por me fazeres isto. Fico a dever-te uma, eu sei. Como foi? Como é que ele é?

Oh, não – lá íamos nós – Katherine Kavanagh, a Inquisidora. A pergunta deixou-me atrapalhada. Ia dizer-lhe o quê?

– Ainda bem que terminou e que não tenho de voltar a vê-lo. É bastante intimidante, sabes? – disse com um encolher de ombros. – É muito determinado, intenso até... e novo. Muito novo.

Kate olhou para mim com um ar inocente. Eu franzi as sobrancelhas.

– Não ponhas essa cara inocente. Porque não me deste uma biografia? Ele fez-me sentir tão idiota por me faltar informação básica.

A Kate tapou logo a boca com a mão.

– Oh, Ana, desculpa, não pensei.

Eu bufei.

– Basicamente, foi cortês, formal, um bocadinho emproado, como se tivesse envelhecido antes do tempo. Não fala como um homem de vinte e qualquer coisa. Que idade tem ele, afinal?

– Vinte e sete. Oh, Ana, desculpa. Devia ter-te dado informação, mas estava tão aflita. Dá cá o gravador, que eu começo a transcrever a entrevista.

– Estás com melhor aspeto. Comeste a sopa? – perguntei, cheia de vontade de mudar de assunto.

– Sim, e estava deliciosa como de costume. Sinto-me muito melhor.

Sorriu-me com gratidão. Olhei para o relógio.

– Tenho de ir. Ainda consigo fazer o meu turno no Clayton's.

– Ana, vais ficar exausta.

– Estou bem. Até logo.

Trabalhava no Clayton's desde que tinha entrado para a WSU. Era a maior loja independente de materiais de construção da zona de Portland, e nos quatro anos de trabalho fiquei a conhecer um pouco de quase tudo o que vendemos – embora, por ironia, seja uma nódoa em qualquer tipo de bricolagem. Deixo tudo para o meu *pai*.

Fiquei contente por conseguir fazer o meu turno pois dava-me algo em que me concentrar para além de Christian Grey. Havia muito movimento – estávamos no início do verão e as pessoas andavam a redecorar a casa. Mrs. Clayton pareceu aliviada por me ver.

– Ana! Achei que não ias conseguir vir hoje.

– O meu compromisso não demorou tanto como pensei. Posso fazer algumas horas.

– Fico muito contente por te ver.

Mandou-me para o armazém reabastecer as prateleiras e rapidamente fiquei absorta na tarefa.

Mais tarde, quando regressei a casa, Katherine estava de auscultadores a trabalhar ao computador. Ainda tinha o nariz vermelho, mas estava agarrada a alguma história, por isso estava concentrada e a escrever furiosamente. Eu sentia-me completamente esgotada; a longa viagem deixara-me exausta, a entrevista fora extenuante e no Clayton's não me tinham deixado respirar. Atirei-me para cima do sofá, a pensar no trabalho que tinha de acabar e na matéria toda que não tinha estudado durante o dia porque tinha estado ocupada com... ele.

– Tens aqui bom material, Ana. Muito bem. Não acredito que não aceitaste a proposta dele para te mostrar as instalações. É óbvio que ele queria passar mais tempo contigo. – Lançou-me um olhar matreiro.

Corei, e o meu ritmo cardíaco aumentou inexplicavelmente. A razão não era aquela de certeza. Ele só queria mostrar-me a empresa para eu ver que ele era o senhor de tudo o que a vista alcançava. Notei que estava a morder o lábio e esperei que a Kate não reparasse. Mas ela parecia absorta na transcrição.

– Estou a ver o que queres dizer com formal. Tiraste notas? – perguntou.

– Hã... não, não tirei.

– Não importa. Isto dá para eu escrever um bom artigo. Tenho pena de não termos algumas fotografias originais. É giro o filho da mãe, não é?

– Acho que sim. – Esforcei-me muito para parecer desinteressada, e pareceu-me que estava a conseguir.

– Oh, por favor, Ana, nem tu consegues ficar imune à pinta dele. – Mostrou-me uma sobrancelha perfeitamente arqueada.

Raios! Senti as bochechas a aquecer por isso distraí-a com lisonjas, o que era sempre um bom estratagema.

– Tu provavelmente terias sacado muito mais coisas dele.

– Duvido, Ana. Por favor, ele praticamente te ofereceu emprego. Tendo em conta que eu te impingi isto no último minuto, saíste-te muito bem.

Ela olhou-me com um ar inquiridor. Bati em retirada para a cozinha.

– Mas o que é que achaste dele, *a sério?*

Bolas, era curiosa. Porque é que não deixava o assunto em paz? Tinha de pensar nalguma coisa – rápido.

– É muito determinado, controlador, arrogante; assustador, mas muito carismático. Consigo compreender o fascínio – acrescentei por ser verdade, esperando que aquilo a calasse de uma vez por todas.

– Tu, fascinada por um homem? Essa é nova – exclamou.

Comecei a reunir os ingredientes para uma sanduíche para ela não me conseguir ver a cara.

– Porque querias saber se ele era *gay*? De resto, foi a pergunta mais embaraçosa. Fiquei sem saber onde me meter e ele ficou chateado por eu lhe perguntar.

Fiz uma careta ao lembrar-me daquilo.

– Sempre que aparece nas páginas sociais, nunca está acompanhado.

– Foi constrangedor. Foi tudo constrangedor. Fico aliviada por não ter de lhe pôr os olhos em cima mais vez nenhuma.

– Então, Ana, não pode ter sido assim tão mau. Eu acho que ele parece ter ficado impressionado contigo.

Impressionado comigo? Agora a Kate estava a ser ridícula.

– Queres uma sanduíche?

– Sim, por favor.

Não falámos mais de Christian Grey durante o serão, para grande alívio meu. Depois de comermos, estava em condições de me sentar à mesa de jantar com a Kate e, enquanto ela trabalhava no artigo, escrevei o meu trabalho sobre a *Tess dos Urbervilles*. Fogo! A mulher estava no sítio errado, à hora errada, no século errado. Quando terminei, já era meia-noite e Kate há muito que tinha ido para a cama. Fui para o quarto, exausta, mas satisfeita por ter feito tanto numa segunda-feira.

Encolhi-me na minha cama de ferro branca, enrolei a manta da minha mãe à minha volta, fechei os olhos e adormeci imediatamente. Naquela noite sonhei com sítios escuros, flores brancas, frias e inertes, e olhos cinzentos.

Durante o resto da semana, entreguei-me aos meus estudos e ao meu trabalho no Clayton's. A Kate também estava ocupada, a preparar a última edição do jornal da universidade que faria antes de ter de o passar ao novo editor, e também a marrar para os exames finais. Na quarta-feira ela já estava muito melhor e eu já não tinha de suportar a visão do pijama de flanela cor-de-rosa com os coelhos excedentários. Liguei para a Geórgia, para a minha mãe, para saber como ela estava, mas também para ela me poder desejar boa sorte para os meus exames finais. Começou a falar-me da sua nova incursão pelo fabrico de velas – a minha mãe era louca por novas oportunidades de negócio. Basicamente, aborrecia-se e queria alguma coisa com que ocupar o tempo, mas tinha a capacidade de concentração de um peixinho dourado. Na semana seguinte seria qualquer coisa nova. Deixava-me preocupada. Esperei que não tivesse hipotecado a casa para financiar o último projeto. E esperei que o Bob – o marido, relativamente novo mas muito mais velho do que ela – estivesse de olho nela agora que eu já lá não estava. Parecia ter os pés bastante mais bem assentes na terra do que o Marido Número Três.

– E tu, como vão as coisas?

Por um momento, hesitei, e tive toda a atenção da minha mãe.

– Estou bem.

– Ana? Conheceste alguém?

Uau... como é que ela fez aquilo? A excitação na sua voz era palpável.

– Não, mãe, não é nada. És a primeira a saber se conhecer alguém.

– Ana, precisas de sair mais, querida. Deixas-me preocupada.

– Mãe, estou ótima. Como está o Bob? – Como sempre, a distração era a melhor política.

Mais tarde, liguei para o Ray, o meu padrasto, o Marido Número Dois da minha mãe e o homem que considero meu pai, o homem de quem tenho o nome. Foi uma conversa breve. Na verdade, não foi tanto uma conversa mas mais uma série de ruídos de um lado em resposta às minhas perguntas carinhosas. O Ray não era conversador. Mas ainda estava vivo, ainda via futebol na TV (ou então jogava *bowling*, e pescava à linha, ou então fazia mobília). O Ray era mestre carpinteiro e era por causa dele que eu sabia a diferença entre um esparavel e uma serra. Parecia estar tudo bem com ele.

Era sexta à noite e Kate e eu debatemos o que fazer – queríamos abstrair-nos dos estudos, do trabalho e de jornais académicos – quando tocou a campainha. À entrada, estava o meu bom amigo José com uma garrafa de champanhe na mão.

– José! Que maravilha ver-te aqui! – Abracei-o rapidamente. – Entra.

O José foi a primeira pessoa que eu conheci quando cheguei à WSU, e ele tinha um ar tão sozinho e perdido como eu. Naquele dia, vimos um no outro uma alma irmã, e desde então éramos amigos. Não só tínhamos o mesmo sentido de humor como descobrimos também que o Ray e o José Sénior tinham estado juntos na mesma unidade do exército. Como resultado, os nossos pais também se tinham tornado bons amigos.

O José estudava engenharia e era o primeiro da família a ter chegado à universidade. Ele era mesmo muito inteligente, mas a verdadeira paixão dele era a fotografia. O José tinha um excelente olho para boas fotografias.

– Tenho notícias – disse ele com um sorriso aberto e os olhos brilhantes.

– Não me digas: conseguiste que não te expulsassem durante mais uma semana – brinquei, e ele olhou-me com um ar ameaçador mas de gozo.

– A Portland Place Gallery vai expor as minhas fotos no próximo mês.

– Fantástico! Parabéns! – Contentíssima por ele, abracei-o outra vez. A Kate também lhe sorriu radiante.

– Assim é que é, José! Devia pôr a notícia no jornal. Nada como alterações editoriais de último minuto numa sexta-feira à noite – disse, fingindo aborrecimento.

– Vamos celebrar. Tens de ir à inauguração. – O José olhou para mim intensamente e eu corei. – Têm, as duas, claro – acrescentou, olhando nervosamente para Kate.

O José e eu éramos bons amigos, mas eu sabia que lá no fundo ele gostaria que houvesse algo mais. Ele era giro e engraçado, mas eu sabia que não era para mim. Era mais o irmão que eu nunca tinha tido. A Katherine chateava-me muitas vezes, que me faltava o gene do "preciso de um namorado", mas a verdade é que simplesmente ainda não tinha encontrado alguém que... bem, por quem me sentisse atraída, embora uma parte de mim desejasse os famigerados joelhos a tremer, o coração na boca e as borboletas no estômago.

Às vezes perguntava-me se se passaria alguma coisa comigo. Talvez tivesse gastado demasiado tempo na companhia dos meus heróis românticos da literatura e, em consequência disso, os meus ideais e expetativas fossem descabidamente altos. Mas, a verdade, é que nunca ninguém me tinha feito sentir assim.

Até há muito pouco tempo, sussurrou a indesejada voz mansa e delicada do meu subconsciente. NÃO! Escorracei o pensamento imediatamente. Não estava para aquilo, não depois do descalabro daquela entrevista. *É gay, Mr. Grey?* Só de me lembrar ficava com calafrios. Sabia que tinha sonhado com ele a maioria das noites desde então, mas era apenas para expurgar a experiência dolorosa do meu sistema.

Olhei para o José a abrir a garrafa de champanhe. Era alto e todo ele era ombros e músculos com aqueles *jeans* e a *t-shirt,* pele bronzeada, cabelo negro e olhos escuros e intensos. Sim, o José tinha o seu quê, mas parecia-me que ele começava a compreender a mensagem: éramos só amigos. A rolha fez o seu som caraterístico e o José levantou a cabeça e sorriu.

No sábado, a loja estava um pesadelo. Éramos assediados por "bricoladores" a quererem dar um novo visual às casas. Eu, o Mr. e a Mrs. Clayton, assim como o John e o Patrick, – os outros dois colegas que estavam a tempo parcial – éramos cercados pelos clientes. Mas houve alguma acalmia por volta da hora de almoço e a Mrs. Clayton pediu-me para verificar umas encomendas enquanto estava na caixa registadora, sentada atrás do balcão, a comer discretamente o meu *bagel*. Estava envolvida na tarefa, a verificar os números de catálogo dos itens de que precisávamos e os que tínhamos encomendado, passando rapidamente os olhos do livro de encomendas para o ecrã do computador e outra vez para o livro, certificando-me de que as entradas conferiam. Foi então que, por qualquer razão, olhei para cima... e vi que era o alvo dos olhos cinzentos e arrojados de Christian Grey, que estava ao balcão, a olhar para mim.

Falência cardíaca.

– Miss Steele. Que surpresa tão agradável. – O olhar dele era resoluto e intenso.

Bolas. Que raio é que ele estava a fazer ali, com aquele ar de feriado, cabelo desgrenhado, camisola de malha grossa, *jeans* e botas de caminhar? Pareceu-me que a minha boca se escancarou, e não conseguia localizar nem o meu cérebro, nem a minha voz.

– Mr. Grey – sussurrei, porque não consegui fazer mais nada.

Os lábios dele pareciam querer sorrir e os olhos tinham um brilho divertido, como se se risse de algo que só ele sabia.

– Estava nesta zona – disse, como que a explicar-se. – Preciso de me abastecer de algumas coisas. É um prazer voltar a vê-la, Miss Steele.

A voz dele era quente e sedutora como brigadeiro de caramelo derretido... ou qualquer coisa assim.

Abanei a cabeça para a pôr a funcionar. O meu coração batia a um ritmo frenético e por qualquer razão corei furiosamente ao sentir-me completamente examinada por ele. Fiquei totalmente rendida à visão dele, ali à minha frente. As minhas memórias não lhe faziam justiça. Ele não era só atraente – era o suprassumo da beleza masculina, deslumbrante, e estava aqui. Aqui, na loja de materiais de construção. Ia-se lá saber. Finalmente, as minhas funções cognitivas foram recuperadas e religadas ao resto do corpo.

– Ana, o meu nome é Ana – balbuciei. – Em que posso ajudá-lo, Mr. Grey?

Ele sorriu, e mais uma vez parecia ter o conhecimento privilegiado de algum grande segredo. Era tão desconcertante. Respirei fundo e assumi a minha postura mais profissional, de quem trabalhava na loja há anos. *Eu consigo.*

– Há alguns itens de que preciso. Para começar, gostaria de levar algumas braçadeiras para cabos – murmurou, com uma expressão descontraída e divertida ao mesmo tempo.

Braçadeiras para cabos?

– Temos vários comprimentos. Quer que lhe mostre? – perguntei baixinho, com a voz suave a vacilante. *Controla-te Anastasia.*

Um ligeiro franzir de testa maculou o seu semblante adorável.

– Por favor. Pode avançar, Miss Steele – respondeu-me.

Tentei aparentar descontração ao sair de trás do balcão, mas na verdade estava completamente concentrada em tentar não tropeçar nos meus próprios pés – de repente as minhas pernas ficaram com consistência de gelatina. Congratulei-me por ter decidido vestir os meus melhores *jeans* naquela manhã.

– Estão junto aos materiais elétricos, corredor oito. – A minha voz estava um bocadinho animada demais. Olhei para ele e arrependi-me quase imediatamente. Bolas, ele era tão giro.

– A menina primeiro – murmurou ele, esticando os dedos longos e bem arranjados.

Com o coração quase a estrangular-me – porque estava na garganta a tentar fugir pela boca – desci um dos corredores até à secção elétrica. *Porque é que ele estava em Portland? Porque tinha ido à Clayton's?* E, de um lugar minúsculo, raramente solicitado, do meu cérebro – provavelmente situado na base do meu mielencéfalo, perto da localização do meu subconsciente – veio-me o pensamento: *Estava ali para te ver.* Que ideia! Pu-la logo de parte. Porque quereria aquele homem lindo, poderoso e seguro de si ver-me? A ideia era um autêntico disparate e eu escorracei-a da cabeça.

– Está em Portland em negócios? – perguntei, e a minha voz saiu alta demais, como se eu tivesse entalado o dedo numa porta ou alguma coisa assim.

Bolas Ana! Tenta descontrair-te!

– Vim visitar o polo agrícola da WSU. Fica localizado em Vancouver. Atualmente estou lá a fundar um projeto de pesquisa no âmbito da rotação de culturas e da pedologia – esclareceu, muito objetivamente.

Vês? Não foi nada para te ver, desdenhou o meu subconsciente, com grande alarido. Corei por causa dos meus pensamentos ridículos e caprichosos.

– Faz tudo parte do plano para alimentar o mundo inteiro? – brinquei.

– Qualquer coisa assim – concedeu, e os lábios curvaram-se num meio-sorriso

Olhou para a seleção de braçadeiras de cabos que tínhamos no Clayton's. O que será que ele ia fazer com aquilo? Não tinha pinta nenhuma de entusiasta por bricolagem. Os seus dedos percorreram as várias embalagens disponíveis e, por alguma razão inexplicável, vi-me obrigada a desviar o olhar. Ele inclinou-se e escolheu.

– Estes servem – disse, com aquele sorriso "sou todo segredos".

– Mais alguma coisa?

– Queria fita adesiva.

Fita adesiva?

– Está a fazer obras?

As palavras saíram antes de eu conseguir impedi-las. Seguramente que contratou alguém ou que tinha empregados para o ajudarem.

– Não, obras não – disse logo de seguida, e depois pôs um ar divertido e eu fiquei com a estranha sensação de que ele se ria de mim.

Sou assim tão cómica? Tenho um ar engraçado?

– Por aqui – murmurei, envergonhada. – A fita adesiva está no corredor da decoração.

Olhei para trás para ver se ele vinha atrás de mim.

– Trabalha aqui há muito tempo? – A voz dele era grave e olhou para mim com um ar muito concentrado. Eu corei ligeiramente. Por que raio é que ele tinha aquele efeito em mim? Parecia que tinha catorze anos – aselha, como sempre, e constrangida. *Levanta a cabeça, Anastasia.*

– Há quatro anos – balbuciei ao chegarmos ao nosso destino. – Para me abstrair, estendi a mão e peguei nas duas larguras de fita adesiva que tínhamos.

– Levo essa – disse ele suavemente, apontando para a fita mais larga, que lhe passei então.

Os nossos dedos tocaram-se muito levemente e surgiu de novo a corrente, que se descarregou dentro de mim como se eu tivesse tocado num fio exposto. Fiquei praticamente sem ar ao senti-la percorrer-me até ao baixo-ventre, até algum sítio escuro e inexplorado no fundo do meu ventre. Desesperada, tentei manter o equilíbrio.

– Mais alguma coisa?

A voz saiu-me rouca e ofegante. Os olhos dele ficaram ligeiramente maiores.

– Um bocado de corda, julgo eu. – A voz dele refletiu a minha, rouca.

– Por aqui. – Baixei a cabeça, para esconder o rubor crescente, e dirigi-me para a secção adequada. – De que tipo procurava? Temos cordas de fibras sintéticas e naturais... barbante... cabo...

Parei ao ver a expressão dele, os olhos a ficarem mais escuros. *Eh, lá!*

– Levo cinco metros da corda de fibras naturais, por favor.

Rapidamente, com os dedos a tremer, medi cinco metros com a régua fixa, consciente de que aquele olhar quente estava em cima de mim. Não me atrevi a olhar para ele. Credo, será que conseguia ficar mais constrangida do que já estava? Tirei o meu x-ato do bolso de trás, cortei a corda, enrolei-a direitinha e depois atei-a com um nó corredio. Por milagre, consegui não amputar um dedo com a lâmina.

– Foi escoteira? – perguntou, com um trejeito divertido nos lábios sensuais e cinzelados. *Não olhes para a boca dele!*

– As atividades de grupo organizadas não são a minha onda, Mr. Grey.

Ele arqueou uma sobrancelha.

– E o que é a sua onda, Anastasia? – perguntou com voz suave, o sorriso secreto de novo nos lábios.

Fiquei a olhar para ele, sem conseguir exprimir-me. Senti-me entre placas tectónicas. *Tenta manter a calma, Ana,* implorava-me de joelhos o meu subconsciente atormentado.

– Livros – disse num sussurro, mas lá dentro o meu subconsciente gritava *Tu! Tu é que és a minha onda!* Afastei imediatamente a ideia, envergonhadíssima por a minha psique se lançar em voos tão altos.

– Que tipo de livros? – perguntou, inclinando a cabeça de lado.

Porque é que ele estava tão interessado?

– Ah, sabe como é, o costume. Os clássicos. Literatura inglesa principalmente.

Ele começou a coçar o queixo com o longo indicador e o polegar, matutando na minha resposta. Ou talvez estivesse apenas muito aborrecido e tentasse escondê-lo.

– Há mais alguma coisa de que precise?

Tinha de me desembaraçar daquele assunto, aqueles dedos naquele rosto tornavam-se demasiado chamativos.

– Não sei. Que mais recomendaria?

O que eu recomendaria? Eu nem sequer sabia o que ele andava a fazer.

– Para fazer bricolagem?

Ele acenou que sim com a cabeça, os olhos brilhantes de malícia. Eu corei e o meu olhar divergiu para os *jeans* justos.

– Um macacão – respondi, e soube que já não controlava o que me saía pela boca.

Ele arqueou uma sobrancelha, divertido ainda.

– Não vai querer estragar a roupa – respondi, indicando as calças de ganga dele com um gesto rápido.

– Posso sempre tirá-la – disse com um sorriso de través.

– Pois. – Senti mais uma vez o rosto a ficar quente. Devia estar da cor do Manifesto Comunista. *Para de falar. Para de falar, AGORA.*

– Levo o tal macacão. Nem pensar em estragar a roupa – disse secamente.

Tentei afastar a imagem dele sem calças que entretanto se intrometeu.

– Deseja mais alguma coisa? – perguntei num gemido, entregando-lhe o macacão azul.

Ele ignorou a minha pergunta.

– Como está a correr o artigo?

Finalmente fazia-me uma pergunta fácil e saíamos da confusão das insinuações e dos segundos sentidos... Uma pergunta à qual conseguia responder. Agarrei-me a ela com as duas mãos como se fosse um salva-vidas e optei pela honestidade.

– Não sou eu que está a escrevê-lo, é a Kate. A Miss Kavanagh . Que vive comigo; é ela. Está muito contente com o artigo. É editora do jornal e ficou destroçada por não poder fazer ela mesma a entrevista.

Senti que podia voltar a respirar; por enfim um tópico normal de conversa.

– A única preocupação dela é não ter fotografias suas originais.

– Que tipo de fotografia é que ela quer?

OK. Não tinha imaginado uma resposta daquelas. Abanei a cabeça, porque simplesmente não sabia.

– Bom, eu estou por aqui. Amanhã, talvez...

– Estaria disponível para uma sessão fotográfica? – A minha voz voltou a sair em guincho. A Kate ia ficar no sétimo céu se eu conseguisse aquilo. *E podes voltar a vê-lo amanhã*, sussurrou-me, sedutor, aquele sítio sombrio no fundo do meu cérebro. Eu afastei o pensamento – de todas as patetices...

– A Kate ficaria encantada, se conseguirmos encontrar um fotógrafo. – Senti-me tão contente que fiz um grande sorriso. Os lábios dele afastaram-se, como se inspirasse profundamente e pestanejou. Por uma fração de segundo, pareceu algo perdido, e a terra oscilou ligeiramente no seu eixo e as placas tectónicas assumiram uma nova posição.

Meu Deus. O olhar perdido de Christian Grey.

– Diga-me alguma coisa sobre amanhã. – Foi ao bolso de trás e tirou a carteira. – O meu cartão. Tem o meu telemóvel. Tem de ligar antes das dez da manhã.

– OK – confirmei com um grande sorriso.

A Kate ia ficar excitadíssima.

– *Ana*!

O Paul materializou-se na outra ponta do corredor. Era o irmão mais novo de Mr. Clayton. Tinha ouvido dizer que ele regressara de Princeton, mas não estava a contar vê-lo naquele dia.

– Hã... dê-me licença por um instante Mr. Grey.

Ele fez uma expressão descontente ao ver-me afastar.

O Paul sempre fora um amigalhaço, e naquele estranho momento que eu estava a ter com o rico, poderoso, fantasticamente atraente e maníaco do controlo Christian Grey, foi ótimo falar com alguém normal. O Paul deu-me um valente abraço, o que me apanhou de surpresa.

– Ana, olá, é tão bom ver-te! – cumprimentou-me efusivamente.

– Olá Paul, como estás? Vieste para o aniversário do teu irmão? – perguntei.

– Sim. Estás com bom aspeto, Ana, muito bom aspeto.

Ele sorriu e afastou-me para me examinar. Depois tirou a mão mas colocou-me um braço possessivo sobre os ombros. Eu fiquei a saltitar entre um pé e outro, constrangida. Estava a gostar de ver o Paul, mas ele sempre tinha sido de familiaridades excessivas.

Quando olhei para Christian Grey, ele observava-nos como um falcão, com os olhos semicerrados e perscrutadores, a boca uma linha dura e impassível. De cliente estranhamente atencioso, transformara-se noutra pessoa – alguém frio e distante.

– Paul, estou com um cliente. Alguém que tens de conhecer – disse, na tentativa de aliviar o antagonismo que via na expressão de Grey. Arrastei o Paul para o pé dele e os dois mediram-se mutuamente. A atmosfera tornou-se subitamente gélida.

– Hã… Paul, este é Christian Grey. Mr. Grey, este é Paul Clayton. O irmão é o dono da loja. – Por qualquer razão irracional, senti que tinha de dar mais explicações. – Conheço o Paul desde que comecei a trabalhar aqui, apesar de não nos vermos com grande frequência. Ele chegou de Princeton, onde estuda administração de empresas.

Estava a atropelar-me… *Para imediatamente!*

– Mr. Clayton – cumprimentou Grey estendendo-lhe a mão, com um olhar indecifrável.

– Mr. Grey – cumprimentou Paul, correspondendo ao aperto de mão.

– Espere aí… não é o Christian Grey? Da Grey Enterprises Holdings?

O Paul passou de carrancudo a reverente em menos de um nanossegundo. Grey dirigiu-lhe um sorriso educado que não lhe chegou aos olhos.

– Uau! Há alguma coisa que possa fazer por si?

– A Anastasia já tratou de tudo, Mr. Clayton. Tem sido muito atenciosa. – A expressão dele era impassível, mas as palavras… Era como se dissesse algo completamente diferente. Foi desconcertante.

– Fixe – respondeu Paul. – Vemo-nos mais logo, Ana.

– Sim, Paul – anuí, vendo-o desaparecer em direção ao armazém. – Mais alguma coisa, Mr. Grey?

– Só estes artigos. – disse com uma voz articulada e calma.

Raios... Será que o tinha ofendido? Respirei fundo e dei meia volta, dirigindo-me para a caixa registadora. *Qual era o problema dele?*

Registei a corda, o macacão, a fita adesiva e as braçadeiras de cabos.

– São quarenta e três dólares, por favor. – Olhei para ele e desejei não o ter feito. Observava-me muito atentamente, muito intensamente. Era enervante.

– Quer um saco? – perguntei, pegando no cartão de crédito dele.

– Por favor, Anastasia. – A língua dele disse o meu nome como uma carícia e o meu coração ficou novamente num frenesim. Eu mal conseguia respirar. Pus-lhe as compras num saco à pressa.

– Telefona-me se quiser que faça a sessão fotográfica? – Voltava a ser todo negócios. Eu acenei que sim, mais uma vez incapaz de falar, e entreguei-lhe o cartão de crédito.

– Bom, até amanhã, talvez. – Fez menção de sair e depois parou. – Ah, Anastasia, fico contente por a Miss Kavanagh não ter podido fazer a entrevista.

Sorriu e encaminhou-se para a saída com passos enérgicos, atirando o saco plástico por cima do ombro e deixando-me numa pilha de hormonas femininas em fúria. Fiquei vários minutos a olhar para a porta fechada pela qual ele acabara de sair antes de regressar ao planeta terra.

OK – gostava dele. Pronto, admitira-o para mim própria. Não podia continuar a esconder-me dos meus sentimentos. Nunca me tinha sentido assim. Achava-o muito, muito atraente. Mas era uma causa perdida, sabia-o, por isso suspirei com uma mágoa agridoce. Tinha sido só coincidência, ele ir lá. Ainda assim, podia admirá-lo de longe, certamente. Não havia mal nenhum nisso. E se encontrasse um fotógrafo, no dia seguinte podia passar um bom tempo a admirá-lo. Mordi o lábio de expetativa e dei por mim a sorrir como uma rapariguinha. Precisava de telefonar à Kate e de organizar uma sessão fotográfica.

CAPÍTULO TRÊS

A Kate ficou esfuziante.

– Mas o que foi ele fazer ao Clayton's?

A curiosidade dela sentia-se através do telefone. Eu estava nas profundezas do armazém, a tentar falar com uma voz descomprometida.

– Estava por aqui.

– Parece-me uma coincidência enorme, Ana. Não achas que ele foi lá para te ver?

O meu coração deu um salto perante aquela perspetiva, mas foi uma felicidade de curta duração. A realidade crua e desoladora era que ele tinha lá ido em negócios.

– Estava de visita ao polo agrícola da WSU. Está a fundar umas pesquisas – murmurei.

– Pois é. Ele fez um donativo de dois milhões e meio ao departamento.

Uau!

– Como é que sabes isso?

– Ana, sou jornalista, e escrevi o perfil do tipo. É o meu trabalho saber estas coisas.

– OK, Carla Bernstein, não te descabeles. Queres as fotos, então?

– Claro que quero. A questão é quem vai fazê-las, e onde.

– Podemos perguntar-lhe em que sítio. Ele disse que ia ficar por cá.

– Podes contactá-lo?

– Tenho o telemóvel dele.

A Kate fez um barulho.

– O solteiro mais rico, mais esquivo e mais enigmático do estado de Washington deu-te o número de telemóvel?

– Hã... sim.

– Ana! Ele gosta de ti. Não há a mínima dúvida – disse, com ênfase na voz.

– Kate, ele só está a tentar ser simpático.

Mas assim que disse as palavras, soube que não eram verdade – Christian Grey não se prestava a ser simpático. Prestava-se a ser educado, quando muito. E sussurrou uma vozinha: *Talvez a Kate tenha razão*. Senti a nuca a arrepiar-se só de pensar que talvez, remotamente, ele pudesse gostar de mim. Afinal, ele tinha dito que ficara contente por não ter sido a Kate a fazer a entrevista. Abracei-me a mim própria numa alegria contida, balançando-me, a considerar a possibilidade de que ele pudesse gostar de mim. A Kate trouxe-me para o agora.

– Não sei quem nos vai fazer as fotos. O Levi, o fotógrafo habitual, não pode. Está em casa, em Idaho Falls, a passar o fim de semana. Vai ficar chateadíssimo por ter perdido a oportunidade de fotografar um dos empreendedores mais proeminentes da América.

– Hum... E que tal o José?

– Grande ideia! Pergunta-lhe, ele faz tudo por ti. Depois liga ao Grey e descobre onde é que ele nos quer.

Era irritante a Kate ser tão desprovida de cerimónia em relação ao José.

– Acho que devias ligar-lhe tu.

– A quem, ao José? – perguntou em tom de chacota.

– Não, ao Grey.

– Ana, foste tu que estabeleceste uma relação.

– Relação? – reagi com um guincho, com a voz várias oitavas mais aguda. – Eu mal conheço o tipo.

– Pelo menos já te encontraste com ele – retorquiu rispidamente. – E parece que ele quer conhecer-te melhor. Ana, liga-lhe – atirou e desligou logo a seguir. – Ela às vezes conseguia ser tão mandona. Mostrei a língua ao telemóvel.

Estava precisamente a deixar uma mensagem ao José quando o Paul entrou no armazém à procura de lixa.

– Estamos um bocado atarefados cá fora – disse ele sem qualquer aspereza.

– Oh... sim, desculpa – balbuciei, fazendo menção de sair.

– Então, como é que conheceste o Christian Grey? – O tom desinteressado da voz dele soava pouco convincente.

– Tive de o entrevistar para o jornal da faculdade. A Kate não estava bem. – Encolhi os ombros, tentando parecer descontraída, mas sem ter mais sucesso do que ele.

– O Christian Grey no Clayton's. Vá-se lá imaginar – exclamou, espantado. Abanou a cabeça como para espairecer. – Passando à frente, queres ir beber um copo ou fazer qualquer coisa hoje à noite?

Cada vez que o Paul vinha a casa convidava-me para sair e eu dizia sempre que não. Era um ritual. Nunca considerei uma boa ideia sair com o irmão do patrão, e, além disso, o Paul era giro, à boa maneira americana, mas não era, de forma alguma, nenhum herói literário. *O Grey é?* perguntou-me o meu subconsciente, com uma sobrancelha erguida, por assim dizer. Eu cortei-lhe o pio.

– Não tens nenhum jantar de família ou qualquer coisa assim, para o teu irmão?

– É amanhã.

– Talvez numa outra altura, Paul. Hoje preciso de estudar. Tenho exames finais na próxima semana.

– Ana, um destes dias vais dizer que sim.

Sorriu e eu escapei para a loja.

– Mas eu fotografo lugares, Ana, não pessoas – insistiu o José.

– Por favor, José... – supliquei. Andava para a frente e para trás na sala do apartamento, agarrada ao telemóvel, olhando pela janela e vendo desvanecer-se a luz do final do dia.

– Dá-me o telefone. – A Kate tirou-mo da mão, atirando o cabelo sedoso, de um loiro arruivado, por cima do ombro. – Ouve bem, José Rodriguez, se queres que o nosso jornal faça a cobertura da tua exposição, vais fazer-nos esta sessão fotográfica amanhã, *capiche?* – A Kate conseguia ser tremendamente dura. – Ainda bem. A Ana liga-te com a localização e a hora. Até amanhã. – Bateu a tampa do telemóvel.

– Resolvido. Agora resta-nos apenas decidir onde e quando. Liga-lhe. – Estendeu-me o telefone. O meu estômago contorceu-se. – Liga para o Grey, agora!

Eu fiz-lhe uma careta e tirei o cartão do bolso de trás. Respirei profundamente para me acalmar e marquei o número com dedos trémulos.

Ele atendeu ao segundo toque. O tom de voz dele era objetivo, calmo e frio.

– Grey.

– Hã... Mr. Grey? Sou a Anastasia Steele. – Eu não reconhecia a minha própria voz de tão nervosa que estava. Houve uma pausa breve. Por dentro, eu estava a tremer.

– Miss Steele. Que bom ter notícias suas.

A voz dele mudara. Estava surpreendido, aparentemente, e parecia tão... atencioso. *Sedutor*, até. A minha respiração parou e eu corei. Reparei subitamente que Katherine Kavanagh olhava para mim, com a boca aberta, e corri para a cozinha para evitar o indesejado escrutínio dela.

– Eh... Gostávamos de ir em frente com a sessão fotográfica para o artigo. – *Respira, Ana, respira.* Os meus pulmões mexeram-se para uma inspiração apressada.

– Amanhã, se for possível. Em que sítio lhe seria mais conveniente, Mr. Grey?

Quase consegui ouvir o seu sorriso de esfinge pelo telefone.

– Estou no Heathman, em Portland. Digamos, às nove e meia, amanhã de manhã?

– OK, lá estaremos. – Eu fiquei toda efusiva e ofegante, como uma criança, não uma mulher adulta que pode votar e beber dentro da lei no estado de Washington.

– Fico a aguardar, Miss Steele.

Vi-lhe o brilho malicioso dos olhos. *Como é que ele conseguiu pôr naquelas sete palavrinhas tanta expetativa e tanta tortura?* Desliguei. A Kate estava na cozinha e olhava para mim com um ar de total e completa estupefação.

– Anastasia Rose Steele. Tu gostas dele! Nunca te vi nem ouvi assim tão... tão... afetada por alguém. Estás mesmo a corar.

– Oh, Kate, tu sabes que estou sempre a corar. É inevitável. Não sejas ridícula – reagi.

Ela piscou os olhos, surpreendida – era muito raro eu fazer uma cena – e eu acalmei-me um pouco.

– Só o acho um bocado... intimidante, só isso.

– No Heathman. Bate certo – murmurou a Kate. – Vou dar uma apitadela ao gerente para negociar um espaço para a sessão.

– Eu vou fazer o jantar. Depois preciso de estudar. – Sem conseguir esconder a minha irritação com ela, lá abri um dos armários para preparar o jantar.

Dormi mal naquela noite. Virava-me para um lado e para o outro, sonhei com olhos cinzentos e velados, macacões, pernas compridas, dedos longos e lugares inexplorados muito, muito sombrios. Acordei duas vezes a meio da noite, com o coração aos pulos. *Oh, ia estar com um aspeto fantástico amanhã a dormir assim tão pouco,* recriminei-me. Dei um murro na almofada e tentei acalmar-me.

O Heathman ficava situado no coração da baixa de Portland. O impressionante edifício de pedra castanha fora terminado mesmo a tempo do *crash* do final dos anos 1920. O José, o Travis e eu íamos no meu carocha e a Kate no CLK dela, já que não cabíamos todos no mesmo carro. O Travis era amigo do José e também era o faz-tudo dele, e estava lá para ajudar com a iluminação. A Kate tinha conseguido que lhe dessem o usufruto de um quarto sem encargos durante a parte da manhã em troca de um agradecimento no artigo. Quando explicou na receção que nos encontrávamos lá para fotografar Christian Grey, o CEO, fomos imediatamente agraciados com uma suíte. Uma suíte normal, porém, pois ao que parecia o Mr. Grey já ocupava a maior do edifício. Um diretor de *marketing* demasiado solícito apareceu-nos na suíte – era terrivelmente jovem e estava muito nervoso por qualquer razão. Suspeito que a beleza e a atitude dominante de Kate o tinham desarmado pois ela tinha-o a comer-lhe na mão. Os quartos eram elegantes, discretos e mobilados com o bom e o melhor.

Eram nove. Tínhamos meia hora para montar tudo. A Kate estava a todo o gás.

– José, parece-me melhor fotografarmos naquela parede, não achas? – Não esperou pela resposta dele. – Travis, arruma as cadeiras. Ana, podes pedir à manutenção que nos traga umas águas? E que digam ao Grey que chegámos.

Sim, minha senhora. Era tão dominadora. Revirei os olhos mas fiz o que me mandaram.

Meia hora depois, Christian Grey entrou na nossa suíte.

Meu Deus! Estava de camisa branca, aberta no colarinho e calças cinzentas de flanela que caíam a direito. O cabelo desgovernado ainda estava molhado do duche. Fiquei com a boca seca só de olhar para ele... era uma verdadeira bomba. A seguir a Grey entrou na suíte um homem dos seus trinta e tais, cabelo rapado e barba rala, com um fato e gravata pretos impecáveis, que ficou silenciosamente em pé a um canto. Os seus olhos cor de avelã observavam-nos impassivelmente.

– Miss Steele, encontramo-nos novamente.

Grey estendeu a mão e eu apertei-a, pestanejando. Oh, Deus... ele é mesmo um... Quando lhe toquei na mão apercebi-me da corrente deliciosa que me atravessava, me despertava, me fazia corar, e tinha a certeza de que a minha respiração errática devia ouvir-se bem.

– Mr. Grey, esta é a Katherine Kavanagh – balbuciei, indicando a Kate, que avançou, olhando-o de frente.

– A tenaz Miss Kavanagh. Como está? – Parecendo genuinamente divertido, dirigiu-lhe um pequeno sorriso. – Imagino que esteja melhor? A Anastasia disse que não se sentia bem na semana passada.

– Estou bem, obrigada, Mr. Grey. – Kate apertou-lhe a mão com firmeza, sem pestanejar. Faço questão de me recordar de que a Kate tinha frequentado as melhores escolas privadas de Washington. A família dela tinha dinheiro e ela crescera confiante e segura do seu lugar no mundo. Ela não fazia por menos. Admirei-a.

– Obrigada por reservar tempo para isto – agradeceu ela, com um sorriso educado e profissional.

– É um prazer – devolveu ele, voltando-se para mim e voltando eu a corar.

Raios.

– Este é José Rodriguez, o nosso fotógrafo – disse eu, a sorrir para o José, que me devolveu um sorriso afetuoso.

Os olhos dele endureceram quando passaram de mim para Grey.

– Mr. Grey – cumprimentou com um aceno de cabeça.

– Mr. Rodriguez.

A expressão de Grey mudou, também, a tirar as medidas ao José.

– Onde me quer? – perguntou-lhe o Grey.

O seu tom de voz tinha algo de ameaçador. Mas a Katherine não ia deixar o José tomar o comando.

– Mr. Grey, podia sentar-se aqui, por favor? Tenha atenção aos cabos. E depois tiramos algumas de pé, também.

Levou-o para uma cadeira encostada à parede.

Travis ligou as luzes, cegando momentaneamente Grey, e balbuciou um pedido de desculpa. Depois Travis e eu recuámos e ficámos a ver o José a avançar com a sessão fotográfica. Tirou várias fotos com a máquina na mão, pedindo a Grey para se virar para aqui, depois para ali, para mexer o braço, depois para o baixar. Depois pôs a máquina no tripé e tirou muitas outras, enquanto Grey fazia pose, sentado, paciente e descontraído, durante uns vinte minutos. O meu desejo realizara-se: podia ficar a admirar Grey e não era assim tão de longe. Os nossos olhares cruzaram-se duas vezes e tive de me obrigar a afastar daqueles olhos velados.

– Chega de cadeira. – A Kate voltava a intervir vigorosamente. – De pé, Mr. Grey? – perguntou.

Ele pôs-se em pé e Travis apressou-se a tirar a cadeira. O obturador da Nikon do José começou novamente a disparar.

– Julgo que temos fotografias suficientes – anunciou o José cinco minutos depois.

– Ótimo – exclamou a Kate. – Obrigada mais uma vez, Mr. Grey.

Kate apertou-lhe a mão, assim como o José.

– Fico a aguardar o artigo, Miss Kavanagh – murmurou Grey, parando à porta e voltando-se para mim. – Importa-se de vir comigo, Miss Steele? – convidou.

– Claro – respondi, completamente incrédula.

Olhei ansiosamente para Kate, que me devolveu um encolher de ombros. Reparei que o José, atrás dela, estava carrancudo.

– Um bom dia a todos – desejou Grey abrindo a porta, afastando-se para me deixar passar.

Com os diabos, o que se passava ali? O que queria ele? Parei no corredor do hotel, irrequieta com os nervos, vendo Grey sair do quarto seguido pelo Mr. Cabelo Rapado no seu primoroso fato.

– Eu ligo-te, Taylor – disse Grey para o Cabelo Rapado.

Taylor voltou pelo mesmo caminho e Grey virou para mim dois olhos intensos da cor da cinza. *Bolas... tinha feito alguma asneira?*

– Queria perguntar-lhe se me acompanhava num café, agora.

O meu coração subiu à boca. Um encontro? *Christian Grey a convidar-me para sair.* Estava a perguntar-te se querias um café. *Talvez achasse que ainda não tinhas acordado,* gemeu o meu subconsciente, mais uma vez a troçar de mim. Aclarei a garganta, tentando controlar o nervosismo.

– Tenho de levar toda a gente para casa – murmurei, numa desculpa, torcendo as mãos e os dedos à frente do corpo.

– *Taylor* – chamou ele, fazendo-me saltar de susto.

O Taylor, que voltara a percorrer o corredor, virou-se e veio na nossa direção.

– Eles voltam para a universidade? – perguntou Grey numa voz suave e inquisitiva.

Demasiado espantada para falar, acenei que sim.

–Taylor pode levá-los. É o meu motorista. Trouxemos uma 4x4 grande, por isso ele também tem possibilidade de levar o equipamento.

– Mr. Grey? – perguntou Taylor quando chegou ao pé de nós, sem deixar transparecer nada.

– Pode levar por favor o fotógrafo, o assistente e a Miss Kavanagh até casa?

– Claro, senhor – respondeu Taylor.

– Pronto. Agora pode ir tomar café comigo? – Grey sorria como se estivesse decidido. Eu franzi a testa.

– Hã... Mr. Grey, eh... isto é... espere, o Taylor não tem de os levar a casa. – Olhei rapidamente para Taylor, que permanecia estoicamente impassível. – Eu troco de carro com a Kate, se me der um segundo.

Grey reagiu com um sorriso incrível, genuíno, natural, com os dentes todos à mostra. *Oh, meu Deus...* Abriu a porta da suíte para eu entrar. Passei à frente dele para voltar ao quarto e deparei com a Katherine e o José num debate profundo.

– Ana, ele gosta de ti, sem dúvida alguma – disse ela sem qualquer preâmbulo.

O José olhou para mim com um ar irritado de desaprovação.

– Mas não confio nele – acrescentou ela.

Levantei a mão na esperança de que ela parasse de falar. Por milagre, ela fê-lo.

– Kate, podes levar a Wanda, e eu levo o teu carro?

– Porquê?

– O Christian Grey convidou-me para ir tomar café com ele.

A boca dela abriu-se completamente. A Kate, sem fala! Saboreei o momento. Ela agarrou-me no braço e arrastou-me para o quarto que ficava ao lado da área social da suíte.

– Ana, ele tem alguma coisa. – O tom de voz dela estava repleto de apreensão. – Ele é um borracho, concordo, mas acho que é perigoso. Especialmente para alguém como tu.

– O que queres dizer com alguém como eu? – perguntei, ofendida.

– Uma inocente como tu, Ana. Tu sabes o que quero dizer – explicou ela levemente irritada.

Eu corei.

– Kate, é só um café. Começo os exames esta semana e preciso de estudar, por isso não vai demorar muito.

Ela franziu os lábios como se ponderasse o meu pedido. Por fim, tirou as chaves do carro do bolso e entregou-mas. Eu entreguei-lhe as minhas.

– Até logo. Não te demores ou eu inicio uma operação de busca e salvamento.

– Obrigada – agradeci, com um abraço.

Saí da suíte e deparei-me com Christian Grey à minha espera, encostado à parede, mais parecendo um modelo em pose para alguma revista cara de artigos de luxo.

– OK, vamos lá ao café – murmurei, vermelha como um tomate.

Ele sorriu.

– Faça o favor, Miss Steele.

Ele ficou muito direito de pé com a mão estendida para eu passar. Avancei pelo corredor, com os joelhos a tremer, o estômago cheio de borboletas e o coração na boca numa batida dramática e irregular. *Vou tomar café com Christian Grey... e detesto café.*

Percorremos juntos o amplo corredor do hotel até aos elevadores. *O que lhe ia dizer?* Fiquei subitamente paralisada de apreensão. De que íamos falar? Que diabo tinha eu em comum com ele? A sua voz suave e doce arrancou-me aos meus devaneios.

– Há quanto tempo conhece Katherine Kavanagh?

Ah, uma pergunta fácil para começar.

– Desde que somos caloiras. É uma boa amiga.

– Hum – reagiu, evasivo.

No que estaria a pensar?

Chegados aos elevadores, carregou no botão e o sinal tocou quase imediatamente. As portas abriram-se, revelando no seu interior um jovem casal num beijo apaixonado. Surpreendidos e constrangidos, separaram-se de um salto e olharam, culpados, em todas as direções menos na nossa. Grey e eu entrámos no elevador.

Esforçava-me por manter um rosto sereno, e ao sentir-me corar pus-me a olhar para o chão. Quando espreitei para Grey, por entre as pestanas, ele tinha um sorriso ténue nos lábios, mas era difícil dizer. O jovem casal não disse nada, e descemos até ao primeiro andar num silêncio constrangedor. Nem sequer tínhamos daquela música de elevador insípida para nos distrair.

As portas abriram-se e, para minha grande surpresa, Grey agarrou-me na mão com os seus dedos longos e frios. Senti-me percorrida pela corrente e o meu batimento cardíaco passou de rápido a acelerado. Ele conduziu-me para fora do elevador e ouvimos atrás de nós o casal a dar livre curso ao riso que reprimira. Grey sorriu.

– O que é que os elevadores têm? – murmurou.

Atravessámos o espaçoso átrio do hotel em direção à entrada, mas Grey evitou a porta giratória e eu perguntei-me se seria por ter de me largar a mão.

Lá fora estava um ameno domingo de maio. O sol brilhava e o trânsito era ligeiro. Grey virou à esquerda e foi até à curva, onde esperámos que o sinal mudasse. Ainda me segurava na mão. *Estávamos na rua e Christian Grey e eu estávamos de mão dada. Ninguém me tinha dado a mão antes.* Sentia-me tonta e com um formigueiro pelo corpo todo. Tentei abafar o sorriso ridículo que ameaçava dividir-me o rosto em dois. *Tenta descontrair, Ana,* implorou-me o meu subconsciente. O sinal ficou verde, e lá fomos nós.

Atravessámos quatro quarteirões até chegarmos ao Portland Coffee House, onde Grey me largou para segurar a porta para eu entrar.

– Porque não escolhe uma mesa enquanto eu vou buscar as bebidas? O que quer tomar? – perguntou-me, educado como sempre.

– Quero, eh... um chá English Breakfast, saqueta à parte.

Ele arqueou as sobrancelhas.

– Não quer café?

– Não gosto muito de café.

Ele sorriu.

– OK, chá com saqueta à parte. Doce?

Por um segundo, fiquei sem ação, a pensar que era um carinho, mas por sorte o meu subconsciente imiscuiu-se com ar de censura. *Não, estúpida – queres açúcar?*

– Não, obrigada. – Baixei o olhar para os meus dedos entrelaçados e tensos.

– Alguma coisa para comer?

– Não, obrigada.

Abanei a cabeça e ele foi para o balcão. Espreitei-o sub-repticiamente por baixo das pestanas enquanto ele esperava na fila. Podia ficar o dia inteiro a observá-lo... era alto, de ombros largos, elegante, e a forma como aquelas calças lhe caíam nas ancas... *Ó céus*. Por uma ou duas vezes passou os dedos compridos e esguios pelo cabelo, agora seco mas ainda revolto. *Hmm*... eu gostava de fazer aquilo. O pensamento ocorreu-me espontaneamente e senti a cara a arder. Mordi o lábio e olhei novamente para as minhas mãos, descontente com o rumo que os meus pensamentos caprichosos tomavam.

– Um tostão pelos seus pensamentos?

Grey regressara e assustou-me.

Fiquei vermelhíssima. *Estava apenas a pensar passar-lhe os dedos pelo cabelo e a perguntar-me se se seria suave ao toque*. Abanei a cabeça. Ele trazia um tabuleiro, que pousou na mesa pequena e redonda de chapa de bétula. Passou-me uma chávena com um pires, um bule pequeno e um pratinho com um saco de chá onde se lia TWINNINGS ENGLISH BREAKFAST – o meu preferido. Ele trazia uma meia de leite com o padrão lindíssimo de uma folha inscrito no leite. *Como é que eles faziam aquilo?* Também tinha trazido um queque de mirtilo para ele. Pôs o tabuleiro de lado, sentou-se à minha frente e cruzou as pernas compridas. Parecia tão confortável, tão à-vontade com o corpo dele; invejei-o. Ali estava eu, toda desajeitada e descoordenada, mal conseguia ir do A ao B sem cair redonda no chão.

– Os seus pensamentos? – desafiou-me ele.

– É o meu chá preferido. – A minha voz era calma, sussurrada. Simplesmente não conseguia acreditar que estava sentada à frente de Christian Grey num café de Portland. Ele franziu o sobrolho. Sabia que eu escondia alguma coisa. Pus o chá dentro do bule e tirei-o quase imediatamente com a colher. Coloquei o saquinho usado no prato e ele inclinou a cabeça, olhando para mim com um ar interrogativo.

– Gosto do meu chá preto e fraco – murmurei em jeito de explicação.

– Estou a ver. É seu namorado?

Ei... O quê?

– Quem?

– O fotógrafo. O José Rodriguez.

Ri-me, nervosa mas curiosa. O que lhe terá dado essa impressão?

– Não. O José é um bom amigo, mais nada. Porque pensou que era meu namorado?

– Pela forma como sorria para ele, e ele para si. – O olhar dele ficou preso no meu. Ele era tão desconcertante. Eu queria desviar o olhar mas estava presa – enfeitiçada.

– É mais como família – sussurrei.

Grey acenou com a cabeça, aparentemente satisfeito com a minha resposta, e olhou para o queque de mirtilo. Observei, fascinada, os seus dedos tirarem o papel com destreza.

– Quer um pouco? – perguntou, e aquele sorriso divertido, secreto, regressou.

– Não, obrigada. – Franzi a testa e fiquei outra vez a olhar para as mãos.

– E o rapaz que conheci ontem na loja. Não é seu namorado?

– Não, o Paul é apenas um amigo. Disse-lhe ontem. – A conversa estava a ficar patética. – Porque pergunta?

– Parece ficar nervosa na presença de homens.

Fogo! Era uma observação pessoal. *Só fico nervosa na tua presença, Grey.*

– Acho-o a si intimidante.

Fiquei logo vermelha, mas congratulei-me pela minha candura e voltei a olhar para as mãos. Ouvi-o inspirar profundamente.

– É natural que me ache intimidante – disse acenando a cabeça em assentimento. – É muito honesta. Por favor não baixe os olhos. Gosto de ver o seu rosto.

Oh... Olhei para ele e ele devolveu-me um sorriso encorajador mas amarelo.

– Assim posso ter alguma pista sobre o que pensa – sussurrou. – Você é um mistério, Miss Steele.

Misteriosa? Eu?

– Não há nada de misterioso em mim.

– Acho que é muito contida – murmurou.

Era? *Uau... como é que eu conseguia fazer aquilo?* Não dava para acreditar. *Eu, contida? Nem pensar.*

– Exceto quando cora, claro, o que acontece muitas vezes. Só gostava de saber por que razão cora.

Atirou um pedaço de queque para a boca e começou a mastigá-lo lentamente, sem tirar os olhos de mim. E como que aproveitando a deixa, eu corei. *Bolas!*

– Faz sempre observações tão pessoais?

– Não me apercebi. Ofendi-a?

Pareceu surpreendido.

– Não – fui sincera.

– Ainda bem.

– Mas é muito tirânico.

Ele arqueou as sobrancelhas e, se eu não me enganei, também corou ligeiramente.

– Estou habituado a ter aquilo que quero, Anastasia – murmurou. – Em todas as coisas.

– Não duvido. Porque não me disse para o tratar pelo seu primeiro nome?

Fiquei surpreendida com a minha audácia. Porque é que a conversa tinha ficado tão séria? Não estava a correr como eu pensara que correria.

Não acreditava que pudesse sentir tanto antagonismo em relação a ele. Ele estava a tentar alertar-me.

– As únicas pessoas que me tratam pelo primeiro nome são a minha família e alguns amigos próximos. É assim que eu gosto.

Ah... Ele ainda não tinha dito "Chame-me Christian". Era maníaco do controlo, não havia outra explicação, e parte de mim começou a pensar se não teria sido melhor que tivesse sido a Kate a entrevistá-lo. Dois controladores juntos. Além de que ela era quase loira – bem, loira ruiva – como as mulheres do escritório dele. E era *linda*, relembrou o meu inconsciente. Não gostava da ideia deles juntos. Beberiquei o chá e Grey comeu outro pequeno pedaço do queque dele.

– É filha única? – perguntou.

Ui, ele não parava de mudar de direção.

– Sim.

– Fale-me dos seus pais.

Porque é que ele queria saber aquilo? Não tinha história nenhuma.

– A minha mãe vive na Geórgia com o novo marido, o Bob. O meu padrasto vive em Montesano.

– O seu pai?

– O meu pai morreu quando eu era bebé.

– Lamento – disse em voz baixa, e uma expressão fugidia e perturbada atravessou-lhe o rosto.

– Não me lembro dele.

– E a sua mãe voltou a casar?

Eu respondi com um ronco.

– Pode-se dizer isso.

Ele olhou-me com ar carrancudo.

– Você não revela muito, pois não? – perguntou secamente, coçando o queixo como se estivesse em reflexão profunda.

– Nem você.

– Já me entrevistou uma vez, e eu consigo lembrar-me de algumas perguntas bastante invasivas. – Fez um sorriso trocista.

Merda. Lembrava-se da pergunta sobre ele ser *gay*. Mais uma vez, não sabia onde me enfiar. Nos anos vindouros, sabia que teria necessidade de terapia intensiva para não me sentir assim envergonhada de cada vez que me lembrasse daquele momento. Desatei a falar sobre a minha mãe – tudo para bloquear aquela memória.

– A minha mãe é fantástica. É uma romântica incurável. Está atualmente no quarto marido.

Christian ergueu as sobrancelhas de surpresa.

– Tenho saudades dela – continuei. – Ela agora tem o Bob. Só espero que ele consiga mantê-la debaixo de olho e esteja lá para apanhar os cacos quando os esquemas desmiolados dela não correrem como planeado.

Sorri com carinho. Não via a minha mãe há tanto tempo. Christian observava-me com toda a atenção, bebericando uma vez ou outra o café. Eu realmente não devia olhar para a boca dele. Era inquietante.

– Dá-se bem com o seu padrasto?

– Claro. Cresci com ele. É o único pai que conheço.

– E como é ele?

– O Ray? É... taciturno.

– Só isso? – perguntou Grey, surpreendido.

Encolhi os ombros. O que é que aquele homem esperava, a história da minha vida?

– Taciturno como a enteada – comentou Grey.

Refreei-me e não revirei os olhos à frente dele.

– Gosta de futebol, especialmente do europeu, e de *bowling*, de pesca e de fazer mobília. É carpinteiro. Esteve no exército.

Suspirei.

– Viveu com ele?

– Sim. A minha mãe conheceu o Marido Número Três quando eu tinha quinze anos. Eu fiquei com o Ray.

Ele fez uma careta como se não compreendesse.

– Não quis viver com a sua mãe? – perguntou.

Ele não tinha nada a ver com isso.

– O Marido Número Três vivia no Texas. A minha casa era em Montesano. E... sabe como é, a minha mãe tinha acabado de casar.

Parei. A minha mãe nunca falava do Marido Número Três. Onde é que o Grey queria chegar com aquilo? Não lhe dizia respeito nenhum. *Podíamos ser dois a jogar o jogo.*

– Fale-me dos seus pais – pedi eu.

Ele encolheu os ombros.

– O meu pai é advogado, a minha mãe pediatra. Vivem em Seattle.

Ah... cresceu com posses. E penso no casal que adotou três filhos e um deles se transformou num homem lindo que entrou no mundo dos negócios e o conquistou sozinho. O que o tinha feito ser daquela maneira? Os pais dele deviam estar orgulhosos.

– O que é que os seus irmãos fazem?

– O Elliot está na construção e a minha irmã mais nova está em Paris a estudar cozinha com um *chef* francês muito conhecido. – Os olhos dele velaram-se de irritação. Não queria falar da família nem dele próprio.

– Ouvi dizer que Paris é um encanto – murmurei.

Porque é que ele não queria falar da família? Seria por ser adotado?

– É linda. Já lá foi? – perguntou, esquecido da irritação.

– Nunca saí do país.

Voltávamos então às banalidades. O que estava ele a esconder?

– Gostaria de lá ir?

– A Paris? – exclamei. Aquela deu cabo de mim; quem é que não gostaria de ir a Paris? – Claro – concedi. – Mas é Inglaterra que eu gostava realmente de visitar.

Ele inclinou a cabeça para o lado, e passou o indicador pelo lábio inferior... *Oh, céus.*

– Porquê?

Eu pisquei os olhos. *Concentra-te Ana.*

– É a terra de Shakespeare, de Austen, das irmãs Brontë, de Thomas Hardy. Gostava de ver os lugares que inspiraram aquelas pessoas a escrever livros tão maravilhosos.

Aquela conversa toda sobre os grandes da literatura lembrou-me que devia estar a estudar. Olhei para o relógio.

– É melhor ir. Tenho de estudar.

– Para os seus exames?

– Sim. Começam na terça.

– Onde está o carro de Miss Kavanagh?

– No parque do hotel.

– Eu levo-a lá.

– Obrigada pelo chá, Mr. Grey.

Ele exibiu o seu sorriso de "eu tenho um segredo colossal".

– De nada, Anastasia. O prazer foi todo meu. Venha – ordenou, estendendo-me a mão.

Eu peguei-lhe, desorientada, e saí do café atrás dele.

Regressámos ao hotel, e eu gostava de dizer que foi num silêncio amigável. Ele, pelo menos, parecia gozar da sua calma e domínio habituais. Quanto a mim, tentava desesperadamente perceber como tinha corrido o nosso pequeno-almoço. Sentia-me como se tivesse sido entrevistada para um emprego, mas não tinha a certeza de qual.

– Usa sempre *jeans?* – perguntou ele, assim do nada.

– Quase sempre.

Ele acenou com a cabeça. Estávamos de volta ao cruzamento, do outro lado do hotel. A minha cabeça dava voltas. *Que pergunta estranha...* E apercebi-me de que o nosso tempo era limitado. Era aquilo. Tinha acontecido, e eu tinha estragado tudo, sabia disso. Talvez ele tivesse alguém.

– Tem namorada? – perguntei de chofre.

Raios! *Eu acabara de dizer aquilo em voz alta?*

Os lábios dele curvaram-se num meio-sorriso e ele olhou para mim.

– Não, Anastasia. Eu não funciono assim – disse com uma voz suave.

Oh... *o que é que queria dizer com aquilo?* Ele não era *gay*. Ou talvez fosse! Devia ter-me mentido na entrevista. E por um segundo julguei que ele fosse dar alguma explicação a seguir, alguma pista para decifrar aquela afirmação críptica – mas não o fez. Eu tinha de ir. Tinha de tentar pôr os pensamentos em ordem. Tinha de me afastar dele. Avancei, e tropecei – lá ia eu cair no meio da rua.

– Merda, Ana! – gritou Grey. – Puxou-me pela mão que segurava, com tanta força que eu caí para trás, para cima dele, mesmo quando passava um ciclista, em contramão pela rua acima, e que por pouco não me acertava.

Aconteceu tudo tão rápido – num minuto estava a cair, no outro estava nos braços dele, com ele a segurar-me contra o peito. Inalei o cheiro dele, fresco e sadio, a roupa acabada de lavar e a gel de duche caro. Era inebriante. Inspirei profundamente.

– Está bem? – perguntou-me num sussurro.

Tinha um braço à minha volta e apertava-me contra ele, enquanto os dedos da outra mão me passavam gentilmente pelo rosto, examinando--me numa exploração delicada. O polegar dele roçou-me o lábio inferior e a respiração dele parou por um momento. Olhava-me diretamente nos olhos e eu fixei aquele olhar ansioso, ardente, por um segundo, ou talvez tivesse sido para sempre... mas a minha atenção acabou por ser desviada para aquela boca maravilhosa. E pela primeira vez em vinte e um anos, eu quis ser beijada. Quis sentir a boca dele na minha.

CAPÍTULO QUATRO

Beija-me, bolas! Implorei-lhe, mas sem conseguir fazer nenhum movimento. Fiquei paralisada por uma necessidade estranha, desconhecida, completamente cativada por ele. Olhava fixamente para a boca de Christian Grey, hipnotizada, e ele olhava para mim com os olhos entreabertos e velados. Ele respirava com mais força do que o habitual e eu parei de respirar por completo. *Estou nos teus braços. Beija-me, por favor.* Ele fechou os olhos, respirou fundo e abanou ligeiramente a cabeça como se respondesse à minha pergunta silenciosa. Quando abriu os olhos, foi com um novo propósito, uma resolução inabalável.

– Anastasia, deve ficar longe de mim. Não sou o homem certo para si – advertiu num sussurro.

O quê? De onde vinha aquilo? Certamente devia ser eu a tomar tal decisão. Franzi a testa, atordoada com a rejeição.

– Respire Anastasia, respire. Vou pô-la em pé e largá-la – disse-me suavemente, afastando-me com cuidado.

Eu tinha sofrido uma descarga de adrenalina no corpo, fosse pelo ciclista quase me ter acertado, fosse pela proximidade inebriante de Christian, e sentia-me acelerada e frágil. *NÃO*! Reclamou a minha mente quando ele se afastou, deixando-me desamparada. Ele tinha as mãos nos meus ombros, braços esticados, e observava atentamente as minhas reações. E a única coisa que eu conseguia pensar era que queria ser beijada, que o tinha deixado absolutamente claro, e que ele não o tinha feito. *Ele não me desejava.* Não me desejava mesmo. Eu tinha arruinado o nosso café à grande e à francesa.

– Já estou – respirei e recuperei a voz. – Obrigada – balbuciei, coberta de vergonha. Como é que eu podia ter interpretado tão mal o que se passava entre nós? Precisava de me afastar dele.

– Porquê? – perguntou ele com a testa franzida. Não tinha tirado as mãos de cima de mim.

– Por me salvar – sussurrei.

– Aquele idiota ia na direção contrária. Ainda bem que eu estava aqui. Arrepia-me pensar no que lhe podia ter acontecido. Quer vir ao hotel e sentar-se um bocado? – Ele soltou-me e eu fiquei ali à frente dele a sentir-me uma idiota.

Abanei a cabeça para recuperar a presença de espírito. Só me queria ir embora. Todas as minhas esperanças, vagas e difusas, tinham sido arrasadas. Ele não me queria. *Que tinha eu na cabeça?*, recriminei-me. *O que é que o Christian Grey iria querer contigo?*, troçou o meu subconsciente. Pus os braços à volta do tronco e virei-me para a rua, reparando com alívio que o sinal passara a verde. Atravessei rapidamente, consciente de que Grey estava atrás de mim. À frente do hotel, virei-me um instante para ele mas sem conseguir olhá-lo nos olhos.

– Obrigada pelo chá e por fazer a sessão fotográfica – murmurei.

– Anastasia... eu...

Parou, e a angústia que lhe ouvi na voz chamou-me a atenção, por isso não consegui evitar olhar para ele. Passava a mão pelo cabelo e os seus olhos cinzentos estavam parados. Parecia arrasado, frustrado, a expressão era severa e o cuidadoso autocontrolo tinha-se desvanecido.

– Então, Christian? – reagi, irritada, quando ele não disse nada. Só queria ir embora. Precisava de tirar dali o meu orgulho frágil e magoado para conseguir recuperá-lo, sabe-se lá como.

– Boa sorte com os seus exames – murmurou ele.

Hã? Era por isso que ele estava com um ar tão desolado? Era aquela a grande despedida? Limitar-se a desejar-me boa sorte para os exames?

– Obrigada. – Não consegui disfarçar o sarcasmo da voz. – Adeus, Mr. Grey.

Dei meia-volta, ligeiramente espantada por não tropeçar e, sem lhe dirigir um segundo olhar, desci o passeio em direção à garagem subterrânea.

Uma vez dentro do cimento escuro e frio da garagem e da sua luz florescente e mortiça, encostei-me à parede e tapei a cara com as mãos. O que estava eu a pensar? Lágrimas indomadas e indesejadas acumulavam-se nos meus olhos. *Porque chorava eu?* Deixei-me cair no chão, zangada comigo própria por aquela reação disparatada. Puxei os joelhos e dobrei-me por cima deles. Queria tornar-me o mais pequena possível. Talvez aquela dor despropositada fosse menor se eu fosse mais pequena também. Pousei a cabeça nos joelhos e deixei as lágrimas irracionais correrem sem censura. Chorava pela perda de algo que não chegara a ter. *Que ridículo.* Chorar algo que nunca existira – as minhas esperanças defraudadas, os meus sonhos despedaçados, as minhas expetativas frustradas.

Nunca estivera do lado recetor da rejeição. OK... tudo bem, fora sempre uma das últimas a ser escolhidas para jogar basquete ou vólei, mas eu sabia que correr e fazer qualquer outra coisa ao mesmo tempo, tal como bater ou atirar uma bola, não era a minha onda. Eu era uma ameaça séria em qualquer recinto desportivo.

A nível romântico, porém, nunca, mas mesmo nunca, me tinha posto em campo. Uma vida de insegurança – era pálida demais, magra demais, desmazelada demais, descoordenada, a minha longa lista de defeitos continuava. Por isso sempre fui a que repelia algum candidato a admirador. Havia aquele rapaz da minha aula de Química que gostava de mim, mas nunca ninguém me despertara o interesse – ninguém exceto o maldito Christian Grey. Talvez eu devesse ser mais gentil para com os Paul Clayton e José Rodriguez e outros que tais, embora tivesse a certeza de que nenhum deles fora alguma vez encontrado a soluçar sozinho em lugares escuros. Talvez precisasse apenas de uma boa sessão de choro.

Para! Para agora!, gritava-me metaforicamente o meu subconsciente, apoiado numa perna e batendo com o pé no chão de frustração. *Enfia-te no carro, vai para casa, vai estudar. Esquece-o... Agora!* E para com essa cena de autocomiseração.

Respirei fundo para me acalmar e pus-me em pé. *Recompõe-te, Anastasia.* Dirigi-me para o carro da Kate ao mesmo tempo que limpava as lágrimas da cara. Não voltaria a pensar nele. Converteria o incidente numa experiência e ia concentrar-me nos exames.

A Kate estava sentada na mesa da sala a trabalhar no portátil quando cheguei. O sorriso acolhedor desvaneceu-se quando me viu.

– Ana, que se passa?

Oh, não... Katherine Kavanagh, a Inquisidora, não. Abanei a cabeça num movimento que pretendi de manifesto repúdio, mas podia bem estar a lidar com um surdo-mudo cego.

– Estiveste a chorar.

A rapariga às vezes tinha o dom excecional para relatar o que era óbvio.

– O que é que aquele canalha te fez? – rosnou, e a cara dela... bolas, era assustadora.

– Nada, Kate. – Na verdade, esse era o problema. A lembrança trouxe-me um sorriso irónico aos lábios.

– Então porque estiveste a chorar? Tu nunca choras – afirmou, com a voz mais doce. Pôs-se em pé, com os olhos cintilantes de preocupação. Colocou os braços à minha volta e abraçou-me. Precisei de dizer alguma coisa só para a tirar de cima de mim.

– Quase fui atropelada por um ciclista. – Era o melhor que conseguia fazer, mas aquilo ia distraí-la momentaneamente... dele.

– Oh, Ana... estás bem? Magoaste-te? – Pôs-me à distância de um braço e fez-me um *check-up* rápido.

– Não. O Christian salvou-me – sussurrei. – Mas fiquei bastante abalada.

– Não me surpreende. Como correu o café? Eu sei que detestas café.

– Tomei chá. Correu bem, mas nada de mais. Não sei porque é que ele me convidou.

– Gosta de ti, Ana. – Deixou cair os braços.

– Já não. Não volto a estar com ele. – Sim, consegui parecer objetiva.

– Ai não?

Bolas. Tinha-a deixado intrigada. Meti-me na cozinha para ela não conseguir ver-me a cara.

– Não... ele é um bocado demais para mim, Kate – disse, com o tom mais lacónico que consegui.

– O que queres dizer com isso?

– Oh... Kate, é óbvio. – Virei-me para trás e olhei para ela, que estava à entrada da cozinha.

– Para mim não – afirmou. – OK, ele tem mais dinheiro do que tu, mas também tem mais dinheiro do que a maior parte das pessoas do país!

– Kate, ele... – encolhi os ombros.

– Ana! Por amor de Deus, quantas vezes tenho de te dizer? Tu és mesmo gira – interrompeu-me. Oh, não. Lá estava ela a falar naquilo.

– Kate, por favor, eu preciso de estudar – interrompi-a. Ela franziu o sobrolho.

– Queres ver o artigo? Está terminado. O José tirou umas fotos ótimas.

E eu preciso de ser recordada da beleza de um Christian Grey que não me quer?

– Claro. – Consegui pôr um sorriso na cara e aproximei-me do portátil. E lá estava ele, a olhar para mim a preto e branco e a achar que eu não servia.

Fingi ler o artigo, sempre com os olhos postos no seu olhar firme e cor de cinza, procurando na foto alguma pista para o facto de ele não ser o homem certo para mim – as próprias palavras dele. E de repente tornou-se manifestamente óbvio. Ele era lindo demais. Estávamos em polos opostos e éramos de mundos muito diferentes. Tive uma visão de mim própria como se fosse Ícaro que voasse demasiado perto do sol e por isso se despenhasse e ardesse. As palavras dele faziam sentido. Não era o homem certo para mim. Era aquilo que ele queria dizer e assim a rejeição dele era mais fácil de aceitar... quase. Eu conseguia viver com aquilo. Eu compreendia.

– Muito bom, Kate – consegui dizer. – Vou estudar. – Não ia pensar mais nele, jurei para mim própria e, pegando os apontamentos, comecei a ler.

Só quando estava na cama, a tentar dormir, permiti que os meus pensamentos voassem para a estranha manhã. Não parava de voltar à tirada das namoradas e do "Eu não funciono assim" e fiquei irritada por não ter procurado aquela informação mais cedo, antes de me ver nos braços dele a suplicar-lhe mentalmente com cada fibra do meu ser para ele me beijar. Ele dissera-o claramente. Não me queria como namorada. Virei-me de lado. Perguntei-me languidamente se ele não seria celibatário. Fechei os olhos e comecei a deixar-me ir. Talvez ele se estivesse a guardar. *Bem, não para ti.* O meu subconsciente sonolento maltratou-me uma última vez, para depois fazer a festa nos meus sonhos.

E naquela noite eu sonhei com olhos cor de cinza e contornos de folhas no leite, e que corria por sítios escuros com uma luz fluorescente sinistra, sem saber se corria para alcançar alguma coisa ou a fugir dela... não era claro.

:::::

Pousei a caneta. Acabou. O meu último exame terminou. Um sorriso à Gato de Cheshire invadiu-me o rosto. Provavelmente tratava-se da primeira vez que sorria na semana inteira. Era sexta-feira e à noite íamos celebrar, celebrar a sério. Talvez até me embebedasse! Nunca me tinha embebedado. Olhei para Kate, do outro lado do salão, e ela ainda escrevinhava furiosamente, a cinco minutos do fim. Ali estava, o final da minha carreira académica. Nunca mais tinha de me sentar em filas de estudantes ansiosos e isolados. Na minha cabeça, via-me a fazer rodas perfeitas, sabendo bem que era o único lugar onde conseguia fazer rodas perfeitas. Kate parou de escrever e pousou a caneta. Olhou para mim, e eu vi que também ela fez o sorriso do Gato de Cheshire.

Regressámos ao apartamento juntas no Mercedes dela, recusando-nos a discutir o último trabalho. A Kate estava mais preocupada com o que ia usar naquela noite, para ir ao bar. Eu estava ocupada a pescar as chaves da carteira.

– Ana, há uma encomenda para ti. – A Kate estava de pé nos degraus da porta da frente com um embrulho de papel pardo na mão. *Estranho.* Eu não tinha encomendado nada da Amazon recentemente. A Kate passou-me o embrulho e pegou nas minhas chaves para abrir a porta. Estava endereçado à Miss Anastasia Steele. Não tinha o nome nem o endereço do remetente. Talvez fosse da minha mãe, ou do Ray.

– Provavelmente é dos meus pais.

– Abre-o! – Uma Kate entusiasmada foi até à cozinha buscar o nosso champanhe para brindar ao fim dos exames.

Abri o embrulho e lá dentro deparei-me com uma caixa protetora em pele contendo três livros antigos forrados a tecido, aparentemente idênticos, em perfeito estado de conservação, acompanhada de um cartão branco. Escrito num dos lados, a tinta preta numa caligrafia impecável estava:

> Porque não me disse que havia perigo? Porque não me avisou? As damas sabem contra o que se hão-de defender, porque leem romances que lhes falam dessas coisas...[3]

Reconheci o excerto, da *Tess*. Fiquei espantada com a coincidência, já que acabara de passar três horas a escrever sobre os romances de Thomas Hardy no meu exame final. Talvez não fosse coincidência nenhuma... talvez fosse deliberado. Inspecionei cuidadosamente os livros, três volumes de *Tess of the Urbevilles*. Abri a capa de um dos livros. Escrito numa fonte antiga na folha de rosto estava:

> London: Jack R. Olgood, McAlvaine and Co. 1891.

Caramba! Eram primeiras edições. Deviam valer uma fortuna e eu soube imediatamente quem as tinha enviado. A Kate olhou para os livros por cima do meu ombro. Pegou no cartão.

– Primeiras edições – sussurrei.

– Não! – Os olhos dela estavam redondos de incredulidade. – O Grey? Eu acenei com a cabeça.

– Não me ocorre mais ninguém.

– O que é que ele quer dizer com o cartão?

– Não faço a mínima ideia. Penso que é um aviso – a sério, ele

3. Excerto do livro *Tess dos Urbervilles*, de Thomas Hardy; Lisboa: Círculo de Leitores.1984. (N. da T.)

está sempre a dizer-me para ter cuidado. Não faço ideia porquê. Não é que eu lhe tenha entrado pela porta dentro – disse, franzindo a testa.

– Eu sei que não queres falar acerca dele, Ana, mas ele está mesmo vidrado em ti. Com avisos ou sem avisos.

Não me permitira pensar em Christian Grey durante a semana. OK... aqueles olhos cinzentos ainda se intrometiam nos meus sonhos e eu sabia que demoraria uma eternidade até expurgar a sensação dos braços dele à minha volta e aquela fragrância maravilhosa do meu cérebro. Porque é que me enviava aquilo? Ele tinha-me dito que eu não era mulher para ele.

– Encontrei uma primeira edição da *Tess* à venda em Nova Iorque por catorze mil dólares. Mas os teus parecem estar em muito melhor estado. Devem ter custado ainda mais. – A Kate consultava o seu bom amigo Google.

– ATess diz esta passagem à mãe depois do Alec D'Uberville ter feito o que quis dela.

– Eu sei – comentou a Kate. – O que é que ele está a tentar dizer?

– Não sei e não me interessa. Não posso aceitá-los. Vou devolvê-los com uma passagem igualmente desconcertante dalguma parte obscura do livro.

– A parte em que o Angel Clare disse "põe-te a mexer"? – perguntou Kate com uma cara completamente séria.

– Sim, essa parte.

Ri-me. Adorava a Kate, tão leal e amiga. Voltei a empacotar os livros e deixei-os em cima da mesa da sala. A Kate passou-me um copo de champanhe.

– Ao fim dos exames e ao início da nossa nova vida em Seattle – pronunciou, sorrindo.

– Ao fim dos exames, à nossa nova vida em Seattle e aos nossos excelentes resultados.

Brindámos e bebemos.

O bar estava barulhento e movimentadíssimo, cheio de finalistas a querer apanhar uma piela. O José juntou-se a nós. Só terminava o curso no ano seguinte mas estava com vontade de festejar e incentivou em nós o espírito da liberdade recém-adquirida com a compra de um jarro de margaritas para todos. Ao beber o quinto copo, soube que não era boa ideia, por cima do champanhe.

– Então, Ana. E agora? – gritou o José por cima do barulho.

– A Kate e eu vamos para Seattle. Os pais da Kate compraram-lhe um apartamento lá.

– *Dios mío,* como vive a outra metade! Mas voltas para a exposição?

– Claro, José, não faltava por nada neste mundo. – Eu sorri e ele enlaçou-me pela cintura e puxou-me para ele.

– É muito importante para mim que lá estejas, Ana – sussurrou-me ao ouvido. – Mais uma margarita?

– José Luis Rodriguez, estás a tentar embebedar-me? Porque acho que está a funcionar – disse com uma risadinha. – Acho que é melhor beber uma cerveja. Vou buscar um jarro.

– Mais bebida, Ana – urrou a Kate.

Ela tinha a resistência de um touro. Estava com um braço à volta do Levi, um dos nossos colegas de Inglês e fotógrafo habitual do jornal académico, que tinha desistido de tirar fotografias da embriaguez que o rodeava. Só tinha olhos para a Kate. Toda ela era camisola justa, *jeans* justos e saltos altos, cabelo apanhado em cima com caracóis sedosos a caírem-lhe pelo rosto – fantástica como sempre. Eu era mais o tipo de rapariga de usar All Stars e *t-shirt,* mas estava com os meus *jeans* que mais me favoreciam. Afastei-me do José e levantei-me da mesa.

Ui… Cabeça à roda.

Tive de me agarrar às costas da cadeira. Os *cocktails* à base de tequila não eram uma boa ideia.

Dirigi-me ao bar e decidi fazer uma visita à casa de banho enquanto conseguia estar de pé. *Bem pensado, Ana.* Avancei titubeante por entre a multidão. Claro, havia fila, mas pelo menos no corredor era fresco e sossegado. Peguei no telemóvel para espantar o tédio da espera. *Hum… A quem é que tinha ligado da última vez?* Tinha sido ao José? Antes dele, um número que não reconheci. Ah, pois, o Grey. Achei que era o número dele. Dei uma risadinha. Não fazia a mínima ideia das horas que eram; talvez fosse acordá-lo. Talvez ele me dissesse porque me enviara aqueles livros e a mensagem críptica. Se ele queria que eu me afastasse, devia deixar-me em paz. Reprimi o sorriso ébrio e carreguei no botão "ligar". Ele respondeu ao segundo toque.

– Anastasia?

Ficou surpreendido por ter notícias minhas. Bem, para ser franca, também estava surpreendida por lhe estar a ligar. E então fez-se luz no meu cérebro aturdido... como é que ele sabia que era eu?

– Porque me enviou os livros? – tartamudeei.

– Anastasia, está bem? Está com uma voz estranha. – A voz dele estava cheia de preocupação.

– A estranha aqui não sou eu, é você.

Pronto – saiu-me, vindo da minha coragem alimentada a álcool.

– Anastasia, esteve a beber?

– O que é que tem a ver com isso?

– Fiquei... curioso. Onde está?

– Num bar.

– Em que bar? – Pareceu exasperado.

– Um bar em Portland.

– Como é que vai para casa?

– Lá me arranjarei. – A conversa não estava a correr como eu esperava.

– Em que bar é que está?

– Porque me enviou os livros, Christian?

– Anastasia, onde está? Diga-me já. – O tom de voz dele era tão... tão... ditatorial, o habitual controlador compulsivo. Imaginei-o como um daqueles realizadores antigos, com calças de montar vestidas, e de chibata e um megafone antiquado na mão. A imagem fez-me dar uma gargalhada.

– Você é tão... dominador – disse, entre risinhos.

– Ana, ajude-me então, porra. Onde é que está?

Christian Grey a dirigir-me palavrões. Voltaram os risinhos.

– Estou em Portland... ainda é longe de Seattle.

– Em Portland, onde?

– Boa noite, Christian.

– Ana!

Desliguei. Ah! Mas não me disse nada dos livros. Fiz cara feia.

Missão não cumprida. Estava bastante bêbada, de facto, e com a sensação desconfortável de ter a cabeça a andar à roda quando avancei na fila. Bem, o objetivo da saída era ficar bêbada. Tinha conseguido. Era aquilo – *provavelmente uma experiência a não repetir.* A fila tinha andado e a minha vez tinha chegado. Fiquei de olhos fixos no póster que estava na porta do WC que exortava as virtudes do sexo seguro. Xiii... eu tinha acabado de ligar para o Christian Grey? Merda. O meu telefone tocou e eu dei um salto. Grito de surpresa.

– Estou – disse com voz lamurienta ao telefone. Aquilo não me tinha ocorrido.

– Vou buscar-te – disse ele, e desligou. Só o Christian Grey, para conseguir ser tão calmo e tão ameaçador ao mesmo tempo.

Raios. Puxei as calças. Tinha o coração aos pulos. Ele ia buscar-me? *Oh, não!* Ia vomitar... não... Estava bem. Espera aí... Era só conversa. Eu não lhe disse onde estava. Ele não conseguia dar comigo ali. Além do mais, ia demorar horas a chegar de Seattle, e nessa altura nós já estaríamos longe. Lavei as mãos e olhei-me ao espelho. Estava vermelha e ligeiramente desfocada. *Hum... tequila.*

Fiquei uma eternidade à espera do jarro de cerveja no bar, ou assim me pareceu, e lá acabei por regressar à mesa.

– Estiveste fora um tempão – ralhou-me a Kate. – Onde estavas?

– Na fila para a casa de banho.

O José e o Levi estavam num aceso debate a propósito da equipa de beisebol local. O José parou na vez dele para nos servir a todos, e eu dei um bom gole.

– Kate, acho que vou lá fora apanhar um bocado de ar fresco.

– Ana, não aguentas mesmo nada.

– Demoro cinco minutos.

Voltei a passar por entre a multidão. Começava a sentir-me enjoada, com a cabeça a andar à roda e tinha pouca segurança nas pernas. Menos segurança do que o costume.

Ao apanhar o ar frio da noite no estacionamento percebi quão bêbada estava. Afetara-me a visão e via tudo a dobrar, como nas velhas reposições dos desenhos animados do *Tom & Jerry.* Pareceu-me que ia vomitar. Porque é que me tinha deixado chegar àquele estado?

– Ana. – O José tinha ido ter comigo. – Estás bem?

– Acho que bebi um bocadinho demais. – Sorri-lhe sem vontade.

– Eu também – murmurou, e os olhos dele fitavam-me intensamente. – Precisas de ajuda? – perguntou e aproximou-se, envolvendo-me com o braço.

– José, estou bem. Tudo sobre controlo. – Tentei afastá-lo sem grande vigor.

– Ana, por favor – sussurrou ele, abraçando-me e puxando-me para mais perto.

– José, o que estás a fazer?

– Tu sabes que gosto de ti, Ana. Por favor. – Tinha uma mão na minha nuca e puxava-me para ele, e a outra no meu queixo, a inclinar-me a cabeça para trás. *Merda... ele ia beijar-me.*

– Não, José, para. Não. – Empurrei-o, mas ele era uma parede de músculos e não consegui que ele se mexesse. A mão dele tinha-se introduzido no meu cabelo e orientava-me a cabeça.

– Por favor Ana, *cariño* – sussurrou nos meus lábios.

O hálito dele era suave e tinha um cheiro demasiado doce – a margarita e cerveja. Subiu-me do queixo ao canto da boca com pequenos beijos. Senti-me em pânico, bêbeda e impotente. A sensação era sufocante.

– José, não – implorei. *Não queria nada daquilo.* Ele era um amigo e eu achei que ia vomitar.

– Julgo que a senhora disse que não – afirmou calmamente uma voz na escuridão.

Com os diabos! Christian Grey, ali. Mas como? O José soltou-me.

– Grey – disse ele com brusquidão.

Olhei ansiosamente para o Christian, que estava com os olhos pregados no José e parecia furioso. Raios! Senti o estômago às voltas e dobrei-me. O meu corpo já não tolerava o álcool e vomitei espetacularmente no chão.

– *Ugh! Dios mío,* Ana! – O José deu um salto para trás de nojo. Grey agarrou-me no cabelo, tirou-mo da linha de fogo e conduziu-me lentamente para um canteiro sobrelevado ao fundo do estacionamento. Reparei, com profunda gratidão, que ali havia uma relativa obscuridade.

– Se vais vomitar outra vez, vomita aqui. Eu seguro-te. – Tinha um braço à volta dos meus ombros, o outro a segurar-me o cabelo num rabo de cavalo improvisado que mo tirava da cara. Tentei afastá-lo desajeitadamente, mas voltava a vomitar... e mais outra vez. *Oh, merda... quanto tempo é que aquilo iria durar?* Mesmo quando o estômago ficou vazio e já não saía nada havia uns espasmos horríveis que me abanavam o corpo. Jurei em silêncio não voltar a beber. Era escabroso demais para pôr em palavras. Finalmente parou.

Eu tinha as mãos apoiadas no tijolo do canteiro e mal me segurava. Vomitar assim tanto era esgotante. O Grey deixou de me segurar para me dar um lenço. Só ele para ter um lenço com monograma acabado de lavar. *CTG*. Não sabia que ainda se podia comprar daquilo. Quando limpava a boca, perguntei-me de passagem o que significaria o *T*. Não conseguia olhar para ele. Estava desfeita de vergonha, com nojo de mim. Queria ser engolida pelas azáleas do canteiro e estar noutro sítio qualquer que não aquele.

O José ainda estava parado à porta do bar, a observar-nos. Eu gemi e apoiei a cabeça nas mãos. Tinha de ser o pior momento da minha vida. Com a cabeça à roda, ainda tentei lembrar-me de um pior – e só conseguia pensar em quando ele me tinha rejeitado, mas aquele estava bastantes graus mais abaixo em termos de humilhação. Arrisquei-me a espreitá-lo. Ele olhava-me, com uma expressão composta que não deixava transparecer nada. Virei-me e olhei para o José, que parecia estar também bastante envergonhado e, tal como eu, intimidado pelo Grey. Olhei furiosa para ele. Tinha algumas palavras escolhidas a dedo para o meu dito amigo, nenhuma das quais passível de ser repetida à frente de Christian Grey, CEO. *Ana, quem estás a querer enganar? Ele acaba de te ver a vomitar o chão todo, assim como à flora local. Não há como disfarçar a tua falta de maneiras.*

– Bem... vemo-nos lá dentro – murmurou o José, mas ambos o ignorámos, e ele voltou de fininho para dentro do edifício.

Estava sozinha com Grey. Que bosta. O que lhe ia dizer? Pedir desculpa pelo telefonema.

– Desculpa – murmurei, de olhos no lenço, que puxava furiosamente com os dedos. *Era tão suave.*

– Porque pedes desculpa, Anastasia?

Bolas, ele não ia facilitar.

– Pelo telefonema, principalmente. Pelo vomitado. Oh... a lista é interminável – murmurei, sentindo-me corar.

Por favor, por favor, posso morrer agora?

– Todos o fizemos, talvez não com tanto dramatismo como tu – disse ele secamente. – Trata-se de conhecermos os nossos limites, Anastasia. Eu sou todo a favor de desafiar os limites, mas realmente isto vai além do aceitável. Tens por hábito ter este tipo de comportamento?

Eu tinha a cabeça a zunir de excesso de álcool e irritação. O que raio é que ele tinha a ver com aquilo? Eu não lhe tinha dito para aparecer. Parecia um homem de meia-idade a repreender-me como a uma criança malcomportada. Parte de mim queria dizer que se me apetecesse embebedar-me todas as noites, era um problema meu e ele não tinha nada a ver com isso – mas não era corajosa o suficiente. Não depois de ter vomitado à frente dele. Porque é que ele ainda estava ali?

– Não – disse com agravo. – Nunca me embebedei antes e neste momento não tenho desejo nenhum de voltar a fazê-lo.

Não compreendia a razão da presença dele ali. Comecei a sentir-me tonta. Ele reparou e agarrou-me antes que eu pudesse cair, e puxou-me para os braços dele, apertando-me contra o peito como uma criança.

– Anda, eu levo-te a casa – murmurou.

– Preciso de dizer à Kate.

Estou outra vez nos braços dele.

– O meu irmão pode dizer-lhe.

– Quem?

– O meu irmão Elliot está a falar com a Miss Kavanagh.

– Hã? – Eu não estava a compreender.

– Ele estava comigo quando telefonaste.

– Em Seattle?

Estava confusa.

– Não, estou no Heathman.

Ainda? Porquê?

– Como é que me encontraste?

– Localizei o teu telemóvel, Anastasia.

Pois, claro que sim. Como é que era possível? Seria legal? Perseguidor, sussurrou-me o meu subconsciente através da nuvem de tequila que ainda tinha em lugar do meu cérebro, mas fosse como fosse, por ser ele, eu não me importei.

– Trouxeste algum casaco ou carteira?

– Hã... sim, trouxe ambos. Christian, por favor, preciso de dizer à Kate. Ela vai ficar preocupada.

A sua boca apertou-se numa linha dura e ele suspirou profundamente.

– Se tem de ser.

Pousou-me, deu-me a mão e levou-me para dentro do bar. Eu sentia-me fraca, bêbada ainda, envergonhada, exausta, mortificada e, a um outro nível, muito estranho, absolutamente esfuziante. Ele tinha-me dado a mão – que carnaval de emoções. Ia precisar de pelo menos uma semana para as processar a todas.

Havia muito barulho, muita gente e a música tinha começado, por isso via-se uma multidão na pista de dança. A Kate não estava na nossa mesa e o José tinha desaparecido. Quanto ao Levi, parecia perdido e abandonado.

– Onde está a Kate? – perguntei ao Levi, gritando por cima do barulho. A minha cabeça estava a começar a latejar ao ritmo do baixo da música altíssima.

– A dançar – gritou o Levi, e eu vi que estava furioso.

Olhou para Christian com ar desconfiado. Enfiei-me a custo no casaco preto e passei a alça da carteira por cima da cabeça para me ficar encostada à anca. Estava pronta para ir, assim que visse a Kate.

Toquei no braço de Christian, estiquei-me e gritei-lhe ao ouvido: – Ela está na pista – toquei com o nariz no cabelo dele e senti-lhe o cheiro a limpo e a fresco. Todos aqueles sentimentos proibidos, desconhecidos, que eu tinha tentado negar vieram à tona e espalharam-se descontroladamente pelo meu corpo esgotado. Corei e algures bem lá no fundo os meus músculos contraíram-se deliciosamente.

Ele revirou os olhos, voltou a dar-me a mão e levou-me para o bar. Foi servido imediatamente, nada de esperas quando se é Mr. Grey, Maníaco do Controlo. Será que tudo lhe acontecia assim tão facilmente? Não consegui ouvir o que pediu. Entregou-me um copo de água gelada muito grande.

– Bebe. – Gritou-me a sua ordem.

As lâmpadas rodavam e giravam ao compasso da música, espalhando luzes e sombras de cores estranhas por todo o bar e por cima dos clientes. Ele começava por ficar verde, depois azul, branco e de um vermelho demoníaco. Observava-me atentamente. Eu bebi um bocadinho da água.

– Toda – gritou ele.

Era tão autoritário. Passou a mão pelo cabelo indisciplinado. Parecia descontente, zangado. Qual era o problema dele? Além de ter uma tonta bêbada a ligar-lhe a meio da noite para ele pensar que ela precisava de salvamento? E veio a revelar-se que afinal bem precisava de ser salva do amigo demasiado insistente. E depois vê-la a vomitar-lhe violentamente aos pés. *Oh, Ana... alguma vez vais superar isto?* Voltou o meu subconsciente, em sentido figurado, com um som reprovador e um olhar fulminante por cima dos óculos em meia-lua. Eu balancei um bocadinho e o Grey pôs-me a mão no ombro para me segurar. Fiz o que me mandaram e bebi o copo todo. Fez-me sentir enjoada. Ele tirou-me o copo e pousou-o no balcão. Reparei, ainda meia tonta, no que ele trazia vestido: uma camisa branca de linho larga, *jeans* justos, All Stars pretas e um casaco escuro riscado. A camisa não estava abotoada em cima e vi um tufo de pelo. Atordoada como estava, ele tinha um ar delicioso.

Deu-me outra vez a mão. *Raios!* – estava a levar-me para a pista. Merda. Eu não dançava. Ele sentiu a minha relutância, e naquelas luzes coloridas vi-lhe o sorriso divertido e trocista. Puxou-me com força pela mão e vi-me de novo nos braços dele, e ele começou a mexer-se e a levar-me com ele. Fogo, ele dançava! E eu não acreditava que estava a seguir-lhe os passos. Talvez fosse por estar bêbada que conseguia acompanhá-lo. Ele apertava-me contra ele, o corpo contra o meu... se ele não me agarrasse tão bem tinha a certeza de que desfaleceria aos pés dele. De um recanto da minha consciência chegou-me o aviso sobejamente repetido da minha mãe: *Nunca confies num homem que saiba dançar.*

Ele conduziu-nos por entre a massa de dançarinos até ao outro lado da pista e parámos ao lado da Kate e do Elliot, o irmão dele. A música continuava a bombar, alta e lasciva, fora e dentro da minha cabeça. Oh, não... *A Kate estava a esforçar-se.* Dançava até mais não, coisa que ela só fazia se gostava de alguém. Se gostava verdadeiramente de alguém. Queria dizer que íamos ser três ao pequeno-almoço no dia seguinte. Kate!

O Christian inclinou-se e gritou ao ouvido do Elliot. Não consegui ouvir o que ele dizia. O Elliot era alto e tinha ombros largos, cabelo loiro ao caracóis e olhos claros com um brilho malandro. Não consegui distinguir a cor, com o festival de luzes intermitentes. O Elliot riu e puxou a Kate para junto dele, sítio em que ela tinha todo o prazer em estar... *Kate!* Mesmo no meu estado de embriaguez, fiquei chocada. Ela acabara de o conhecer. Acenou a cabeça ao que quer que Elliot lhe tenha dito, sorriu-me e disse-me adeus. Christian tirou-nos da pista num piscar de olhos.

Mas eu não tinha chegado a falar com ela. Ela estaria bem? Conseguia ver para onde se encaminhavam as coisas quanto a ela e a ele. *Preciso de lhe dar o sermão sobre sexo seguro.* Passou-me pela cabeça a esperança de que ela lesse um dos pósteres que estavam atrás da porta da casa de banho. Sentia os pensamentos atravessarem-me o cérebro, debatendo-se com a sensação difusa de embriaguez. Estava tão quente ali, e tanto barulho, tanta cor – tanta luz. A minha cabeça começou a andar às voltas, *Oh, não...* e eu senti a minha cara a ir de encontro ao chão, ou assim me pareceu. A última coisa que ouvi antes de desmaiar nos braços de Christian Grey foi o seu áspero epíteto.

– Foda-se!

CAPÍTULO CINCO

Não havia barulho. A luz era suave. Eu estava confortável e quente, naquela cama. *Hmm*... Abri os olhos e por um momento fiquei tranquila e serena, desfrutando do ambiente estranho, desconhecido. Não fazia ideia de onde estava. A cabeceira da cama, atrás de mim, tinha a forma de um enorme sol. Era curiosamente familiar. O quarto era grande e arejado e faustosamente mobilado em castanhos, dourados e beges. Já o vira antes. Onde? O meu cérebro atordoado tentava repassar as memórias visuais mais recentes. Xi... Estava no Heathman Hotel... numa suíte. Já tinha estado num quarto semelhante com a Kate. Aquele parecia maior. Oh, merda! Estava na suíte de Christian Grey. Como é que tinha ido ali parar?

Memórias dispersas da noite anterior regressaram lentamente para me atormentar. A bebida – *oh, não, a bebida* – o telefonema – *oh, não, o telefonema* – o vomitado – *oh, não, o vomitado*. O José e a seguir o Christian. *Oh, não*. Estremeci por dentro. Não me lembrava de ter ido ali parar. Tinha a *t-shirt*, o sutiã e as cuecas vestidos. As meias não. Nem as calças. *Com os diabos!*

Espreitei para a mesinha de cabeceira. Tinha um copo de sumo de laranja e um comprimido em cima. Guronsan. Maníaco do controlo como era, ele pensava em tudo. Sentei-me e dissolvi a pastilha no sumo. Na verdade, não me sentia assim tão mal, o que era provavelmente muito melhor do que eu merecia. O sumo de laranja estava divinal. Matou-me a sede e refrescou-me.

Ouvi bater à porta. O coração saltou-me para a boca e não consegui fazer uso da voz. Ele abriu a porta assim mesmo e entrou.

Meu Deus! Tinha estado a fazer exercício. Estava de calças de ginástica cinzentas que lhe caíam das ancas como de costume e uma camisola sem mangas escura de suor, como o cabelo. *O suor de Christian*

Grey; a ideia teve um efeito estranho em mim. Respirei fundo e fechei os olhos. Sentia-me uma criança de dois anos; se fechasse os olhos, não estava lá de verdade.

– Bom dia Anastasia. Como te sentes?

– Melhor do que mereço – disse para dentro.

Olhei de soslaio para ele. Pousou um grande saco de compras numa cadeira e agarrou pelas pontas na toalha que tinha à volta do pescoço. Ficou a olhar para mim, olhos cinzentos sombrios, e, como era habitual, eu não fazia ideia do que ele estava a pensar. Escondia tão bem os pensamentos e sentimentos.

– Como é que vim aqui parar? – A voz saiu-me pequena, contrita.

Ele sentou-se na beira da cama. Tão perto que me era possível tocar, cheirar. Oh, céus... suor, gel de duche e Christian. Era um *cocktail* inebriante – de longe muito melhor que uma margarita, e eu já podia falar por experiência própria.

– Depois de desmaiares não quis arriscar o estofo de pele do meu carro e fazer o percurso todo até ao teu apartamento. Por isso trouxe-te para aqui – esclareceu ele, fleumático.

– Deitaste-me?

– Sim.

O rosto dele estava impassível.

– Voltei a vomitar? – A minha voz estava mais calma.

– Não.

– Despiste-me? – sussurrei.

– Sim. – Ergueu uma sobrancelha na minha direção e eu corei violentamente.

– Nós não...? – perguntei num sussurro, horrorizada, com a boca a ficar seca e sem conseguir terminar a pergunta. Fiquei a olhar para as mãos.

– Anastasia, estavas em coma. A necrofilia não é a minha onda. Gosto das minhas mulheres despertas e recetivas – disse ele secamente.

– Peço imensa desculpa.

A boca dele ergueu-se ligeiramente num sorriso sarcástico.

– Foi uma noite muito recreativa. Não vou esquecê-la tão cedo.

Eu também não – oh... ele estava a rir-se de mim, o filho da mãe.

Não lhe tinha pedido para me ir buscar. De alguma forma tinham-me feito sentir a vilã da peça.

– Ninguém te pediu para vires atrás de mim com essa engenhoca à James Bond que andas a desenvolver para vender a quem der mais – ripostei.

Ele ficou a olhar para mim, surpreendido, e, se não me enganava, um bocadinho magoado.

– Primeiro, a tecnologia para localizar telemóveis está disponível na Internet. Segundo, a minha empresa não investe nem produz nenhum tipo de aparelho de vigilância. E terceiro, se eu não tivesse ido atrás de ti provavelmente estarias a acordar na cama do fotógrafo, e daquilo que recordo não estavas muito entusiasmada com o facto de ele querer prosseguir com os seus intentos – disse com azedume.

Prosseguir com os seus intentos. Olhei para cima. Christian olhava-me com um ar furioso, olhos inflamados, ressentidos. Tentei morder o lábio, mas não consegui abafar uma risadinha.

– De que crónica medieval escapaste tu? Pareces um cavaleiro da corte.

A disposição dele mudou visivelmente. Os olhos suavizaram-se e a expressão ficou mais calorosa e tinha indícios de um sorriso nos lábios.

– Anastasia, não me parece. Um cavaleiro negro, talvez. – Fez um sorriso sardónico e abanou a cabeça. – Comeste ontem à noite? – O tom de voz era acusatório. Eu abanei a cabeça. Que enorme transgressão acabava de cometer? Ele cerrou os dentes, mas o rosto continuou impassível.

– Precisas de comer. Foi por isso que ficaste tão mal. Honestamente, é a regra número um no que respeita à bebida. – Passou a mão pelo cabelo, e eu sabia que era porque estava exasperado.

– Vais continuar a ralhar-me?

– É isso que estou a fazer?

– Parece-me.

– Tens sorte por eu estar apenas a ralhar-te.

– O que queres dizer com isso?

– Bem, se fosses minha, não conseguirias sentar-te durante uma semana, depois da brincadeira de ontem. Não comeste, embebedaste-te, expuseste-te ao perigo. – Fechou os olhos, o rosto marcado de pavor por um instante, e estremeceu. Quando os abriu, fitou-me com olhos fulminantes. – Detesto pensar no que poderia ter-te acontecido.

Eu devolvi-lhe um olhar mal-humorado. Qual era o problema dele? Que tinha ele a ver com aquilo? Se eu fosse dele... *Bem, não era.* Embora parte mim gostasse de ser. O pensamento penetrou a irritação que eu sentira ao ouvir aquelas palavras despóticas. Corei com a rebeldia do meu subconsciente – que estava a fazer a sua dança de celebração com uma saia vermelha de dançar a *hula* perante a ideia de ser dele.

– Ia ficar bem. Estava com a Kate.

– E o fotógrafo? – atirou-me ele.

Hum... o jovem José. Ia ter de me cruzar com ele em algum momento.

– O José foi inconveniente, é tudo – repliquei eu com um encolher de ombros.

– Bem, da próxima vez que ele for inconveniente talvez alguém lhe deva ensinar a ter maneiras.

– És muito disciplinador – sibilei.

– Oh, Anastasia, não fazes ideia. – Os olhos dele semicerraram-se e fez um sorriso malicioso. Era desarmante. Ora estava confusa e zangada, ora olhava para aquele sorriso deslumbrante. *Uau...* Fiquei para ali extasiada, e era por o sorriso dele ser tão raro. Esqueci-me praticamente do que ele estava a dizer.

– Vou tomar um duche. A não ser que queiras tomar tu primeiro?

Inclinou a cabeça, ainda a sorrir. A minha pulsação acelerou e o meu bulbo raquidiano esqueceu-se de disparar sinapses que me fizessem respirar. O sorriso dele abriu-se e ele esticou o braço e passou-me o polegar pela bochecha e pelo lábio inferior.

– Respira, Anastasia – sussurrou, voltando a pôr-se de pé. – O pequeno-almoço chegará dentro de quinze minutos. Deves estar esfomeada. – Foi para a casa de banho e fechou a porta.

Deixei sair a respiração que estivera a reter. Que raio, porque é que ele era tão atraente? Só queria ir ter com ele ao duche. Nunca me tinha sentido assim por ninguém. As minhas hormonas estavam a mil. A minha pele picava na linha que ele traçara com o polegar no meu rosto e lábio inferior. Torcia-me com um... desconforto... uma necessidade incómoda. Não compreendia a reação. *Hum... Desejo.* Era desejo. Era assim que era.

Recostei-me nas almofadas fofas, de penas. *Se fosses minha.* Ó céus – o que não faria eu para ser dele? Era o único homem que alguma vez me tinha feito acelerar a pulsação. Mas era tão desagradável, também; e difícil, complicado e desconcertante. Ora me repudiava, ora me enviava livros de catorze mil dólares, ora se punha no meu encalço como um perseguidor. E mesmo com tudo aquilo, eu tinha passado a noite na suíte dele e sentia-me segura. Protegida. Ele importava-se o suficiente para ir salvar-me de um qualquer perigo que julgara existir.

Não era nenhum cavaleiro negro mas um cavaleiro branco de armadura brilhante, resplandecente – um herói romântico clássico – Sir Gawain ou Sir Lancelot.

Saí da cama dele e lancei-me na procura desenfreada das minhas calças. Ele saiu da casa de banho molhado e brilhante do duche, ainda de barba por fazer, só com uma toalha à volta da cintura, e ali estava eu – toda pernas nuas e ar apatetado. Ficou surpreendido por me ver fora da cama.

– Se estás à procura das tuas calças, mandei-as para a lavandaria. – O olhar dele ficou sombrio. – Estavam salpicadas com o teu vómito.

– Ah. – Fiquei logo vermelhíssima. Porque é que ele tinha sempre de me apanhar em falta?

– Mandei o Taylor ir buscar outro par, e sapatos. Estão naquele saco em cima da cadeira.

Roupa limpa. Que bónus tão inesperado.

– Hum... Vou tomar um duche – murmurei. – Obrigada.

Que mais podia dizer? Peguei no saco e disparei para a casa de banho, para longe da proximidade aflitiva de um Christian nu. Não ficava a dever nada ao *David* de Miguel Ângelo.

Na casa de banho, era só calor e vapor. Despi a roupa e entrei logo para o duche, ansiosa por me ver debaixo de um jato de água purificante. Jorrava para cima de mim e eu ergui o rosto para a torrente apetecida. Queria Christian Grey. Queria-o a sério. Tão simples quanto isso. Pela primeira vez na vida, queria ir para a cama com um homem.

Queria sentir as mãos e a boca dele em mim.

Ele tinha dito que gostava das mulheres despertas. *Então provavelmente não era celibatário.* Mas não tinha feito avanço nenhum, ao contrário do Paul ou do José. Não compreendia. Ele queria-me? Na semana anterior não me tinha beijado. Repelia-o? Mas afinal eu estava ali e tinha sido ele a levar-me para lá. Não sabia qual era o jogo dele. O que tinha ele na cabeça? *Dormiste na cama dele a noite toda e ele não te tocou, Ana. Faz as contas.* O meu subconsciente espetava a sua cabeça feia e mesquinha. Ignorei-o.

A água estava tão quente e relaxante. Hmm... Podia ficar debaixo daquele duche, naquela casa de banho, para sempre. Peguei no gel de banho e cheirava a ele. Era um cheiro delicioso. Espalhei-o pelo corpo todo, fantasiando que era ele – ele a esfregar o gel de cheiro celestial no meu corpo, nos meus seios, no meu ventre, entre as minhas coxas com aqueles dedos compridos. *Ó céus...* A minha pulsação voltou a aumentar. Aquilo era tão... tão bom.

– O pequeno-almoço chegou. – Bateu na porta e assustou-me.

– Oh... OK – titubeei, cruelmente arrancada ao meu devaneio erótico.

Saí do duche e peguei em duas toalhas. Usei uma para o cabelo e enrolei-a à volta da cabeça ao estilo da Carmen Miranda. Sequei-me apressadamente, ignorando a sensação prazerosa da toalha a passar-me na pele desperta.

Inspecionei o saco. O Taylor não só me comprara *jeans* e All Stars novos como também uma camisa azul clara, meias e roupa interior. Ó céus... Um sutiã e umas cuecas lavados – na verdade, descrevê-los de uma forma tão mundana e utilitária não lhes fazia justiça. Tratava-se de *lingerie* europeia requintada. Era só renda azul clara e adornos. Uau! Fiquei impressionada e ligeiramente intimidada com a roupa interior. Além do mais, era do tamanho perfeito. Claro que era... Corei ao imaginar o Cabelo Rapado nalguma loja de *lingerie* a comprar-me aquilo. Perguntei-me que mais faria parte das suas funções laborais.

Vesti-me depressa. O resto da roupa assentava-me mesmo bem. Sequei bruscamente o cabelo com a toalha e tentei desesperadamente impor alguma ordem ao cabelo. Mas, como de costume, ele recusava cooperar, e a minha única opção era prendê-lo com o elástico que eu não tinha. Devia ter um na carteira, onde quer que ela estivesse. Respirei fundo. Era altura de enfrentar o Mr. Desconcertante.

Senti-me aliviada ao deparar com o quarto vazio. Procurei rapidamente a carteira, mas não estava lá. Com mais uma inspiração profunda, entrei na área social da suíte. Era enorme. Tinha uma zona de estar, opulenta e sumptuosa, toda sofás profusamente almofadados e almofadas fofas, uma mesa de apoio elaborada com uma pilha de livros grandes e brilhantes, uma zona de escritório com um iMac de última geração e um plasma enorme na parede. O Christian estava sentado à mesa do outro lado do compartimento a ler um jornal. Aquilo era do tamanho de um campo de ténis ou qualquer coisa assim; não que eu jogasse ténis, embora tivesse visto a Kate jogar algumas vezes. *Kate!*

– Raios, Kate – grasnei.

Christian levantou os olhos.

– Ela sabe que estás aqui e que estás viva. Enviei uma mensagem ao Elliot – disse, com um vestígio mínimo de humor.

Oh, não... Lembrei-me da dança fervorosa da noite anterior. Todos os seus movimentos patenteados usados com máximo efeito para seduzir nada mais, nada menos do que o irmão do Christian. O que é que ela iria pensar de mim, ali? Eu nunca tinha dormido fora de casa. Ela ainda estava com o Elliot. Ela só tinha feito aquilo duas vezes e, das duas, eu tivera de aguentar o odioso pijama cor-de-rosa durante uma semana a seguir à reviravolta. Ia pensar que eu também tinha tido um caso de uma noite.

O Christian olhava para mim imperiosamente. Envergava uma camisa branca de linho, colarinho e punhos desabotoados.

– Senta-te – ordenou, apontando para um lugar à mesa.

Eu atravessei o compartimento e sentei-me à frente dele, como me tinha sido ordenado. A mesa estava a abarrotar de comida.

– Não sabia do que é que gostavas, por isso disse que trouxessem uma seleção do menu de pequeno-almoço.

Faz-me um sorriso enviesado, a pedir desculpa.

– Um verdadeiro mãos-largas – murmurei, perplexa com toda a escolha, embora tivesse fome.

– Sim, um pouco.

Pareceu sentir-se culpado.

Optei por panquecas, xarope de ácer, ovos mexidos e *bacon*. O Christian tentou esconder um sorriso ao regressar à omelete de claras. A comida estava deliciosa.

– Chá? – perguntou-me.

– Sim, por favor.

Passou-me um pequeno bule de água quente e no pires estava uma saqueta de Twinings English Breakfast. Ena! Ele lembrava-se da forma como eu gostava do chá.

– O teu cabelo está muito húmido – ralhou.

– Não consegui encontrar o secador – murmurei, envergonhada. Não que tivesse procurado.

A boca de Christian comprimiu-se numa linha dura, mas ele não disse nada.

– Obrigada pela roupa.

– É um prazer, Anastasia. A cor fica-te bem.

Eu corei e pus-me a olhar para os dedos.

– Sabes, devias mesmo aprender a aceitar um elogio. – O tom dele era castigador.

– Eu devia dar-te dinheiro para pagar a roupa.

Ele olhou para mim furioso, como se de alguma forma eu o tivesse ofendido. Apressei-me a continuar.

– Já me deste os livros, que não posso aceitar, claro. Mas estas roupas... por favor deixa-me pagar-te. – Sorri-lhe, hesitante.

– Anastasia, acredita em mim, eu posso pagar.

– Não é disso que se trata. Que sentido faz andares a comprar-me roupa?

– Poder comprá-la. – Os olhos dele cintilaram com um brilho malévolo.

– Só porque podes não quer dizer que devas – respondi calmamente, ao que ele me arqueou uma sobrancelha, piscando os olhos, e subitamente tive a sensação de que estávamos a falar de outra coisa, mas eu não sabia de quê. O que me lembrou...

– Porque me enviaste os livros, Christian? – A minha voz era doce. Ele pousou os talheres e olhou para mim intensamente, os olhos ardendo com alguma emoção imperscrutável. Raios... Fiquei com a boca seca.

– Bem, quando quase foste atropelada pelo ciclista, e eu te agarrei e tu ficaste a olhar para mim, toda "beija-me, beija-me, Christian" – fez uma pausa e encolheu os ombros – senti que te devia um pedido de desculpa e uma advertência. – Passou a mão pelo cabelo. – Anastasia, eu não sou do tipo romântico... Não funciono assim. Os meus gostos são muito singulares. Deves afastar-te de mim. – Fechou os olhos como se sofresse uma derrota. – Há algo em ti, contudo, que me impossibilita que me afaste. Mas julgo que já percebeste isso.

O meu apetite desapareceu. *Ele não conseguia afastar-se.*

– Então não o faças – sussurrei eu.

Ouvi-lhe a respiração e ele ripostou com os olhos muito abertos:

– Não sabes o que dizes.

– Esclarece-me, então.

Estávamos sentados a olhar um para o outro. Nenhum dos dois tocava na comida.

– Não és celibatário, então? – sussurrei.

Um brilho divertido nos olhos dele.

– Não, Anastasia, não sou celibatário. – Fez uma pausa, para a informação assentar, e eu fiquei vermelha. O filtro boca/cérebro deixara novamente de funcionar. Não acreditava que tinha dito aquilo alto.

– Quais são os teus planos para os próximos dias? – perguntou ele com voz grave.

– Hoje trabalho, a partir do meio-dia. Que horas são? – entrei subitamente em pânico.

– Passa pouco das dez; tens tempo de sobra. E amanhã? – Estava com os cotovelos em cima da mesa e o queixo pousado nos dedos longos e esguios.

– A Kate e eu começamos a arrumar as nossas coisas. Vamos mudar-nos para Seattle no próximo fim de semana, e eu trabalho no Clayton's a semana toda.

– Já têm sítio onde morar em Seattle?

– Sim.

– Onde?

– Não me lembro da morada. Fica em Pike Market District.

– Não fica longe de mim. – Sorriu. – E em que vais trabalhar, em Seattle?

Onde é que ele queria chegar com aquelas perguntas todas? A Inquisição de Christian Grey era quase tão irritante como a de Katherine Kavanagh.

– Candidatei-me a alguns estágios. Estou à espera de saber a resposta.

– Candidataste-te à minha empresa, como sugeri?

Corei... *Claro que não.*

– Hã... não.

– Passa-se alguma coisa com a minha companhia?

– A tua companhia ou *a tua companhia*? – perguntei com um sorriso escarninho.

– Está a troçar de Christian Grey, Miss Steele? – Inclinou a cabeça para o lado e quis-me parecer que estava divertido, mas era difícil dizer. Corei e baixei os olhos para o pequeno-almoço ainda por acabar. Não conseguia olhar para ele quando usava aquele tom de voz.

– Gostava de morder esse lábio – sussurrou num tom sombrio.

Eu sobressaltei-me, pois não fazia ideia de que estava a mordiscar o lábio inferior, e a minha boca abriu-se. Aquilo tinha de ser a coisa mais *sexy* que alguém alguma vez me dissera. A minha pulsação disparou e pareceu-me que a respiração se tornava acelerada. Caramba! Estava num estado lastimável e ele nem sequer me tinha tocado. Mexi-me na cadeira e correspondi ao seu olhar sombrio.

– Porque não o fazes? – desafiei calmamente.

– Porque não te vou tocar, Anastasia, não antes de ter o teu consentimento escrito para o fazer. – Os lábios dele indiciaram um sorriso.

O quê?

– O que é que isso quer dizer?

– Exatamente o que digo. – Suspirou e abanou a cabeça, divertido mas exasperado também. – Preciso de te mostrar, Anastasia. A que horas acabas o trabalho hoje à noite?

– Pelas oito.

– Bem, podíamos ir a Seattle hoje à noite ou no próximo sábado, jantar a minha casa, e eu dou-te a conhecer os factos nessa altura. A escolha é tua.

– Porque não me podes dizer agora?

– Porque estou satisfeito a tomar o pequeno-almoço na tua companhia. Uma vez esclarecida, provavelmente não quererás voltar a ver-me.

O que é que aquilo queria dizer? Será que ele traficava criancinhas para algum canto remoto do planeta? Faria parte de algum sindicato do crime do submundo? Isso explicava porque era tão rico. Seria profundamente religioso? Impotente? Certamente que não – podia provar-mo ali mesmo. Estava a ficar escarlate só de pensar nas possibilidades. Aquilo não me levava a lado nenhum. Preferia resolver o enigma que era Christian Grey mais cedo do que mais tarde. Se significava que o seu segredo era tão aberrante que eu não quereria saber mais dele, então, muito francamente, seria um alívio. *Não mintas a ti própria* – gritou-me o meu subconsciente – *teria de ser uma coisa escabrosa para te pôr a fugir.*

– Hoje à noite.

Ergueu uma sobrancelha.

– Como Eva, és rápida a comer da árvore do conhecimento. – Fez um sorriso trocista.

– Está a troçar de mim, Mr. Grey? – perguntei com voz doce.

Cretino.

Ele semicerrou os olhos e pegou no BlackBerry. Carregou num número.

– Taylor. Vou precisar do Charlie Tango.

Charlie Tango! Quem era?

– De Portland às, digamos, vinte e trinta... Não, paragem no Escala... a noite toda.

A noite toda!

– Sim. Disponível amanhã de manhã. Para eu pilotar de Portland para Seattle.

Pilotar?

– Piloto em *standby* a partir das vinte e duas e trinta.

Desligou o telefone. Sem por favor nem obrigada.

– As pessoas fazem sempre o que tu lhes dizes?

– Regra geral, se querem manter o emprego – respondeu, sem expressão.

– E se não trabalharem para ti?

– Oh, consigo ser muito persuasivo, Anastasia. Devias acabar o pequeno-almoço. E depois deixo-te em casa. Vou buscar-te ao Clayton's às oito, quando saíres. Voaremos para Seattle.

Comecei a pestanejar muito.

– Voar?

– Sim. Tenho um helicóptero.

Fiquei a olhar para ele de boca aberta. Ia ter um segundo encontro com o ultramisterioso Mr. Grey. Do café passávamos para voos de helicóptero. Uau!

– Vamos de helicóptero para Seattle?

– Sim.

– Porquê?

Um sorriso malicioso: – Porque posso. Termina o pequeno-almoço.

Como ia conseguir comer? Ia para Seattle de helicóptero com Christian Grey. E ele queria morder-me o lábio... Contorcia-me só de pensar.

– Come – disse com mais rispidez. – Anastasia, eu tenho um problema com desperdício de comida... come.

– Não consigo comer isto tudo. – Olhei boquiaberta para a comida que ainda estava na mesa.

– Come o que tens no prato. Se tivesses comido como deve ser ontem não estarias aqui, e eu não estaria a abrir o jogo tão cedo. – A boca dele parou numa linha severa. Parecia irritado.

Franzi o sobrolho e regressei à minha comida, agora fria. *Estou excitada demais para comer, Christian. Não percebes?*, explicou o meu subconsciente. Mas era covarde demais para proferir aqueles pensamentos em voz alta, sobretudo com ele com um ar tão carrancudo. *Hum...* como um rapazinho. O pensamento divertiu-me.

– O que tem tanta graça? – perguntou.

Abanei a cabeça, não me atrevendo a dizer-lhe e continuando a olhar para a comida. Engoli o meu último pedaço de panqueca e levantei o olhar. Ele observava-me atentamente.

– Linda menina – disse ele. – Levo-te a casa quando tiveres secado o cabelo. Não te quero a ficar doente.

Havia uma espécie de promessa não declarada nas palavras dele.

O que é que ele queria dizer? Levantei-me da mesa, perguntando-me por um momento se deveria pedir permissão mas rejeitando a ideia. Parecia um precedente perigoso para se abrir. Regressei ao quarto dele. Um pensamento deteve-me.

– Onde dormiste ontem à noite? – Virei-me para olhar para ele, ainda sentado à mesa. Não via cobertores nem lençóis; ou talvez ele tivesse mandado arrumá-los.

– Na minha cama – disse simplesmente, com o olhar mais uma vez impassível.

– Oh.

– Sim, também foi novidade para mim. – Sorriu.

– Não fazer... sexo? – Pronto! Tinha dito a palavra. Corei, claro.

– Não. – Ele abanou a cabeça e fez uma careta, como se recordasse algo desconfortável. – Dormir com alguém. – Pegou no jornal e continuou a ler.

Mas que raio é que aquilo queria dizer? Que nunca tinha dormido com ninguém? Que era virgem? Não sei porquê, duvidei. Fiquei a olhar para ele, incrédula. Era a pessoa mais incompreensível que eu alguma vez conhecera. E ocorreu-me que acabara de dormir com Christian Grey e apetecia-me bater-me: o que eu não teria dado para o ver dormir? Vê-lo vulnerável. Por qualquer razão, achava aquilo difícil de imaginar. Bem, supostamente tudo seria revelado naquela mesma noite.

No quarto dele, revirei uma cómoda e encontrei o secador. Usando os dedos, sequei o cabelo o melhor que pude. Quando acabei, fui para a casa de banho. Queria escovar os dentes. Procurei a escova de Christian. Seria como tê-lo a ele na minha boca. *Hmm...* Espreitei para a porta por cima do ombro com um sentimento de culpa e passei o dedo pelas cerdas da escova. Estavam húmidas. Ele devia tê-la usado. Agarrei-a depressa, espremi pasta de dentes para cima dela e escovei os dentes em tempo recorde. Senti-me tão rebelde. Foi tão excitante.

Peguei na *t-shirt*, sutiã e cuecas do dia anterior, pu-los no saco de compras que o Taylor tinha trazido e voltei à zona social para apanhar a carteira e o casaco. Alegria profunda, tinha um elástico lá dentro. Christian observava-me a apanhar o cabelo com uma expressão indecifrável. Senti os olhos dele seguirem-me enquanto me sentava e aguardava que ele terminasse. Estava ao BlackBerry a falar com alguém.

– Querem dois? Quanto vão custar? OK, e que medidas de segurança temos implementadas? E vão via Suez? E Ben Sudan é seguro? E quando chegam a Darfur? OK, vamos em frente. Mantém-me ao corrente dos progressos. – Desligou. – Pronta para sair?

Acenei com a cabeça. Perguntava-me sobre que seria a conversa. Ele enfiou um casaco azul-marinho às riscas, pegou nas chaves do carro e encaminhou-se para a porta.

– Você primeiro, Miss Steele – murmurou, abrindo-me a porta. Estava elegante mas descontraído.

Eu parei, tempo demais, em rigor, bebendo da visão dele. E pensar que dormira com ele na noite anterior e que, mesmo com a tequila e o vomitado todo, ele ainda estava ali. Além disso, queria levar-me a Seattle. Porquê eu? Não compreendia. Saí pela porta lembrando-me das palavras dele – *Há algo em ti* – bem, a sensação era inteiramente recíproca, Mr. Grey, e eu contava descobrir o segredo dele.

Caminhámos em silêncio pelo corredor até ao elevador. Enquanto esperávamos, olhei para ele por baixo das pestanas, e ele olhou para mim pelo canto do olho. Eu sorri, e os lábios dele estremeceram.

O elevador chegou e nós entrámos. Estávamos sozinhos. De repente, por alguma razão inexplicável, possivelmente a proximidade num espaço tão exíguo, o ambiente entre nós mudou, carregando-se de uma expetativa elétrica, exultante. A minha respiração alterou-se com o aumento da pulsação. A cabeça dele virou-se um milésimo para mim, os olhos de um cinzento mais negro. Mordi o lábio.

– Oh, que se lixe a papelada – uivou ele.

Investiu na minha direção, empurrando-me contra a parede do elevador. Antes de eu dar por ela, segurou as minhas duas mãos com força com uma das dele por cima da minha cabeça e prendeu-me à parede com as ancas. Bolas! A outra mão agarrou-me o cabelo e puxou-mo para baixo, o que me levantou a cara, e fiquei com os lábios dele nos meus. Não doía por pouco. Gemi na boca dele, oferecendo uma abertura à sua língua. Ele aproveitou logo e esta explorou com perícia a minha boca. Nunca tinha sido beijada daquela maneira. A minha língua tocou timidamente a dele e juntou-se a ela numa dança lenta, erótica, que era só toque e sensação, impacto e rodopio. Subiu a mão para me agarrar no queixo e segurou-me. Estava indefesa, as mãos imobilizadas, a cara presa, e as coxas dele a limitarem-me os movimentos. Tinha a ereção dele encostada à minha barriga. *Ó céus*...Ele queria-me. Christian Grey, o deus grego, queria-me e eu queria-o a ele, ali... já, no elevador.

– Tu. És. Tão. Doce – murmurou, cada palavra em *staccato*.

O elevador parou, as portas abriram-se, e ele afastou-se de mim num piscar de olhos, deixando-me pendurada. Três homens de fato olharam para nós e fizeram um sorriso trocista ao entrar no elevador. O meu ritmo cardíaco rebentou a escala; sentia-me como se tivesse corrido por uma encosta acima. Queria dobrar-me e agarrar os joelhos... mas era uma coisa demasiado óbvia.

Espreitei para cima. Ele parecia tão descontraído e calmo, como se tivesse estado a fazer as palavras-cruzadas do *Seattle Times*. *Que injusto.* Ele não ficava minimamente afetado pela minha presença? Lançou-me um olhar pelo canto do olho e soltou suavemente uma longa expiração. Ah! Ele estava afetado, sim – e a minha minúscula deusa interior balançou-se num samba doce e vitorioso. Os homens de negócios saíram no segundo piso. Tínhamos mais um pela frente.

– Escovaste os dentes – disse ele, olhando fixamente para mim.

– Usei a tua escova.

Os lábios dele curvaram-se num meio-sorriso.

– Oh, Anastasia Steele, o que vou eu fazer contigo? – A porta abriu-se no primeiro andar e ele pegou-me na mão e puxou-me para fora. – O que se passa com os elevadores? – murmurou, mais para si próprio do que para mim, avançando a passos largos pelo átrio.

Esforcei-me por conseguir acompanhá-lo, já que a minha sanidade tinha sido completa e ostensivamente dispersada pelo chão e paredes do elevador três do Heathman Hotel.

CAPÍTULO SEIS

Christian abriu a porta do lado do passageiro do SUV Audi preto e eu entrei. Era um portento de carro. Ele não mencionara o acesso de paixão que explodira no elevador. Deveria mencioná-lo eu? Deveríamos falar sobre ele ou fingir que não tinha acontecido? Quase não parecia real, o meu primeiro beijo em que valera mesmo tudo. O correr do relógio conferia-lhe um caráter mítico, de lenda arturiana ou da Cidade Perdida da Atlântida. Nunca acontecera, nunca existira. *Talvez eu tenha imaginado tudo.* Não. Toquei nos lábios, intumescidos pelo beijo dele. Acontecera decididamente. Eu era uma mulher transformada. Queria desesperadamente aquele homem, e ele queria-me a mim.

Olhei de relance para ele. Estava como era habitual: educado e ligeiramente distante. *Que desconcertante.*

Ligou o carro e saiu de marcha atrás do lugar do estacionamento. Ligou a aparelhagem. O interior do carro encheu-se da música mais doce e mais mágica: a voz de duas mulheres a cantar. Oh, uau... Os meus sentidos estavam todos desalinhados e aquilo afetou-me duplamente. Provocou-me arrepios na espinha. Christian virou para Southwest Park Avenue e conduzia com uma confiança indolente, fácil.

– O que estamos a ouvir?

– É "O Dueto das Flores", de Delibes, da ópera *Lakmé*. Gostas?

– Christian, é maravilhoso!

– É, não é? – Fez um sorriso rasgado e olhou para mim. E, por um momento fugaz, pareceu ter a idade dele: jovem, sem preocupações e lindo de morrer. Era aquela a chave para o decifrar? Música? Sentei-me e escutei as vozes angélicas que me enlevavam e seduziam.

– Posso ouvir outra vez?

– Claro. – Carregou num botão e a música acariciou-me uma

vez mais. Era um ataque suave, lento, doce e certeiro ao meu sentido auditivo.

– Gostas de música clássica? – perguntei, esperando conseguir um raro vislumbre das suas preferências pessoais.

– Os meus gostos são ecléticos, Anastasia; tudo desde Thomas Tallis até aos Kings of Leon. Depende do meu estado de espírito. E tu?

– Eu também. Apesar de não saber quem é Thomas Tallis.

Ele virou-se para mim e olhou-me um instante antes de voltar a olhar para a estrada.

– Eu mostro-te um destes dias. É um compositor britânico do século dezasseis. Tudor. Música coral religiosa. – Mostrou-me um sorriso rasgado. – Parece muito esotérico, eu sei, mas é também mágico.

Carregou num botão e os Kings of Leon começaram a cantar. Hum... aquela eu sabia. *Sex on Fire*. Muito apropriado. A música foi interrompida pelo som de um telemóvel a tocar por cima do som que saía das colunas. Christian carregou num botão do volante.

– Grey – atirou. Era tão brusco.

– Mr. Grey, daqui fala o Welch. Tenho a informação que solicitou. – Uma voz arranhada, impessoal, falou pelas colunas.

– Bom. Envie-me por *e-mail*. Alguma coisa a acrescentar?

– Não, senhor.

Desligou o botão, ao que a chamada terminou e a música regressou. Sem adeus nem obrigado. Fiquei tão contente por nunca ter considerado seriamente a opção de trabalhar para ele. Estremecia só de pensar. Ele era demasiado controlador e frio com os empregados. A música parou novamente para dar lugar ao telefone.

– Grey.

– O acordo foi-lhe enviado por *e-mail*, Mr. Grey. – Uma voz de mulher.

– Bom. É tudo, Andrea.

– Um bom dia, senhor.

Christian desligou pressionando um botão do volante. Ouvia-se a música há muito pouco tempo quando o telefone voltou a tocar. Que cena, era aquela a vida dele – importunado por telefonemas constantes?

– Grey – atirou.

– Ei, Christian, comeste-a?

– Olá Elliot. Estou em alta voz, e não estou sozinho no carro – disse com um suspiro.

– Quem está contigo?

O Christian revirou os olhos.

– Anastasia Steele.

– Olá, Ana!

Ana!

– Olá, Elliot.

– Ouvi falar muito de ti – murmurou com uma voz de veludo.

Christian franziu o sobrolho.

– Não acredites numa palavra do que a Kate disser.

Elliot riu-se.

– Vou deixar a Anastasia em casa. – Disse o meu nome completo com ênfase. – Queres que te vá buscar?

– Claro.

– Até já. – Christian desligou e a música regressou.

– Porque insistes em chamar-me Anastasia?

– Porque é o teu nome.

– Prefiro Ana.

– Sabes que mais? – Estávamos quase no meu apartamento. Não demorara muito. – Anastasia – disse como quem pensa em voz alta.

Fiz-lhe uma careta, mas ele ignorou a minha expressão.

– O que aconteceu no elevador, não volta a acontecer; bem, não até ser premeditado.

Estacionou à frente do dúplex. Constatei tardiamente que ele não me perguntara onde vivia e que, no entanto, sabia onde era. Mas também, ele tinha-me enviado os livros; claro que sabia onde eu viva. Qual seria o bom perseguidor, apetrechado com localizador de telemóveis e helicóptero, que não saberia?

Porque é que ele não me beijava outra vez? Amuei ao pensar naquilo. Não compreendia. Honestamente, o apelido dele devia ser "críptico", não "cinzento"[4]. Saiu do carro e aquelas pernas compridas caminha-

4. Jogo com a palavra inglesa "grey", cujo significado mais comum é "cinzento". (N. da T.)

ram fácil e graciosamente até ao meu lado para abrir a porta. Sempre cavalheiro, exceto talvez em momentos raros, preciosos, dentro de elevadores. Corei com a memória da boca dele na minha, e ocorreu-me o pensamento de que não tive hipótese de lhe tocar. Queria passar os dedos pelo seu cabelo decadente, despenteado, mas não conseguira mexer as mãos. Fiquei retrospetivamente frustrada.

– Gostei do que se passou no elevador – murmurei ao sair do carro.

Não sabia se tinha ouvido um sobressalto audível, mas escolhi ignorá-lo e subir os degraus da porta da frente.

A Kate e o Elliot estavam sentados à nossa mesa. Os livros de catorze mil dólares tinham desaparecido. Graças a Deus. Tinha planos para eles. Ela tinha estampado na cara o sorriso mais ridículo e mais incaraterístico dela, e tinha um ar desalinhado mas *sexy*. O Christian seguiu-me até à sala, e apesar da expressão de quem se tinha divertido a noite inteira, a Kate olhou-o desconfiada.

– Olá, Ana! – Saltou para me abraçar e depois afastou-me para me poder examinar. Franziu a sobrancelha e virou-se para Christian.

– Bom dia, Christian – disse, e o tom de voz dela era um bocadinho hostil.

– Miss Kavanagh – devolveu ele, no seu tom rígido e formal.

– Christian, o nome dela é Kate – reclamou o Elliot.

– Kate. – O Christian dirigiu-lhe um aceno de cabeça educado e olhou com ar furioso para o Elliot, que sorriu e se levantou para me abraçar também.

– Olá, Ana. – Sorria, os seus olhos azuis brilhavam e eu gostei dele imediatamente.

Era óbvio que não se parecia nada com o Christian, mas também eram irmãos adotivos.

– Olá Elliot. – Sorri-lhe e reparei que mordia o lábio.

– Elliot, é melhor irmos – disse Christian num tom moderado.

– Claro. – Virou-se para a Kate, puxou-a para ele e deu-lhe um beijo demorado.

Credo... E um quarto, não?

Pus-me a olhar para os meus pés, constrangida. Olhei de relance para o Christian e ele observava-me intensamente. Semicerrei os olhos. Porque não me beijas assim? O Elliot continuava a beijar a Kate, levantando-a e inclinando-a com dramatismo para que o cabelo tocasse no chão enquanto ele a beijava com ardor.

– Tchau, querida – disse ele com um sorriso rasgado.

A Kate derreteu-se. Nunca a tinha visto ficar derretida; as palavras "graciosa" e "complacente" vieram-me ao espírito. Complacente. Ah, ele tinha de ser bom. O Christian revirou os olhos e fitou-me, com uma expressão ilegível, embora pudesse estar ligeiramente divertido.

Pôs-me atrás da orelha uma madeixa de cabelo que se libertara do rabo de cavalo. A minha respiração parou por um momento com o contacto e inclinei a cabeça contra os dedos dele. Os olhos dele suavizaram-se e passou o polegar pelo meu lábio inferior. O sangue queimava-me nas veias. E, demasiado rápido, o toque dele desapareceu.

– Tchau, querida – murmurou, e eu tive de rir porque não tinha nada a ver com ele. Mas mesmo sabendo que ele estava a ser irreverente, o carinho com que o disse tocou-me profundamente. – Vou buscar-te às oito.

Preparou-se para ir embora, abrindo a porta da frente e saindo para o alpendre. O Elliot seguiu-o para o carro mas virou-se e enviou outro beijo à Kate, e eu senti uma indesejada pontada de ciúme.

– Então, aconteceu? – perguntou-me ela enquanto ficámos a vê-los subir para o carro e arrancar, com uma curiosidade ávida patente na voz.

– Não – repliquei, irritada, esperando que aquilo pusesse cobro às perguntas.

Voltámos para o apartamento.

– Mas vocês, é óbvio que sim.

Não conseguia conter a inveja. A Kate conseguia sempre encantar os homens. Era irresistível, linda, *sexy*, engraçada, aberta... todas as coisas que eu não era. Mas o sorriso rasgado dela era contagioso.

– E volto a vê-lo hoje à noite. – Batia palmas e saltava como uma miúda. Não conseguia conter a excitação e a felicidade e eu não consegui evitar sentir-me feliz por ela. Uma Kate feliz... ia ser interessante.

– O Christian vai levar-me a Seattle hoje à noite.

– A Seattle?

– Sim.

– Então talvez nessa altura?
– Oh, espero que sim.
– Gostas dele, então.
– Sim.
– Gostas o suficiente para...?
– Sim.
Arqueou as sobrancelhas. – Uau, Ana Steele! Finalmente apaixonada, e pelo Christian Grey, o *sexy* e quente bilionário.
– Pois claro, é só pelo dinheiro! – Fiz um sorriso travesso e desatámos ambas às gargalhadas.
– Tens uma camisa nova? – perguntou e contei-lhe todos os pormenores pouco excitantes da minha noite.
– Ele já te beijou? – perguntou-me ao fazer café.
Eu corei: – Uma vez.
– Uma vez? – desdenhou.
Eu acenei que sim, bastante envergonhada.
– Ele é muito reservado.
Ela franziu o sobrolho.
– É estranho.
– Não me parece que estranho seja O suficiente, a sério.
– Então, temos de te pôr simplesmente irresistível para ele esta noite – disse ela com determinação.
Oh, não... soava a algo demorado, humilhante e doloroso.
– Tenho de estar a trabalhar daqui a uma hora.
– Consigo atuar dentro desse horário. Anda – ordenou, pegando-me na mão e arrastando-me para quarto dela.

O dia arrastou-se no Clayton's apesar de estarmos atarefados. Tínhamos chegado à época de verão e tive de gastar duas horas a reabastecer as prateleiras depois de a loja fechar. Era um trabalho estupidificante que me deu demasiado tempo para pensar. Não tinha tido hipótese durante o dia inteiro.

Sob a orientação incansável e, para ser franca, intrusiva, da Kate, tinha as pernas e as axilas depiladas na perfeição, as sobrancelhas arranjadas e estava toda lisinha. Foi uma experiência muito desagradável, mas ela garantiu-me que nos dias que corriam era aquilo que os homens esperavam. Que mais esperariam eles? Tive de convencer a Kate de que era aquilo que eu queria fazer. Por alguma razão estranha, ela não confiava nele, talvez por ele ser tão rígido e formal. Ela dizia que não conseguia perceber o que era exatamente, mas eu tinha-lhe prometido enviar uma mensagem quando chegasse a Seattle. Não lhe contei do helicóptero; ela ia passar-se.

Também havia o José. Tinha-me deixado três mensagens e sete chamadas não atendidas no telemóvel e tinha ligado duas vezes para casa. A Kate foi muito vaga a respeito do meu paradeiro. Ele sabia com certeza que ela estava a proteger-me. A Kate não era dada a ser vaga. Mas eu tinha decidido deixá-lo de molho. Ainda estava demasiado zangada com ele.

Christian tinha mencionado uma papelada e eu não sabia se ele estava a brincar ou se eu ia ter de assinar alguma coisa. Tentar adivinhar era frustrante. E, além da angústia toda, ainda tinha de conter a excitação, ou o nervosismo. Ia ser naquela noite! Depois daquele tempo todo, estaria pronta para aquilo? A minha deusa interior lançou-me um olhar furioso, batendo impacientemente com o pé. Estava pronta para aquilo há anos, e estava pronta para qualquer coisa com Christian Grey, mas eu ainda não compreendia o que ele via em mim... Ana Steele, o patinho feio... Não fazia sentido.

Foi pontual, claro, e estava à minha espera quando saí do Clayton's. Saiu da parte de trás do Audi para me abrir a porta e sorriu-me afetuosamente.

– Boa noite, Miss Steele – disse ele.

– Mr. Grey. – Acenei educadamente com a cabeça e entrei para a parte de trás do carro. Taylor estava sentado no lugar do condutor.

– Olá, Taylor – cumprimentei.

– Boa noite, Miss Steele. – A voz dele era educada e profissional. Christian subiu para o outro lado e agarrou-me na mão, dando-lhe um aperto suave que fez eco pelo meu corpo todo.

– Como correu o trabalho? – perguntou-me.

– Muito devagar – respondi, e a minha voz era aveludada, demasiado grave e cheia de necessidade.

– Sim, também foi um dia longo para mim.

– O que fizeste? – tentei.

– Fui fazer montanhismo com o Elliot. – O polegar dele acariciava-me os nós dos dedos, para a frente e para trás, e o meu coração saltou uma batida ao sentir a respiração acelerar. Como é que ele me fazia aquilo? Só me estava a tocar numa pequenina área do corpo, e as minhas hormonas já saíam disparadas.

A distância até ao helicóptero era curta e, antes de me dar conta, já tínhamos chegado. Perguntei-me onde poderia estar o famoso helicóptero. Encontrávamo-nos numa zona da cidade com construções e até eu sabia que os helicópteros precisavam de espaço para descolar e aterrar. Taylor estacionou, saiu e abriu-me a porta. Christian pôs-se ao meu lado num instante e voltou a dar-me a mão.

– Pronta? – perguntou.

Eu acenei com a cabeça e quis dizer "Para tudo", mas não consegui articular as palavras, pois estava demasiado nervosa, demasiado excitada.

– Taylor. – Fez um aceno breve ao motorista e entrámos no edifício, direitos aos elevadores. *Elevador!* A memória do beijo da manhã regressou para me atormentar. Não tinha pensado em mais nada durante o dia, a sonhar acordada na caixa registadora do Clayton's. Mr. Clayton teve de gritar o meu nome duas vezes para me trazer de volta à realidade. Dizer que andava distraída teria sido o eufemismo do ano. Christian olhou para mim, um leve sorriso nos lábios. A-ah! Ele também estava a pensar no mesmo.

– São só três andares – disse secamente, os olhos dançando, divertidos. Ele era telepático, de certeza. Era assustador.

Tentei manter o rosto impassível quando entrámos no elevador. As portas fecharam e lá estava a estranha atração elétrica a fazer-se sentir entre nós os dois, escravizando-me. Fechei os olhos na tentativa vã de a ignorar. Ele apertou-me a mão com mais força e, cinco segundos depois, as portas abriram-se para o telhado do edifício. E ali estava ele, um helicóptero branco com o nome GREY ENTERPRISES HOLDINGS, INC. escrito a azul, com o logótipo da companhia ao lado. *Certamente que era uso indevido de património da empresa.*

Levou-me para um pequeno escritório onde um velhote estava sentado atrás de uma secretária.

– Aqui está o seu plano de voo, Mr. Grey. As inspeções exteriores estão todas feitas. Está pronto e à sua espera. Pode ir.

– Obrigado, Joe – disse com um sorriso caloroso.

Oh, alguém que merecia um tratamento educado por parte do Christian. Talvez não fosse um empregado. Fiquei a olhar para o velhote com admiração.

– Vamos – ordenou-me, e dirigimo-nos para o helicóptero.

Quando nos aproximámos, aquele era muito maior do que eu pensava. Contava que fosse uma versão de dois lugares, mas tinha pelo menos sete. Christian abriu a porta e conduziu-me para um dos lugares que ficavam mesmo à frente.

– Senta-te. Não toques em nada – ordenou, subindo para trás de mim.

Fechou a porta com força. Fiquei contente por a zona estar profusamente iluminada, de outro modo teria dificuldade em ver dentro da pequena cabina. Sentei-me no lugar que me foi destinado e ele aninhou-se ao meu lado para me prender com o arnês de quatro pontos em que todas as correias se ligavam a uma fivela central. Apertou ambas as correias de cima, de forma a que eu mal me conseguisse mexer. Ele estava tão perto e tão concentrado no que estava a fazer. Se eu pudesse inclinar-me, ficaria com o nariz no cabelo dele. Tinha um cheiro limpo, fresco, celestial, mas eu estava presa ao banco e efetivamente imóvel. Ele olhou para cima e sorriu como se se divertisse com a sua piada habitual, os olhos inflamados. Estava tão tentadoramente perto. Parei de respirar quando ele puxou por uma das correias de cima.

– Estás segura, não há como saíres – sussurrou. – Respira, Anastasia – acrescentou suavemente. Aproximou a mão e acariciou-me a face, fazendo os dedos compridos deslizarem-me até ao queixo, que agarrou com o polegar e o indicador. Inclinou-se para a frente e depositou-me um beijo breve e casto, deixando-me aturdida, o ventre a contrair-se ao toque inesperado e excitante dos lábios dele.

– Gosto deste arnês – sussurrou.

O quê?

Sentou-se ao meu lado e colocou o cinto, e depois começou o procedimento prolongado de verificar parâmetros e ligar interruptores e botões da panóplia interminável de indicadores e luzes e controlos que tinha à frente. Pequenas luzes piscaram de vários indicadores e o painel de instrumentos iluminou-se todo.

– Põe os tampões – disse, apontando para uns auscultadores que estavam à minha frente. Pu-los e as hélices arrancaram. Eram ensurdecedoras. Ele pôs os auscultadores dele e continuou a ligar vários interruptores.

– Estou apenas a fazer as verificações pré-voo. – A voz impessoal do Christian chegava-me aos ouvidos através dos auscultadores. Virei-me para ele e sorri.

– Sabes o que estás a fazer? – perguntei. Ele virou-se e sorriu-me.

– Sou piloto qualificado há quatro anos, Anastasia. Estás em segurança comigo. – Fez-me um sorriso lupino. – Bom, enquanto voamos – acrescentou, e piscou-me o olho.

Uma piscadela de olho... Christian!

– Estás pronta?

Fiz que sim com a cabeça, de olhos arregalados.

– OK, torre. PDX, aqui Charlie Tango Golf—Golf Echo Hotel, pronto para descolar. Por favor confirme, escuto.

– Charlie Tango, autorizado. PDX informa, prossiga para mil e quatrocentos, direção zero um zero, escuto.

– Confirmo, torre, Charlie Tango recebido e terminado. Cá vamos nós – acrescentou para mim, e o helicóptero subiu lenta e suavemente no ar.

Portland desaparecia à nossa frente à medida que subíamos para o espaço aéreo americano, apesar de o meu estômago permanecer de pedra e cal em Oregon. Uau! As luzes brilhantes diminuíram todas até se limitarem a piscar docemente diante de nós. Era como espreitar de dentro de um aquário. Depois de estarmos mais alto, não havia nada para ver. Estava escuro como breu, nem sequer a lua aparecia para iluminar a nossa viagem com um pouco de luz. Como é que ele conseguia ver para onde íamos?

– Assustador, não é? – disse a voz de Christian aos meus ouvidos.

– Como é que sabes se vamos na direção certa?

– Vê. – Apontou com o dedo comprido um dos indicadores, que mostrou uma bússola eletrónica. – É um EC135 Eurocopter. Um dos mais seguros da sua gama. Está equipado para voo noturno. – Olhou para mim e sorriu. – Há um heliporto no alto do edifício onde vivo. É para lá que nos dirigimos.

Claro que havia um heliporto onde ele vivia. Estava tão fora da minha realidade. O rosto dele estava suavemente iluminado pelas luzes do painel de instrumentos. Ele estava muito concentrado e olhava continuamente para os vários interruptores que tinha à frente. Bebi os traços dele por baixo das pestanas. Tinha um belo perfil. Nariz direito, maxilar quadrado – tinha vontade de passar a língua por aquele maxilar. Ele não tinha feito a barba e aquilo tornava a perspetiva duplamente tentadora. Hmm... Gostava de sentir a sua aspereza debaixo da minha língua, dos meus dedos, contra o meu rosto.

– Quando se voa à noite voa-se às cegas. Tem de se confiar nos instrumentos – disse, interrompendo o meu devaneio erótico.

– Quanto tempo vai demorar o voo? – consegui perguntar, sem fôlego. Não estava a pensar em sexo, não, que ideia.

– Menos de uma hora, o vento está a nosso favor.

Hum... menos de uma hora para Seattle... não era nada mau. Devia ser por isso que íamos de helicóptero.

Faltava menos de uma hora até à grande revelação. Senti todos os músculos no fundo do meu ventre a contraírem-se... Tinha um caso sério de borboletas. Proliferavam no meu estômago. Que merda! O que é que ele me reservaria?

– Estás bem, Anastasia?

– Sim. – A minha resposta foi curta, rápida, aquela que os meus nervos me permitiram.

Pareceu-me que ele sorria, mas era difícil de dizer, na escuridão. Christian carregou em mais um interruptor.

– PDX, aqui Charlie Tango a mil e quatrocentos, escuto. – Trocava informações com o controlo aéreo. Tinha tudo um ar muito profissional. Pareceu-me que passávamos do espaço aéreo de Portland para o do aeroporto internacional de Seattle.

– Correto, Sea-Tac, aguardo, recebido e terminado.

– Olha, ali. – Apontou para um minúsculo ponto de luz à distância. – É Seattle.

– Impressionas sempre as mulheres desta forma? Anda voar no meu helicóptero? – perguntei, genuinamente interessada.

– Nunca trouxe nenhuma rapariga aqui para cima, Anastasia. É mais uma primeira vez para mim. – A voz dele era calma, séria.

Foi uma resposta deveras inesperada. Mais uma primeira vez? Ah, aquilo do dormir, talvez?

– Estás impressionada?

– Estou deslumbrada, Christian.

Ele sorriu.

– Deslumbrada? – E durante um breve momento, ele tinha novamente a idade dele.

Eu acenei com a cabeça: – É só que tu és tão... competente.

– Ora essa. Obrigado, Miss Steele – disse ele educadamente. Pareceu-me que ficou satisfeito, mas não tinha a certeza.

Avançámos em silêncio pela noite escura durante um bocado. O ponto brilhante que era Seattle ia ficando maior.

– Sea-Tac chama Charlie Tango. Plano de voo para Escala aprovado. Prossiga. E aguarde. Escuto.

– Aqui Charlie Tango, recebido, Sea-Tac. Escuto, recebido e terminado.

– Vê-se que gostas disto – murmurei.

– De quê? – Lançou-me um olhar. Parecia confuso à luz fosca dos instrumentos.

– De voar – respondi.

– Requer controlo e concentração... como é que podia não adorar? Apesar do meu preferido ser o voo à vela.

– Voo à vela?

– Sim. Em planador, para os leigos. Planadores e helicópteros, piloto ambos.

– Oh! – *Hobbies caros.* Lembrava-me de ele me ter dito durante a entrevista. Eu gostava de ler e de ir de vez em quando ao cinema. Aquilo ultrapassava-me.

– Charlie Tango, informe, por favor, escuto. – A voz impessoal do controlo aéreo interrompeu o meu devaneio. Christian respondeu, confiante e com tudo sob controlo.

Seattle aproximava-se. Estávamos a entrar nos arredores. Uau! Era absolutamente espetacular. Seattle à noite, vista do céu...

– É bonito, não é? – murmurou Christian.

Assenti com um aceno de cabeça entusiasta. Parecia um outro mundo – irreal – e eu sentia que estava no cenário gigante de um filme; talvez o filme preferido do José, o *Blade Runner.* A memória da tentativa que fizera de me beijar assombrava-me. Eu começava a sentir-me um bocado cruel por não lhe devolver as chamadas. *Podia esperar até amanhã... certamente.*

– Chegaremos dentro de minutos – murmurou o Christian, e de repente senti o sangue a latejar nos ouvidos, com a aceleração da pulsação e a descarga de adrenalina no meu sistema. Ele começou outra vez a falar com o controlo aéreo mas eu já não ouvia nada. Parecia-me que ia desmaiar. O meu destino estava nas mãos dele.

Voávamos então entre os prédios e eu via mais à frente um arranha-céus alto com um heliporto. A palavra "Escala" estava pintada a branco no cimo do edifício. Aproximava-se mais e mais, cada vez maior... tal como a minha ansiedade. *Céus, espero não o desiludir.* Ele vai achar que eu não sirvo, de alguma forma. Desejei ter dado ouvidos à Kate e ter levado um dos vestidos dela, mas gostava dos meus *jeans* pretos, e estava com uma camisa verde-menta claro e o casaco preto da Kate. Estava bem vestida. Agarrava-me mais e mais ao banco. *Eu consigo fazer isto. Eu consigo fazer isto.* Entoei o mantra com o arranha-céus a crescer debaixo de nós.

O helicóptero abrandou e ficou a pairar, e o Christian pousou-o no heliporto do edifício. Eu tinha o coração nas mãos. Não conseguia decidir se era de expetativa, alívio por termos chegado vivos ou medo de falhar de alguma forma. Ele desligou a ignição e as hélices abrandaram lentamente e pararam até eu não ouvir mais nada a não ser a minha respiração errática. O Christian tirou os auscultadores dele, esticou o braço e também me tirou os meus.

– Chegámos – disse ele suavemente.

Tinha um ar tão intenso, metade na sombra e metade na luz branca e brilhante das luzes de aterragem. Cavaleiro negro e cavaleiro branco, era uma metáfora que se adequava a ele. Parecia tenso. Cerrava os maxilares e os olhos estavam quase fechados. Abriu o cinto e aproximou-se para me desapertar o meu. O rosto dele estava a centímetros do meu.

– Não tens de fazer nada que não queiras. Sabes disso, não sabes? – O tom de voz dele era tão grave, desesperado até, os olhos ardentes. Apanhou-me de surpresa.

– Eu nunca faria nada que não quisesse fazer, Christian.

E, ao dizer as palavras, não senti assim tanta convicção nelas, pois, naquele preciso momento, eu provavelmente faria qualquer coisa pelo homem sentado ali ao meu lado. Mas funcionou. Ele ficou apaziguado.

Olhou-me, circunspecto, por um segundo, e de alguma forma, apesar de ser tão alto, conseguiu passar graciosamente em direção à porta do helicóptero e abri-la. Saltou, esperando que eu fosse a seguir, e pegou na minha mão enquanto eu me apeava. Fazia muito vento no topo do edifício e eu estava nervosa com o facto de me encontrar a pelo menos trinta andares num espaço desprotegido.

Christian enlaçou-me pela cintura, puxando-me para ele.

– Anda – gritou, por cima do barulho do vento.

Arrastou-me para um elevador e, depois de marcar um número num teclado numérico, as portas abriram-se. O interior era todo em vidro espelhado e estava quente lá dentro. Via o Christian infinitamente multiplicado para onde quer que olhasse, e o maravilhoso é que ele me abraçava infinitamente também. Digitou outro código no teclado numérico, as portas fecharam e o elevador desceu.

Momentos depois, estávamos num átrio todo branco. No meio via-se uma mesa redonda de madeira escura e em cima dela um ramo incrivelmente enorme de flores brancas. Nas paredes havia quadros por todo o lado. Ele abriu umas portas duplas, e o tema do branco continuou por um corredor largo onde, mesmo em frente, estava a entrada para um salão palaciano. Era a área social principal, pé-direito duplo. "Enorme" era uma palavra demasiado pequena para aquilo. A parede do fundo era de vidro e dava para uma varanda com vista sobre Seattle.

À direita via-se um sofá em U imponente onde se sentariam confortavelmente dez adultos. Estava em frente a uma lareira moderníssima de aço inoxidável – ou até podia ser de platina. O fogo estava aceso e ardia suavemente. Ao nosso lado, à esquerda, ficava a zona da cozinha. Toda branca com bancadas escuras de madeira e um balcão de pequeno-almoço que chegava para seis.

Perto da cozinha, em frente da parede de vidro, estava uma mesa com dezasseis cadeiras à volta. E ao canto via-se um piano de cauda preto e brilhante. Pois claro... provavelmente também tocava piano. Havia arte de todas as cores e feitios nas paredes. Na verdade, o apartamento mais parecia uma galeria do que um sítio para se viver.

– Posso ficar com o teu casaco? – perguntou Christian. Eu abanei a cabeça. Ainda estava com frio por causa do vento, no heliporto.

– Queres uma bebida? – perguntou. Eu pisquei os olhos. Depois da noite anterior! *Estava a tentar ser engraçado?* Por um segundo, pensei em pedir-lhe uma margarita, mas faltou-me o descaramento.

– Vou beber um copo de vinho branco. Fazes-me companhia?

– Sim, por favor – murmurei.

Estava ali de pé naquela sala enorme a sentir-me deslocada. Aproximei-me da parede de vidro e reparei que a metade inferior da parede abria estilo concertina para a varanda. Lá ao fundo, Seattle estava iluminada e movimentada. Voltei para a cozinha – o que demorou alguns segundos pois ficava longe da parede de vidro – enquanto Christian abria uma garrafa de vinho. Tinha tirado o casado.

– Pouilly Fumé está bem para ti?

– Não percebo nada de vinho, Christian. Tenho a certeza de que servirá perfeitamente. – A minha voz era meiga e hesitante. Tinha o coração aos pulos. Queria fugir. Aquilo é que era ser rico. Assim um exagero tipo Bill Gates. O que estava eu ali a fazer? *Sabes muito bem o que estás aqui a fazer,* escarneceu o meu subconsciente. Sim, queria estar na cama de Christian Grey.

– Toma. – Deu-me um copo de vidro. Até os copos eram caros... cristal pesado, contemporâneo. Bebi um gole, e o vinho era leve, fresco e delicioso.

– Estás muito calada, e nem sequer tens corado. Na verdade, julgo que nunca te vi tão pálida, Anastasia – murmurou. – Tens fome?

Abanei a cabeça. Nada de comida.

– Tens aqui uma casa muito grande.

– Grande?

– Grande.

– É grande – concordou, e os olhos brilharam, divertidos. Bebi mais um gole do vinho.

– Tocas? – estiquei o queixo para o piano.

– Sim.

– Bem?

– Sim.

– Claro que sim. Há alguma coisa que não consigas fazer bem?

– Sim... algumas coisas. – Bebeu um gole do vinho dele. Não tirava os olhos de mim. Senti-os a seguir-me quando me virei para observar o vasto salão. "Salão" era a palavra errada. Não era um "salão" – era uma declaração de missão.

– Queres sentar-te?

Eu acenei que sim e ele pegou-me na mão e conduziu-me para o grande sofá branco pérola. Ao sentar-me, surpreendeu-me o facto de me sentir como Tess Durbeyfield a olhar para a casa nova que pertencia ao infame Alec D'Urberville. O pensamento fez-me sorrir.

– O que te diverte tanto? – Ele sentou-se ao meu lado, virando-se para mim. Tinha a cabeça apoiada na mão direita, o cotovelo encavalitado nas costas do sofá.

– Porque me deste a *Tess dos Urbervilles* especificamente? – perguntei.

Christian ficou um momento a olhar para mim. Pareceu-me que tinha ficado surpreendido com a minha pergunta.

– Bem, disseste que gostavas de Thomas Hardy.

– Foi essa a única razão? – Até eu conseguia ouvir a desilusão da minha voz. A boca dele comprimiu-se numa linha dura.

– Pareceu-me apropriado. Eu podia elevar-te à categoria de um ideal impossível como Angel Clare ou menosprezar-te completamente como Alec d'Urberville – murmurou, e os olhos dele cintilaram, sombrios e perigosos.

– Se há apenas duas opções, fico com o menosprezo – sussurrei, de olhos nele. O meu subconsciente olhou para mim embasbacado. Ele arquejou.

– Anastasia, para de morder o lábio, por favor. É muito perturbador. Não sabes o que dizes.

– É por isso que estou aqui. – Ele franziu o sobrolho.

– Sim. Dás-me licença um momento? – Desapareceu por uma entrada larga do outro lado do salão. Demorou dois ou três minutos e voltou com um documento.– É um acordo de confidencialidade. – Encolheu os ombros e teve a delicadeza de parecer um pouco constrangido. – Por insistência do meu advogado.

Entregou-mo. Eu estava completamente desorientada.

– Se vais pela opção dois, menosprezo, deves assinar isto.

– E se não quiser assinar coisa nenhuma?

– Então ficamos com os altos ideais de Angel Clare. Bem, durante a maior parte do livro, pelo menos.

– O que significa este acordo?

– Significa que não podes revelar nada sobre nós. Nada, a ninguém.

Fiquei a olhar para ele, incrédula. Fogo! Era mau, muito mau, e eu estava muito curiosa por saber.

– OK. Eu assino.

Ele entregou-me uma caneta: – Não vais sequer lê-lo?

– Não.

Ele franziu o sobrolho: – Anastasia, deves ler sempre aquilo que assinas – ralhou-me.

– Christian, o que não estás a compreender é que eu não falaria sobre nós a ninguém, de qualquer forma. Nem mesmo à Kate. Por isso é indiferente se assino um acordo ou não. Se é tão importante para ti, ou para o teu advogado... com o qual é óbvio que falas, então tudo bem. Eu assino.

Ele olhou para mim e fez um aceno grave.

– Bem dito, Miss Steele.

Assinei exuberantemente na linha pontilhada de ambas as cópias e entreguei-lhe uma. Dobrei a outra e pu-la na carteira, bebendo em seguida um bom trago de vinho. Estava a parecer muito mais corajosa do que na realidade me sentia.

– Isso quer dizer que fazes amor comigo esta noite, Christian?

Merda! Eu disse mesmo aquilo? A boca dele abriu-se ligeiramente, mas recuperou depressa.

– Não Anastasia, não quer. Primeiro, eu não faço amor. Eu fodo... a sério. Segundo, há muito mais papelada para tratar. E terceiro, tu ainda não sabes no que te estás a meter. Ainda podes desistir. Anda, quero mostrar-te a minha sala de diversões.

A minha boca escancarou-se. *Foder a sério!* Eh lá, aquilo era tão... quente. Mas porque é que íamos ver uma sala de diversões? Estava perplexa.

– Queres jogar na tua Xbox – perguntei? Ele riu muito alto.

– Não Anastasia, não há nenhuma Xbox, nem Playstation. Anda. – Estava de pé, com a mão esticada. Deixei-o voltar a levar-me pelo corredor. À direita das portas duplas, por onde tínhamos entrado, outra porta conduzia a uma escadaria. Subimos ao segundo andar e virámos à direita.

Ele tirou uma chave do bolso, abriu mais uma porta, e respirou fundo.

– Podes sair quando quiseres. O helicóptero está em *standby* para te levar em qualquer altura; podes ficar durante a noite e ir para casa de manhã. O que decidires está bem.

– Abre lá o raio da porta, Christian.

Ele abriu a porta e afastou-se para me deixar entrar. Eu olhei para ele mais uma vez. Queria tanto saber o que estava ali dentro. Respirei fundo e entrei.

E foi como se tivesse viajado no tempo até ao século XVI e a Inquisição Espanhola.

Com o caraças.

CAPÍTULO SETE

A primeira coisa em que reparei foi no cheiro: couro, madeira, verniz, com um ligeiro aroma a limão. Era muito agradável, e a luz era suave, subtil. Na verdade, não conseguia ver exatamente a sua origem, mas saía da cornija e emitia um brilho ambiente. As paredes e o teto eram de um vermelho vinho escuro, profundo, criando um efeito tipo ventre no quarto espaçoso, e o chão era de madeira envernizada muito, muito antiga. Havia uma cruz grande em forma de X presa à parede que estava em frente à porta. Era feita de mogno perfeitamente polido e tinha algemas em cada canto. Por cima dela estava uma grelha de ferro extensa suspensa do teto, de pelo menos dois metros e meio quadrados, na qual estavam pendurados todo o tipo de cordas, correntes e grilhetas reluzentes. Ao lado da porta, dois longos varões trabalhados, polidos, como varas de um corrimão mas mais compridos, esticavam-se como varões de cortinas ao longo da parede. Deles pendia um sortido assombroso de palmatórias, chicotes, chibatas e instrumentos com penas de aspeto curioso.

Ao lado da porta estava uma cómoda substancial de mogno, com gavetas estreitas como se fosse desenhada para albergar espécimes num museu antigo e assustador. Perguntei-me por um instante o que teriam de facto as gavetas. *Quereria mesmo saber?* Ao fundo, num dos cantos, estava um banco vermelho-escuro acolchoado a couro e ao lado deste, fixa na parede, uma armação de madeira polida com ar de ser uma taqueira de bilhar mas que, olhando mais atentamente, tinha varas de comprimentos e larguras diversos. No canto oposto estava uma mesa robusta de quase dois metros – madeira polida com pernas intrincadamente trabalhadas – com dois bancos a condizer por baixo.

Mas o que dominava o compartimento era uma cama. Maior do que *king size*, uma cama estilo rococó muito trabalhada com um dossel simples. Parecia ser dos finais do século XIX. Debaixo do dossel, viam-se mais correntes e algemas reluzentes. Não tinha roupa de cama... apenas um colchão coberto de couro vermelho e almofadas de cetim vermelho amontoadas num dos lados.

Aos pés da cama, afastado alguns centímetros, estava um sofá Chesterfield vermelho-escuro, abandonado no meio do quarto virado para a cama. Uma disposição bizarra... pôr o sofá virado para a cama, e sorri para mim mesma – tratara o sofá como se fosse algo estranho quando na realidade era a peça de mobiliário mais mundana do compartimento. Olhei para cima. Havia mosquetões espalhados por todo o teto em intervalos irregulares. Interroguei-me de passagem para que seriam. Estranhamente, a madeira toda, as paredes escuras, a luz quebradiça, e o couro vermelho-escuro tornavam o compartimento algo suave e romântico... Sabia que era tudo menos aquilo; era a versão do Christian de suavidade e romantismo.

Virei-me e ele olhava-me intensamente, como eu sabia que ele estaria, a expressão completamente indecifrável. Avancei mais para dentro do quarto e ele seguiu-me. O objeto com penas deixou-me intrigada. Toquei-lhe, hesitante. Era camurça, como um pequeno gato de nove rabos mas mais denso, e tinha contas muito pequenas na ponta.

– Chama-se *flogger*. – A voz do Christian era baixa e suave.

Um flogger... hmm... Parecia-me que estava em choque. O meu subconsciente tinha emigrado ou estava completamente parvo ou tinha ficado simplesmente KO. Eu estava sem reação. Conseguia observar e absorver mas não articular os meus sentimentos sobre tudo aquilo, porque estava em choque. Qual era a resposta apropriada à descoberta de que um potencial amante era um perfeito sádico ou masoquista? *Medo...* sim.. parecia ser o sentimento predominante. Identificava-o. Mas não dele, estranhamente, não achava que ele me magoasse; bem, não sem o meu consentimento. Imensas questões turvavam-me o espírito. Porquê? Como? Quando? Quantas vezes? Quem? Aproximei-me da mesa e passei uma das mãos pelas colunas intrincadamente trabalhadas. A coluna era muito robusta, o trabalhado impressionante.

– Diz qualquer coisa – ordenou Christian, com uma voz enganadoramente suave.

– Fazes isto às pessoas ou elas fazem-te a ti?

A boca dele curvou-se, ou divertida ou aliviada.

– Pessoas? – Piscou os olhos um par de vezes ao ponderar na resposta. – Faço isto a mulheres que querem que eu o faça.

Não compreendi.

– Se tens voluntárias, porque estou eu aqui?

– Porque eu quero fazer isto contigo, muito.

– Oh! – arquejei. *Porquê?*

Fui até ao outro canto do compartimento e dei uma pancadinha no banco acolchoado que me dava pela cintura. Passei os dedos pelo couro. *Ele gosta de magoar mulheres.* O pensamento deprimiu-me.

– És sádico?

– Sou Dominador. – Os olhos dele estavam de um cinzento abrasador, intenso.

– O que é que isso quer dizer? – sussurrei.

– Quer dizer que eu quero que te submetas a mim de tua vontade, em todas as coisas.

Mostrei-lhe um sobrolho franzido, enquanto tentava assimilar a ideia.

– Porque é que eu faria isso?

– Para me satisfazer – sussurrou, inclinando a cabeça para o lado, e vi a sugestão de um sorriso.

Satisfazê-lo! Ele quer que eu o satisfaça! Pareceu-me que a minha boca se tinha aberto. *Satisfazer Christian Grey.* E compreendi, naquele momento, que sim, que era exatamente aquilo que eu queria fazer. Queria que ele ficasse completamente deliciado comigo. Era uma revelação.

– Em termos muito simples, quero que queiras satisfazer-me – disse ele suavemente. A voz dele era hipnótica.

– Como é que eu faço isso? – A minha boca estava seca e desejei ter mais vinho. OK, compreendia a parte de o satisfazer, mas estava desconcertada com o plácido cenário de tortura isabelina. Será que queria saber a resposta?

– Tenho regras, e quero que tu as acates. São para teu benefício e para meu prazer. Se seguires as regras tal como eu defino, recompensar-te-ei. Se não o fizeres, punir-te-ei, e tu aprenderás – sussurrou. Lancei um olhar à montra de varas quando ele o disse.

– E onde é que isto tudo se encaixa? – perguntei, indicando o compartimento com a mão.

– Faz parte do pacote de incentivos. Recompensa e castigo.

– Então tu retiras prazer ao exercer a tua vontade sobre mim.

– Trata-se de ganhar a tua confiança e o teu respeito, para que me deixes exercer a minha vontade sobre ti. Eu retirarei grande prazer, alegria até, da tua submissão. Quanto mais te submeteres, maior a minha alegria. É uma equação muito simples.

– OK, e o que é que eu ganho com isso?

Ele encolheu os ombros e parecia quase apologético.

– A mim – disse simplesmente.

Oh céus. Christian olhou para mim e passou a mão pelo cabelo.

– Não me estás a dar nada, Anastasia – murmurou, exasperado. – Vamos voltar lá para baixo para eu me concentrar melhor. É muito perturbador ter-te aqui. – Esticou a mão para eu a agarrar, mas eu estava hesitante em fazê-lo.

A Kate tinha dito que ele era perigoso e tinha tanta razão. *Como é que ela sabia?* Era perigoso para a minha saúde porque eu sabia que ia dizer que sim. E parte de mim não queria. Parte de mim queria fugir aos gritos daquele quarto e de tudo o que representava. Estava tão fora do meu ambiente.

– Não te vou magoar, Anastasia.

Eu sabia que ele não estava a mentir. Peguei na mão dele e ele conduziu-me para a porta.

– Se vais fazer isto, deixa-me mostrar-te. – Em vez de voltar a descer, virou à direita à saída da sala de diversões, como lhe chamou, e seguiu por um corredor. Passámos por várias portas até chegarmos à do fundo. Era um quarto com uma cama grande de casal, todo branco... tudo – mobília, paredes, roupa de cama. Era estéril e frio, mas a parede de vidro revelava uma vista gloriosa de Seattle.

– Será o teu quarto. Podes decorá-lo como quiseres, ter o que quiseres aqui dentro.

– O meu quarto? Estás a contar que eu me mude para aqui? – perguntei, sem conseguir esconder o tom horrorizado da minha voz.

– Não a tempo inteiro. Apenas, digamos, de sexta à noite até domingo. Temos de falar sobre isso tudo, negociar. Se quiseres fazê-lo – acrescentou, em voz baixa e hesitante.

– Vou dormir aqui?

– Sim.

– Mas não contigo.

– Não. Já te disse, não durmo com ninguém, exceto contigo quando estás estupidificada pela bebida. – A voz dele repreendia-me.

A minha boca comprimiu-se numa linha cerrada. Era aquilo que não fazia sentido para mim. O atencioso Christian, que me salvou da embriaguez e me amparou gentilmente enquanto eu vomitei as azáleas, e o monstro que possuía chicotes e correntes num quarto especial.

– Onde dormes?

– O meu quarto fica no andar de baixo. Anda. Deves estar com fome.

– Estranhamente, acho que perdi o apetite – murmurei, petulante.

– Tens de comer, Anastasia – repreendeu e, pegando na minha mão, levou-me de novo para o andar de baixo.

De volta ao salão impossivelmente grande, estava consumida por uma apreensão profunda. Encontrava-me na beira de um precipício, e tinha de decidir se saltava.

– Tenho perfeita consciência de que é um caminho sombrio para o qual te levo, Anastasia, razão pela qual quero que penses acerca disto. Tens de ter perguntas – disse ele, encaminhando-se para a zona da cozinha e soltando-me a mão.

Tinha. Mas por onde começar?

– Assinaste o teu acordo de confidencialidade; podes perguntar-me qualquer coisa que queiras e eu responderei.

Eu estava especada ao balcão do pequeno-almoço a vê-lo abrir o frigorífico e tirar um prato com queijos diferentes e dois cachos de uvas verdes e pretas. Pousou o prato na bancada e começou a cortar uma baguete francesa.

– Senta-te. – Apontou para um dos bancos do balcão e eu obedeci à ordem dele. Se ia fazer aquilo, teria de me habituar. Apercebi-me de que ele era assim mandão desde que o conhecera.

– Falaste em papelada.

– Sim.

– Que tipo de papelada?

– Bom, além do acordo de confidencialidade, há um contrato a dizer o que vamos e não vamos fazer. Preciso de conhecer os teus limites, e tu precisas de conhecer os meus. É consensual, Anastasia.

– E se eu não quiser fazer isto?

– Não há problema – disse ele cuidadosamente.

– Mas não teremos nenhum tipo de relacionamento? – perguntei.

– Não.

– Porquê?

– Este é o único tipo de relacionamento em que estou interessado.

– Porquê?

Ele encolheu os ombros: – É assim que sou.

– Como é que ficaste assim?

– Porque é que as pessoas são como são? É um bocado difícil de responder. Porque é que algumas pessoas gostam de queijo e outras o detestam? Gostas de queijo? A Mrs. Jones, a minha governanta, deixou isto para o jantar. – Tirou pratos largos e brancos de um armário e colocou um à minha frente.

Estávamos a falar de queijo... Santo Deus.

– Quais são as regras que eu tenho de obedecer?

– Tenho-as por escrito. Vamos vê-las depois de comermos.

Comida... como ia conseguir comer?

– Não estou realmente com fome – sussurrei.

– Vais comer – disse simplesmente.

Christian, o Dominador, tudo ficou claro.

– Queres outro copo de vinho?

– Sim, por favor.

Ele serviu-me e foi sentar-se ao meu lado. Dei um gole apressado.

– Serve-te, Anastasia.

Peguei num pequeno punhado de uvas. Aquilo eu conseguia levar à boca. Ele semicerrou os olhos.

– Já és assim há algum tempo? – perguntei.

– Sim.

– É fácil encontrar mulheres que queiram fazer isto?

Mostrou-me uma sobrancelha erguida.

– Ficarias admirada – respondeu secamente.

– Então porquê eu? Não consigo compreender.

– Anastasia, já te disse. Tu tens qualquer coisa. Não consigo deixar-te em paz. – Fez um sorriso irónico. – Sou como Ícaro. – A voz dele ficou mais sombria.– Quero-te mesmo muito, especialmente agora, que estás outra vez a morder o lábio. – Respirou fundo e engoliu.

O meu estômago deu uma cambalhota. Ele queria-me... de uma forma esquisita, era certo, mas aquele homem lindo, estranho e excêntrico queria-me.

– Acho que estás a ver o clichê ao contrário – disse entredentes.

Eu era Ícaro e ele o sol e eu ia queimar-me. Eu sabia.

– Come!

– Não. Ainda não assinei nada, por isso acho que me vou agarrar durante mais um bocadinho ao meu livre arbítrio, se não te importares.

Os olhos dele suavizaram-se e os lábios curvaram-se num sorriso.

– Como desejar, Miss Steele.

– Quantas mulheres? – a pergunta saiu-me sem pensar, mas estava tão curiosa.

– Quinze.

Oh... não eram tantas como eu julgava.

– Durante bastante tempo?

– Algumas sim.

– Já magoaste alguém?

– Sim.

Que grande merda.

– Muito?

– Não.

– Vais magoar-me?

– O que queres dizer?

– Fisicamente, vais magoar-me?

– Vou punir-te quando for adequado, e será doloroso.

Pareceu-me sentir uma tontura. Bebi mais um gole de vinho. Álcool – ia dar-me coragem.

– Alguma vez te espancaram?

– Sim.

Oh... fiquei surpreendida. Antes de conseguir questioná-lo mais sobre aquela revelação, interrompeu-me o curso dos pensamentos.

– Vamos discutir o assunto no meu escritório. Quero mostrar-te uma coisa.

Era difícil processar aquilo. Eu, tolinha, a pensar que ia passar uma noite de paixão sem paralelo na cama daquele homem, e nós ali, a negociar aquele acordo esquisito.

Fui atrás dele para o escritório, um compartimento espaçoso com mais uma janela do chão ao teto que dava para uma varanda. Ele sentou-se à secretária, indicando-me que me sentasse numa poltrona de couro à frente dele, e passou-me uma folha de papel.

– São estas as regras. Podem estar sujeitas a alteração. São parte do contrato, podes ter uma cópia. Lê as regras e vamos discuti-las.

REGRAS

Obediência:

A Submissa obedecerá a quaisquer instruções dadas pelo Dominador imediatamente, sem hesitação nem reserva e de forma expedita. A Submissa concordará com qualquer atividade sexual considerada adequada e prazerosa pelo Dominador, excetuando as atividades expostas nos limites intransponíveis (Apêndice 2). Fá-lo-á prontamente e sem hesitação.

Sono:

A Submissa certificar-se-á de que dorme um mínimo de sete horas por noite quando não estiver com o Dominador.

Comida:

A Submissa comerá com regularidade para conservar a saúde e bem-estar de uma lista predeterminada de comida (Apêndice 4). A Submissa não comerá no intervalo das refeições, à exceção de fruta.

Roupa:

Durante a vigência do contrato, a Submissa usará apenas roupa aprovada pelo Dominador. O Dominador atribuirá à Submissa um orçamento para roupa que ela deve utilizar. O Dominador acompanhará a Submissa na compra de roupa quando necessário. Se o Dominador assim o requerer, a Submissa deve usar durante o período de vigência quaisquer adornos que o Dominador requeira, na sua presença ou em qualquer outra altura que o Dominador considere adequada.

Exercício:

O Dominador atribuirá à Submissa um *personal trainer* quatro vezes por semana, em sessões de uma hora, em horário a ser mutuamente combinado entre o *personal trainer* e a Submissa. O *personal trainer* reportará ao Dominador os progressos da Submissa.

Higiene Pessoal/Beleza:

A Submissa será responsável por se apresentar sempre limpa e depilada. A Submissa visitará um salão de beleza à escolha do Dominador em alturas a ser decididas por este, e sujeitar-se-á a quaisquer tratamentos que o Dominador considere apropriados.

Segurança Pessoal:

A Submissa não beberá em excesso, não fumará, não tomará drogas recreativas nem se colocará em situações de perigo desnecessário.

Qualidades Pessoais:

A Submissa não terá relações sexuais com mais ninguém além do Dominador. A Submissa terá um comportamento respeitável e recatado em todas as ocasiões. É obrigatório que reconheça que o seu comportamento se refletirá diretamente no Dominador. Será responsabilizada por quaisquer transgressões, delitos e maus comportamentos cometidos quando não estiver na presença do Dominador.

O incumprimento de quaisquer dos parâmetros supracitados será seguido de castigo imediato, cuja natureza será determinada pelo Dominador.

Caraças!.

– Limites intransponíveis? – perguntei.

– Sim. O que tu não farás, o que eu não farei; precisamos de os especificar no nosso acordo.

– Não tenho a certeza quanto a aceitar dinheiro para roupa. Não me parece correto. – Mexi-me desconfortavelmente, com a palavra pega a ecoar-me na cabeça.

– Quero gastar dinheiro contigo. Deixa-me comprar-te algumas roupas. Posso precisar que me acompanhes a eventos, e quero-te bem vestida. Tenho a certeza de que o teu salário, quando conseguires um emprego, não chegará para o tipo de roupa que eu gostaria que usasses.

– Não tenho de as usar quando não estou contigo?

– Não.

– OK.

Pensa nelas como um uniforme.

– Não quero treinar quatro vezes por semana.

– Anastasia, preciso de ti flexível, forte e com resistência. Confia em mim. Precisas de fazer exercício.

– Mas certamente não preciso de fazer quatro vezes por semana. Que tal três?

– Quero que treines quatro.

– Pensei que isto era uma negociação.

Ele franziu os lábios: – OK, Miss Steele bem visto, mais uma vez. Que tal três dias de uma hora e num dia só meia?

– Três dias, três horas. Fiquei com a impressão de que planeias exercitar-me bastante quando aqui estiver.

Ele fez um sorriso malicioso e os olhos cintilaram como que de alívio: – Sim, planeio. OK, combinado. Tens a certeza de que não queres estagiar na minha empresa? És uma boa negociadora.

– Não, não me parece que seja uma boa ideia. – Baixei o olhar para as regras.

Tirar com cera? Tirar o quê? Tudo? Ugh!

– Limites, então. Estes são os meus.

Passa-me outra folha de papel.

LIMITES INTRANSPONÍVEIS

Atos que envolvam fogo.

Atos que envolvam urinar e defecar e os produtos resultantes.

Atos que envolvam agulhas, lâminas, perfuração ou sangue.

Atos que envolvam instrumentos médicos ginecológicos.

Atos que envolvam crianças ou animais.

Atos que deixem marcas permanentes na pele.

Atos que envolvam controlo da respiração.

Atos que envolvam o contacto direto de corrente elétrica (alternada ou direta), fogo ou chamas com o corpo.

Ugh! Ter de escrever aquilo! Claro – todas pareciam muito sensatas e, francamente, necessárias... Nenhuma pessoa sã quereria ver-se envolvida naquele tipo de coisas, certamente. Mas comecei a sentir-me um bocado renitente.

– Há mais alguma coisa que queiras acrescentar? – perguntou ele gentilmente.

Raios. Não fazia ideia. Estava completamente estupidificada. Ele olhou para mim e franziu a testa.

– Há alguma coisa que não faças?

– Não sei.

– O que queres dizer com não sei?

Contorci-me, sentindo-me desconfortável, e mordi o lábio.

– Nunca fiz nada como isto.

– Bem, quando fizeste sexo, houve alguma coisa que não gostasses de fazer?

Pela primeira vez no que pareciam séculos, corei.

– Podes dizer-me, Anastasia. Temos de ser honestos um com o outro, ou não vai funcionar.

Voltei a remexer-me de desconforto e fitei os dedos entrelaçados e tensos.

– Diz-me – ordenou ele.

– Bem... eu nunca fiz sexo antes, por isso não sei. – A minha voz era um sussurro. Espreitei para ele e ele olhava para mim boquiaberto, imóvel e pálido – mesmo pálido.

– Nunca? – murmurou.

Eu abanei a cabeça.

– És virgem? –perguntou num sussurro.

Eu assenti com a cabeça, corando novamente. Ele fechou os olhos e pareceu contar até dez. Quando voltou a abri-los, estava zangado e olhava-me furioso.

– Bolas, porque não me disseste? – rosnou.

CAPÍTULO OITO

Christian passava as mãos pelo cabelo, andando de um lado para o outro no escritório. As duas mãos – era uma dupla exasperação. O habitual controlo de betão parecia estar a vacilar.

– Não compreendo porque não me disseste – repreendeu-me.

– O assunto nunca veio à baila. Não tenho o hábito de revelar a minha condição sexual a todas a pessoas que conheço. Quer dizer, nós mal nos conhecemos. – Olhava fixamente para as mãos. Porque me sentia culpada? Porque é que ele estava tão zangado? Olhei para ele.

– Bem, sabes muito mais a meu respeito agora – ripostou ele, a boca comprimida numa linha dura. – Eu sabia que não tinhas muita experiência, mas *virgem!* – Disse-o como se fosse uma palavra mesmo feia. – Bolas, Ana, eu acabo de te mostrar... Que Deus me perdoe. Já te beijaram, além de mim?

– Claro que sim.

Dei o meu melhor para parecer ofendida. *OK... talvez duas vezes.*

– E não houve nenhum jovem simpático que te tenha dado a volta à cabeça? É que não compreendo. Tens vinte e um anos, quase vinte e dois. És linda. – Passou novamente as mãos pelo cabelo.

Linda. Corei de prazer. Christian Grey achava-me linda. Entrelacei os dedos, concentrando-me neles, tentando esconder o meu sorriso pateta. *Talvez ele tivesse hipermetropia.* O meu subconsciente voltou a mostrar a sua cabeça sonâmbula. Onde andava ele quando eu precisei?

– E queres discutir o que eu pretendo fazer, sem teres experiência nenhuma. – As sobrancelhas dele uniram-se. – Como é que tens evitado ter sexo? Diz-me por favor?

Encolhi os ombros.

– Nunca ninguém realmente, tu sabes... – A bem dizer, só tu.

E estava a revelar-se uma espécie de monstro. – Porque é que estás tão chateado comigo? – perguntei num sussurro.

– Não estou chateado contigo, estou chateado comigo. Limitei-me a assumir que... – Suspirou. Dirigiu-me um olhar incisivo e em seguida abanou a cabeça. – Queres ir embora? – perguntou com voz doce.

– Não, a não ser que tu queiras que eu vá – respondi num murmúrio.

Oh, não... eu não queria ir embora.

– Claro que não. Gosto de te ter aqui. – Disse-o franzindo a testa, e depois olhou para o relógio. – É tarde. – E voltou-se para olhar para mim. – Estás a morder o lábio. – A voz dele era aveludada e olhava para mim com ar inquiridor.

– Desculpa.

– Não peças desculpa. É só que eu também quero mordê-lo, a sério.

Fiquei sem ar... Como é que ele queria que eu não ficasse afetada, com ele a dizer-me coisas daquelas?

– Anda – murmurou.

– O quê?

– Vamos retificar agora mesmo a situação.

– Mas a que te referes? Que situação?

– A tua situação. Ana, vou fazer amor contigo, agora.

– Oh... – O chão tinha desaparecido. *Eu era uma situação.* Sustive a respiração.

– Isto é, se tu quiseres, claro, não quero abusar da sorte.

– Julguei que não fizesses amor. Julguei que fodesses a sério. – Engoli em seco, a boca subitamente seca.

Ele mostrou-me um sorriso endiabrado, cujos efeitos me percorreram até *lá em baixo.*

– Posso abrir uma exceção, ou talvez combinar os dois, veremos. Quero mesmo fazer amor contigo. Por favor, vem comigo para a cama. Quero que o nosso acordo funcione, mas tu precisas de ter alguma noção daquilo em que te estás a meter. Podemos começar a formação já esta noite, com o básico. Isso não quer dizer que eu me converta ao romantismo; é um meio para atingir um fim, mas um que eu quero que tu também queiras, espero eu. – O olhar dele era intenso.

Fiquei vermelha... *Oh, céus...* os desejos realizam-se mesmo.

– Mas eu ainda não fiz aquelas coisas todas que exiges na tua lista de regras. – A minha voz saía-me entrecortada, hesitante.

– Esquece as regras. Esquece esses pormenores todos esta noite. Eu quero-te. Quero-te desde que entraste aos trambolhões no meu escritório, e sei que me queres. Não estarias aí, calmamente sentada, a discutir castigos e limites intransponíveis se não quisesses. Por favor, Ana, passa a noite comigo. – Estendeu-me a mão, com os olhos brilhantes, ardentes... excitados, e eu pousei a minha mão na dele. Ele puxou-me para os seus braços para eu sentir o corpo dele todo no meu, apanhando-me de surpresa com o movimento rápido. Passou-me os dedos pela nuca, enrolou o meu rabo-de-cavalo à volta do pulso, e puxou suavemente, forçando-me a olhar para cima, para ele. Ele olhava para mim.

– És uma mulher corajosa – sussurrou. – Estou admirado contigo.

As palavras dele foram como uma espécie de dispositivo incendiário; o meu sangue ferveu. Ele inclinou-se e beijou-me suavemente os lábios, e sugou-me o lábio inferior.

– Quero morder este lábio – murmurou com a boca na minha e mordiscou-o com cuidado. Eu gemi e ele sorriu.

– Por favor, Ana, deixa-me fazer amor contigo.

– Sim – sussurrei, pois era para isso que eu lá estava.

O sorriso dele era triunfante quando me soltou e me deu a mão para me conduzir através do apartamento.

O quarto dele era amplo. As janelas até ao teto davam para as torres iluminadas de Seattle. As paredes eram brancas e a mobília azul-clara. A cama enorme era ultramoderna, feita de uma madeira escura, acinzentada; tinha quatro varões, mas não dossel. Por cima, na parede, estava um quadro espantoso do mar.

Eu tremia como varas verdes. Tinha chegado a hora. Finalmente, depois daquele tempo todo, eu ia fazê-lo, com nada mais, nada menos do que Christian Grey. A minha respiração estava ofegante e não conseguia tirar os olhos dele. Ele tirou o relógio, colocando-o em cima de uma cómoda que condizia com a cama, e o casaco, colocando-o numa cadeira. Estava de camisa branca e calças de ganga. Era lindo de morrer. O cabelo escuro e acobreado estava desalinhado, a camisa de fora – os olhos cinzentos audazes e arrebatadores. Tirou as All Stars, dobrou-se e tirou cada uma das meias individualmente. Os pés de Christian Grey... Uau... Será que tenho algum fetiche por pés nus? Ele voltou-se e olhou para mim, com uma expressão doce no rosto.

– Assumo que não estejas a tomar a pílula.

O quê? Merda.

– Bem me pareceu. – Abriu a gaveta de cima da cómoda e tirou uma caixa de preservativos. Olhou-me intensamente. – Prepara-te – murmurou. – Queres que corra as persianas?

– Não me importo – sussurrei. – Julguei que não deixasses ninguém dormir na tua cama.

– Quem te disse que vamos dormir? – murmurou.

– Oh. – *Com os diabos.*

Ele aproximou-se lentamente de mim – confiante, *sexy*, olhos em chamas – e o meu coração começou a saltar-me no peito. Sentia o sangue a correr acelerado pelo corpo todo, um desejo intenso e quente a crescer-me no ventre. *Ele era cá um borracho.*

– Vamos tirar este casaco, sim? – disse suavemente, pegando nas lapelas e fazendo-o escorregar-me pelos ombros. Colocou-o na cadeira.

– Fazes alguma ideia do quanto te quero, Ana Steel? – sussurrou. A minha respiração parou. Não conseguia tirar os olhos dele. Ele esticou o braço e passou-me suavemente os dedos pelo rosto até ao queixo. – Tens alguma ideia daquilo que te vou fazer? – acrescentou, acariciando-me o queixo.

Os músculos do recanto mais profundo e escondido de mim contraíram-se da maneira mais deliciosa. A dor era tão doce e tão aguda que eu quis fechar os olhos, mas estava hipnotizada pelos olhos dele, que entravam fervorosamente pelos meus. Ele inclinou-se e beijou--me. Os lábios dele, exigentes, firmes e lentos, moldavam-se aos meus. Começou a desapertar-me a camisa ao mesmo tempo que me depositava beijos leves como penas no maxilar, no queixo e nos cantos da boca. Lentamente, tirou-a e deixou-a cair ao chão. Afastou-se e ficou a olhar para mim. Eu estava com o sutiã azul rendado do tamanho perfeito. *Graças a Deus.*

– Oh, Ana – disse ele num sussurro. – Tens uma pele maravilhosa, branca e imaculada. Quero beijar cada centímetro dela.

Fiquei vermelha. *Oh, céus...* Porque é que ele tinha dito que não conseguia fazer amor? Eu faria tudo o que ele quisesse. Agarrou no meu elástico do cabelo, soltou o meu cabelo, e entreabriu a boca quando o viu cair-me sobre os ombros.

– Gosto de morenas – murmurou, e pôs ambas as mãos no meu cabelo, agarrando-me a cabeça dos dois lados. O beijo dele era voraz, e a língua e os lábios dele incitavam os meus. Eu gemi e a minha língua hesitante tocou na dele. Ele pôs os braços à minha volta e puxou-me contra o corpo dele, apertando-me com força. Uma mão ficou no cabelo, a outra desceu-me pelas costas até à cintura e mais para baixo. Encostou-se ao meu rabo e pressionou devagar. Segurou-me contra as ancas e eu senti a ereção dele, que ele empurrou languidamente contra mim.

Gemi mais uma vez na boca dele. Mal conseguia conter o turbilhão de sentimentos – ou seriam hormonas? – que se espalhavam confusamente pelo meu corpo. Queria-o tanto. Agarrei nos braços dele e senti-lhe os bíceps. Era surpreendentemente forte... musculado. Hesitante, subi as mãos até ao rosto dele e continuei até ao cabelo. Era tão macio, rebelde. Puxei suavemente e ele gemeu. Ele fez-me aproximar da cama, até eu a sentir atrás dos joelhos. Julguei que ele ia atirar-me para cima dela, mas não o fez. Afastou-me e, de repente, pôs-se de joelhos. Agarrou-me a anca com ambas as mãos e passou-me a língua à volta do umbigo, traçando com pequenas dentadas o caminho até ao osso saliente, e passando por cima da barriga até ao outro lado.

– Ah... – gemi.

Vê-lo de joelhos à minha frente, sentir a boca dele em mim, era tão inesperado, e quente. Eu continuava com as mãos no cabelo dele, puxando suavemente enquanto tentava acalmar a minha respiração, demasiado alta. Ele olhou para mim através de umas pestanas incrivelmente longas, os olhos de um cinzento velado e abrasador. As mãos dele subiram para me desapertarem o botão das calças e puxou descontraidamente o fecho. Sem tirar os olhos dos meus, pôs as mãos por baixo da cintura das calças e fê-las deslizar até ao fundo do meu rabo. Depois fê-las descer lentamente até às coxas, tirando as calças pelo caminho. Eu não conseguia desviar o olhar. Ele parou e passou a língua pelos lábios, sem nunca perder o contacto visual.

Aproximou-se, passando o nariz pelo ápice no meio das minhas coxas. Eu senti-o. *Lá.*

– Cheiras tão bem – murmurou ele, e fechou os olhos, com uma expressão de puro prazer no rosto, e eu praticamente entrei em convulsão. Ele esticou o braço e afastou o edredão da cama, e depois empurrou-me suavemente até eu cair em cima do colchão. Ainda de joelhos, agarrou no meu pé e desapertou-me os atacadores dos ténis, tirando um deles, assim como à meia. Eu apoiei-me nos cotovelos para ver o que ele estava a fazer. Estava ofegante... arquejante. Ele pegou-me no pé pelo calcanhar e passou-me o polegar pelo peito do pé. Era quase doloroso, mas senti o movimento a ecoar-me na virilha. Arquejei. Sem tirar os olhos dos meus, mais uma vez percorreu com a língua o peito do meu pé e depois com os dentes. *Merda.* Gemi... Como conseguia sentir aquilo *lá?* Deixei-me cair na cama, a gemer. Ouvi uma suave gargalhada.

– Oh, Ana, o que eu não te faria – sussurrou. Descalçou-me o outro ténis e a meia, depois pôs-se em pé e tirou-me completamente as calças. Eu estava deitada na cama dele, tendo apenas o sutiã e as cuecas vestidos, e ele olhava para mim.

– És muito bonita, Anastasia Steele. Estou ansioso por estar dentro de ti.

Raios! As palavras dele. Ele era tão sensual. Deixava-me sem fôlego.

– Mostra-me como dás prazer a ti própria.

O quê? Franzi a testa.

– Não te acanhes, Ana, mostra-me – sussurrou.

Eu abanei a cabeça.

– Não sei do que estás a falar. – Eu falava com uma voz rouca. Mal a reconhecia, permeada de desejo.

– Como é que te fazes vir? Quero ver.

Abanei a cabeça.

– Não faço – balbuciei.

Ele ergueu as sobrancelhas, estupefacto por um momento, os olhos dele turvaram-se e ele abanou a cabeça, incrédulo.

– Bem, veremos o que se pode fazer acerca disso. – A voz dele era suave, desafiadora, uma deliciosa e sensual ameaça. Desapertou os botões das calças e baixou-as lentamente, sempre com os olhos nos meus.

Inclinou-se por cima de mim e, agarrando-me em ambos os tornozelos, afastou as minhas pernas com rapidez e pôs-se em cima da cama no meio delas. Estava ali, por cima de mim. Eu torcia-me de vontade.

– Fica quieta – murmurou, e depois inclinou-se e beijou-me na parte de dentro da coxa, subindo numa linha de beijos, até ao material fino e rendado das minhas cuecas.

Oh... eu não conseguia ficar quieta. Como podia conseguir não me mexer? Contorci-me debaixo dele.

– Vamos ter de trabalhar a tua capacidade de ficares quieta, querida. – Continuando a beijar-me, foi subindo pela barriga até introduzir a língua no meu umbigo. Continuava a dirigir-se para norte, e atravessou-me o tronco com um rasto de beijos. A minha pele queimava. Eu estava corada, com calores, com arrepios, e agarrada ao lençol que tinha por baixo de mim. Ele deitou-se ao meu lado e a mão dele partiu da minha anca até à cintura, depois ao peito. Olhou-me, com uma expressão indecifrável no rosto, e envolveu-me o seio com a mão.

– Tens o tamanho perfeito para a minha mão, Anastasia – murmurou ele, enfiando o indicador na copa do meu sutiã e puxando-o para baixo, libertando o seio, mas a armação e o tecido da copa forçaram-no a subir. O dedo dele passou para o meu outro seio e repetiu o processo. Os meus seios incharam e os meus mamilos endureceram perante o seu olhar firme. Eu estava amarrada pelo meu próprio sutiã.

– Muito bonito – elogiou ele, e os meus mamilos ficaram ainda mais duros.

Soprou num deles muito suavemente enquanto uma mão se aproximou do outro seio e rodou o polegar sobre a ponta do mamilo, alongando-o. Eu gemi, sentindo a doce sensação reverberar nas virilhas. Estava tão molhada. *Oh, por favor,* supliquei mentalmente cravando mais os dedos no lençol. Os lábios dele fecharam-se sobre o meu outro mamilo, e quando ele puxou por ele, eu quase entrei em convulsão.

– Vamos ver se conseguimos fazer-te vir assim – sussurrou, continuando o seu ataque lento e sensual. Os meus mamilos sofreram o impacto daqueles dedos e lábios destros, que despertavam cada terminal nervoso, enchendo o meu corpo de regozijo numa doce agonia. Ele não parava.

– Oh... por favor – supliquei, e inclinei a cabeça para trás, a boca aberta com o meu gemido, as pernas rígidas. Santo céu, o que estava a acontecer-me?

– Deixa-te ir, querida – murmurou. Os dentes dele fecharam-se sobre o meu mamilo, e o polegar e indicador puxaram com força, e eu desfiz-me nas mãos dele, com o corpo em convulsão, partindo-se em mil pedaços. Ele beijou-me, profundamente, a língua dele na minha boca, absorvendo os meus gritos.

Oh, céus. Foi extraordinário. Agora sabia o porquê de tanto alarido. Ele observava-me, com um sorriso de satisfação no rosto, enquanto no meu, tenho a certeza, havia apenas gratidão e assombro.

– Tens uma resposta muito imediata – sussurrou. – Vais ter de aprender a controlar isso, e vai ser tão divertido ensinar-te a fazê-lo – disse beijando-me novamente.

A minha respiração ainda estava descontrolada enquanto recuperava do orgasmo. A mão dele desceu até à minha cintura, até às ancas, e depois ele pousou-a em cima de mim, intimamente... *Oh!* Os dedos dele introduziram-se por baixo da renda e começaram a dar voltas – *lá*. Ele fechou os olhos por um momento e a respiração dele ficou alterada.

– Estás tão húmida, é delicioso. Quero-te tanto. – Enfiou o dedo dentro de mim e eu gritei quando ele o fez uma e outra vez. Tocou-me no clítoris com a mão e eu voltei a gritar. Ele enfiou o dedo dentro de mim com mais força, uma e outra vez. Eu gemia.

De repente, ele ergueu-se, tirou-me as cuecas e atirou-as para o chão. Despiu os *boxers* e a ereção dele ficou bem à vista. *Eh lá...* Esticou o braço para a mesinha de cabeceira, tirou o preservativo e depois colocou-se entre as minhas pernas, afastando-as mais. Ajoelhou-se e esticou o preservativo ao longo do seu considerável comprimento. *Oh, não... Aquilo vai...? Como?*

– Não te preocupes – soprou, com os olhos nos meus. – Tu também expandes. – Inclinou-se para a frente, com as mãos ao lado da minha cabeça, ficando por cima de mim, a olhar-me nos olhos, o maxilar contraído, os olhos ardentes. Só naquela altura reparei que ele ainda estava de camisa.

– Queres mesmo fazer isto? – perguntou suavemente.

– Por favor – supliquei.

– Põe os joelhos para cima – ordenou com brandura, e eu apressei--me a obedecer.

– Vou fodê-la agora, Miss Steele – murmurou, posicionando a cabeça do pénis à entrada do meu sexo. – A sério – sussurrou, e entrou de rompante dentro de mim.

– A-ai! – gritei ao sentir uma impressão esquisita, aguda, lá no fundo quando ele rasgou a minha virgindade. Ele ficou imóvel, de olhos fixos em mim, brilhantes e com uma expressão de êxtase triunfante.

A boca dele estava ligeiramente aberta e a respiração era ofegante. Gemeu.

– És tão apertada. Estás bem?

Eu acenei que sim, os olhos arregalados, as mãos nos braços dele. Sentia-me tão cheia. Ele ficou quieto, permitindo-me adaptar-me à sensação intrusiva, avassaladora, de o ter dentro de mim.

– Vou começar a mexer-me, querida – soprou, depois de um momento, com a voz tensa.

Oh.

Recuou com uma lentidão deliciosa. Fechou os olhos e gemeu, e voltou a enfiar-se em mim. Eu gritei uma segunda vez, e ele parou.

– Mais? – sussurrou, a voz crua.

– Sim – respondi entredentes.

Ele fê-lo uma vez mais, e voltou a parar. Eu gemi, o meu corpo aceitava-o... Oh, eu queria.

– Outra vez? – sussurrou.

– Sim. – Foi uma súplica.

E ele moveu-se, mas dessa vez não parou. Apoiou-se nos cotovelos e eu sentia o peso dele, a prender-me ao colchão. Primeiro os movimentos foram lentos, entrando e saindo de dentro de mim. E, à medida que eu me habituava à estranha sensação, as minhas ancas começaram a mexer na tentativa de ir de encontro às dele. Ele acelerou. Eu gemi e ele continuou a investir, ganhando velocidade, impiedoso, num ritmo implacável, e eu continuei a acompanhar as suas investidas. Agarrou--me na cabeça com as duas mãos e beijou-me com força, puxando mais uma vez o meu lábio com os dentes. Mudou ligeiramente de posição e eu comecei a sentir algo a avolumar-se dentro de mim, como antes. Comecei a ficar mais rígida com as investidas continuadas dele. O meu corpo estremeceu, dobrou-se; uma camada de suor formou-se na minha pele. *Oh céus...* Não sabia que iria ser assim... não sabia que podia ser assim tão bom. Os meus pensamentos dispersavam-se.. só havia esta sensação... só ele... só eu... oh, por favor... fiquei tensa.

– Vem-te para mim, Ana – sussurrou ele, ofegante, e eu revelei-me face às palavras dele, e explodi à sua volta num intenso clímax e desfiz-me em mil pedaços por baixo dele. E ao vir-se, ele gritou o meu nome, investindo com força, parando depois ao esvaziar-se dentro de mim.

Eu ainda estava ofegante, a tentar acalmar a respiração, o meu coração desenfreado, e os meus pensamentos num desarranjo turbulento. *Uau... que coisa espantosa!* Abri os olhos, e ele tinha a testa contra a minha, os olhos fechados, a respiração irregular. Os olhos de Christian pestanejaram, abriram-se e fitaram-me, sombrios mas suaves. Ainda estava dentro de mim. Inclinando-se, depositou-me um beijo na testa e retirou-se lentamente.

– Ohh... – estremeci de estranheza.

– Magoei-te? – perguntou-me ao deitar-se ao meu lado, apoiado num cotovelo. Colocou-me uma madeixa de cabelo errante atrás da orelha. E eu tive de rir – um sorriso rasgado.

– *Tu* a perguntar se me magoaste?

– A ironia vem a propósito – anuiu com um sorriso sardónico. – A sério, estás bem? – Os olhos dele eram intensos, perscrutadores, imperiosos, até.

Espreguicei-me ao lado dele, sentindo os membros lassos, os ossos como gelatina, mas estava relaxada, profundamente relaxada. Sorri-lhe. Não conseguia parar de sorrir. Não agora que sabia o porquê de todo o alarido. Dois orgasmos... descontrolo total, como a centrifugação da máquina de lavar a roupa, uau! Não fazia ideia do que o meu corpo era capaz, de se contrair com tanta tensão e de explodir com tanta violência, com tanto prazer. Indescritível.

– Estás a morder o lábio, e ainda não me respondeste. – Ele estava de sobrolho carregado. Eu sorri-lhe, endiabrada. Ele tinha um ar glorioso com aquele cabelo desgrenhado, olhos cinzentos ardentes e semicerrados, e uma expressão séria, sombria.

– Gostava de fazer outra vez – sussurrei. Por um momento, pensei ter visto um fugaz olhar de alívio no rosto dele, antes de as pálpebras descerem e ele me olhar com olhos velados.

– Ai sim, Miss Steele? – murmurou com secura. Inclinou-se e beijou-me muito suavemente o canto da boca. – Somos exigentes, não somos? Vire-se para baixo.

Eu olhei para ele e pisquei momentaneamente os olhos, e depois virei-me para baixo. Ele desapertou-me o sutiã e deslizou a mão pelas minhas costas até ao rabo.

– Tens mesmo uma pele lindíssima – murmurou. Mexeu-se para pôr uma das pernas dele entre as minhas e ficou meio deitado em cima das minhas costas. Senti a pressão dos botões da camisa dele quando me tirou o cabelo da cara e beijou o ombro nu.

– Porque estás com a camisa vestida? – perguntei. Ele imobilizou-se. Imediatamente depois, tirou a camisa e voltou a deitar-se em cima de mim. Senti a pele dele quente contra a minha. *Hmm...* sabia divinamente. Ele tinha alguma penugem no peito, que me fazia cócegas nas costas.

– Então queres que te foda outra vez? – sussurrou-me ao ouvido, começando a dar-me beijos suaves à volta da orelha e pelo pescoço abaixo.

A mão dele desceu, deslizando-me pela cintura, pela anca e pela coxa até à parte de trás dos joelhos. Puxou um deles mais para cima e a minha respiração parou... *O que é que ele estava a fazer agora?* Mudou de posição e pôs-se entre as minhas pernas, encostado às minhas costas, e a mão subiu-me da coxa ao rabo. Ele acariciou-me lentamente a nádega e depois deslizou os dedos para o meio das minhas pernas.

– Vou fazer isto por trás, Anastasia – murmurou, e com a outra mão agarrou-me o cabelo da nuca e puxou suavemente, imobilizando-me.

Eu não conseguia mexer a cabeça. Estava presa debaixo dele, impotente.

– És minha – sussurrou. – Só minha. Não te esqueças. – A voz dele era intoxicante, as palavras inebriantes, sedutoras. Senti a ereção dele a crescer na minha coxa.

Os seus dedos compridos esticaram-se para me massajar suavemente o clítoris, com círculos lentos. Sentia a respiração dele, suave, na cara, enquanto ele me mordiscava lentamente o contorno do maxilar.

– Cheiras divinamente. – Colocou o nariz atrás da minha orelha. A mão dele esfregou-se em mim, dando voltas e voltas. Como reflexo, as minhas ancas começaram a fazer movimentos circulares, copiando a mão dele, e o prazer excruciante disparou pelo meu sangue como adrenalina.

– Fica quieta – ordenou, a voz suave mas veemente, e inseriu lentamente o polegar dentro de mim, fazendo-o rodar e rodar, acariciando a parede interior da vagina. O efeito era devastador – toda a minha energia concentrando-se naquele pequeno espaço dentro do meu corpo. Gemi.

– Gostas? – perguntou ele, suave, mordiscando a minha orelha, e começou a fletir o polegar devagarinho, dentro, fora, dentro, fora... os dedos ainda a rodar.

Eu fechei os olhos, tentando manter a respiração sob controlo, tentando absorver as sensações desordenadas, caóticas, que os dedos dele libertavam dentro de mim, como fogo correndo no meu corpo. Voltei a gemer.

–Ficas tão molhada tão depressa. És tão recetiva. Oh, Anastasia, gosto disso, gosto muito disso – sussurrou.

Quis endireitar as pernas, mas não me conseguia mexer. Ele prendia-me, mantendo um ritmo constante, lento, torturante. Era absolutamente delicioso. Gemi outra vez e ele mudou subitamente de posição.

– Abre a boca – ordenou, e enfiou-me o dedo na boca. Os meus olhos abriram-se muito e pestanejaram desenfreadamente.

– Prova o teu sabor – sussurrou-me na orelha. – Chupa-me, querida. – O polegar dele fez pressão na minha língua e a minha boca fechou-se à sua volta, chupando freneticamente. Provei o sal do dedo dele e o ligeiro travo metálico a sangue. *Céus! Estava errado, mas era erótico como o diabo.*

– Quero foder-te a boca, Anastasia, e não demorarei muito – a voz dele era rouca, crua, a respiração mais descoordenada.

Foder-me a boca! Gemi, e mordi-o. Ele arquejou e puxou pelo cabelo com mais força, com dor, e eu soltei-o.

– Que feia, doçura – sussurrou ele, esticando-se em seguida para a mesinha de cabeceira para pegar num pacotinho. – Fica quieta, não te mexas – ordenou ao soltar-me o cabelo.

Abriu a embalagem enquanto eu respirava com força, com o sangue a saltar-me nas veias. A expetativa era enlouquecedora. Ele desceu, colocando novamente o peso em cima de mim, e agarrou-me no cabelo, imobilizando-me a cabeça. Eu não conseguia mexer-me. Estava cativa dele e ele estava sereno e pronto para me tomar mais uma vez.

– Desta vez vamos muito devagar, Anastasia – disse num sussurro.

E lentamente entrou em mim, devagar, devagar, até estar todo enterrado. Esticando, enchendo, implacável. Eu gemi alto. Parecia mais profundo daquela vez, um deleite. Voltei a gemer e ele girou as ancas deliberadamente e recuou, parou um segundo e voltou a entrar devagar. Repetiu o movimento uma vez e outra. Estava a deixar-me louca – as estocadas insuportáveis, deliberadamente lentas, e o sentimento intermitente de preenchimento eram avassaladores.

– Tu és tão boa – gemeu, e as minhas entranhas começaram a tremer. Ele recuou e esperou. – Não, não, querida, ainda não – murmurou, e quando o tremor cessou, retomou o delicioso movimento.

– Oh, por favor – supliquei, não tinha a certeza se conseguiria aguentar muito mais. O meu corpo estava tão tenso, ansiando a libertação.

– Quero-te dorida, querida – murmurou, e continuou o seu lento e doce tormento, para trás, para a frente. – De cada vez que te mexeres amanhã, quero que te lembres que eu estive aqui. Só eu. És minha.

Gemi.

– Por favor, Christian – sussurrei.

– O que queres, Anastasia? Diz-me.

Gemi outra vez. Ele saiu e voltou a entrar lentamente, girando as ancas mais uma vez.

– Diz-me – murmurou.

– A ti, por favor.

Ele aumentou o ritmo quase impercetivelmente, e a respiração dele tornou-se mais errática. Senti-me a tremer toda por dentro, e Christian apanhou o ritmo.

– Tu. És. Tão. Doce – murmurava entre cada estocada. – Eu. Quero-te. Tanto.

Gemi.

– Tu. És. Minha. Vem-te para mim, querida – uivou.

As palavras dele foram a minha desgraça, e eu caí no precipício. O meu corpo entrou em convulsão em redor dele, e eu vim-me, gritando alto uma versão distorcida do nome dele para o colchão. Christian continuou, com duas estocadas vigorosas e estacou, derramando-se dentro de mim ao alcançar a sua libertação. Desabou, com a cara no meu cabelo.

– Foda-se, Ana – soprou.

Saiu imediatamente de dentro de mim e rolou para o lado dele da cama. Eu puxei os joelhos para o peito, completamente esgotada, e imediatamente mergulhei, ou fui arrastada, para um sono exausto.

Quando acordei, ainda estava escuro. Não fazia ideia do tempo que tinha dormido. Espreguicei-me debaixo do edredão e senti-me dorida, deliciosamente dorida. Christian não estava em lado nenhum. Sentei-me e fiquei a olhar para a paisagem urbana que estava à minha frente. Havia menos luzes ligadas nos arranha-céus e um indício de madrugada a este. Ouvi música. As notas cadenciadas do piano, um lamento triste e doce. Bach, pareceu-me, mas não tinha a certeza.

Enrolei-me no edredão e percorri silenciosamente o corredor até à sala grande. Christian estava ao piano, completamente perdido na melodia que tocava. Tinha uma expressão triste e desamparada, como a música. Ele tocava fantasticamente bem. Encostei-me à parede, à entrada, e fiquei a ouvir, enlevada. Era um músico tão exímio. Estava nu, o corpo banhado por uma luz quente emitida por um solitário candeeiro de pé ao lado do piano. Com o resto da ampla sala na penumbra, era como se ele estivesse num banho de luz privado, isolado, e ele intocável... sozinho, numa bolha.

Aproximei-me silenciosamente dele, encantada pela música sublime e melancólica. Observava hipnotizada os seus dedos longos e hábeis a procurar as teclas, pressionando-as, pensando em como aqueles mesmos dedos tinham percorrido e acariciado o meu corpo com perícia. A memória fez-me corar e arquejar e comprimir as coxas, uma contra a outra. Ele ergueu os olhos, o seu cinzento insondável brilhante, a sua expressão indecifrável.

– Desculpa – sussurrei. – Não quis incomodar-te.

Uma expressão de desagrado passou-lhe pelo rosto e desapareceu.

– Na verdade, devia ser eu a dizer-te isso – murmurou. Acabou de tocar e pousou as mãos nas pernas.

Reparei que ele tinha as calças de pijama vestidas. Passou os dedos pelo cabelo e pôs-se em pé. As calças dele ficavam descaídas nas ancas, daquela maneira... *oh, céus*. A minha boca ficou seca ao vê-lo contornar descontraidamente o piano em direção a mim. Os ombros dele eram largos, as ancas estreitas e os músculos abdominais desenhavam-se quando ele andava. Era realmente um espanto.

– Devias estar na cama – ralhou.

– A peça era linda. Bach?

– Transcrição de Bach, mas originalmente um concerto para oboé de Alessandro Marcello.

– Foi divinal, mas muito triste, uma melodia tão melancólica.

Os lábios dele curvaram-se num meio-sorriso.

– Cama – ordenou. – Vais estar exausta de manhã.

– Acordei e tu não estavas lá.

– Tive dificuldade em adormecer, não estou a habituado a dormir com ninguém – murmurou. Não consegui perceber o seu estado de espírito. Parecia um pouco abatido, mas como estava escuro era difícil de dizer. Talvez fosse o tom da peça que ele tinha estado a tocar. Pôs o braço à minha volta e acompanhou-me de volta para o quarto.

– Há quanto tempo tocas? Tocas maravilhosamente.

– Desde os meus seis anos.

– Oh! – O Christian, um rapazinho de seis anos... a minha mente formou a imagem de um menino lindo de cabelo acobreado e olhos cor de cinza e o meu coração derreteu-se; um rapazito com uma grande franja que gostava de música impossivelmente triste.

– Como te sentes? – perguntou quando regressámos ao quarto. Ligou o candeeiro da mesa de cabeceira.

– Estou bem.

Olhámos ambos para a cama ao mesmo tempo. Havia sangue nos lençóis – prova da minha virgindade perdida. Eu corei, envergonhada, puxando o edredão mais para mim.

– Bem, aquilo vai dar a Mrs. Jones algo em que pensar – murmurou Christian, de pé à minha frente. Pôs a mão debaixo do meu queixo, inclinou-me a cabeça para trás e ficou a olhar para mim. Os olhos dele eram intensos ao examinar-me o rosto. Reparei que ainda não lhe tinha visto o tronco nu. Instintivamente, estiquei a mão para lhe acariciar os pelos do peito, para lhe sentir o toque. Imediatamente, ele afastou-se do meu alcance.

– Entra na cama – disse rispidamente. A voz dele suavizou-se. – Vou deitar-me contigo.

Deixei cair a mão e fiz uma careta. Não me parece que alguma vez tenha tocado no tronco dele. Ele abriu uma gaveta da cómoda, tirou uma *t-shirt*, e vestiu-a rapidamente.

– Cama – ordenou ele novamente. Eu subi para a cama, tentando não pensar no sangue. Ele veio para o meu lado e puxou-me, colocando os braços à minha volta, eu de costas para ele. Beijou-me suavemente o cabelo e inspirou profundamente.

– Dorme, doce Anastasia – murmurou, e eu fechei os olhos, mas sem conseguir evitar sentir uma réstia de melancolia, fosse pela música, fosse pelo comportamento dele. Christian Grey tinha um lado triste.

CAPÍTULO NOVE

A luz enchia o quarto, fazendo-me passar do sono profundo para o estado de vigília. Espreguicei-me e abri os olhos. Estava uma linda manhã de maio, e eu tinha Seattle aos pés. Uau, que vista! Ao meu lado, Christian Grey estava ferrado no sono. Uau, que vista! Fiquei surpreendida por ele ainda estar na cama. Estava virado para mim, oferecendo-me uma oportunidade sem precedentes para o analisar. O rosto adorável parecia mais jovem, assim relaxado. Os lábios esculturais e cheios estavam ligeiramente afastados e o cabelo brilhante e cheiroso numa adorável confusão. Como é que alguém podia ser tão bonito e isso ser permitido por lei? Lembrei-me do quarto dele no andar de cima... talvez ele afinal não fosse legal. Abanei a cabeça, tinha tanto em que pensar. Senti-me tentada a esticar a mão e tocar-lhe, mas, tal como uma criança pequena, ele era tão lindo a dormir. Não tinha de me preocupar com o que eu dizia, com o que ele dizia, com os planos que ele tinha, especialmente em relação a mim.

Podia ficar o dia inteiro a olhar para ele, mas tinha necessidades – necessidades fisiológicas. Esgueirei-me da cama, vi a camisa branca dele no chão e vesti-a. Entrei por uma porta a pensar que poderia ser a casa de banho, mas dei por mim num vasto quarto de vestir tão grande como o meu quarto de dormir. Filas e filas de fatos, camisas, sapatos e gravatas caros. Como é que alguém podia precisar de tanta roupa? Acenei a cabeça em reprovação. Na verdade, o guarda-fatos da Kate provavelmente rivalizava com aquele. Kate! *Oh, não!* Não me tinha lembrado dela a noite inteira. Tinha ficado de lhe enviar uma mensagem. Bolas. Estava metida em sarilhos. Perguntei-me brevemente como se estaria ela a dar com o Elliot.

De volta ao quarto, o Christian ainda dormia. Tentei a outra porta. Era a casa de banho, e era maior do que o meu quarto de dormir.

Como é que um único homem precisava de tanto espaço? Dois lavatórios, reparei com ironia. Visto que ele não dormia com ninguém, um deles não devia ter tido qualquer uso.

Olhei-me no espelho gigante, por cima dos lavatórios. Parecia diferente? Sentia-me diferente. Sentia-me um bocado dorida, para ser sincera, e os meus músculos – credo, era como se nunca tivesse feito exercício na vida. *Tu não fazes exercício nenhum.* O meu subconsciente tinha acordado. Olhava para mim com lábios franzidos, o pé a bater no chão. *Então, acabas de dormir com ele, deste-lhe a tua virgindade, a um homem que não te ama. Na verdade, tem ideias muito estranhas a teu respeito, quer fazer de ti uma espécie de escrava sexual de gosto dúbio.*

ESTÁS LOUCA? Gritou-me.

Fiz uma careta para o espelho. Ia ter de processar aquilo tudo. Realmente só me faltava ficar apanhada por um homem que era mais do que lindo, mais rico do que Creso, e que tinha um Quarto Vermelho da Dor à minha espera. Estremeci. Estava perplexa e confusa. O meu cabelo estava incontrolável, como era habitual. Cabelo de queca não me ficava bem. Tentei levar ordem ao caos com os dedos mas falhei miseravelmente e desisti – talvez encontrasse elásticos na carteira.

Estava esfomeada. Voltei ao quarto. A bela adormecida ainda dormia, por isso deixei-a lá e fui para a cozinha.

Oh, não... a Kate. Tinha deixado a carteira no escritório do Christian. Fui buscá-la e peguei no telemóvel. Três mensagens.

"TD BEM Ana?"

"OD TÁS Ana?"

"BOLAS Ana!"

Liguei à Kate. Ela não respondeu, e deixei-lhe uma mensagem balbuciante a dizer-lhe que estava viva e não tinha sucumbido ao Barba Azul. Bem, não no sentido com o qual ela estaria preocupada – *ou talvez fosse eu a estar.* Oh, era tudo tão confuso. Tinha de tentar categorizar e analisar os meus sentimentos por Christian Grey. Era uma tarefa impossível. Abanei a cabeça, derrotada. Precisava de tempo a sós, tempo longe dali para pensar.

Encontrei dois oportunos elásticos ao mesmo tempo na minha carteira e fiz logo dois totós. Isso! Talvez quanto mais infantil parecesse, mais a salvo estivesse do Barba Azul. Tirei o iPod do saco e enfiei os fones nos ouvidos. A música era a melhor coisa para acompanhar as lides culinárias. Enfiei-o no bolso da camisa do Christian, liguei-o bem alto e comecei a dançar. Estava com uma fome dos diabos.

A cozinha dele intimidava-me. Era tão elegante e moderna, e nenhum dos armários tinha puxadores. Demorei alguns segundos a deduzir que tinha de empurrar as portas para as abrir. Talvez devesse fazer o pequeno-almoço para Christian. Ele estava a comer uma omelete no outro dia... hum, ontem, no Heathman. Bolas, tanta coisa se tinha passado desde então. Abri o frigorífico, onde havia ovos de sobra, e decidi que queria panquecas e bacon. Comecei a fazer massa, dançando pela cozinha.

Estar ocupada era bom. Dava algum tempo para pensar mas não muito profundamente. A música aos berros nos meus ouvidos também ajudava a adiar os pensamentos profundos. Tinha lá ido para passar a noite com Christian Grey e tinha conseguido, apesar de ele não deixar ninguém entrar na cama dele. Sorri, missão cumprida. Em grande. Sorri de orelha a orelha. Mesmo em grande, e fui distraída pela memória da noite anterior. As palavras dele, o corpo dele, ele a fazer amor... Fechei os olhos quando o meu corpo começou a recordar-se e os meus músculos se contraíram deliciosamente no fundo do ventre. O meu subconsciente olhou-me carrancudo *É foder, não é fazer amor,* gritou como uma harpia. Ignorei-o, mas lá no fundo sabia que aquilo fazia sentido. Abanei a cabeça procurando concentrar-me na tarefa que tinha entre mãos.

O fogão era ultramoderno. Pareceu-me que conseguia lidar com ele. Precisava de alguma coisa para manter as panquecas quentes e comecei pelo *bacon*. A Amy Studt cantava-me ao ouvido sobre inadaptados. Aquela canção costumava dizer-me muito; isso porque eu era uma inadaptada. Nunca me tinha encaixado em lado nenhum e agora... Tinha acabado de receber uma proposta indecente da parte do Rei dos Inadaptados em pessoa. Porque é que ele era daquela maneira? Inato ou adquirido? Era tão diferente de tudo o que eu conhecia.

Pus o *bacon* a grelhar e enquanto cozinhava bati alguns ovos. Virei-me e o Christian estava sentado num dos bancos do balcão da cozinha, inclinado sobre ele, a cara assente nas mãos esticadas. Ainda estava com a *t-shirt* com a qual dormira. O cabelo de queca ficava-lhe mesmo, mesmo muito bem, assim como a barba rala. O seu ar tinha tanto de divertido como de desorientado. Eu estaquei, corei, tirei os fones do ouvido, pois vê-lo tinha-me deixado com as pernas bambas.

– Bom dia Miss Steele. Está muito enérgica esta manhã – disse secamente.

– D-dormi bem – expliquei-me, gaguejando. Os lábios dele tentaram mascarar um sorriso.

– Não imagino porquê. – Parou e franziu a testa. – Eu também, depois de voltar para a cama.

– Estás com fome?

– Muita – disse com um olhar intenso, e não me pareceu que se referisse a comida.

– Panquecas, *bacon* e ovos?

– Parece-me ótimo.

– Não sei onde guardas os teus individuais – disse com um encolher de ombros, tentando desesperadamente não ficar vermelha.

– Eu faço isso. Tu cozinhas. Queres que ponha música para tu poderes continuar a tua... hum... dança?

Eu pus-me a olhar para os dedos, sabendo que estava a ficar vermelha.

– Por favor, não pares por minha causa. É muito divertido – disse num tom irónico.

Eu franzi os lábios. Divertido, com que então? O meu subconsciente ria-se às gargalhadas de mim. Eu virei-me e continuei a bater os ovos, provavelmente com mais força do que o necessário. Num segundo, ele estava atrás de mim. Puxou devagar por um dos totós.

– Gosto muito deles – sussurrou. – Não te vão proteger.

Hmm, Barba Azul...

– Como é que gostas dos ovos? – perguntei secamente. Ele sorriu.

– Muito bem batidos. – Ele sorriu de viés.

Regressei à tarefa que tinha entre mãos, tentando esconder o sorriso. Era difícil ficar-se zangada com ele. Especialmente com ele assim brincalhão, o que não era nada habitual. Abriu uma gaveta e tirou dois individuais pretos para o balcão do pequeno-almoço. Verti os ovos mexidos para uma frigideira, tirei o *bacon*, virei-o ao contrário e voltei a pô-lo na grelha. Quando me voltei, havia sumo de laranja na mesa, e ele estava a fazer café.

– Queres chá?

– Sim, por favor. Se tiveres. – Peguei em dois pratos e pu-los no tabuleiro de aquecer do forno. O Christian abriu um armário e tirou o Twinings English Breakfast. Eu franzi os lábios.

– Fui uma espécie de conclusão prevista, não fui?

– És? Não tenho a certeza de que já tenhamos concluído alguma coisa, Miss Steele – murmurou.

O que é que ele queria dizer com aquilo? As nossa negociações? A nossa, hã... relação... ou o que quer que fosse? Ele ainda era tão críptico. Servi o pequeno-almoço para os pratos aquecidos e pousei-os nos individuais. Revistei o frigorífico e encontrei xarope de ácer.

Olhei para o Christian e ele estava à espera que eu me sentasse.

– Miss Steele – saudou, indicando um dos bancos.

– Mr. Grey – cumprimentei com a cabeça. Subi para o banco e fiz uma careta.

– Estás muito dorida? – perguntou ao sentar-se. Corei. *Porque é que ele fazia perguntas tão pessoais?*

– Bem, para ser honesta, não tenho termo de comparação – disse bruscamente. – Gostaria de apresentar os seus sentimentos? – perguntei, com voz melosa. Pareceu-me que ele tentou abafar um sorriso, mas não consegui ter a certeza.

– Não. Perguntava-me se deveríamos continuar com a tua formação de base.

– Oh. – Fiquei a olhar para ele com ar de parva, pois parei de respirar e contraí-me toda por dentro. *Ooh.. era tão bom.* Reprimi um gemido.

– Come, Anastasia. – O meu apetite ficou outra vez incerto... mais... mais sexo... sim, por favor.

– A propósito, isto está delicioso – aprovou com um sorriso largo.

Tentei uma garfada da omelete, mas mal consegui prová-la. Formação de base! *Quero foder-te a boca.* Aquilo faria parte da formação de base?

– Para de morder o lábio. É muito perturbador, e acontece que eu sei que não tens nada vestido por baixo da minha camisa, o que o torna ainda mais perturbador.

Mergulhei o saquinho do chá no pequeno bule que o Christian providenciara. Tinha a cabeça num torvelinho.

– Que tipo de formação de base é que tens em mente? – perguntei, a voz ligeiramente aguda, traindo o meu desejo de parecer tão natural, desinteressada e calma quanto conseguia com as minhas hormonas a semearem o caos pelo meu corpo todo.

– Bem, como estás dorida, pensei que podíamos dedicar-nos às competências orais.

Engasguei-me com o chá e fiquei a olhar para ele, com os olhos arregalados e a boca aberta. Ele deu-me uma pancadinha nas costas e passou-me o sumo de laranja. Não consegui perceber no que estava a pensar.

– Isso é, se quiseres ficar – acrescentou. Olhei para ele, tentando recuperar o equilíbrio. A expressão dele era imperscrutável. Era tão frustrante.

– Gostaria de ficar durante o dia de hoje. Se puder ser. Tenho de trabalhar amanhã.

– A que horas tens de estar no trabalho amanhã?

– Às nove.

– Eu levo-te para o trabalho a horas.

Eu franzi a testa. *Ele quer que eu fique outra noite?*

– Preciso de ir para casa hoje à noite; preciso de roupa lavada.

– Podemos arranjar-te roupa aqui.

Não tinha dinheiro que pudesse gastar em roupa. A mão dele subiu e agarrou-me no queixo, que ele puxou para si, para o lábio se soltar dos dentes. Nem sequer tinha reparado que estava a morder o lábio.

– O que foi? – perguntou ele.

– Preciso de estar em casa hoje à noite.

A boca dele ficou numa linha dura.

– OK, hoje à noite – aquiesceu. – Agora acaba o teu pequeno-almoço.

Os meus pensamentos e o meu estômago estavam num torvelinho. O meu apetite tinha desaparecido. Fiquei a olhar para o meu pequeno-almoço meio comido. Não estava com fome nenhuma.

– Come, Anastasia. Não comeste ontem à noite.

– Não tenho mesmo fome nenhuma – sussurrei.

Os olhos dele semicerraram-se: – Gostaria mesmo que terminasses o teu pequeno-almoço.

– O que se passa contigo e a comida? –perguntei de chofre. As sobrancelhas dele uniram-se.

– Já te disse, tenho problemas com desperdício de comida. Come – atirou. Os olhos dele estavam sombrios, dolorosos.

Bolas. O que era aquilo? Peguei no garfo e comecei a comer devagar, a tentar mastigar. Tinha de me lembrar de não pôr tanta comida no prato, se ele ia pôr-se com esquisitices com a comida. A expressão dele suavizava-se à medida que eu comia o pequeno-almoço. Reparei que ele tinha limpo o prato. Aguardou que eu acabasse de comer e depois tirou-me o prato.

– Tu cozinhaste, eu arrumo.

– É muito democrático.

– Sim – disse franzindo a testa. – Não é o meu estilo habitual. Depois de eu fazer isto, vamos tomar um banho.

– Oh, OK. – *Oh, céus... Eu preferia de longe tomar um duche.* O meu telemóvel tocou, interrompendo-me o devaneio. Era a Kate.

– Oi! – Aproximei-me das portas de vidro da varanda, afastando-me dele.

– Ana, porque não me mandaste uma mensagem ontem à noite? – Estava zangada.

– Desculpa, estava absorvida pelos acontecimentos.

– Estás bem?

– Sim, estou bem.

– Vocês...? – Estava à pesca de informação. Revirei os olhos ao ouvir a expetativa da voz dela.

– Kate, não quero falar pelo telefone. – O Christian olhou para mim.

– Sim, fizeram... já percebi.

Como é que ela podia perceber? Estava a fingir, e eu não podia falar daquilo. Tinha assinado o raio de um acordo.

– Kate, por favor.

– Como foi? Estás bem?

– Já te disse que estou bem.

– Ele foi meigo?

– Kate, por favor! – admoestei-a, sem conseguir esconder a minha exasperação.

– Ana, não desligues; estou à espera deste dia há quase quatro anos.

– Vemo-nos logo à noite. – E desliguei.

Ia ser difícil de dar a volta àquilo. Ela era tão determinada, e queria saber tudo, em pormenor, e eu não lhe podia contar porque tinha assinado um – como se chamava aquilo? Acordo de confidencialidade. Ela ia passar-se e com razão. Precisava de um plano. Voltei para a cozinha do Christian, onde ele se movimentava graciosamente.

– O acordo cobre tudo? – perguntei, hesitante.

– Porquê? – Ele virou-se e olhou para mim enquanto arrumava o Twinings. Eu corei.

– Bem, tenho algumas perguntas, sabes, sobre sexo. – Pus-me a olhar para os dedos. – E gostava de perguntar à Kate.

– Podes perguntar-me a mim.

– Christian, com todo o respeito... – A minha voz esmoreceu. *Não te posso perguntar.* Ia receber a tua visão tendenciosa, mais do que excêntrica e distorcida a respeito de sexo. Queria uma opinião imparcial. – É só sobre a mecânica. Não vou mencionar o Quarto Vermelho da Dor.

Ele arqueou as sobrancelhas.

– Quarto Vermelho da Dor? É sobretudo de prazer, Anastasia. Acredita em mim – disse ele. – Além disso – o tom de voz era mais duro –, a tua companheira de apartamento anda a fazer o animal de duas costas[5] com o meu irmão. Preferia mesmo que não o fizesses.

– A tua família sabe da tua... hum, predileção?

– Não. Não é da conta deles. – Caminhou calmamente na minha direção até estar à minha frente. – O que queres saber? – perguntou e, levantando a mão, passou-me suavemente os dedos pelo rosto até ao queixo, inclinando-me a cabeça para trás para poder olhar-me diretamente nos olhos. Eu revolvi-me toda por dentro. Não conseguia mentir àquele homem.

– Nada em particular neste momento – sussurrei.

5. Expressão utilizada pelo personagem Iago, na primeira cena de *Otelo* de Shakespeare. (N. da T.)

– Bem, podemos começar com: como foi a noite passada para ti? – Os olhos dele brilhavam, cheios de curiosidade. *Estava ansioso por saber. Uau.*

– Boa – murmurei.

Os lábios dele levantaram-se ligeiramente.

– Para mim também – murmurou. – Nunca tinha feito sexo baunilha. Tem muito que se lhe diga. Mas também, talvez seja por seres tu. – Passou o dedo pelo meu lábio inferior.

Respirei profundamente. *Sexo baunilha?*

– Anda, vamos tomar um banho. – Inclinou-se para me beijar.

O meu coração deu um salto e o meu desejo avolumou-se lá em baixo... mesmo *lá*.

A banheira era uma peça de design em mármore, funda e em forma de ovo, com muito *design*. Christian dobrou-se para abrir a torneira que saía da parede de azulejos, para a encher. Verteu na água um pouco de óleo de banho com ar caro, que fez espuma à medida que a banheira se enchia e tinha um cheiro doce e sensual a jasmim. Endireitou-se e olhou para mim com os olhos sombrios, tirou a *t-shirt* e atirou-a para o chão.

– Miss Steele – disse, estendendo a mão.

Eu estava à porta, cautelosa e de olhos muito abertos, com os braços enrolados à minha volta. Avancei, admirando sub-repticiamente o físico dele. Segurei na mão dele, e ele incitou-me a entrar para a banheira, ainda com a camisa dele vestida. Fiz o que me mandaram. Teria de me habituar àquilo se ia corresponder àquela proposta ultrajante... *Se!* A água quente era chamativa.

– Vira-te, para mim – ordenou, a voz suave. Fiz o que me mandaram. Ele olhava-me intensamente.

– Eu sei que esse lábio é delicioso, posso corroborá-lo, mas podes parar de o morder? – disse ele, por entre dentes. – Tu assim a trincá-lo fazes-me querer foder-te, e estás dorida, certo?

Eu arquejei, soltando imediatamente o lábio, chocada.

– Sim – desafiou ele. – Estás a perceber? – Olhou-me com olhos fulminantes. Eu assenti freneticamente com a cabeça. *Não fazia ideia de que podia afetá-lo tanto.*

– Ainda bem. – Esticou o braço, tirou-me o iPod do bolso da camisa, e pousou-o ao lado do lavatório. – Água e iPods não são uma combinação inteligente – murmurou. Inclinou-se, agarrou-me na camisa branca pela bainha, tirou-ma pela cabeça e deixou-a cair ao chão.

Afastou-se para olhar para mim. *Estava nua, por amor de Deus.* Fiquei completamente vermelha e pus-me a olhar para as mãos, que estavam ao mesmo nível da barriga, e quis desesperadamente desaparecer dentro da água quente e da espuma, mas sabia que ele não quereria que eu o fizesse.

– Ei! – chamou ele. Olhei e ele tinha a cabeça inclinada para o lado. – Anastasia, és uma mulher muito bonita, por inteiro. Não baixes a cabeça como se tivesses vergonha. Não tens nada de que te envergonhar e é uma verdadeira alegria estar aqui a olhar para ti. – Pegou-me no queixo e inclinou-me a cabeça para cima para eu conseguir olhar diretamente para os olhos dele. Doces e calorosos, exaltados até. Ele estava tão perto. Podia esticar o braço e tocar-lhe.

– Podes sentar-te agora. – Pôs cobro aos meus pensamentos dispersos e eu entrei lentamente na água quente, acolhedora. Oh... picava, e apanhou-me de surpresa, mas cheirava deliciosamente também. A dor aguda inicial rapidamente se desvaneceu. Eu encostei-me e fechei os olhos por um instante, relaxando no calor reconfortante. Quando os abri, ele estava a olhar para mim.

– Porque não te juntas a mim? – perguntei, corajosamente, pareceu-me, com a voz rouca.

– Acho que o farei. Chega-te para a frente – ordenou.

Tirou as calças do pijama e colocou-se atrás de mim. A água subiu quando ele se sentou e me puxou contra o peito. Pôs as pernas compridas por cima das minhas, com os joelhos dobrados e os tornozelos ao mesmo nível dos meus e afastou os pés, abrindo-me as pernas. Arquejei de surpresa. Pôs o nariz no meu cabelo e inalou profundamente.

– Cheiras tão bem, Anastasia.

Um tremor percorreu-me o corpo todo. *Estava nua numa banheira com Christian Grey. Ele estava nu.* Se alguém me tivesse dito que estaria a fazer aquilo quando acordei na suíte dele, no dia anterior, eu não teria acreditado.

Esticou o braço para pegar num frasco de gel de duche da prateleira embutida ao lado da banheira e espremeu um bocado para a mão. Esfregou as mãos uma na outra, criando uma camada suave de espuma e pôs-mas à volta do pescoço, começando a passar-me a espuma pelo pescoço e ombros, numa massagem firme com os dedos compridos e fortes. Soltei um gemido. Sabia-me bem sentir as mãos dele.

– Gostas? – Quase consegui ouvir o sorriso dele.

– Hmm.

Desceu para os braços e depois para o interior deles, esfregando suavemente. Fiquei tão contente por a Kate ter insistido para eu me depilar. As mãos dele deslizavam pelos meus seios, e eu inspirei profundamente quando os seus dedos os rodearam e começaram a apertar devagar, sem se coibirem. O meu corpo dobrou-se instintivamente, empurrando os meus seios para as mãos dele. Os meus mamilos estavam sensíveis. Muito sensíveis, sem dúvida por causa do tratamento que nada tivera de delicado da noite anterior. Não permaneceu ali muito tempo e deslizou as mãos para a barriga e o ventre. A minha respiração tinha acelerado e o meu coração também. A ereção dele aumentava contra o meu rabo. Era tão excitante saber que era o meu corpo que o fazia sentir-se daquela maneira. *Ah!... Não era da tua cabeça,* desdenhou o meu subconsciente. Eu escorraceі o pensamento desagradável.

Ele parou para pegar numa toalhinha, comigo ofegante, encostada a ele, expetante... desejosa. As minhas mãos pousaram nas coxas dele, musculadas e firmes. Espremeu mais gel para a toalhinha, inclinou-se e lavou-me entre as pernas. Eu sustive a respiração. Os dedos dele estimulavam-me habilmente sobre o pano, era divinal, e as minhas ancas começaram a mover-se ao seu próprio ritmo, empurrando-se contra a mão dele. Como as sensações se impusessem, deixei cair a cabeça para trás, a boca mole, e soltei um gemido. A pressão crescia lenta e inexoravelmente dentro de mim... *oh céus.*

– Sente, querida – sussurrou-me ao ouvido, e mordeu-me muito gentilmente o lóbulo da orelha. – Quero que sintas. – Eu tinha as pernas presas pelas dele ao lado da banheira, prisioneira, dando-lhe fácil acesso àquela parte de mim, privada entre todas.

– Oh... por favor – sussurrei. Tentei endireitar as pernas quando o meu corpo ficou rígido. Estava à mercê sexual daquele homem, e ele não me deixava mexer.

– Julgo que já estás bastante limpa – murmurou, e parou.

O quê? Não! Não! Não! A minha respiração estava irregular.

– Porque paras? – arquejei.

– Porque tenho outros planos para ti, Anastasia.

O quê?... oh, céus... mas... eu estava... não era justo.

– Vira-te. Eu também preciso que me lavem – murmurou ele.

Oh! Quando me voltei para ele, fiquei chocada ao constatar que ele segurava o pénis dele com firmeza. A minha boca escancarou-se.

– Quero que fiques a conhecer bem, pelo primeiro nome se quiseres, a minha parte favorita e mais querida do meu corpo. Sou muito apegado a ele.

Era tão grande e crescia tanto. A ereção dele estava acima da linha da água, que lhe batia nas coxas. Olhei para ele e deparei-me com aquele sorriso safado. Ele estava a gostar da minha expressão perplexa. Percebi que estava com os olhos vidrados naquilo. Engoli em seco. *Esteve dentro de mim!* Não parecia possível. Ele queria que eu lhe tocasse. *Hmm...* OK, vamos a isso.

Sorri-lhe, peguei no gel de banho e pus um pouco na mão. Fiz como ele tinha feito, passei a mão uma na outra, até estarem cheias de espuma. Não tirei os olhos dos dele. Tinha os lábios abertos para me permitir respirar... muito deliberadamente, mordi ao de leve o lábio inferior e passei a língua por ele, pelo sítio onde os dentes tinham estado. Os olhos dele estavam sérios e sombrios e abriram-se mais quando a minha língua deslizou pelo meu lábio inferior. Estiquei-me e coloquei uma das mãos à volta dele, imitando a forma como ele pegava nele próprio. Os olhos dele fecharam-se por um momento. Uau... era muito mais firme do que eu esperava. Apertei e ele pôs a mão em cima da minha.

– Assim – sussurrou, e mexeu a mão para cima e para baixo, agarrando bem, por cima dos meus dedos, e os meus dedos fecharam-se em redor dele. Ele voltou a fechar os olhos e a respiração travou-se-lhe na garganta. Quando voltou a abri-los, o seu olhar era de um cinza ultra-abrasador. – Isso mesmo, querida.

Largou-me a mão, para eu continuar sozinha, e fechou os olhos, comigo a mexer-lhe para cima e para baixo a todo o comprimento. Levantou ligeiramente as ancas contra a minha mão e, como reflexo, eu agarrei-o com mais força. Um gemido rouco escapou-lhe do fundo da garganta. *Fode-me a boca... hmm.* Lembrei-me dele a enfiar-me o polegar na boca e a dizer-me para chupar, com força. A boca dele entreabriu-se com o acelerar da respiração. Eu inclinei-me para a frente, enquanto ele tinha os olhos fechados, e pus os lábios à volta dele e comecei a tentar chupar, passando-lhe a língua pela ponta.

– Oh... Ana. – Os olhos dele abriram-se de repente e eu chupei com mais força.

Hmm... era duro e macio ao mesmo tempo, como aço envolto em veludo, e surpreendentemente saboroso, salgado e suave.

– Oh, Deus... – gemeu, e fechou outra vez os olhos.

Eu continuei a descer e pu-lo na minha boca. Ele voltou a gemer. *Ah!* A minha deusa interior estava empolgadíssima. Eu conseguia fazê-lo. Conseguia fodê-lo *a ele* com a minha boca. Voltei a rodopiar a língua na ponta e ele fletiu-se e elevou as ancas. Tinha aberto os olhos, ardentes de desejo. Tinha os dentes cerrados quando voltou a elevar-se, e eu empurrei-o mais para dentro da minha boca, apoiando-me nas ancas dele. Senti as pernas dele contraírem-se por baixo das minhas mãos. Ele esticou os braços, agarrou-me nos totós e começou a mexer-se a sério.

– Oh... querida... é tão bom – murmurou. Chupei com mais força, passando a língua pela cabeça daquela ereção impressionante. Tapei os dentes com os lábios e apertei-o com a boca. Ouvi-o sibilar por entre os dentes e gemer.

– Oh! Até onde és capaz de ir? – sussurrou.

Hmm... Enfiei-o mais na minha boca até o sentir tocar-me na garganta e depois voltei para cima. Fiz girar a língua na ponta. Christian Grey, o meu chupa-chupa particular. Chupei cada vez com mais força, empurrando-o cada vez mais para o fundo, revolvendo a língua. *Hmm...* Não fazia ideia de que dar prazer podia ser tão excitante, vê-lo agonizar subtilmente de desejo. A minha deusa interior dançava o merengue com alguns passos de salsa.

– Anastasia, vou vir-me na tua boca – o tom ofegante era de aviso. – Se não quiseres que o faça, para agora. – Voltou a acometer com as ancas, tinha os olhos bem abertos, cautelosos e cheios de uma necessidade impudica – necessidade de mim. Necessidade da minha boca... *Oh, céus.*

As mãos dele estavam mesmo a agarrar-me no cabelo. Eu conseguia fazer aquilo. Empurrei com mais força ainda e, num momento de extraordinária confiança, arreganhei os dentes. Foi mortal. Ele gritou e ficou muito quieto e eu senti um líquido quente e salgado a escorrer-me pela garganta. Engoli depressa. *Ugh...* Daquela parte não tinha a certeza. Mas bastou-me olhar para ele para não me importar – ele estava todo desfeito por minha causa. Sentei-me, encostei-me e fiquei a olhar para ele, com um sorriso triunfante, vencedor a sair-me dos lábios. A respiração dele era irregular. Abriu os olhos e olhou intensamente para mim.

– Não tens reflexo faríngeo? – perguntou, estupefacto. – Céus, Ana... foi... bom, mesmo bom. Inesperado, porém – disse, franzindo a testa. – Sabes, estás sempre a surpreender-me.

Eu sorri e mordi o lábio conscientemente. Ele olhou-me com ar inquiridor.

– Já fizeste isto antes?

– Não – respondi, sem conseguir evitar uma pontinha de orgulho.

– Bom – disse ele com satisfação e, pareceu-me, alívio. – Mais uma primeira vez, Miss Steele. – Olhou-me com ar avaliador. – Bem, tens um A em competências orais. Anda, vamos para a cama, devo-te um orgasmo.

Orgasmo! Outro!

Saiu rapidamente da banheira, permitindo-me o meu primeiro vislumbre completo do Adónis, divinamente formado, que era Christian Grey. A minha deusa interior tinha parado de dançar e ficado também a olhar, de boca aberta e babando-se ligeiramente. A ereção dele, apaziguada mas ainda substancial... uau. Amarrou uma toalha pequena à volta da cintura, tapando o fundamental, e estendeu-me uma toalha branca grande e fofa. Saí da banheira e pousei a mão na dele, que me estendia. Ele enrolou-me na toalha, puxou-me para os braços dele e beijou-me com força, empurrando a língua para dentro da minha boca. Eu desejei estender os braços e abraçá-lo... tocar-lhe...

mas ele tinha-os aprisionados na toalha. Perdi-me logo no beijo dele. Ele segurava-me na cabeça, a língua explorando-me a boca, e eu fiquei com a impressão de que ele estava a exprimir gratidão – talvez – pelo meu primeiro broche? Uau!

Afastou-se, com as mãos ainda de um lado e do outro do meu rosto, olhando intensamente para os meus olhos. Parecia perdido.

– Diz que sim – sussurrou fervorosamente.

Eu franzi a testa, sem compreender.

– A quê?

– Diz sim ao nosso acordo. A ser minha. Por favor, Ana – sussurrou, suplicando, enfatizando a última palavra e o meu nome. Beijou-me novamente, docemente, apaixonadamente, para depois se afastar e ficar a olhar para mim, pestanejando um pouco. Pegou na minha mão e conduziu-me de regresso ao quarto, deixando-me aturdida, e eu segui-o, dócil. Espantada. *Ele queria mesmo aquilo.*

No quarto dele, olhou-me fixamente quando chegámos perto da cama.

– Confias em mim? – perguntou, de repente. Eu acenei que sim, boquiaberta com a constatação súbita de que confiava nele. *O que é que ele me ia fazer agora?* Um arrepio elétrico percorreu-me o corpo.

– Linda menina – disse num sopro, passando-me o polegar pelo lábio inferior.

Entrou no quarto de vestir e regressou com uma gravata de seda cinza prateado.

– Junta as mãos à tua frente – ordenou, retirando a toalha de cima de mim e atirando-a para o chão.

Eu fiz como ele pediu e ele atou-me os pulsos com a gravata, com um nó firme. Os olhos dele cintilavam de excitação. Puxou pelo nó. Estava seguro. Devia ter sido um *grande escoteiro para aprender a dar aquele nó.* E agora? Eu tinha a pulsação a mil, o coração num ritmo frenético. Passou-me os dedos pelos totós.

– Pareces tão nova com eles… – murmurou, e deu um passo em frente. Instintivamente, eu andei para trás até sentir a cama atrás dos joelhos. Ele deixou cair a toalha mas eu não conseguia tirar os olhos da cara dele. Tinha uma expressão ardente, cheia de desejo.

– Oh, Anastasia, o que farei contigo? – sussurrou, enquanto me deitava na cama, se colocava ao meu lado e me levantava as mãos acima da cabeça. – Segura as mãos aí em cima, e não as mexas, compreendido? – Os olhos dele entraram nos meus e a sua intensidade deixou-me sem fôlego. Não era um homem que eu quisesse chatear... jamais.

– Responde-me – exigiu, com uma voz suave.

– Não vou mexer as mãos. – Estava ofegante.

– Linda menina – murmurou, passando a língua lenta e deliberadamente pelos lábios.

Eu olhava hipnotizada para a língua dele, que lhe percorria o lábio superior. Ele tinha cravado os olhos nos meus, observando, avaliando. Inclinou-se e depositou-me um beijo casto e breve nos lábios.

– Vou beijá-la em todo o lado, Miss Steele – disse suavemente, agarrando-me no queixo, empurrando-o, abrindo caminho para a minha garganta.

Os seus lábios deslizaram, beijando, chupando e mordendo, até à covinha na base do pescoço. O meu corpo ficou em estado de alerta... em toda a parte. A experiência recente na banheira tinha-me deixado a pele hipersensível. O meu sangue exaltado acumulou-se no fundo do ventre, entre as minhas pernas, mesmo *lá*. Gemi.

Queria tocar-lhe. Mexi as mãos e, um bocado desajeitadamente, visto que estava amarrada, toquei-lhe no cabelo. Ele parou de me beijar e fulminou-me com o olhar, abanando a cabeça de um lado para o outro e fazendo um barulho reprovador. Pegou nas minhas mãos e voltou a colocar-mas por cima da cabeça.

– Não mexas as mãos, ou teremos de começar tudo de novo – repreendeu moderadamente.

Oh, era cá um cortes.

– Quero tocar-te. – A minha voz soou ofegante e descontrolada.

– Eu sei – murmurou. – Mantém as mãos aí em cima – ordenou, com uma voz enérgica.

Voltou a agarrar-me no queixo e começou a beijar-me o pescoço como tinha feito. Oh... era tão frustrante. As mãos dele percorriam-me o corpo e os seios enquanto me mergulhava a língua na covinha do pescoço. Traçou uma linha com a ponta do nariz e em seguida iniciou um percurso nada apressado com a boca, em direção a sul, seguindo o rastro das mãos, pelo esterno, até aos seios. Cada um dos dois foi beijado e beliscado ao de leve e os meus mamilos ternamente chupados. *Santo céu.* As minhas ancas começaram a oscilar e mexer por vontade própria, rodopiando ao ritmo da boca dele em mim, e eu tentava desesperadamente lembrar-me de manter as mãos acima da cabeça.

– Fica quieta – avisou-me, a respiração quente na minha pele. Chegou ao meu umbigo e enfiou a língua lá dentro, para depois me mordiscar suavemente a barriga com os dentes. O meu corpo arqueou-se. – Hmm. É tão doce, Miss Steele.

O nariz dele deslizou para a linha entre a minha barriga e os meus pelos púbicos, enquanto me mordia ao de leve, provocando-me com a língua. Sentou-se de repente e ajoelhou-se aos meus pés, agarrando-me ambos os tornozelos e abrindo-me as pernas.

Eh lá! Agarrou-me no pé esquerdo, dobrou-me o joelho, e pôs o meu pé na boca. Observando e avaliando cada reação minha, beijou ternamente cada dedo, para depois lhes morder devagarinho. Quando chegou ao mindinho, mordeu com mais força, e eu estremeci, gemendo. Deslizou-me a língua pela planta do pé – e eu deixei de conseguir olhar para ele. Era erótico demais. Eu ia entrar em combustão. Fechei bem os olhos e tentei absorver e gerir as sensações todas que ele me despertava. Beijou-me o tornozelo e subiu-me pela perna numa linha de beijos até ao joelho, parando logo a seguir. Pegou depois no pé direito, repetindo todo o processo, sedutor, estonteante.

– Oh, por favor – gemia eu com ele a morder-me o dedinho do pé, ação que fez eco no fundo do meu ventre.

– Só coisas boas, Miss Steele – disse ele num sopro.

Daquela vez ele não parou no joelho, continuou até à parte de dentro da coxa, afastando-me as pernas pelo caminho. Eu sabia o que ele ia fazer, e parte de mim queria empurrá-lo porque eu não sabia onde me meter e estava envergonhadíssima. Ele ia beijar-me *lá*! Eu sabia. E parte de mim exultava de expetativa. Ele virou-se para o meu outro joelho e subiu até à coxa com beijos, lambendo, chupando, e depois tinha-o no meio das pernas, a passar o nariz pelo meu sexo, para cima e para baixo, muito devagar, muito suavemente. Eu contorci-me... *oh, céus.*

Ele parou, aguardando que eu me acalmasse. Eu fi-lo e levantei a cabeça para olhar para ele, a boca aberta e o coração desenfreado a tentar acalmar-se.

– Sabe que tem um cheiro inebriante, Miss Steele? – murmurou, e com os olhos sempre nos meus, enfiou o nariz nos meus pelos públicos e inalou.

Eu corei dos pés à cabeça, sentindo-me desmaiar, e fechei imediatamente os olhos. Não conseguia ficar a vê-lo fazer-me aquilo.

Ele soprou-me suavemente a todo o comprimento. *Oh, céus...*

– Gosto disto – disse puxando-me devagar os pelos púbicos. – Talvez os mantenhamos.

– Oh... por favor – supliquei.

– Hmm, gosto quando imploras, Anastasia.

Eu gemi.

– Retribuir não é o meu estilo habitual, Miss Steele – sussurrou, continuando a soprar, de cima a baixo. – Mas hoje deu-me prazer e deve ser recompensada. – Ouvi-lhe o sorriso devasso nos lábios e, com o corpo em regozijo pelas palavras dele, senti-lhe a língua, que começou a rodar lentamente à volta do meu clítoris, enquanto as mãos me abriam as coxas.

– A-ah! – gemi, sentindo o corpo arquear-se e entrar em convulsão ao toque da língua dele.

Ele rodou e rodou a língua, uma vez e outra, prosseguindo a tortura. Eu perdia toda a noção de mim própria, cada átomo do meu ser completamente concentrado naquela pequena e potente central elétrica no centro das minhas coxas. As minhas pernas contraíram-se e ele enfiou um dedo dentro de mim, e eu ouvi o seu gemido gutural.

– Hmm, querida. Adoro ter-te assim tão molhada para mim.

Mexeu o dedo num círculo largo, esticando-me, puxando, com a língua a copiar os movimentos, às voltas, às voltas. Eu gemi. Era demais... O meu corpo suplicava a libertação e eu não conseguia negá-la durante mais tempo. Deixei-me ir, perdendo por completo o pensamento coerente quando o orgasmo se apoderou de mim, espremendo-me as entranhas uma vez e outra. *Santo Deus.* Gritei e o mundo desapareceu de vista quando a força do meu clímax reduziu tudo a nada e ao vazio.

Estava ofegante e ouvi vagamente um pacote a rasgar. Muito lentamente, ele entrou dentro de mim e começou a mexer-se. *Oh... céus.* A sensação era dolorosa e agradável e arrojada e doce, tudo ao mesmo tempo.

– Que tal? – disse ele num sopro.

– Muito bom – devolvi. E ele começou a mexer-se a sério, mais depressa, com força e movimentos profundos, entrando em mim uma e outra vez, implacável, puxando por mim mais e mais até eu estar novamente à beira do precipício. Comecei a gemer.

– Vem-te para mim, querida. – Ouvi a voz dele rouca, dura, crua no meu ouvido e explodi em redor dele, com ele a investir com força dentro de mim.

– Meu Deus – sussurrou, investindo com força mais uma vez, e gemeu ao atingir o clímax, pressionando-se contra mim. Depois ficou quieto, o corpo rígido.

Com ele deitado em cima de mim, senti-lhe o peso todo a empurrar-me mais para o colchão. Pus-lhe as mãos atadas por cima do pescoço e agarrei-o o melhor que consegui. Sabia que naquele momento faria tudo por aquele homem. Eu era dele. As maravilhas a que ele me apresentara estavam para além de qualquer coisa que eu pudesse ter imaginado. E ele queria levar aquilo mais longe, muito mais longe, até onde eu não conseguia, na minha inocência, sequer imaginar. *Oh...o que fazer?*

Ele apoiou-se nos cotovelos e pôs-se a olhar para mim, os olhos cinzentos intensos.

– Vês como somos bons juntos? – murmurou. – Se te deres a mim, irá ser tão melhor. Confia em mim, Anastasia, posso levar-te a lugares que nem sequer sabes que existem.

As palavras dele fizeram eco dos meus pensamentos. Roçou o nariz no meu. Eu ainda estava com a cabeça à roda por causa da extraordinária reação física que ele provocara, e olhei para ele sem expressão, tentando articular algum pensamento coerente.

De repente, ambos nos apercebemos de vozes no corredor do outro lado da porta do quarto. Precisei de um momento para processar o que conseguia ouvir.

– Mas se ele ainda está na cama é porque deve estar doente. Ele nunca está na cama a estas horas. O Christian nunca fica a dormir até tarde.

– Mrs. Grey, por favor.

– Taylor. Não pode impedir-me de ver o meu filho.

– Mrs. Grey, ele não está sozinho.

– O que quer dizer com ele não está sozinho?

– Tem uma pessoa com ele.

– Oh... – Até eu ouvi a incredulidade patente na voz dela.

Christian começou a piscar os olhos, a olhar para mim, boquiaberto e com uma expressão de horror bem humorada.

– Merda! É a minha mãe.

CAPÍTULO DEZ

Ele saiu subitamente de dentro de mim. Eu estremeci. Ele sentou--se na cama e atirou o preservativo usado para um balde do lixo.

– Anda, precisamos de nos vestir; isto é, se queres conhecer a minha mãe. – Ele sorriu, saltou da cama e vestiu as calças de ganga – sem roupa interior! Eu fiz um esforço para me sentar, pois ainda tinha as mãos amarradas.

– Christian, não me consigo mexer. – O sorriso dele abriu-se mais e inclinou-se para desfazer o nó. O padrão tinha-me deixado com a marca nos pulsos. Era... *sexy*. Ele olhou para mim. Estava divertido, os olhos brilhantes de contentamento. Beijou-me a testa muito rápido e mostrou-me um sorriso rasgado.

– Outra primeira vez – constatou, mas eu não fazia a mínima ideia daquilo a que se referia.

– Não tenho aqui roupa limpa. – Senti um pânico súbito e, tendo em consideração o que eu acabava de experimentar, o pânico parecia-me avassalador. A mãe dele! *Raios*. Não tinha roupa lavada e ela praticamente nos apanhara em flagrante delito. – Talvez deva ficar aqui.

– Oh, não, não vais – ameaçou o Christian. – Podes usar qualquer coisa minha. Ele tinha enfiado uma camisa branca e passava a mão pelo cabelo de queca. Apesar da minha ansiedade, perdi o fio aos pensamentos. A beleza dele era desnorteante.

– Anastasia, podias vestir um saco que ficavas encantadora na mesma. Por favor não te preocupes. Gostava que conhecesses a minha mãe. Veste-te. Eu vou sair para a acalmar. – A boca dele fechou-se numa linha dura. – Espero-te naquela sala dentro de cinco minutos, senão venho eu próprio arrastar-te daqui para fora, independentemente do que tiveres vestido. As minhas *t-shirts* estão nesta gaveta. As camisas estão no quarto de vestir. Está à vontade. – Olhou-me com um ar inquiridor por um momento, e depois saiu do quarto.

Raios. A mãe do Christian. Era muito mais do que eu tinha desejado. Talvez conhecê-la ajudasse a pôr uma parte do quebra-cabeças no sítio. Podia ajudar-me a compreender porque é que o Christian era da maneira que era... Subitamente, queria conhecê-la. Apanhei a minha camisa do chão, e fiquei contente ao descobrir que tinha sobrevivido à noite sem praticamente nenhum vinco. Encontrei o sutiã azul por baixo da cama e vesti-me rapidamente. Vasculhei a cómoda do Christian e encontrei os *boxers* dele. Depois de enfiar um par de Calvin Kleins, vesti os *jeans* e calcei as sapatilhas.

Agarrando no casaco, saí disparada para a casa de banho e olhei para os meus olhos, brilhantes demais, a minha cara vermelha – e o meu cabelo! Que figura... totós de queca também não me ficavam bem. Procurei uma escova no armário da vaidade e encontrei um pente. Tinha de servir. Prendi rapidamente o cabelo enquanto olhava desesperada para as minhas roupas. Talvez devesse aceitar a oferta do Christian quanto às roupas novas. O meu subconsciente franziu os lábios e soprou a palavra "oh". Eu ignorei-o. Enfiando o casaco, satisfeita pelas mangas taparem os reveladores padrões da gravata, dei uma última vista de olhos ansiosa à minha imagem no espelho. Teria de servir. Saí para a sala principal.

– Aqui está ela. – O Christian levantou-se do sofá.

A expressão dele era amistosa, de aprovação. A mulher de cabelo louro escuro que estava ao lado dele virou-se e sorriu-me, um sorriso resplandecente. Também se levantou. Estava impecavelmente vestida com um vestido *camel* curto de malha fina com sapatos a condizer. Tinha um ar cuidado, elegante, e eu morri um pouco por dentro, por saber que estava com tão mau aspecto.

– Mãe, esta é Anastasia Steele. Anastasia, esta é Grace Trevelyan-Grey.

A Dr.ª Trevelyan-Grey estendeu-me a mão. *T... de Trevelyan? A inicial dele.*

– É um prazer conhecê-la – murmurou ela. Se não me enganava, havia espanto e talvez alívio na sua voz, e um brilho afável nos seus olhos cor de avelã. Apertei-lhe a mão, sem conseguir evitar sorrir e retribuir-lhe a simpatia.

– Dr.ª Trevelyan-Grey – murmurei.

– Chame-me Grace. – Sorriu e o Christian carregou o sobrolho. – Regra geral sou a Dr.ª Trevelyan e Mrs. Grey é a minha sogra – disse, piscando o olho. – Então, como é que vocês se conheceram? – Olhou para Christian com um ar interrogativo, sem conseguir esconder a curiosidade.

– A Anastasia entrevistou-me para o jornal académico da WSU porque vou lá entregar os diplomas esta semana.

Que bosta. Tinha-me esquecido.

– Então termina o curso este ano? – perguntou Grace.

– Sim. – O meu telemóvel começou a tocar. *A Kate,* até apostava. – Com licença.

Estava na cozinha. Aproximei-me e inclinei-me por cima do balcão do pequeno-almoço, sem ver o número.

– Kate.

– *Dios mío!* Ana! – Merda, era o José. Parecia desesperado. – Onde estás? Tenho tentado contactar-te. Preciso de te ver, de te pedir desculpa pelo meu comportamento na sexta. Porque não me devolveste as chamadas?

– Ouve, José, agora não é uma boa altura. – Olhei ansiosamente para o Christian, que me vigiava atentamente, o rosto impassível, murmurando algo à mãe. Virei-lhe as costas.

– Onde estás? A Kate anda a ser tão esquiva – queixou-se.

– Estou em Seattle?

– O que estás a fazer em Seattle? Estás com ele?

– José, eu ligo-te mais tarde. Não posso falar contigo agora. – Desliguei.

Regressei descontraidamente para o pé do Christian e da mãe. A Grace estava entusiasmadíssima.

– ... e o Elliot telefonou a dizer que estavas por cá. Não te vejo há duas semanas, querido.

– Telefonou? – murmurou Christian, olhando para mim, a expressão indecifrável.

– Pensei que talvez pudéssemos almoçar juntos, mas vejo que tens outros planos, e não quero interromper o teu dia. – Pegou no casaco creme comprido e virou-se, oferecendo-lhe a face. Ele deu-lhe um beijo rápido, doce. Ela não lhe tocou.

– Tenho de levar a Anastasia a Portland.

– Claro, querido. Anastasia, foi um prazer. Espero que nos voltemos a ver. – Estendeu-me a mão, com os olhos brilhantes, e despedimo-nos.

O Taylor apareceu de... *onde?*

– Mrs. Grey? – perguntou.

– Obrigada Taylor. – Ele acompanhou-a pela sala e atravessaram as portas duplas até ao vestíbulo. Taylor tinha lá estado o tempo todo? Há quanto tempo estava ali? Onde?

Christian olhou-me, furioso.

– Então o fotógrafo ligou?

Bolas.

– Sim.

– O que é que ele queria?

– Apenas pedir desculpa, sabes, por sexta-feira.

Christian semicerrou os olhos.

– Estou a ver – disse simplesmente.

Taylor reapareceu.

– Mr. Grey, há uma questão com o carregamento do Darfur.

Christian fez-lhe um breve aceno de cabeça.

– O Charlie Tango está no Boeing Field?

– Sim, senhor.

Taylor cumprimentou-me com um aceno de cabeça.

– Miss Steele.

Eu sorri-lhe hesitantemente e ele deu meia-volta e saiu.

– Vive aqui, o Taylor?

– Sim. – O tom de voz foi cortante. *Qual era o problema dele?*

Christian foi à cozinha e pegou no BlackBerry, para ver os *e-mails*, assumi. A boca dele contraiu-se numa linha dura, e depois fez um telefonema.

– Ros, qual é o problema? – perguntou de chofre. Ficou a ouvir, observando-me, com os olhos inquiridores, enquanto eu dava por mim no meio da sala enorme a pensar no que fazer comigo, sentindo-me extraordinariamente pouco à vontade e deslocada.

– Não colocarei em risco nenhuma das tripulações. Não, cancele... Atiramos do ar, antes... Bom.

Desligou. A afabilidade do olhar tinha desaparecido. Estava com um ar ameaçador e, dirigindo-me um olhar rápido, foi até ao escritório e regressou um minuto depois.

– É o contrato. Lê-o, e discutimo-lo no próximo fim de semana. Sugiro que faças alguma pesquisa, para saberes o que está envolvido. – Fez uma pausa. – Isto é, se aceitares, e eu espero mesmo que sim – acrescentou, o tom de voz mais suave, ansioso.

– Pesquisa?

– Vais ficar espantada com o que se consegue encontrar na Internet – murmurou.

Internet! Eu não tinha acesso a nenhum computador, só ao portátil da Kate, e não podia usar o do Clayton's, pelo menos não para aquele tipo de "pesquisa".

– O que foi? – perguntou, inclinando a cabeça para o lado.

– Não tenho computador. Normalmente uso os computadores da universidade. Vou ver se posso usar o portátil da Kate.

Entregou-me um envelope de papel manilha.

– Tenho a certeza de que posso... hã... emprestar-te um. Pega nas tuas coisas, vamos voltar a Portland e almoçar pelo caminho. Preciso de me vestir.

– Vou só fazer um telefonema – murmurei. Só queria ouvir a voz da Kate. Ele franziu a testa.

– O fotógrafo? – Os maxilares dele contraíram-se e os olhos faiscaram. Eu pisquei os olhos. – Não gosto de partilhar, Miss Steele. Lembre-se disso. – O seu tom de voz calmo e gélido era um aviso e, dirigindo-me um olhar demorado e frio, regressou ao quarto.

Raios. *Só queria telefonar à Kate*, apetecia-me dizer-lhe, mas o seu afastamento súbito deixou-me paralisada. O que tinha acontecido ao homem generoso, descontraído e sorridente que fazia amor comigo há menos de meia hora?

– Pronta? – perguntou Christian quando estávamos ao lado das portas duplas para entrar no vestíbulo.

Eu acenei com a cabeça sem convicção. Ele retomara a sua *persona* distante, educada, rígida, a máscara tinha regressado à cena. Trazia uma sacola de pele. Para que é que ele precisava daquilo? Talvez ficasse em Portland, e depois lembrei-me da entrega dos diplomas. Ah, pois... ele ia estar lá na terça. Tinha vestido um casaco de pele preto. Não parecia de todo o multimilionário, bilionário ou outro "ário" qualquer, com aquela roupa. Parecia um jovem boémio, talvez uma estrela de *rock* malcomportada ou um modelo *de passerelle*. Suspirei por dentro, desejando ter um décimo da elegância dele. Era tão calmo e controlado. Franzi o sobrolho ao lembrar-me da explosão dele a propósito do José... Bem, parecia ser.

O Taylor estava parado atrás de nós.

– Amanhã, então – disse ele ao Taylor, que assentiu com a cabeça.

– Sim, senhor. Que carro vai levar, senhor?

Ele olhou brevemente para mim.

– O R8.

– Boa viagem, Mr. Grey. Miss Steele. – Taylor olhou para mim com simpatia, embora talvez houvesse um toque de piedade escondido nas profundezas do olhar dele.

Pensava sem dúvida que eu tinha sucumbido aos dúbios hábitos sexuais de Mr. Grey. Ainda não, só aos excecionais hábitos sexuais, ou talvez o sexo fosse assim para toda a gente. Franzi o sobrolho. Não tinha termo de comparação, e não podia perguntar à Kate. Era algo que ia ter de abordar com o Christian. Era perfeitamente natural que eu falasse com alguém – e não podia falar com ele, se ele num minuto era só abertura e no outro só me dava para trás.

Taylor abriu-nos a porta e deu-nos passagem. Christian chamou o elevador.

– O que foi Anastasia? – perguntou.

Como é que ele sabia que eu estava a congeminar alguma coisa? Esticou o braço e levantou-me o queixo.

– Para de morder o lábio, ou eu fodo-te no elevador, e não me importa quem entre.

Eu corei, mas havia um sorriso a querer formar-se nos lábios dele. Finalmente a disposição dele parecia querer mudar.

– Christian, tenho um problema.

– Oh? – Tinha a sua atenção por completo.

O elevador chegou. Nós entrámos, e o Christian carregou no botão onde estava assinalado "G".

– Bem... – corei. *Como dizer aquilo?* – Preciso de falar com a Kate. Tenho tantas perguntas sobre sexo, e tu estás demasiado envolvido. Se queres que eu faça estas coisas todas, como é que eu sei...? – parei, tentando encontrar as palavras certas. – É que não tenho termos de referência.

Ele virou-se para mim e revirou os olhos.

– Fala com ela se tens de o fazer. – Pareceu exasperado. – Mas certifica-te de que ela não comenta nada com o Elliot.

Eu ericei-me com a insinuação. *A Kate* não era assim.

– Ela não o faria, e eu não te diria nada do que ela me dissesse sobre o Elliot. Se me contasse alguma coisa – acrescentei rapidamente.

– Bem, a diferença é que a vida sexual dele não me interessa – murmurou secamente o Christian. – O Elliot é um estupor barulhento. Mas só sobre o que fizemos até agora – avisou. – Ela provavelmente arrancava-me os tomates se soubesse o que eu quero fazer contigo – acrescentou tão baixinho que eu não tive a certeza se era para eu ter ouvido.

– OK – concordei expeditamente, sorrindo-lhe aliviada.

Pensar na Kate com os tomates do Christian não era algo em que eu me quisesse demorar.

Retorceu os lábios e abanou a cabeça.

– Quanto mais cedo tiver a tua submissão, melhor, e podemos parar com isto tudo – murmurou ele.

– Parar com o quê?

– Tu, a desafiares-me. – Esticou o braço, pegou-me no queixo e deu-me um beijo rápido e suave nos lábios quando as portas do elevador se abriram. Agarrou-me na mão e conduziu-me para a garagem subterrânea.

Eu, a desafiá-lo... como?

Ao lado do elevador, vi o Audi 4x4 preto, mas foi o elegante desportivo preto que apitou e acendeu as luzes quando ele lhe apontou o comando. Era um daqueles carros que devia ter uma loira longilínea, vestida com uma faixa apenas, refastelada em cima da capota.

– Que carro giro – murmurei laconicamente.

Ele olhou para cima e sorriu.

– Eu sei – disse, e por uma fração de segundos o Christian doce, jovem e despreocupado regressou. Aqueceu-me o coração. Ele estava tão entusiasmado. *Os rapazes e os seus brinquedos.* Olhei para ele e revirei os olhos, mas não consegui suprimir um sorriso. Ele abriu-me a porta e eu entrei. Eh lá... era baixo. Ele contornou o carro com graciosidade e entrou com elegância para o meu lado. *Como é que ele fazia aquilo?*

– Então, que tipo de carro é este?

– É um Audi R8 Spyder. Está um dia maravilhoso, podemos descer a capota. Há um boné ali dentro. Na verdade, deve haver dois. – Apontou para o porta-luvas. – E óculos de sol, se quiseres.

Rodou a chave e o motor rugiu atrás de nós. Pôs a sacola no espaço por trás dos nossos assentos, carregou num botão e o tejadilho abriu-se lentamente. Um toque num interruptor, e tínhamos o Bruce Springsten a cantar para nós.

– É impossível não gostar dele. – Sorriu-me e tirou o carro da garagem, subindo a rampa, onde parou à espera que o portão abrisse.

E assim saímos para aquela manhã clara de maio em Seattle. Enfiei a mão no porta-luvas e tirei os bonés. Mariners. Ele gostava de beisebol? Passei-lhe um boné e ele pô-lo. Eu passei o cabelo pela parte de trás do meu e puxei a pala para baixo.

As pessoas olhavam para nós ao passarmos nas ruas. Por um momento, julguei que fosse para ele... e depois uma parte de mim muito paranoica achou que todos olhavam para mim porque sabiam o que tinha andado a fazer durante as últimas doze horas, mas compreendi finalmente que era o carro. O Christian parecia absorto, perdido em pensamentos.

Havia pouco trânsito e chegámos depressa à Interestadual 5, direção sul, com a cabeça ao vento. O Bruce cantava sobre estar "on fire", a arder e sobre o desejo dele. Que apropriado. Eu corei ao ouvir as palavras. O Christian olhou-me de relance. Estava com os Ray-Ban postos, por isso não consegui perceber o que sentia. A boca dele estremeceu ligeiramente, e ele estendeu o braço e pôs a mão em cima do meu joelho, apertando ligeiramente. A minha respiração parou.

– Tens fome? – perguntou.

Não de comida.

– Não particularmente.

A boca dele comprimiu-se numa linha dura.

– Tens de comer, Anastasia – repreendeu. – Conheço um sítio ótimo perto de Olympia. Paramos lá. – Apertou-me novamente o joelho, e depois, carregando no acelerador, voltou a pôr a mão no volante. Eu fui empurrada contra as costas do banco. Ena, o carro andava!

O restaurante era pequeno e intimista, um chalé de madeira no meio de uma floresta. A decoração era rústica: cadeiras e mesas espalhadas pelo espaço com toalhas xadrez, flores selvagens em pequenos vasos. "CUISINE SAUVAGE", anunciava por cima da porta.

– Não venho aqui há algum tempo. Não temos escolha, cozinham o que tiverem caçado ou apanhado. – Ergueu as sobrancelhas, fingindo horror, e eu tive de me rir. A empregada veio anotar as bebidas. Corou ao ver o Christian, e procurou evitar o contacto visual com ele, escondendo-se atrás da franja. Ela gostava dele! *Não era só eu.*

– Dois copos de Pinot Grigio – disse o Christian com autoridade na voz. Eu franzi os lábios, exasperada.

– O que foi? – disparou ele.

– Eu queria uma Coca-cola *light*– sussurrei.

Os olhos dele semicerraram-se e ele abanou a cabeça.

– O Pinot Grigio daqui é um vinho decente. Combinará bem com a refeição, independentemente do que nos calhar – explicou pacientemente.

– Do que nos calhar?

– Sim. – Fez aquele sorriso deslumbrante de cabeça à banda, e o meu estômago deu uma cambalhota por cima do baço. Não consegui evitar devolver o sorriso glorioso.

– A minha mãe gostou de ti – disse-me, lacónico.

– A sério? – As palavras dele fizeram-me corar de prazer.

– Oh, sim. Ela sempre pensou que eu era *gay*.

A minha boca escancarou-se, e lembrei-me *daquela pergunta... da entrevista. Oh, não.*

– Porque é que ela pensava que tu eras *gay*? – sussurrei.

– Porque nunca me tinha visto com uma rapariga.

– Oh... nem uma das quinze?

Ele sorriu.

– Lembraste-te. Não, nem uma das quinze.

– Oh.

– Sabes, Anastasia, tem sido um fim de semana de estreias para mim também – disse baixinho.

– A sério?

– Nunca tinha dormido com ninguém, nunca tinha feito sexo na minha cama, nunca tinha transportado uma mulher no Charlie Tango, nunca tinha apresentado uma à minha mãe. O que me estás a fazer? – Os olhos dele queimavam e a sua intensidade deixou-me sem respiração.

A empregada chegou com os nossos copos de vinho e eu dei logo um golinho. Ele estaria a abrir-se ou apenas a fazer um comentário casual?

– Gostei muito deste fim de semana – murmurei. Ele semicerrou os olhos na minha direção.

– Para de morder o lábio – rosnou. – Eu também gostei – acrescentou.

– O que é sexo baunilha? – perguntei, quanto mais não fosse para desviar a atenção do olhar intenso, penetrante e sexy que ele me lançava. Ele riu-se.

– É apenas sexo, Anastasia. Sem brinquedos, sem extras. – Encolheu os ombros. – Estás a ver... bem, na verdade não estás... mas é isso que quer dizer.

– Oh. – Eu achava que era sexo de comer e chorar por mais como o que tínhamos feito. Mas, ei, o que sabia eu?

A empregada trouxe-nos sopa. Ficámos ambos a olhar para ela com um ar duvidoso.

– Sopa de urtigas – informou a empregada antes de dar meia-volta e regressar, despeitada, para a cozinha. Não me parecia que ela estivesse a gostar de ser ignorada pelo Christian. Provei, hesitante. Era deliciosa. Christian e eu olhámos um para o outro ao mesmo tempo com um ar de alívio. Eu ri, e ele inclinou a cabeça de lado.

– É um som encantador – murmurou.

– Porque é que nunca tinhas feito sexo baunilha antes? Sempre fizeste... hum... o que fazes? – perguntei, intrigada.

Ele assentiu lentamente com a cabeça.

– Algo assim. – A voz dele era cautelosa. Ficou de sobrolho carregado por um instante, parecendo envolvido nalgum tipo de luta interior. Depois ergueu os olhos, com a decisão tomada. – Uma das amigas da minha mãe seduziu-me quando eu tinha quinze anos.

– Oh. – *Com os diabos, era novo!*

– Ela tinha gostos muito particulares. Eu fui o submisso dela durante seis anos – disse, encolhendo os ombros.

– Oh. – O meu cérebro ficou paralisado de espanto ao ouvi-lo admitir aquilo.

– Por isso sei o que envolve, Anastasia. – Os olhos dele cintilavam de discernimento.

Eu fiquei a olhar para ele, incapaz de articular o que quer que fosse – até o meu subconsciente estava silencioso.

– Não tive, com efeito, uma introdução ao sexo muito normal.

Agora é que ele me tinha aguçado a curiosidade.

– Então nunca saíste com ninguém, na faculdade?

– Não. – Abanou a cabeça para dar mais ênfase.

A empregada levou as nossas tigelas, interrompendo-nos por um momento.

– Porquê? – perguntei, quando ela se foi embora.

Ele fez um sorriso sardónico.

– Queres mesmo saber?

– Sim.

– Não quis. Ela era tudo o que eu queria, precisava. E, além disso, ela ter-me-ia limpo o sebo. – Sorriu com ternura, face à recordação.

Oh, era demasiada informação – mas eu queria saber mais.

– Então se ela era amiga da tua mãe, que idade tinha?

Ele fez um sorriso que mais parecia uma careta.

– Idade suficiente para ter juízo.

– Ainda a vês?

– Sim.

– Ainda... hã...? – Corei.

– Não. – Ele abanou a cabeça e mostrou-me um sorriso indulgente. – É uma grande amiga.

– Ah... A tua mãe sabe? – Ele olhou para mim como que a dizer para eu deixar de ser parva.

– Claro que não.

A empregada regressou com veado, mas o meu apetite tinha desaparecido. Que revelação. *Christian, submisso... Que cena!* Bebi um grande golo do Pinot Grigio – ele tinha razão, claro, o vinho era delicioso. Céus, aquelas revelações todas eram tanto em que pensar. Precisava de tempo para processar aquilo tudo, quando estivesse sozinha, não enquanto estava distraída pela presença dele. Ele parecia encher o lugar, um verdadeiro macho alfa e agora atirava aquela bomba para a equação. *Ele sabe como é.*

– Mas não pode ter sido a tempo inteiro? – Eu estava confusa.

– Bem, era, apesar de eu não estar sempre a vê-la. Era... difícil. Afinal, eu ainda estava no liceu e depois na universidade. Come, Anastasia.

– Não tenho fome nenhuma, Christian. – *Ainda estou zonza com a tua revelação.*

A expressão dele endureceu: – Come – disse ele em voz baixa, demasiado baixa.

Eu olhei-o fixamente. Aquele homem – abusado sexualmente enquanto adolescente –, tinha um tom de voz tão ameaçador.

– Dá-me um momento – murmurei calmamente. Ele piscou os olhos um par de vezes.

– OK – murmurou, e continuou com a refeição dele.

Era assim que seria se eu assinasse, ele a dar-me ordens constantemente. Franzi a testa. *Eu queria aquilo?* Peguei no garfo e na faca e cortei hesitantemente o veado. Era muito saboroso.

– É assim que a nossa, hã... relação vai ser? – sussurrei. – Tu sempre a dares-me ordens? – Não consegui obrigar-me a olhar para ele.

– Sim – murmurou.

– Estou a ver.

– Mas, mais do que isso, tu vais querer que eu o faça – acrescentou, com voz grave.

Duvido sinceramente disso. Cortei mais um pedaço de veado e parei com ele à frente da boca.

– É um grande passo – murmurei, e comi.

– É. – Ele fechou os olhos por um instante. Quando os abriu, estavam muito abertos e graves. – Anastasia, tens de confiar na tua intuição. Faz a pesquisa, lê o contrato, estou disponível para discutir qualquer aspeto. Vou estar em Portland até sexta, se quiseres falar sobre ele antes disso. – As palavras dele chegavam-me em roldão. – Liga-me, talvez possamos jantar, vejamos, na quarta? Quero mesmo que isto resulte.

A sinceridade ávida, o desejo dele, estavam-lhe refletidos no olhar. Era fundamentalmente aquilo que eu não compreendia. *Porquê eu*? Porque não uma das quinze? Oh, não... Eu seria aquilo – um número? A dezasseis de muitas outras?

– O que aconteceu à quinze? – perguntei de chofre.

Ele ergueu as sobrancelhas de surpresa, depois, parecendo resignado, abanou a cabeça.

– Várias coisas, mas tudo se resume a... – Fez uma pausa, à procura das palavras certas, pareceu-me. – Incompatibilidade. – Encolheu os ombros.

– E achas que eu posso ser compatível contigo?

– Sim.

– Então já não vês nenhuma delas?

– Não, Anastasia, não vejo. Sou monógamo nas minhas relações.

Ah... *uma novidade*.

– Estou a ver.

– Faz a pesquisa, Anastasia.

Eu pousei a faca e o grafo. Não conseguia comer mais.

– Já está? Não vais comer mais nada?

Eu acenei que sim. Ele olhou-me com um ar reprovador, mas escolheu não dizer nada. Eu deixei escapar um pequeno suspiro de alívio. O meu estômago andava às voltas com toda a informação nova e eu sentia-me um pouco tonta do vinho. Observei-o a devorar tudo o que tinha no prato. Comia como um cavalo. Devia fazer exercício para manter aquela forma excelente. A memória do pijama a cair-lhe das ancas veio-me à memória sem ser solicitada. A imagem era completamente inquietante. Contorci-me, desconfortável. Ele olhou para mim e eu corei.

– Dava tudo para saber em que estavas a pensar neste preciso momento – murmurou ele. Eu corei ainda mais.

Ele sorriu-me um sorriso malévolo.

– Consigo adivinhar – provocou, suave.

– Fico contente por não conseguires ler-me a mente.

– A tua mente, não, Anastasia, mas o teu corpo... *esse* já comecei a conhecer bastante bem desde ontem.

A voz dele era sugestiva. Como é que ele mudava tão rapidamente de uma disposição para outra? Era tão inconstante... Era difícil acompanhá-lo.

Chamou a empregada e pediu a conta. Depois de pagar, pôs-se em pé e estendeu a mão.

– Anda.

Com a minha mão na dele, conduziu-me de regresso ao carro. Aquele contacto, pele na pele, era o que havia de tão inesperado nele, normal, íntimo. Eu não conseguia conciliar aquele gesto comum de ternura com o que ele queria fazer naquele compartimento... o Quarto Vermelho da Dor.

Fizemos em silêncio a viagem de Olympia a Vancouver, ambos perdidos nos nossos pensamentos. Quando ele estacionou ao pé do meu apartamento, eram cinco da tarde. As luzes estavam acesas – a Kate estava em casa. A arrumar as tralhas, sem dúvida, a não ser que o Elliot ainda lá estivesse. Ele desligou o motor e eu compreendi que ia ter de o deixar.

– Queres entrar? – perguntei.

Não queria que ele fosse embora. Queria prolongar o tempo que tínhamos juntos.

– Não, tenho de trabalhar – respondeu simplesmente, olhando-me com uma expressão indecifrável.

Eu entrelacei os dedos e fiquei a olhar para as mãos. Subitamente sentia-me sentimental. Ele ia-se embora. Esticou o braço, pegou-me numa mão e aproximou-a da boca, beijando-a ternamente; um gesto tão fora de moda e doce. O coração pulou-me no peito.

– Obrigada pelo fim de semana, Anastasia. Foi... fantástico. Quarta-feira? Vou buscar-te ao trabalho? – perguntou com doçura.

– Quarta-feira – sussurrei.

Ele voltou a beijar-me a mão e devolveu-ma ao colo. Saiu do carro, deu a volta e abriu-me a porta. Porque me sentia subitamente desamparada? Tinha um nó a formar-se na garganta. Não podia deixá-lo ver-me assim. Pus um sorriso no rosto, saí do carro e caminhei para casa, sabendo que era inevitável encontrar-me com a Kate, mas ao mesmo tempo com pavor de me deparar com ela. Virei-me e olhei para ele a meio do caminho. *Queixo para cima, Steele,* repreendi.

– Oh... a propósito, estou com a tua roupa interior.

Com um ligeiro sorriso, puxei pela cintura dos *boxers* que estava a usar, para ele ver. A boca de Christian abriu-se, com o choque. Que grande reação. O meu estado de espírito mudou imediatamente, e avancei bamboleante para dentro de casa, com parte de mim a querer saltar e dar um murro no ar. YES! A minha deusa interior estava deliciadíssima.

Kate estava na sala a arrumar os livros dela em caixas.

– Voltaste! Onde está o Christian? Como estás? – A voz dela era febril, ansiosa, e saltou para cima de mim, agarrando-me os ombros, analisando-me minuciosamente o rosto antes de eu sequer dizer olá.

Bolas... tinha de lidar com a persistência e a tenacidade de Kate, e estava na posse de um documento legal, assinado, que dizia que não podia falar. Não era uma combinação saudável.

– Então, como foi? Não conseguia deixar de pensar em ti, depois de o Elliot se ter ido embora, claro. – Fez um sorriso travesso.

Não era possível deixar de sorrir com a preocupação e a enorme curiosidade dela, mas de repente senti-me tímida. Corei. Era muito íntimo. Tudo. Ver e saber o que Christian escondia. Mas tinha de lhe dar alguns pormenores, porque ela não ia deixar-me em paz até que eu o fizesse.

– Foi bom, Kate. Muito bom, acho eu – disse com calma, tentando esconder o meu embaraçoso sorriso revelador.

– Achas?

– Não tenho termo de comparação, pois não? – respondi com um encolher de ombros apologético.

– Ele fez-te vir?

Que cena. Ela era tão desbocada. Fiquei escarlate.

– Sim – murmurei, exasperada.

A Kate puxou-me para o sofá e sentámo-nos. Agarrou-me as mãos.

– Isso é bom. – Olhou para mim não muito convencida. – Foi a tua primeira vez. Uau... o Christian deve saber mesmo o que faz.

Oh, Kate, se tu soubesses.

– A minha primeira vez foi terrível – continuou, pondo uma cara triste e cómica.

– A sério? – Aquilo interessou-me; era algo que nunca me tinha contado.

– Sim, Steve Patrone. Liceu, um parvo de desporto – retomou, estremecendo. – Ele foi bruto. Eu não estava pronta. Estávamos ambos bêbados. Sabes como é: o típico desastre adolescente no rescaldo do baile de finalistas. *Ugh*! Levei meses a decidir tentar outra vez. E não foi com ele, o totó. Era muito nova. Fizeste bem em esperar.

– Kate, que horror.

A Kate pareceu pesarosa.

– Sim, precisei de quase um ano para ter o meu primeiro orgasmo por penetração, e aqui estás tu... logo da primeira vez?

Eu acenei timidamente com a cabeça. A minha deusa interior estava sentada em posição de lótus, parecendo serena, exceto pelo sorriso sonso e convencido que ostentava.

– Fico contente que a tenhas dado a alguém que sabe distinguir o cu das calças – disse, piscando-me o olho. – Então, quando voltas a estar com ele?

– Na quarta. Vamos jantar.

– Então sempre gostas dele?

– Sim. Mas não sei... daqui para a frente.

– Porquê?

– Ele é complicado, Kate. Quer dizer, vive num mundo muito diferente do meu. – Grande desculpa. Credível, também. Muito melhor do que: *Ele tem um Quarto Vermelho da Dor e quer que eu seja a sua escrava sexual.*

– Oh, por favor, não deixes que o dinheiro se meta no assunto. O Elliot disse que é muito raro o Christian sair com alguém.

– Disse? – A minha voz subiu várias oitavas.

Óbvio demais, Steele! O meu subconsciente fulminou-me com o olhar, abanando o dedo comprido e descarnado, para depois se metamorfosear na balança da justiça para me recordar que ele podia processar-me se eu revelasse demasiado. *Ah.. o que é que ele ia fazer – tirar-me o meu dinheiro todo?* Tinha de me lembrar de ir ao Google procurar "penalizações por quebra de acordo de confidencialidade" enquanto fazia o resto da minha "pesquisa". Era como se me tivessem marcado um trabalho para a escola. Talvez fosse avaliada. Ruborizei ao lembrar-me do meu A pela experiência matinal na banheira.

– Ana, o que foi?

– Estava só a lembrar-me de uma coisa que o Christian disse.

– Pareces diferente – disse a Kate com ternura.

– Sinto-me diferente. Dorida – confessei.

– Dorida?

– Um bocadinho. – Corei.

– Eu também. Homens – disse, com uma repulsa fingida. – São animais. – Rimo-nos as duas.

– Estás dorida? – exclamei.

– Sim... uso excessivo.

Dei uma risadinha.

– Fala-me do Elliot, o abusador – pedi quando parei de rir. Oh, sentia-me a relaxar pela primeira vez desde a fila no bar... antes do telefonema que tinha desencadeado aquilo tudo – quando admirava Christian Grey de longe. Dias felizes e descomplicados.

A Kate corou. *Oh, céus...* A Katherine Agnes Kavanagh a dar uma de Anastasia Rose Steele. Voltou-se para mim com um olhar de Cinderela. Nunca a tinha visto reagir a nenhum homem daquela maneira. O meu queixo caiu até ao chão. *Onde estava a Kate; o que é que lhe fizeste?*

– Oh, Ana... – começou, efusiva. – É só que ele é tão... tudo. E quando nós... oh... é mesmo bom. – Mal conseguia terminar uma frase, de tanto que aquilo lhe tinha batido.

– Penso que estás a tentar dizer-me que gostas dele.

Ela acenou com a cabeça, a sorrir como uma doida.

– E vou estar com ele no sábado. Ele vai ajudar-nos com a mudança. – Agarrou uma mão na outra, saltou do sofá, e foi às piruetas até à janela. A mudança. Bolas, tinha-me esquecido completamente, mesmo com os caixotes por todo o lado.

– Foi simpático da parte dele – aprovei. Também podia ficar a conhecê-lo melhor. Talvez me ajudasse a compreender o irmão estranho e perturbador.

– Então, o que fizeste ontem à noite? – perguntei. Ela olhou para mim, inclinou a cabeça e levantou as sobrancelhas com ar de quem pergunta o que é que te parece, estúpida.

– Basicamente o mesmo que vocês, embora tenhamos jantado antes. – Fez um sorriso rasgado. – Estás mesmo bem? Pareces um bocado cansada.

– Sinto-me cansada. O Christian é muito intenso.

– Sim, parece-me mesmo. Mas ele foi bom para ti?

– Sim – assegurei. – Estou mesmo com fome, vamos cozinhar?

Ela assentiu com a cabeça e pegou em mais dois livros para empacotar.

– O que queres fazer com os livros de catorze mil dólares? – perguntou.

– Vou devolvê-los.

– A sério?

– É uma prenda completamente descabida. Não posso aceitá-la, especialmente agora. – Sorri-lhe e ela acenou com a cabeça.

– Compreendo. Chegaram algumas cartas para ti e o José tem ligado de hora em hora. Parece desesperado.

– Vou ligar-lhe – respondi, evasiva. Se contasse à Kate do José, ela comia-o ao pequeno-almoço. Peguei nas cartas que estavam em cima da mesa da sala e abri-as.

– Uau! Tenho entrevistas! Não é na próxima semana, é na outra, para estágios em Seattle!

– Para que editora?

– Para as duas!

– Eu disse-te que a tua média ia abrir-te portas, Ana.

A Kate, claro, já tinha um estágio combinado no *The Seattle Times*. O pai conhecia alguém que conhecia alguém.

– E que pensa o Elliot acerca de te ires embora? – perguntei.

A Kate foi para a cozinha e pela primeira vez naquela noite, estava desconsolada.

– Foi compreensivo. Uma parte de mim não quer ir, mas é tentador passar duas semanas a apanhar sol. Além disso, a mãe está por lá, a pensar que serão as nossas últimas férias a sério em família antes do Ethan e eu nos atirarmos para o mundo do trabalho remunerado.

Eu nunca tinha saído dos EUA. A Kate estava de partida para os Barbados com os pais e o irmão, Ethan, durante duas semanas inteiras. Ia ficar sem ela no novo apartamento. Ia ser esquisito. O Ethan andava a viajar por todo o mundo desde que tinha acabado o curso, no ano anterior. Perguntei-me de passagem se o veria antes de eles irem de férias. Era um tipo tão simpático. O telefone tocou, arrancando-me aos meus devaneios.

– Deve ser o José. – Suspirei. Sabia que tinha de falar com ele. Peguei no telefone. – Estou.

– Ana, voltaste! – gritou o José, aliviado.

– Obviamente. – Era notório o sarcasmo da minha voz, acompanhado de um revirar de olhos.

Ele ficou em silêncio por um momento.

– Podemos ver-nos? Estou arrependido por sexta-feira à noite. Estava bêbado... e tu... Ana, por favor, perdoa-me.

– Claro que te perdoo, José. Mas não voltes a fazê-lo. Sabes que eu não sinto o mesmo por ti.

Ele deu um suspiro profundo e triste.

– Eu sei, Ana. Só pensei que se te beijasse, pudesse mudar o teu sentimento.

– José, eu gosto mesmo de ti e tu és muito importante para mim. És o irmão que eu nunca tive. Isso não vai mudar. E tu sabes. – Detestava desapontá-lo, mas era a verdade.

– Então agora estás com ele? – O tom de voz era cheio de desdém.

– José, eu não estou com ninguém.

– Mas passaste a noite com ele.

– Isso não é da tua conta!

– É o dinheiro?

– José! Como te atreves? – gritei, aturdida com a audácia dele.

– Ana – queixou-se e desculpou-se simultaneamente.

Naquele momento não conseguia lidar com aquele ciúme mesquinho dele. Eu sabia que ele estava magoado, mas o Christian já era demais para mim.

– Talvez possamos tomar um café ou qualquer coisa assim amanhã. Eu ligo-te. – Fui conciliadora. Ele era meu amigo, e gostava muito dele. Mas naquele momento, não precisava nada daquilo.

– Amanhã, então. Ligas-me? – A esperança que lhe senti na voz apertou-me o coração.

– Sim... boa noite, José. – Desliguei, sem esperar pela resposta dele.

– Mas o que é que aconteceu? – exigiu saber a Kate, de mãos nas ancas. Decidi que era melhor optar pela honestidade. Ela parecia mais intratável do que nunca.

– Ele atirou-se a mim na sexta.

– O José? *E* o Christian Grey? Ana, as tuas feromonas devem andar a fazer horas extras. O que é que esse idiota tinha na cabeça? – Abanou a cabeça de repulsa e voltou para os caixotes.

Quarenta e cinco minutos depois, parámos de empacotar para nos virarmos para a especialidade da casa, a minha lasanha. A Kate abriu uma garrafa de vinho e sentámo-nos entre as caixas a comer, a beber vinho maduro barato e a ver programas de televisão de porcaria. O normal. Era tão reconfortante e oportuno depois das últimas quarenta e oito horas de... loucura. Era a minha primeira refeição relaxada, sem intromissões, em paz, daquele período. *O que é que ele tinha com a comida?* A Kate arrumou a louça e eu acabei de encaixotar a sala. Restava-nos o sofá, a TV e a mesa de jantar. Que mais podíamos querer? Só faltava empacotar a cozinha e os nossos quartos, e tínhamos o resto da semana.

O telefone tocou outra vez. Era o Elliot. A Kate piscou-me o olho e esgueirou-se para o quarto como se tivesse catorze anos. Eu sabia que ela devia estar ocupada a escrever o discurso para a cerimónia de entrega dos diplomas. Mas parecia que o Elliot era mais importante. O que se passava com os Grey? O que é que os tornava tão completamente perturbadores, absorventes, e irresistíveis? Bebi mais um golo.

Fiz *zapping*, mas lá no fundo sabia que estava a procrastinar. Aquele contrato estava a fazer-me um buraco na carteira. Teria a força e os recursos para o ler naquela noite?

Pus a cabeça entre as mãos. O José e o Christian, ambos queriam alguma coisa de mim. Com o José era fácil lidar. Já com o Christian...

Lidar com ele era muito mais exigente. Parte de mim queria fugir dali para fora. O que é que eu ia fazer? Os seus olhos cinzentos e o olhar intenso e ardente vieram-me à cabeça e o meu corpo retesou-se. Arquejei. Estava excitada e ele nem sequer ali estava. Não podia ser só sexo, podia? Recordei a conversa despreocupada ao pequeno-almoço, a alegria dele ao ver o prazer que a viagem de helicóptero me proporcionava, ele a tocar piano – a música, doce, melancólica, triste.

Era uma pessoa tão complicada. E agora eu tinha um vislumbre do porquê. Um jovem destituído da sua adolescência, molestado sexualmente por alguma Mrs. Robinson malévola... não admira que tenha envelhecido antes do tempo. O meu coração encheu-se de tristeza ao pensar no que ele devia ter passado. Eu era demasiado inocente para saber o quê exatamente, mas a pesquisa devia dar-me alguma luzes. Mas eu queria mesmo saber? Queria explorar aquele mundo do qual não sabia nada? Era um passo tão grande.

Se não o tivesse conhecido, ainda seria doce e alegremente ignorante. A minha mente deambulou para a noite anterior e a manhã que se seguira... e a sexualidade incrível e sensual que eu tinha experimentado. Queria dizer adeus àquilo? *Não!*, gritou o meu subconsciente... a minha deusa interior somou-lhe um aceno de cabeça concordante, silencioso e Zen.

A Kate voltou para a sala, com um sorriso de orelha a orelha. *Talvez esteja apaixonada*. Olhei-a, boquiaberta. Ela nunca se tinha comportado daquela maneira.

– Ana, vou deitar-me. Estou bastante cansada.

– Eu também, Kate. – Abraçou-me.

– Fico contente que tenhas voltado inteira. Há alguma coisa no Christian – acrescentou calmamente, apologeticamente. Fiz um ligeiro sorriso, tranquilizador, sem deixar de pensar... *Mas como raio é que ela sabe?* Era aquilo que ia fazer dela uma grande jornalista, a sua intuição irrepreensível.

Peguei na carteira e dirigi-me para o quarto sem energia. Estava cansada por todo o exercício carnal do último dia e pelo enorme dilema que me enfrentava. Sentei-me na cama e tirei o envelope de papel manilha da carteira, hesitante, e dei-lhe voltas e voltas nas minhas mãos. Queria mesmo conhecer a depravação do Christian em toda a sua extensão? Era tão assustador. Respirei fundo e, com o coração nas mãos, abri o envelope com um rasgão.

CAPÍTULO ONZE

Havia vários papéis dentro do envelope. Tirei-os, com o coração ainda acelerado, recostei-me na cama e comecei a ler.

CONTRATO

Celebrado no dia ________ de 2011 ("Data de Início")

ENTRE

MR. CHRISTIAN GREY, residente em 301 Escala, Seattle, Washington 98889

("O Dominador")

e

MISS ANASTASIA STEELE, residente em 1114 SW Green Street, Apartamento 7, Haven Heights, Vancouver, Washington 9888

("A Submissa")

1. O Dominador e a Submissa celebram o presente contrato, pelo que se declaram e comprometem nos seguintes termos:

TERMOS FUNDAMENTAIS

2. O presente acordo tem por objetivo fundamental permitir à Submissa explorar a sua sensualidade e os seus limites em segurança, com o devido respeito e atenção às suas necessidades, aos seus limites, e ao seu bem-estar.

3. O Dominador e a Submissa concordam e reconhecem que tudo o que ocorrer nos termos do presente acordo será consensual, confidencial e sujeito aos limites estabelecidos e procedimentos de segurança definidos no mesmo. Poderão ser acordados por escrito limites e procedimentos de segurança adicionais.

4. O Dominador e a Submissa asseguram que não sofrem de doenças sexuais, graves, infeciosas ou que representem risco de vida, que incluam, mas não se restrinjam a HIV, herpes e hepatite. Se durante a vigência do contrato (conforme abaixo definida) ou alargamento dessa vigência, qualquer uma das partes for diagnosticada com alguma destas doenças ou delas tomar conhecimento, deve comprometer-se a informar imediatamente a outra parte, independentemente de qualquer constrangimento, antes de qualquer forma de contacto físico.

5. A adesão às garantias, acordos e compromissos (e a quaisquer limites e procedimentos de segurança adicionais acordados no âmbito da cláusula 3 supra) é indispensável para a continuidade deste contrato. Qualquer incumprimento implicará a anulação do mesmo com efeitos imediatos, em que ambas as partes aceitam inteira responsabilidade perante a outra pelas consequências que decorram desse incumprimento.

6. Tudo o que consta deste contrato deve ser lido e interpretado à luz do objeto e termos fundamentais definidos nas cláusulas 2 a 5 supra.

PAPÉIS

7. O Dominador assumirá a responsabilidade pelo bem-estar da Submissa, assim como a sua instrução, orientação e disciplina, cuja natureza, localização e horário serão por ele estabelecidos, segundo os termos, limites e procedimentos de segurança acordados e definidos neste contrato, ou acordados por escrito segundo a cláusula 3 supra.

8. Se a qualquer altura o Dominador não respeitar os termos, limites e procedimentos de segurança definidos neste contrato, ou acordados por escrito segundo a cláusula 3 supra, a Submissa tem o direito de o rescindir imediatamente e deixar de estar ao serviço do Dominador sem aviso prévio.

9. Com esta ressalva, e atendendo às cláusulas 2 a 5 supra, a Submissa deve servir e obedecer ao Dominador em todas as coisas, e, segundo os termos, limites e procedimentos acordados neste contrato, ou futuramente acordados segundo a cláusula 3 supra, sem questionar ou hesitar, proporcionar ao Dominador o prazer que ele requeira, assim como aceitar, sem questionar ou hesitar, a instrução, orientação e disciplina em qualquer das formas que estas possam assumir.

INÍCIO E DURAÇÃO

10. O Dominador e a Submissa adotam o presente contrato na Data de Celebração plenamente conscientes da sua natureza, comprometendo-se a cingir-se a todas as condições estabelecidas, sem exceção.

11. O presente contrato vigorará durante o período de três meses civis a partir da Data de Celebração ("Vigência"). Ao término do contrato, ambas as partes deverão discutir se as disposições definidas no âmbito daquele são satisfatórias e se viram as suas necessidades satisfeitas. A extensão do contrato pode ser proposta por ambas, estando sujeita a ajustamentos aos seus termos ou às disposições acordadas no seu âmbito. Na ausência de acordo relativamente àquela extensão, a vigência do presente contrato deverá cessar, sendo ambas as partes livres de retomar as suas vidas separadamente.

DISPONIBILIDADE

12. A Submissa deverá colocar-se à disposição do Dominador desde a noite de sexta-feira até à tarde de domingo, durante todas as semanas do período de vigência do contrato, em horário a ser especificado pelo Dominador ("Tempo Designado"). Poderá ser mutuamente acordado Tempo Adicional numa base *ad hoc*.

13. O Dominador reserva-se o direito de dispensar a Submissa em qualquer altura e por qualquer motivo. A Submissa pode pedir dispensa em qualquer altura, a qual será deixada ao critério do Dominador de acordo com os direitos da Submissa segundo as cláusulas 2 a 5 e 8 supra.

LOCALIZAÇÃO

14. A Submissa deverá colocar-se à disposição do Dominador durante o Tempo Designado e tempo adicional acordado, em localizações a serem determinadas por aquele, sendo por ele suportadas todas as despesas de deslocação pagas pela Submissa para aquele fim.

PRESTAÇÃO DE SERVIÇOS

15. As prestações de serviços seguintes, depois de discutidas e acordadas, são adotadas por ambas as partes durante a vigência do acordo. Ambas as partes aceitam que possam surgir questões que não estejam abrangidas pelos termos deste contrato ou pela prestação de serviços, ou que determinadas questões possam ser renegociadas. Nestas circunstâncias, poderão ser propostas novas cláusulas mediante alterações. Quaisquer cláusulas ou alterações adicionais terão de ser consensuais, documentadas e assinadas por ambas as partes, assim como estar sujeitas aos termos fundamentais definidos nas cláusulas 2 a 5 supra.

DOMINADOR

15.1 O Dominador deve ter a saúde e segurança da Submissa como prioridade em todos os momentos. O Dominador não deve em altura alguma solicitar, pedir, permitir, ou exigir à Submissa que participe, às suas mãos, nas atividades enunciadas no Apêndice 2 ou em qualquer ato que qualquer das partes considere perigoso. O Dominador não executará nem permitirá que seja executada qualquer ação que possa provocar danos graves à Submissa, ou que represente um risco para a vida dela. As restantes subcláusulas devem ser lidas à luz desta ressalva e dos termos fundamentais definidos nas cláusulas 2 a 5 supra.

15.2 O Dominador aceita a Submissa como sua, para a possuir, controlar, dominar e disciplinar durante a vigência do contrato. O Dominador poderá usar o corpo da Submissa em qualquer horário dentro do Tempo Designado ou quaisquer tempos adicionais acordados, de qualquer forma que considerar apropriada, sexualmente ou não.

15.3 O Dominador deverá proporcionar à Submissa toda a instrução e orientação necessárias por forma a ela o servir devidamente.

15.4 O Dominador deverá proporcionar um ambiente estável e seguro no qual a Submissa possa cumprir os seus deveres ao seu serviço.

15.5 O Dominador pode disciplinar a Submissa consoante a necessidade, para garantir que ela aprecie na totalidade o seu papel de subserviência ao Dominador e para desencorajar qualquer conduta inaceitável. O Dominador pode bater com chicote de fitas, com palmadas, chicotes ou punir corporalmente a Submissa como julgar apropriado, com fins de disciplinar, para seu gáudio pessoal, ou por qualquer outra razão, que não é obrigado a informar.

15.6 Na instrução e na administração da disciplina, o Dominador certificar-se-á de que não são feitas marcas permanentes no corpo da Submissa, nem haverá origem a ferimentos que possam requerer atenção médica.

15.7 Na instrução e na administração da disciplina, o Dominador deverá garantir que a disciplina e os instrumentos usados para fins disciplinares são seguros, que não são usados de forma a causar danos sérios, e que não excedem de forma alguma os limites definidos e enunciados neste contrato.
15.8 Em caso de doença ou ferimento, o Dominador deverá cuidar da Submissa, tratando da sua saúde e segurança, encorajando e, quando necessário, ordenando cuidados médicos.
15.9 O Dominador deverá manter o seu bom estado de saúde e procurar cuidado médico quando necessário, de forma a manter um ambiente livre de riscos.
15.10 O Dominador não deverá emprestar a sua Submissa a nenhum outro Dominador.
15.11 O Dominador pode prender, algemar ou vendar a Submissa em qualquer horário dentro do Tempo Designado ou quaisquer tempos adicionais acordados por qualquer razão, e por períodos prolongados, prestando a atenção devida à saúde e segurança da Submissa.
15.12 O Dominador garantirá que todo o equipamento usado para efeitos de instrução e disciplina é mantido em condições de limpeza, higiene e segurança em todas as ocasiões.

SUBMISSA

15.13 A Submissa aceita o Dominador como seu senhor, no pressuposto de que agora é sua propriedade, da qual ele disporá como lhe aprouver durante a vigência do contrato, mais especificamente durante o Tempo Designado e quaisquer tempos adicionais acordados.
15.14 A Submissa deverá obedecer às regras ("Regras") definidas no Apêndice 1 deste acordo.
15.15 A Submissa deve servir o Dominador de todas as formas que este considere apropriadas e deve procurar fazer tudo o que estiver ao seu alcance para o satisfazer em todas as situações.
15.16 A Submissa deverá tomar todas as medidas necessárias para manter a sua boa saúde e deverá solicitar ou procurar cuidados médicos sempre que tal for necessário, mantendo o Dominador ao corrente de quaisquer riscos de saúde que possam ocorrer.

15.17 A Submissa deverá comprometer-se a procurar contraceção oral e a cumprir com a sua toma nos termos em que for prescrita para evitar qualquer gravidez.
15.18 A Submissa deverá aceitar sem questionar quaisquer ações disciplinares consideradas necessárias pelo Dominador e ter sempre presente o seu papel em relação a este em todas as ocasiões.
15.19 A Submissa não se deve tocar nem dar prazer a si própria sexualmente sem a permissão do Dominador.
15.20 A Submissa deve submeter-se a qualquer atividade sexual iniciada pelo Dominador e deve fazê-lo sem hesitação nem discussão.
15.21 A Submissa deverá aceitar o chicote, o chicote de fitas, palmadas, vergastadas, palmatórias ou qualquer outra forma de disciplina que o Dominador decida administrar, sem hesitação, questão ou queixa.
15.22 A Submissa não deverá olhar diretamente nos olhos do Dominador, exceto quando expressamente instruída para o fazer, devendo manter a cabeça baixa e uma postura silenciosa e respeitosa na sua presença.
15.23 A Submissa deverá sempre comportar-se de forma respeitosa para com o Dominador e tratá-lo apenas por Senhor, Mr. Grey ou outros títulos semelhantes que ele lhe diga.
15.24 A Submissa não tocará no Dominador sem o seu consentimento expresso para o fazer.

ATIVIDADES

16. A Submissa não participará em atividades nem atos sexuais que qualquer das partes considere perigosos, ou qualquer atividade enunciada no Apêndice 2.
17. O Dominador e a Submissa chegaram a acordo sobre as atividades enunciadas no Apêndice 3 e nele registaram por escrito o seu acordo a respeito delas.

PALAVRAS DE SEGURANÇA

18. O Dominador e a Submissa reconhecem que existe a possibilidade de o Dominador fazer exigências à Submissa que não possam ser cumpridas sem esta incorrer em danos físicos, mentais, emocionais, espirituais ou outros, na ocasião em que aquelas lhe são feitas. Nessas circunstâncias, a Submissa pode fazer uso de uma palavra de segurança

("Palavra[s] de Segurança"). Serão invocadas duas palavras, dependendo da severidade das exigências.

19. A Palavra de Segurança "Amarelo" será utilizada para chamar a atenção do Dominador para o facto de a Submissa estar perto do seu limite de resistência.

20. A Palavra de Segurança "Vermelho" será utilizada para chamar a atenção do Dominador para o facto de a Submissa não estar em condições de tolerar exigências adicionais. Quando esta palavra for dita, a ação do Dominador parará completamente, com efeitos imediatos.

CONCLUSÃO

21. Nós, abaixo assinados, lemos e compreendemos na sua totalidade as disposições contidas neste contrato, e aceitamos livremente os seus termos, o que atestamos com a nossa assinatura:

____

O Dominador: Christian Grey

Data ______________

____

A Submissa: Anastasia Steele

Data ______________

APÊNDICE 1

REGRAS

Obediência:

A Submissa obedecerá a quaisquer instruções dadas pelo Dominador imediatamente, sem hesitação nem reserva e de forma expedita. A Submissa concordará com qualquer atividade sexual considerada adequada e prazerosa pelo Dominador, com exceção das atividades expostas nos limites intransponíveis (Apêndice 2). Fá-lo-á prontamente e sem hesitação.

Sono:
A Submissa certificar-se-á de que dorme um mínimo de sete horas por noite quando não estiver com o Dominador.

Comida:
A Submissa comerá com regularidade para conservar a saúde e bem-estar de uma lista predeterminada de comida (Apêndice 4). A Submissa não comerá no intervalo das refeições, à exceção de fruta.

Roupa:
Durante a vigência do contrato, a Submissa usará apenas roupa aprovada pelo Dominador. O Dominador atribuirá à Submissa um orçamento para roupa que ela deve utilizar. O Dominador acompanhará a Submissa na compra de roupa quando necessário. Se o Dominador assim o requerer, a Submissa deve usar durante o período de vigência quaisquer adornos que o Dominador deseje, na sua presença ou em qualquer outra altura que o Dominador considere adequada.

Exercício:
O Dominador atribuirá à Submissa um *personal trainer* quatro vezes por semana, em sessões de uma hora, em horário a ser mutuamente combinado entre o *personal trainer* e a Submissa. O *personal trainer* reportará ao Dominador os progressos da Submissa.

Higiene Pessoal/Beleza:
A Submissa será responsável por se apresentar sempre limpa e depilada. A Submissa visitará um salão de beleza à escolha do Dominador em alturas a ser decididas por este, e sujeitar-se-á a quaisquer tratamentos que o Dominador considere apropriados.

Segurança Pessoal:

A Submissa não beberá em excesso, não fumará, não tomará drogas recreativas nem se colocará em perigo desnecessário.

Qualidades Pessoais:

A Submissa não terá relações sexuais com mais ninguém além do Dominador. A Submissa terá um comportamento respeitável e recatado em todas as ocasiões. É obrigatório que reconheça que o seu comportamento se refletirá diretamente no Dominador. Será responsabilizada por quaisquer transgressões, delitos e maus comportamentos cometidos quando não estiver na presença do Dominador.

O incumprimento de quaisquer dos parâmetros supracitados será seguido de castigo imediato, cuja natureza será determinada pelo Dominador.

APÊNDICE 2

Limites Intransponíveis

Atos que envolvam fogo.

Atos que envolvam urinar e defecar e os produtos resultantes.

Atos que envolvam agulhas, lâminas, perfuração ou sangue.

Atos que envolvam instrumentos médicos ginecológicos.

Atos que envolvam crianças ou animais.

Atos que deixem marcas permanentes na pele.

Atos que envolvam controlo da respiração.

Atos que envolvam o contacto direto de corrente elétrica (alternada ou direta), fogo ou chamas com o corpo.

APÊNDICE 3

Limites Ultrapassáveis

A serem discutidos e acordados por ambas as partes:

A Submissa consente:

Masturbação
Cunnilingus
Fellatio
Engolir Sémen
Coito vaginal
Fisting vaginal
Coito anal
Fisting anal

A Submissa consente o uso de:
Vibradores
Plugs anais
Dildos
Outros brinquedos vaginais/anais

A Submissa consente:
Bondage com corda
Bondage com algemas em couro
Bondage com algemas/manilhas/ grilhetas
Bondage com fita
Bondage com outros

A Submissa consente em ser imobilizada nas seguintes posições:
Mãos amarradas à frente
Tornozelos amarrados
Cotovelos amarrados
Mãos amarradas atrás
Joelhos amarrados
Pulsos amarrados aos tornozelos
Amarrada a objetos fixos, mobília, etc.
Amarrada a barra imobilizadora
Suspensão

A Submissa consente em ser vendada?
A Submissa consente em ser amordaçada?

Que nível de dor a Submissa está disposta a experimentar?

Em que 1 é forte atração e 5 é forte aversão.

1 – 2 – 3 – 4 – 5

A Submissa consente com as seguintes formas de dor/castigo/disciplina:

Açoitamento

Açoitamento com chicote

Ser mordida

Grampos genitais

Cera quente

Palmatórias

Vergastas

Grampos para mamilos

Gelo

Outros tipos/métodos de dor

Caraças! Não conseguia sequer começar a analisar a lista de comida. Engoli em seco, com a boca a saber-me a papel e voltei a ler.

A minha cabeça zunia. Como é que eu podia aceitar aquelas coisas todas? E aparentemente era para meu benefício, *para explorar a minha sensualidade, os meus limites – em segurança* – por favor, escarneci, irritada. *Servir e obedecer em todas as coisas*. Em todas as coisas! Abanei a cabeça, incrédula. Pensando bem, os votos matrimoniais não usavam aquelas palavras... *obedecer*? Aquilo deu cabo de mim. Os casais ainda diziam aquilo? Só três meses – era por isso que já tinham sido tantas? Não ficava muito tempo com elas? Ou elas ao fim de três meses já estavam fartas? *Todos os fins de semana*? Era demais. Nunca veria a Kate, nem os amigos que fizesse no novo emprego, contando que arranjava algum. Talvez devesse reservar um fim de semana por mês para mim própria. Talvez quando estivesse com o período. Parecia uma ideia... prática. Ele era meu dono! Podia dispor de mim como quisesse. *Com o caraças!*

Estremeci ao pensar na hipótese de ser chicoteada. O açoitamento provavelmente não seria tão mau, mas seria humilhante. E amarrada? Bem, ele tinha-me amarrado as mãos e tinha sido... bom, tinha sido quente, muito quente, por isso talvez não fosse assim tão mau. Não me ia emprestar a nenhum Dominador – bem podia ter a certeza disso! Seria totalmente inaceitável. *Porque é que eu estava sequer a considerar aquilo?*

Não podia olhá-lo nos olhos. *Um pouco esquisito, não era?* A única maneira que eu tinha de perceber o que ele estava a pensar. A bem dizer, quem é que eu queria enganar? Eu nunca sabia o que ele pensava, mas gostava de olhar para os olhos dele. Tinha uns olhos lindos – cativantes, inteligentes, profundos, e sombrios, repletos de segredos dominadores. Lembrei-me do olhar dele, escaldante e velado, e apertei as coxas, uma contra a outra, contorcendo-me.

E não lhe podia tocar. Bem, ali não havia surpresa. E aquelas regras patetas... Não, eu não conseguia fazer aquilo. Pus a cabeça entre as mãos. Aquilo não era maneira de ter uma relação. Precisava de dormir. Estava toda partida. As tropelias em que me tinha envolvido nas últimas vinte e quatro horas tinham sido francamente esgotantes. E mentalmente... fogo, não era pera doce. Como diria o José, era de lixar os neurónios. Talvez de manhã não parecesse uma piada de tão mau gosto.

Levantei-me e mudei-me rapidamente. Talvez devesse pedir à Kate o pijama de flanela cor-de-rosa. Queria uma coisa fofa e reconfortante à minha volta. Fui para o quarto de banho de *t-shirt* e calções de dormir e lavei os dentes.

Olhei para a minha imagem no espelho. *Não podes estar a pensar a sério nisto...* O meu subconsciente tinha um ar grave e racional, nada do seu eu mesquinho habitual. A minha deusa interior pulava, a bater palmas como uma criança de cinco anos. *Por favor, vamos fazer isto... senão ainda acabamos sozinhas com um monte de gatos e os teus romances clássicos a fazerem-nos companhia.*

O único homem por quem eu me tinha sentido atraída, e o tipo aparece-me com o raio de um contrato, um chicote de fitas e todo um mundo de problemas. Bem, pelo menos eu tinha tido o que queria no fim de semana. A minha deusa interior parou de saltar e sorriu serenamente. *Oh sim,... proferiu*, acenando-me, cúmplice, com a cabeça. Corei com a memória das mãos e da boca dele em mim, o corpo dele dentro do meu. Fechei os olhos para sentir o familiar e delicioso contrair dos músculos lá em baixo, bem lá dentro. Queria fazer aquilo outra vez.

Talvez se concordasse só com o sexo... ele alinharia? Suspeitava que não.

Eu era submissa? Talvez ele me visse assim. Talvez eu lhe tivesse dado a impressão errada na entrevista. Era tímida, sim... mas submissa? Deixava a Kate dar-me ordens – era o mesmo? E aqueles limites ultrapassáveis, credo. A perspetiva era arrepiante, mas sossegou-me saber que estavam sujeitos a discussão.

Voltei para o quarto. Aquilo ultrapassava a minha capacidade reflexiva. Precisava de uma cabeça fria – abordar a questão depois de uma noite bem dormida. Pus os ofensivos documentos na mochila. *Amanhã... amanhã é outro dia.* Subi para a cama, apaguei a luz e deitei-me a olhar para o teto. Oh, desejei nunca o ter conhecido. A minha deusa interior abanou a cabeça. Ela e eu sabíamos que era mentira, pois nunca me tinha sentido tão viva como me sentia naquele momento.

Fechei os olhos e deixei-me cair num sono pesado com sonhos esporádicos de camas de quatro pilares e algemas e olhos intensos cor de cinza.

A Kate acordou-me no dia seguinte.

– Ana, estou farta de te chamar. Devias estar inconsciente.

Os meus olhos abriram-se com relutância. Ela não só estava a pé, como já tinha ido correr. Olhei para o despertador. Eram oito da manhã. Credo, tinha dormido nove horas seguidas.

– O que foi? – balbuciei, estremunhada.

– Está aqui um homem com uma encomenda para ti. Tens de assinar.

– O quê?

– Anda. É grande. Tem um ar interessante – incitou, saltitando excitada e saindo disparada para a sala.

Eu arrastei-me para fora da cama e agarrei no roupão, pendurado atrás da porta. Na nossa sala, estava um jovem bem-parecido com o cabelo amarrado e a segurar numa caixa grande.

– Olá – balbuciei.

– Vou fazer-te chá – anunciou Kate, apressando-se a entrar na cozinha.

– Miss Steele? – E soube imediatamente quem tinha enviado o pacote.

– Sim – respondi cautelosamente.

– Tenho aqui uma encomenda para si, mas tenho de montar e de lhe mostrar como se usa..

– A sério? A estas horas?

– Estou só a cumprir ordens, minha senhora. – Sorriu com um sorriso encantador mas profissional, de quem não tinha nada a ver com aquilo.

Ele acabava de me chamar senhora? Teria envelhecido dez anos da noite para o dia? Se envelheci, tinha sido o raio do contrato. A minha boca fez um esgar de repulsa.

– OK, o que é?

– É um MacBook Pro.

– Pois claro. – Revirei os olhos.

– Ainda não estão disponíveis nas lojas, minha senhora; é o último modelo da Apple.

Porque será que não fiquei surpreendida? Suspirei profundamente.

– Pode montá-lo ali na mesa da sala.

Fui até à cozinha ter com a Kate.

– O que é? – inquiriu, fresca como uma alface. Também ela tinha dormido bem.

– É um portátil, que o Christian me enviou.

– Porque é que ele te enviou um portátil? Sabes que podes usar o meu – admoestou, com a testa franzida.

Não para o que ele tinha em mente.

– Oh, é só emprestado. Ele queria que eu o experimentasse. – A desculpa pareceu-me fraquinha mas a Kate acenou com a cabeça. *Eh, lá...* tinha enfiado o barrete à Katherine Kavanagh. Uma estreia. Ela passou-me o chá.

O Mac era prateado, elegante e bastante bonito. Tinha um ecrã muito grande. Christian Grey gostava das coisas em grande escala – pensei na sala de estar dele... no apartamento todo, a bem ver.

– Tem o último sistema operativo e um pacote completo de programas, mais um disco rígido de um ponto cinco *terabytes* para ter espaço suficiente, trinta e dois gigas de RAM. Que uso planeia dar-lhe?

– Hã... e-mail.

– E-mail?! – exclamou ele incrédulo, levantando as sobrancelhas com um ar ligeiramente perturbado.

– E talvez pesquisa na Internet? – completei, como que a desculpar-me.

Ele suspirou.

– Bom, tem cobertura *wireless* total e eu configurei-o com a informação da sua conta "Me". Este pequeno está pronto a ser usado em praticamente qualquer lugar do planeta. – Olhou, nostálgico, para o computador.

– Uma conta "Me"?

– O seu novo correio eletrónico.

Eu tinha correio eletrónico?

Apontou para um ícone do ecrã e continuou a falar para mim, mas aquilo era como ruído de fundo. Eu não fazia a menor ideia do que ele estava a dizer, e, com toda a honestidade, não me interessava minimamente. *Diz-me só como se liga e desliga* que eu descubro o resto. Afinal, há quatro anos que usava o da Kate. Ela assobiou, impressionada, quando o viu.

– É tecnologia da próxima geração. – Olhou para mim e levantou as sobrancelhas.

– A maior parte das mulheres recebe flores, ou joias talvez – disse, sugestivamente, tentando abafar um sorriso.

Eu fiz-lhe cara feia mas não consegui ficar séria. Desatámos as duas a rir e o técnico ficou embasbacado a olhar para nós, desorientado. Terminou o que estava a fazer e pediu-me para eu assinar a guia de remessa.

A Kate acompanhou-o à porta e eu sentei-me com o meu chá, abri o e-mail, e tinha uma mensagem à minha espera, da parte do Christian. Senti o coração na boca. *Tinha um e-mail do Christian Grey.* Nervosa, abri-o.

De: Christian Grey

Assunto: O Seu Computador Novo

Data: 22 Maio 2011 23:15

Para: Anastasia Steele

Cara Miss Steele,

Espero que tenha dormido bem. Espero que dê bom uso a este portátil, tal como falámos.

Aguardo com expetativa o jantar de quarta.

Estou disponível para responder a perguntas antes dessa data, via e-mail, caso assim o deseje.

Christian Grey
CEO, Grey Enterprises Holdings, Inc.

———

Carreguei no sítio para responder.

———

De: Anastasia Steele
Assunto: O Seu Computador Novo (emprestado)
Data: 23 Maio 2011 08:20
Para: Christian Grey

Dormi muito bem, obrigada – sabe-se lá porquê – *Senhor.*
Percebi que este computador seria um empréstimo, *ergo*, não é meu.
Ana

———

Quase instantaneamente, chegou uma resposta.

———

De: Christian Grey
Assunto: O Seu Computador Novo (emprestado)
Data: 23 Maio 2011 08:22
Para: Anastasia Steele

O computador é emprestado. Indefinidamente, Miss Steele.
Noto pelo tom do seu e-mail que leu a documentação que lhe dei.

Tem alguma pergunta de momento?

Christian Grey
CEO, Grey Enterprises Holdings, Inc.

Não pude evitar sorrir.

De: Anastasia Steele
Assunto: Mentes Inquiridoras
Data: 23 Maio 2011 08:25
Para: Christian Grey

Tenho muitas perguntas, mas não são para fazer por e-mail, e alguns de nós têm de ganhar a vida.
Não quero nem preciso de um computador indefinidamente.
Até mais tarde. Tenha um bom dia, *Senhor.*
Ana

Mais uma vez, a resposta dele foi imediata, e fez-me sorrir.

De: Christian Grey
Assunto: O Seu Computador Novo (emprestado, outra vez)
Data: 23 Maio 2011 08:26
Para: Anastasia Steele

Tchau, amor.

P.S.: Eu também tenho de ganhar a vida.

Christian Grey

CEO, Grey Enterprises Holdings, Inc.

———

Desliguei o computador, a sorrir como uma idiota. Como resistir à versão brincalhona do Christian? Ia chegar atrasada ao trabalho. Bem, era a minha última semana – o Mr. e a Mrs. Clayton provavelmente davam-me alguma folga. Corri para o chuveiro, sem conseguir desfazer o sorriso de orelha a orelha. *Ele enviou-me um email.* Parecia uma criancinha, uma tolinha. E toda a angústia provocada pelo contrato se desvaneceu. Enquanto lavava o cabelo, tentei pensar no que lhe poderia perguntar via e-mail. Certamente que era melhor falar-se daquelas coisas. E se alguém entrasse na conta dele? Corei ao pensar naquela hipótese. Vesti-me rapidamente, gritei um adeus apressado à Kate e saí para trabalhar, para a minha última semana no Clayton's.

O José ligou às onze.

– Ei, sempre tomamos café?

Parecia o velho José. O meu amigo José, não um – o que é que o Christian lhe tinha chamado? Pretendente. *Ugh.*

– Claro. Estou no trabalho. Podes vir cá ter por volta do meio-dia?

– Até lá então. – Ele desligou e eu regressei à arrumação dos pincéis e aos meus pensamentos sobre Christian Grey e o seu contrato.

O José foi pontual. Entrou na loja aos saltos como um cachorrinho, um cachorrinho de olhos escuros.

– Ana – disse com o seu sorriso hispânico-americano aberto e arrebatador, e não consegui continuar zangada com ele.

– Olá José – saudei-o com um abraço. – Estou esfomeada. Vou só dizer à Mrs.Clayton que vou sair para almoçar.

Enquanto nos dirigíamos para o café local, dei o braço ao José. Estava tão grata por aquela... normalidade. Alguém que eu conhecia e que compreendia.

– Ei, Ana – murmurou ele. – Perdoaste-me mesmo?

– José, tu sabes que nunca consigo ficar zangada contigo durante muito tempo.

Ele sorriu.

Estava desejosa de voltar para casa, na ânsia de enviar um e-mail ao Christian, e talvez dar início ao meu projeto de investigação. A Kate tinha ido a qualquer lado, por isso liguei o portátil novo e abri o e-mail. Como seria de esperar, tinha uma mensagem do Christian à espera na caixa de entrada. Quase caía da cadeira de felicidade.

De: Christian Grey
Assunto: Ganhar a Vida
Data: 23 Maio 2011 17:24
Para: Anastasia Steele

Cara Miss Steele,
Espero que tenha tido um bom dia de trabalho.

Christian Grey
CEO, Grey Enterprises Holdings, Inc.

Carreguei no botão de resposta.

De: Anastasia Steele
Assunto: Ganhar a Vida
Data: 23 Maio 2011 17:48
Para: Christian Grey

Senhor... Tive um ótimo dia de trabalho.

Obrigada.

Ana

De: Christian Grey

Assunto: Faz o Trabalho!

Data: 23 Maio 2011 17:50

Para: Anastasia Steele

Miss Steele,

Fico feliz por ter tido um bom dia.

Mas enquanto está a escrever e-mails não está a pesquisar.

Christian Grey

CEO, Grey Enterprises Holdings, Inc.

De: Anastasia Steele

Assunto: Chato

Data: 23 Maio 2011 17:53

Para: Christian Grey

Mr. Grey,

Pare de me enviar e-mails, e eu posso começar com o meu trabalho.

Gostaria de ter outro A.

Ana

Yes!

De: Christian Grey
Assunto: Impaciente
Data: 23 Maio 2011 17:55
Para: Anastasia Steele

Miss Steele,
Pare de me enviar e-mails *a mim* – e faça o seu trabalho.
Gostaria de lhe dar outro A.
O primeiro foi tão merecido. ;)

Christian Grey
CEO, Grey Enterprises Holdings, Inc.

———

Christian Grey acabava de me enviar um *smiley* a piscar o olho... *Oh céus.* Abri o Google.

———

De: Anastasia Steele
Assunto: Pesquisa Internet
Data: 23 Maio 2011 17:59
Para: Christian Grey

Mr. Grey,
O que me sugere que coloque no motor de busca?
Ana

———

De: Christian Grey
Assunto: Pesquisa Internet
Data: 23 Maio 2011 18:02
Para: Anastasia Steele

Miss Steele,

Comece sempre pela Wikipedia.

Basta de e-mails até ter perguntas.

Entendido?

Christian Grey

CEO, Grey Enterprises Holdings, Inc.

De: Anastasia Steele

Assunto: Mandão!

Data: 23 Maio 2011 18:04

Para: Christian Grey

Sim... *Senhor.*

És tão mandão.

Ana

De: Christian Grey

Assunto: Sob Controlo

Data: 23 Maio 2011 18:06

Para: Anastasia Steele

Anastasia, nem fazes ideia.

Bom, talvez agora tenhas alguma noção.

Trabalha.

Christian Grey

CEO, Grey Enterprises Holdings, Inc.

Escrevi "Submissa" na Wikipedia.

Meia hora mais tarde, sentia-me ligeiramente enjoada e, para ser franca, profundamente chocada. Eu queria mesmo conviver com aquilo? Céus... era aquilo que ele fazia no Quarto Vermelho da Dor? Fiquei sentada de olhos fixos no ecrã e parte de mim, uma parte integrante de mim que estava muito húmida e com a qual eu só me familiarizara muito recentemente, estava seriamente excitada. Oh céus, algumas daquelas coisas eram QUENTES. Mas aquilo seria para mim? *Com o caraças...* eu conseguiria fazer aquilo? Precisava de espaço. Precisava de pensar.

CAPÍTULO DOZE

Pela primeira vez na vida, fui correr por minha própria iniciativa. Peguei nos ténis praticamente novos, numas calças de fato de treino e numa *t-shirt*. Fiz dois totós, corando com as memórias que eles me traziam, e liguei o iPod. Não conseguia ficar à frente daquela maravilha da tecnologia a ver ou ler mais daquele material altamente perturbador. Precisava de gastar um pouco daquele excesso enervante de energia. Muito francamente, ocorreu-me correr até ao Heathman Hotel e exigir apenas sexo àquele maníaco do controlo. Mas eram oito quilómetros e não me parecia que conseguisse correr sequer um, quanto mais oito, e, claro, ele podia rejeitar-me, o que seria para lá de humilhante.

A Kate estava a sair do carro quando eu saí porta fora e quase deixou cair os sacos das compras quando me viu. A Ana Steele de ténis. Acenei sem parar para a Inquisição. Precisava mesmo de tempo para mim. Com os Snow Patrol a bombar nos ouvidos, lancei-me no crepúsculo de azuis leitosos e verde-azulados.

Corri pelo parque. *O que é que ia fazer?* Queria-o, mas estava disposta a aceitar as condições dele? A verdade é que não sabia. Talvez devesse negociar aquilo que queria. Analisar aquele contrato ridículo linha a linha e dizer o que era aceitável e o que não era. A minha pesquisa ensinou-me que, legalmente, era não-executório. Ele devia sabê-lo. Imaginei que servisse apenas para definir os parâmetros da relação. Ilustrava o que eu podia esperar dele e o que ele esperava de mim – a minha submissão total. Estaria preparada para proporcionar isso? Seria sequer capaz?

Uma pergunta atormentava-me – porque é que ele era assim? Por ter sido seduzido quando era tão novo? Não sabia. Ele continuava a ser um mistério enorme.

Parei ao lado de um abeto grande e pus as mãos nos joelhos, ofegante, inalando ar precioso para dentro dos pulmões. Oh, aquilo era bom, catártico. Senti-me mais resoluta. Sim. Precisava de lhe dizer o que estava OK e o que não estava. Precisava de lhe enviar um e-mail com as minhas impressões e depois podíamos discuti-las na quarta. Com uma inspiração profunda e purificadora, voltei a correr para o apartamento.

A Kate tinha andado às compras, como só ela pode, para as férias em Barbados. Principalmente biquínis e *sarongs* a condizer. Ficaria fabulosa com qualquer um deles mas ainda assim obrigou-me a vê-la experimentá-los um a um e a dar a minha opinião. Há um número limitado de maneiras de se dizer "Estás fabulosa, Kate." Ela era elegante e curvilínea, linda de morrer. Não fazia aquilo de propósito, eu sabia, mas levantei a custo o meu rabo suado com o pretexto de ir para o quarto empacotar mais coisas. Conseguiria sentir-me ainda mais deslocada? Peguei na fantástica tecnologia grátis e instalei o portátil na minha secretária. Enviei um e-mail ao Christian.

De: Anastasia Steele

Assunto: Aluna da WSUV em estado de choque

Data: 23 Maio 2011 20:33

Para: Christian Grey

OK, já vi o suficiente.

Foi bom conhecer-te.

Ana

Carreguei no botão de enviar, contentíssima, a rir-me da brincadeira. Será que ele ia achar graça àquilo? *Merda!* Provavelmente não. O Christian Grey não tinha fama de ter grande sentido de humor. Mas eu sabia que existia, já o tinha testemunhado. Talvez tivesse ido longe demais. Esperei pela resposta dele.

Esperei… e esperei. Olhei para o despertador. Tinham passado dez minutos.

Para me distrair da ansiedade que começava a sentir na barriga, comecei a fazer o que disse à Kate que faria – empacotar as minhas coisas do quarto. Comecei a enfiar os meus livros numa caixa. Às nove, ainda não tinha tido notícias. *Talvez ele tivesse saído.* Com um beicinho petulante, enfiei os fones do iPod nos ouvidos, pus-me a ouvir Snow Patrol e sentei-me à minha pequena secretária para voltar a ler o contrato e escrever os meus comentários.

Não sei porque levantei os olhos, talvez tivesse percebido algum movimento ligeiro pelo canto do olho… não sei, mas quando o fiz, ele estava de pé à entrada do meu quarto, a observar-me intensamente. Trazia as calças cinzentas de flanela e uma camisa branca de linho, e girava devagar as chaves do carro na mão. Eu tirei os fones e fiquei paralisada. *Bolas!*

– Boa noite, Anastasia.

A voz dele era calma, a expressão completamente contida e imperscrutável. A capacidade de falar abandonara-me. Bolas para a Kate por o ter deixado entrar sem avisar. Apercebi-me distraidamente que ainda estava de calças de fato de treino, sem tomar duche, toda peganhenta, e ele gloriosamente apetecível, com aquele jeito das calças a caírem-lhe impecavelmente como de costume e, mais do que isso, estava ali no meu quarto.

– Senti que o teu e-mail merecia uma resposta em pessoa – explicou secamente.

Eu abri a boca e voltei a fechá-la, duas vezes. Tinha sido eu a apanhada. Nunca no universo, neste ou num alternativo, tinha esperado que ele deixasse tudo para me aparecer ali.

– Posso sentar-me? – perguntou, com os olhos cintilantes de humor.

Graças a Deus – talvez ele veja o engraçado da coisa?

Eu assenti com a cabeça. O dom da fala ainda continuava esquivo. *O Christian Grey sentado na minha cama.*

– Tinha imaginado como seria o teu quarto – disse ele.

Olhei à minha volta, congeminando uma via de escape. Não, continuava a haver apenas a porta e a janela. O meu quarto era funcional mas acolhedor – com mobília de vime branca esparsa e uma cama de casal de ferro com uma colcha de retalhos, feita pela minha mãe na sua fase de confeções tradicionais americanas. Era toda azul--claro e bege.

– É muito sereno e pacífico aqui – murmurou. *Não neste momento... não contigo aqui.*

Finalmente, o meu bulbo raquidiano lembrou-se daquilo para que servia. Respirei.

– Como...?

Ele sorriu-me: – Ainda estou no Heathman.

Eu sei disso.

– Queres uma bebida? – A boa educação levou a melhor sobre tudo o resto que eu gostaria de dizer.

– Não, obrigado, Anastasia. – Fez um sorriso deslumbrante, de soslaio, com a cabeça ligeiramente inclinada para o lado.

Bem, eu talvez precisasse de uma.

– Então, foi *bom* conhecer-me?

Raios! Ele estava *ofendido*? Pus-me a olhar para os dedos. Como é que eu ia sair daquele buraco? Não me parecia que ele ficasse especialmente satisfeito se eu lhe dissesse que tinha sido uma brincadeira.

– Pensei que me fosses responder por e-mail. – A minha voz era sumida, patética.

– Estás a morder o lábio deliberadamente? – perguntou ele com uma voz gutural. Eu olhei para ele e pestanejei, arquejando e soltando o lábio.

– Não tinha reparado que estava a morder o lábio – murmurei suavemente.

Tinha o coração aos saltos. Sentia aquele impulso, aquela deliciosa eletricidade a crescer entre nós os dois, enchendo o espaço de estática. Ele estava sentado tão perto de mim, os olhos de um cinzento sombrio e ardente, os cotovelos em cima dos joelhos, as pernas afastadas. Inclinou--se e desfez-me lentamente um dos totós, libertando-me o cabelo com os dedos. A minha respiração estava suspensa e eu não me conseguia mexer. Observei hipnotizada a mão dele passar ao meu outro totó e, puxando o elástico, soltá-lo com os dedos compridos e hábeis.

– Então decidiste fazer exercício – sussurrou, a voz suave e melodiosa. Senti os dedos dele a porem-me gentilmente o cabelo atrás da orelha. – Porquê Anastasia? – Os dedos desenharam círculos na minha orelha e, muito suavemente, ritmadamente, puxaram-me o lóbulo. Aquilo era tão sexual.

– Precisava de tempo para pensar – sussurrei. Eu era toda veado/faróis, mariposa/luz, pássaro/cobra... e ele sabia exatamente o que me estava a fazer.

– Pensar sobre quê, Anastasia?

– Sobre ti.

– E decidiste que tinha sido bom conhecer-me? Referes-te a conhecer-me no sentido bíblico?

Merda. Corei.

– Não pensei que estivesses familiarizado com a Bíblia.

– Fui à catequese, Anastasia. Ensinou-me muitas coisas.

– Não me lembro de ler acerca de grampos para mamilos na Bíblia. Talvez tenham utilizado uma tradução mais moderna contigo.

Os lábios dele desenharam o esboço de um sorriso e os meus olhos foram atraídos para a sua boca.

– Bem, achei que devia vir aqui recordar-te quão *bom* tinha sido conheceres-me.

Com os diabos. Fiquei a olhar para ele com a boca aberta, e os seus dedos desceram-me da orelha ao queixo.

– O que tem a dizer a isso, Miss Steele?

Os olhos dele fitavam-me, inflamados, o desafio intrínseco ao olhar. Tinha os lábios afastados – aguardava, pronto a atacar. Eu sentia desejo – agudo, líquido e incendiário – a arder-me no ventre. Antecipei-me e atirei-me para cima dele. Não sei como, ele fez um movimento e, num piscar de olhos eu estava esticada na cama, presa debaixo dele, com os braços estendidos e seguros acima da cabeça, a mão livre dele a agarrar-me a cara e a boca dele na minha.

A sua língua estava na minha boca, exigindo possuir-me, e eu deleitava-me com a força que ele usava. Sentia-o a todo o comprimento do corpo. Ele queria-*me*, e aquilo fazia coisas estranhas e deliciosas às minhas entranhas. Não era a Kate e os seus biquínis, não era uma das quinze, não era a malvada Mrs. Robinson. Era eu. Aquele homem lindo queria-me a mim. A minha deusa interior estava tão resplandecente que podia iluminar Portland inteira. Ele parou de me beijar e eu abri os olhos, para me deparar com ele a olhar para mim.

– Confias em mim? – perguntou num sussurro.

Eu acenei com a cabeça, com os olhos muito abertos, o coração a saltar-me no peito, o sangue a correr disparado pelo corpo.

Ele baixou o braço e, do bolso das calças, tirou a gravata de seda cinza prateado... *aquela* gravata de fio trançado que me deixava pequenas impressões do seu padrão na pele. Moveu-se com rapidez, sentando-se de pernas abertas em cima de mim para me atar os pulsos, mas desta vez atou a outra ponta da gravata a uma das barras da minha cabeceira de ferro branco. Puxou pelo nó, certificando-se de que estava seguro. Eu não ia a lado nenhum. Estava, literalmente, atada à minha cama... e estava tão excitada.

Ele deixou-se escorregar de cima de mim e pôs-se em pé ao lado da cama, a olhar para mim, os olhos sombrios de desejo. Era um olhar de triunfo misturado com alívio.

– Assim é melhor – murmurou com um sorriso sabedor, malicioso. Curvou-se e começou a tirar-me um dos ténis. Oh, não... não... os meus pés. Não. Eu tinha acabado de correr.

– Não – protestei, tentando afastá-lo com os pés.

Ele parou: – Se resistires, ato-te os pés também. Se fizeres barulho, Anastasia, amordaço-te. Fica sossegada. A Katherine provavelmente está lá fora a ouvir neste preciso momento.

Amordaçar-me! Kate! Calei-me.

Ele tirou-me os ténis e as meias com eficiência e puxou-me lentamente as calças. Oh – *que cuecas é que eu tinha vestidas?* Levantou-me e tirou a colcha e o edredão de baixo de mim e voltou a pousar-me, desta vez em cima dos lençóis.

– Isso. – Passou lentamente a língua pelo lábio inferior. – Estás a morder esse lábio, Anastasia. Sabes o efeito que isso tem em mim. – Colocou-me o longo indicador na boca, um aviso.

Oh, céus. Mal conseguia conter-me, ali deitada, indefesa, a vê-lo movimentar-se graciosamente pelo meu quarto. Era um afrodisíaco inebriante. Sem pressa, quase vagarosamente, ele tirou os sapatos e as meias, desapertou as calças e tirou a camisa pela cabeça.

– Acho que viste coisas a mais.

Riu-se, safado. Voltou a encavalitar-se em cima de mim, levantou--me a *t-shirt* e achei que ele a ia tirar, mas enrolou-ma até ao pescoço e depois puxou-ma para cima da cabeça de forma a conseguir ver-me a boca e o nariz, mas a tapar-me os olhos. E porque estava dobrada, eu não conseguia ver nada através dela.

– Hum... – sussurrou ele, satisfeito. – Está cada vez melhor. Vou buscar uma bebida.

Inclinou-se para me beijar, os lábios ternos contra os meus, e depois o peso dele saiu da cama. Ouvi a porta do quarto ranger baixinho. Ia buscar uma bebida. *Aonde? Ali? A Portland? A Seattle?* Pus-me à escuta. Consegui distinguir uns ruídos surdos e soube que ele estava a falar com a Kate. *Oh, não... ele estava praticamente nu.* O que é que ela ia dizer? Ouvi um pequeno estalido ao longe. O que era aquilo? Ele voltou, rangendo a porta mais uma vez. Ouvi os passos no chão do quarto e gelo a tilintar num copo quando ele verteu um líquido lá para dentro. Que tipo de bebida? Fechou a porta e começou a tirar as calças, e eu soube que ele estava nu quando elas caíram ao chão. Voltou a empoleirar-se em cima de mim.

– Estás com sede, Anastasia? – perguntou, a voz provocadora.

– Sim – respondi num sopro, porque a minha boca ficou subitamente a saber-me a papel. Ouvi o gelo tilintar no copo e ele inclinou-se e beijou-me, derramando um líquido delicioso e fresco na minha boca. Era vinho branco. Foi tão inesperado, tão quente, apesar de o vinho estar gelado e os lábios do Christian frios.

– Mais? – sussurrou.

Eu fiz que sim com a cabeça. E sabia ainda mais divinamente porque tinha estado na boca *dele*. Ele inclinou-se e eu bebi outro gole dos lábios dele... *oh céus.*

– Não vamos longe demais; sabemos que a tua capacidade para o álcool é limitada, Anastasia.

Não consegui evitar sorrir e ele inclinou-se para me proporcionar mais um gole delicioso. Mudou de posição, pondo-se ao meu lado, e eu senti a ereção dele encostada à minha anca. Oh, queria-o dentro de mim.

– É *bom*, isto? – perguntou, mas eu ouvi tensão na voz dele.

Eu contraí-me. Ele voltou a agitar o copo e inclinou-se, beijando--me e depositando-me um pequeno fragmento de gelo na boca com um bocadinho de vinho. Lentamente e com toda a calma, deu-me pequenos beijos até ao centro do meu corpo, da base do meu pescoço até ao meio dos meus seios, descendo-me pelo tronco até à barriga. Pôs um fragmento de gelo no meu umbigo numa poça de vinho fresco, muito fresco. Senti-me arder até ao mais profundo do meu ventre. Uau!

– Agora tens de ficar quieta – sussurrou ele. – Se te mexeres, Anastasia, vais encher a cama de vinho.

As minhas ancas moveram-se imediatamente.

– Isso não. Se verter o vinho, vou puni-la Miss Steele.

Eu gemi e lutei desesperadamente contra o impulso de erguer as ancas, puxando pela gravata. Oh, não... *por favor.*

Com um dedo, ele puxou-me para baixo as copas do sutiã, uma de cada vez, deixando-me os seios expostos e vulneráveis. Inclinou-se e beijou-me os mamilos e puxou-mos com lábios frios, muito frios. Debati--me com o meu corpo, que tentou arquear-se em resposta.

– É *bom*, isto? – perguntou ele num sussurro, soprando para um dos mamilos.

Ouvi mais um tilintar de gelo para depois o sentir à volta do meu mamilo direito ao mesmo tempo que ele dava pequenos puxões ao esquerdo com os lábios. Eu gemi, esforçando-me por não me mexer, numa tortura doce e atroz.

– Se verteres o vinho, não te deixo vires-te.

– Oh... por favor... Christian... Senhor... Por favor. – Estava a deixar--me louca. *Ouvi-o* sorrir.

O gelo do meu umbigo derretia-se. Eu estava para lá de quente – quente e arrepiada e louca de desejo. Dele, dentro de mim. Imediatamente.

Os seus dedos frios passeavam-se languidamente pela minha barriga. Eu tinha a pele hipersensível, as minhas ancas fletiram-se automaticamente, e o líquido, já mais quente, que eu equilibrava no umbigo escorreu-me pela barriga. O Christian foi rápido a apanhá-lo com a língua, beijando, mordendo-me suavemente, chupando.

– Ups, Anastasia, mexeste-te. O que vou fazer contigo?

Eu estava esbaforida. Só conseguia concentrar-me na voz e no toque dele. Nada mais era real. Nada mais importava, nada mais ficava registado no meu radar. Os dedos dele enfiaram-se nas minhas cuecas, e fui premiada com uma inspiração profunda.

– Oh, querida – murmurou, e empurrou dois dedos para dentro de mim.

Eu arquejei.

– Pronta para mim tão depressa – disse.

Ele mexia os dedos com uma lentidão aflitiva, dentro, fora, e eu ia ao encontro dele erguendo as ancas.

– És uma menina gananciosa – repreendeu ele suavemente, e o polegar acariciou-me o clítoris, pressionando de seguida.

Eu gemi alto, sentindo o meu corpo sacudir-se com a perícia dos seus dedos. Ele esticou-se e puxou-me a *t-shirt* mais para cima para eu poder vê-lo. A luz suave da mesa de cabeceira fez-me piscar os olhos. Ansiava tocar nele.

– Quero tocar-te – sussurrei.

– Eu sei – murmurou ele. – Inclinou-se e beijou-me, com os dedos ainda a moverem-se ritmadamente dentro de mim, o polegar dando voltas e pressionando. A outra mão agarrou-me no cabelo e segurou-me a cabeça. A língua dele refletia as ações dos seus dedos, apossando-se de mim. Eu empurrava-me contra a mão dele e as minhas pernas começaram a retesar-se. Ele aliviou o movimento da mão e eu, que estava na iminência de, fui obrigada a recuar. Fez aquilo uma vez e outra. Era tão frustrante... *Por favor, Christian,* gritei na minha cabeça.

– Este é o teu castigo, tão perto e tão longe. É *bom,* isto? – sussurrou-me ele ao ouvido. Eu choramingava, exausta, puxando pela gravata. Nada podia fazer, perdida num tormento erótico.

– Por favor – supliquei, e ele apiedou-se finalmente de mim.

– Como te vou foder, Anastasia?

Oh, o meu corpo começou a tremer. Ele ficou outra vez muito quieto.

– Por favor.

– O que queres, Anastasia?

– Tu... agora – gritei.

– Fodo-te assim, ou assim, ou assim? A escolha é infinita – sussurrou-me nos lábios. Tirou a mão e esticou o braço para a mesinha de cabeceira para pegar num preservativo. Ajoelhou-se entre as minhas pernas e, muito lentamente, puxou-me as cuecas, olhando fixamente para mim, com os olhos cintilantes. Colocou o preservativo. Eu fiquei a ver, fascinada, hipnotizada.

– E isto, é *bom*? – disse, afagando-se.

– Era uma brincadeira – guinchei.

Por favor fode-me, Christian.

Ele ergueu as sobrancelhas, ainda com a mão a subir e descer do seu instrumento com um comprimento impressionante.

– Uma brincadeira? – A voz dele tinha uma suavidade de ameaça.

– Sim. Por favor, Christian – implorei-lhe.

– Estás a rir-te agora?

– Não – choraminguei.

Toda eu agonizava de desejo. Ele fitou-me por um momento, a medir a minha ânsia, para depois me agarrar subitamente e me virar ao contrário. Apanhou-me de surpresa, e porque as minhas mãos estavam amarradas, tive de me apoiar nos cotovelos. Empurrou-me os joelhos mais para cima, o que me espetou o rabo no ar, e deu-me uma palmada valente. Antes de eu poder reagir, mergulhou dentro de mim. Eu gritei – da palmada e do seu súbito assalto, e vim-me imediatamente uma e outra vez, desfazendo-me por baixo dele, com ele sempre a embater deliciosamente contra mim. Não parou. Eu estava esgotada. Não conseguia aguentar mais... e ele continuava a investir, continuamente... e depois comecei outra vez a sentir... de certeza que não... não...

– Anda Anastasia, mais uma vez – ordenou, cerrando os dentes e, inacreditavelmente, o meu corpo respondeu, entrando em convulsão em redor dele quando eu atingi o clímax mais uma vez, gritando o seu nome. Desfiz-me novamente em pequeníssimos fragmentos, e o Christian estacou, deixando-se finalmente ir, numa libertação silenciosa. Caiu por cima de mim, ofegante.

– E isto, foi *bom*? – perguntou ainda cerrando os dentes.

Oh, céus.

Ofegante e exausta, fiquei deitada na cama, de olhos fechados, e ele saiu lentamente de mim. Levantou-se logo e começou a vestir-se. Quando ficou pronto, subiu outra vez para a cama, desamarrou-me com cuidado e tirou-me a *t-shirt*. Eu abri e fechei as mãos e esfreguei os pulsos, sorrindo ao ver o padrão trançado que me tinha sido impresso nos pulsos pela gravata. Compus o sutiã e ele pôs-me o edredão e a colcha por cima. Olhei para ele, completamente aturdida, e ele devolveu-me um sorriso de soslaio.

– Foi mesmo bom – sussurrei, com um sorriso tímido.

– Lá está outra vez a mesma palavra.

– Não gostas da palavra?

– Não. Não a acho mesmo nada adequada.

– Oh... não sei... parece ter um efeito muito benéfico em ti.

– Sou um efeito benéfico, agora, é? Será que conseguiria ferir ainda mais o meu ego, Miss Steele?

– Não me parece que haja algum problema com o teu ego. – Mas ao mesmo tempo que as disse, não senti convicção nas minhas palavras – tive uma sensação esquiva, um pensamento fugaz, que se perdeu antes de eu conseguir agarrá-lo.

– Achas? – Falou em voz baixa, deitado ao meu lado, completamente vestido, com a cabeça apoiada no cotovelo enquanto eu estava só de sutiã.

– Porque não gostas de ser tocado?

– Não gosto, é só isso. – Aproximou-se de mim e depositou-me um beijo suave na testa. – Então a tua ideia de brincadeira é um e-mail como aquele?

Eu sorri-lhe como quem pede desculpa e encolhi os ombros.

– Estou a ver. Então ainda estás a pensar na minha proposta?

– A tua indecente proposta... sim, estou. Mas não concordo com tudo.

Ele sorriu-me, como se tivesse ficado aliviado.

– Ficaria desiludido se assim não fosse.

– Ia enviar-te um *e-mail*, mas... digamos que tu me interrompeste.

– Coito interrompido.

– Vês, eu sabia que tu tinhas sentido de humor, algures. – Sorri.

– Só algumas coisas têm graça, Anastasia. Eu pensei que estavas a dizer não, sem discussão nenhuma. – A voz dele sumiu-se.

– Ainda não sei. Ainda não me decidi. Vais pôr-me uma coleira?

Ele arqueou as sobrancelhas: – Estiveste a fazer a tua pesquisa. Não sei, Anastasia. Nunca pus uma coleira a ninguém.

Oh... deveria ficar surpreendida com aquilo? Eu sabia tão pouco sobre *a cena*... Que sabia eu?

– A ti puseram-te uma? – sussurrei.

– Sim.

– A Mrs. Robinson?

– Mrs. Robinson! – Pôs-se a rir muito alto, liberto, e pareceu tão jovem e sem preocupações, com a cabeça atirada para trás, o riso contagioso.

Eu devolvi-lhe o sorriso.

– Vou dizer-lhe que disseste isso: ela vai adorar.

– Ainda falas regularmente com ela? – perguntei, sem conseguir disfarçar a voz chocada.

– Sim. – Agora já estava sério.

Oh... e parte de mim de repente ficou louca de ciúmes – fiquei perturbada com a profundidade dos meus sentimentos.

– Estou a ver. – Tinha a voz tensa. – Então tens alguém com quem podes falar sobre o teu estilo de vida alternativo, mas a mim não me é permitido.

Ele franziu a testa.

– Não me parece que tenha alguma vez pensado no assunto dessa forma. A Mrs. Robinson fez parte desse estilo de vida. Eu disse-te, agora é uma boa amiga. Se quiseres, posso apresentar-te a uma das minhas antigas submissas. Podias falar com ela.

O quê? Ele estaria a tentar aborrecer-me de propósito?

– E isto é a *tua* noção de brincadeira?

– Não, Anastasia. – Abanou a cabeça, parecendo desorientado.

– Não. Eu trato disto sozinha, muito obrigada – retorqui, puxando o edredão até ao queixo.

Ele ficou a olhar para mim, à deriva, surpreendido.

– Anastasia, eu... – Não encontrava as palavras. Uma estreia, pareceu-me. – Não te quis ofender.

– Não estou ofendida. Estou perplexa.

– Perplexa?

– Não quero falar com nenhuma das tuas ex-namoradas... escravas... submissas... o que quer que lhes chames.

– Anastasia Steele, estás com ciúmes?

Eu fiquei muito vermelha.

– Ficas?

– Tenho uma reunião ao pequeno-almoço amanhã no Heathman. Além disso, já te disse, não durmo com namoradas, escravas, submissas, ou quem quer que seja. Sexta-feira e sábado foram exceções. Não voltará a acontecer. – Senti resolução na sua voz suave de veludo.

Olhei para ele e franzi os lábios.

– Bom, estou cansada.

– Estás a correr-me daqui para fora? – Arqueou as sobrancelhas, divertido e um pouco desconsolado.

– Sim. – Bem, é mais uma estreia. – Olhou-me, perscrutador.

– Então não há nada de que queiras falar agora? Sobre o contrato?

– Não – respondi, petulante.

– Céus, gostava de te dar uma boa surra. Ias sentir-te muito melhor, e eu também.

– Não podes dizer coisas dessas... eu ainda não assinei nada.

– Um homem pode sonhar, Anastasia. – Aproximou-se de mim e agarrou-me no queixo. – Quarta? – murmurou, beijando-me ao de leve nos lábios.

– Quarta – confirmei. – Vou levar-te à porta. Se me deres um minuto. – Sentei-me e agarrei na minha *t-shirt*, afastando-o do caminho. Ele levantou-se da cama, relutantemente.

– Por favor passa-me as calças de fato de treino. – Ele apanhou-as do chão e estendeu-mas.

– Sim, senhora. – Tentou esconder o sorriso, mas sem sucesso.

Olhei para ele e semicerrei os olhos, ao mesmo tempo que enfiava as calças. O meu cabelo estava uma confusão e eu sabia que teria de me haver com Katherine Kavanagh, a Inquisidora, depois de ele se ter ido embora. Agarrei num elástico, fui até à porta do quarto e abri-a para ver se a Kate estava por perto. Não estava na sala. Pareceu-me ouvi-la ao telefone no quarto dela. O Christian saiu atrás de mim. Durante o pequeno percurso do quarto até à porta da entrada, os meus pensamentos e sentimentos foram e vieram, transformando-se. Já não estava zangada com ele e de repente senti-me insuportavelmente tímida. Não queria que ele se fosse embora. Pela primeira vez, desejava que ele fosse *normal* – que quisesse uma relação normal que não precisasse de um acordo de dez páginas, um chicote de fitas, e mosquetões no teto da sala de diversões.

Abri-lhe a porta e olhei para as mãos. Era a primeira vez que fazia sexo em minha casa e, quanto ao sexo, achava que tinha sido bastante bom. Mas agora sentia-me como um recetáculo – um recipiente vazio que fosse enchido ao sabor das suas vontades. O meu subconsciente abanou a cabeça. *Querias ir a correr ao Heathman atrás de sexo – e tiveste uma entrega expresso.* Cruzou os braços e começou a bater o pé com um ar de "tiveste aquilo que pediste". O Christian parou à soleira da porta e agarrou-me no queixo, obrigando os meus olhos a subirem ao encontro dos dele. A testa dele enrugou-se.

– Estás bem? – perguntou com ternura, acariciando-me ao de leve o lábio inferior com o polegar.

– Sim – respondi, apesar de, com toda a honestidade, não ter bem a certeza. Senti uma mudança de paradigma. Sabia que se embarcasse naquela coisa com ele me ia magoar. Ele não tinha a capacidade, o interesse ou a vontade para me oferecer mais do que aquilo... e eu queria mais. *Muito mais.* O acesso de ciúmes que tinha sentido poucos minutos antes dizia-me que os meus sentimentos por ele eram mais profundos do que aquilo que tinha admitido para mim própria.

– Quarta – confirmou ele, inclinando-se para me dar um beijo doce.

Algo mudou enquanto ele me beijava; os seus lábios começaram a beijar-me com mais urgência, a mão dele saiu do queixo para me segurar a cabeça de lado, com a outra mão no outro lado. A respiração dele acelerou. Aprofundou o beijo, inclinando-se para mim. Pus as mãos nos braços dele, quis passá-las pelo cabelo, mas resisti pois sabia que ele não ia gostar. Ele encostou a testa à minha, de olhos fechados, com a voz tensa.

– Anastasia – sussurrou. – O que me estás a fazer?

– Podia dizer-te o mesmo – repliquei num sussurro.

Ele respirou fundo, beijou-me a testa e foi-se embora. Encaminhou-se para o carro com passos decididos, passando a mão pelo cabelo. Ao abrir a porta do carro levantou os olhos e fez aquele sorriso avassalador. Completamente deslumbrada, devolvi-lhe um sorriso débil, lembrando-me mais uma vez de Ícaro a voar demasiado perto do sol. Fechei a porta da frente quando ele subiu para o desportivo. Sentia uma necessidade avassaladora de gritar; uma melancolia triste e solitária a apertar-me o coração. Corri disparada para o quarto, fechei a porta e encostei-me a ela, tentando racionalizar os meus sentimentos. Não consegui. Deixei-me escorregar até ao chão e pus a cabeça entre as mãos quando as lágrimas começaram a cair.

A Kate bateu ao de leve.

– Ana? – sussurrou. Eu abri a porta. Ela olhou para mim e pôs logo os braços à minha volta.

– O que se passa? O que é que aquele sacana bem-parecido te fez?

– Oh Kate, nada que eu não quisesse.

Ela puxou-me para a cama e sentámo-nos.

– Tens um cabelo de queca terrível.

Apesar da minha extrema tristeza, ri-me.

– O sexo foi bom, nada terrível.

Kate sorriu.

– Assim está melhor. Porque estás a chorar? Tu nunca choras. – Pegou na escova que estava na minha mesinha de cabeceira e, sentando-se por trás de mim, começou a desfazer-me muito lentamente os nós do cabelo.

– É só porque acho que a nossa relação não vai resultar.

Pus-me a olhar para os dedos.

– Pensei que tinhas dito que ias estar com ele na quarta.

– E vou. Era esse o nosso plano original.

– Então porque é que ele apareceu aqui hoje?

– Eu enviei-lhe um e-mail.

– A pedir-lhe que passasse por cá?

– Não, a dizer que não queria voltar a vê-lo.

– E ele apareceu? Ana, foi de génio.

– Para dizer a verdade, foi uma brincadeira.

– Oh. Agora fiquei mesmo confusa.

Expliquei pacientemente a essência do meu e-mail sem revelar nada.

– Então pensaste que ele responderia por e-mail.

– Sim.

– Mas em vez disso ele apareceu aqui.

– Sim.

– Eu diria que ele está completamente caidinho por ti.

Eu franzi a testa. *Christian Grey caidinho por mim? Não me parecia.* Só estava à procura de um brinquedo novo – um conveniente brinquedo novo com o qual ter sexo e fazer coisas inenarráveis. O meu coração apertou-se dolorosamente. Era aquela a realidade.

– Ele veio aqui foder-me, só isso.

– Quem é que disse que o romance estava morto? – sussurrou a Kate, horrorizada. Eu tinha chocado a Kate. Não pensava que tal fosse possível. Encolhi os ombros em jeito de desculpa.

– Ele usa o sexo como arma.

– Quer submeter-te pelo sexo? – gracejou, abanando a cabeça com ar reprovador. Eu olhei para ela e senti o rubor a espalhar-se na cara. *Oh, não... na muche, Katherine Kavanagh, jornalista, vencedora do Pulitzer.*

– Ana, não compreendo, tu deixa-lo simplesmente fazer amor contigo?

– Não, Kate, nós não fazemos amor – nós fodemos – terminologia do Christian. Ele não funciona assim.

– Eu sabia que havia alguma coisa estranha com ele. Tem problemas em assumir compromissos.

Eu acenei com a cabeça, como se concordasse. Por dentro, gemia. Oh, Kate... gostava tanto de te poder contar tudo, tudo sobre aquele tipo estranho, excêntrico e triste, e que tu me pudesses dizer para o esquecer de uma vez. Que não me deixasses continuar a ser uma parva.

– Acho que é tudo um bocadinho demais para mim – murmurei. *Não podia ter sido mais eufemística.*

Visto que não queria continuar a falar sobre o Christian, perguntei-lhe acerca do Elliot. A postura dela mudou completamente só de ouvir o nome dele. Ficou radiosa e abriu um sorriso enorme.

– Vai aparecer sábado, cedo, para ajudar a carregar. – Abraçou-se à escova – bem, estava mesmo apanhada – e eu senti uma pequena e familiar pontada de inveja. Ela tinha encontrado um homem normal, e parecia tão feliz.

Eu virei-me e abracei-a.

– Oh, estava a esquecer-me... O teu pai telefonou quando estavas... hã... ocupada. Ao que parece, o Bob teve uma lesão e por isso a tua mãe e ele não podem vir à entrega dos diplomas. Mas o teu pai vai cá estar na quinta. Quer que tu lhe ligues.

– Oh... a minha mãe não me ligou. O Bob está bem?

– Sim. Liga à tua mãe amanhã de manhã. Agora é tarde.

– Obrigada, Kate. Eu já estou bem. Ligo ao Ray amanhã de manhã também. Acho que me vou deitar.

Ela sorriu, mas apareceram-lhe nos cantos dos olhos umas ruguinhas de preocupação.

Depois de ela sair, sentei-me e voltei a ler o contrato, tirando mais notas à medida que avançava. Quando terminei, liguei o portátil, pronta para responder.

Tinha um *e-mail* do Christian na minha caixa de entrada.

De: Christian Grey
Assunto: Esta noite
Data: 23 Maio 2011 23:16
Para: Anastasia Steele

Miss Steele,
Aguardo com expetativa as suas observações sobre o contrato.
Até lá, dorme bem, querida.

Christian Grey
CEO, Grey Enterprises Holdings, Inc.

De: Anastasia Steele
Assunto: Observações
Data: 24 Maio 2011 00:02
Para: Christian Grey

Caro Mr. Grey,
Aqui está a minha lista de observações. Aguardo com expetativa a oportunidade de as discutir mais exaustivamente na quarta-feira, ao jantar. Os números remetem para as cláusulas:
2: Não percebo bem porque é que isto é apenas para MEU benefício – i.e., para explorar a MINHA sensualidade e os meus limites. Tenho a certeza de que não precisaria de um contrato de dez páginas para fazer isso! Certamente que é para TEU benefício.
4: Como bem sabes, és o meu único parceiro sexual. Não consumo drogas e nunca fiz transfusões de sangue. Provavelmente não represento perigo nenhum. E tu?
8: Posso rescindir imediatamente o contrato se achar que não estás a respeitar os limites acordados. OK – gosto disto.
9: Obedecer-te em todas as coisas? Aceitar sem hesitação a tua disciplina? Precisamos de falar sobre isto.
11: Período experimental de um mês, não três.
12: Não posso garantir todos os fins de semana. Tenho vida própria, ou vou ter. Talvez três em cada quatro?
15:2 Usares o meu corpo de qualquer maneira que achares apropriada, sexualmente ou não – por favor define "ou não".
15.5: Esta cláusula toda da disciplina. Não tenho a certeza se quero ser açoitada, chicoteada ou punida corporalmente. Tenho a certeza de que isso seria uma violação das cláusulas 2 a 5. E também o "por qualquer outra razão", que é simplesmente cruel – e disseste-me que não eras sádico.
15.10 Como se emprestar-me a alguém fosse uma opção. Mas fico contente que esteja aqui, preto no branco.
15.14: As Regras. Vemos isso mais à frente.
15.19: Tocar-me sem permissão. Que problema tem isto? Além do mais, tu sabes que eu não o faço.
15.21: Disciplina – por favor ver a cláusula 15.5 supra.
15.22: Não posso olhar-te nos olhos? Porquê?

15.24: Porque não te posso tocar?

Regras:

Sono – seis horas.

Comida – não vou comer comida de uma lista predeterminada. A lista sai ou saio eu – ponto não negociável.

Roupa – desde que só tenha de usar as tuas roupas quando estou contigo... OK.

Exercício – concordámos com três horas; aqui diz quatro.

Limites ultrapassáveis:

Vamos vê-los todos? Sem *fisting* de qualquer espécie. O que é suspensão? Grampos genitais – deves estar a brincar.

Dizes-me por favor como vamos combinar para quarta-feira? Estou a trabalhar até às cinco da tarde.

Boa noite.
Ana

De: Christian Grey
Assunto: Observações
Data: 24 Maio 2011 00:07
Para: Anastasia Steele

Miss Steele,
É uma longa lista. Porque é que ainda estás levantada?

Christian Grey
CEO, Grey Enterprises Holdings, Inc.

De: Anastasia Steele
Assunto: Queimando as pestanas
Data: 24 Maio 2011 00:10
Para: Christian Grey

Senhor,
Se bem se lembra, eu estava a ver a lista quando fui interrompida por um controlador compulsivo que me levou para a cama.
Uma boa noite.
Ana

De: Christian Grey
Assunto: Para de Queimar as Pestanas
Data: 24 Maio 2011 00:12
Para: Anastasia Steele

VAI DEITAR-TE ANASTASIA.

Christian Grey
CEO & Maníaco do Controlo, Grey Enterprises Holdings, Inc.

Oh... maiúsculas! Desliguei o computador. Como é que ele conseguia intimidar-me, a dez quilómetros de distância? Abanei a cabeça. Com o coração apertado, ainda, enfiei-me na cama e caí num sono profundo e inquieto.

CAPÍTULO TREZE

No dia seguinte, liguei à minha mãe quando cheguei a casa depois do trabalho. Tinha sido um dia relativamente calmo no Clayton's, o que me tinha deixado demasiado tempo para pensar. Estava inquieta, nervosa com a confrontação que se seguiria com o Mr. Maníaco do Controlo e estava muito preocupada por poder ter sido demasiado negativa na minha resposta ao contrato. Talvez ele desistisse de tudo.

A minha mãe era toda arrependimento, mortificada por não conseguir vir à cerimónia de entrega dos diplomas. O Bob tinha feito um entorse, o que queria dizer que andava a coxear por todo o lado. Honestamente, ele era tão dado a acidentes como eu. Esperava-se que recuperasse completamente, mas isso significava que tinha de ficar parado e que a minha mãe tinha de lhe fazer tudo.

– Ana, querida, tenho tanta pena – choramingava a minha mãe ao telefone.

– Mãe, não faz mal. O Ray vem.

– Ana, pareces transtornada. Estás bem, querida?

– Sim, mãe.

Oh, mãe, se tu soubesses. Havia um tipo indecentemente rico que eu tinha conhecido e ele queria começar uma espécie de relação de caráter sexual de gosto dúbio, na qual eu nem sequer poderei emitir uma opinião.

– Conheceste alguém?

– Não, mãe. – Aí estava um assunto sobre o qual eu não ia falar de maneira nenhuma.

– Bom, querida, na quinta-feira estarei a pensar em ti. Adoro-te. Sabes disso, não sabes, meu amor?

Fechei os olhos. Ouvi-la dizer aquelas preciosas palavras aqueceu-me por dentro.

– Também te adoro, mãe. Diz olá por mim ao Bob e espero que ele melhore depressa.

– Vai melhorar, querida. Adeus.

– Adeus.

Tinha entrado para o quarto com o telefone. Liguei distraidamente a máquina cruel e abri o programa de e-mail, onde já tinha uma mensagem à espera que Christian tinha enviado de noite já muito tarde ou de manhã ainda muito cedo, dependendo do ponto de vista. A minha frequência cardíaca disparou imediatamente e senti a cabeça a latejar. Merda... talvez fosse ele a dizer que não – que tinha acabado tudo –, ou talvez a cancelar o jantar. Pensar naquilo era demasiado doloroso por isso tentei abstrair-me e abri rapidamente o e-mail.

De: Christian Grey

Assunto: As Tuas Observações

Data: 24 Maio 2011 01:27

Para: Anastasia Steele

Cara Miss Steele,

No seguimento de uma análise mais exaustiva às suas observações, venho chamar a sua atenção para a definição de submisso.

submisso, a [submísu, -a] *adjetivo*

1. inclinado ou disposto a submeter-se; que se mostra obediente; que é dócil: *criados submissos.*

2. que tem caráter de submissão ou revela submissão: *uma réplica submissa.*

Séc. XVI; do latim *submissu-*

Sinónimos: maleável, condescendente, complacente, recetivo. 2. passivo, resignado, paciente, dócil, humilde, obediente. *Antónimos: 1.* rebelde, desobediente.

Por favor tenha isto presente para a nossa reunião de quarta-feira.

Christian Grey
CEO, Grey Enterprises Holdings, Inc.

———

O meu sentimento inicial foi de alívio. Ele estava disposto a discutir as minhas questões, pelo menos, e ainda queria encontrar-se comigo no dia seguinte. Depois de pensar durante um bocado, respondi.

———

De: Anastasia Steele
Assunto: As Minhas observações... E as tuas?
Data: 24 Maio 2011 18:29
Para: Christian Grey

Senhor
Por favor repare na data: século XVI. Gostaria de lhe recordar respeitosamente que estamos no ano de 2011. Já percorremos um longo caminho desde então.
Permita que deixe uma definição à sua consideração para a nossa reunião:

compromisso [kõprumísu] *s.m.*
1. resolução de diferenças através de concessões mútuas; acordo alcançado através do ajustamento de reivindicações, princípios, etc. que conflituam ou se opõem, por modificação recíproca das exigências. 2. o resultado desse acordo. 3. algo intermédio entre coisas diferentes: *A habitação de dois andares representa um compromisso entre a casa térrea e um edifício com vários pisos.* 4. ameaça; exposição ao perigo, suspeita, etc.: *compromisso da integridade pessoal*
Ana

———

De: Christian Grey
Assunto: O que têm as minhas observações?
Data: 24 Maio 2011 18:32
Para: Anastasia Steele

Bem observado. Muito pertinente, como sempre Miss Steele. Amanhã vou buscá-la ao seu apartamento às 19h.

Christian Grey
CEO, Grey Enterprises Holdings, Inc.

De: Anastasia Steele
Assunto: 2011 – As Mulheres Podem Conduzir
Data: 24 Maio 2011 18:40
Para: Christian Grey

Meu Senhor,
Tenho carro. Posso conduzir.
Preferia ir ter consigo a algum lado.
Onde nos encontramos?
No seu hotel às 19h?
Ana

De: Christian Grey
Assunto: Mulheres Teimosas
Data: 24 Maio 2011 18:43
Para: Anastasia Steele

Cara Miss Steele,
Chamo a atenção para o meu e-mail datado de 24 de maio de 2011, enviado à 01:27, e à definição nele incluída.

Acha que vai conseguir fazer o que lhe mandam, algum dia?

Christian Grey

CEO, Grey Enterprises Holdings, Inc.

De: Anastasia Steele

Assunto: Homens Intratáveis

Data: 24 Maio 2011 18:49

Para: Christian Grey

Mr. Grey,

Gostaria de conduzir.

Por favor.

Ana

De: Christian Grey

Assunto: Homens exasperados

Data: 24 Maio 2011 18:52

Para: Anastasia Steele

Ok.

No meu hotel às 19h.

Vou ter contigo ao Marble Bar.

Christian Grey

CEO, Grey Enterprises Holdings, Inc.

Ele até por e-mail era rabugento. Não percebia que eu podia precisar de um plano de fuga? Não que o meu carocha fosse rápido... mas, ainda assim, precisava de uma forma de escapar.

De: Anastasia Steele
Assunto: Homens Não Tão Intratáveis Assim
Data: 24 Maio 2011 18:55
Para: Christian Grey

Obrigada
Ana x

De: Christian Grey
Assunto: Mulheres exasperantes
Data: 24 Maio 2011 18:59
Para: Anastasia Steele

De nada.

Christian Grey
CEO, Grey Enterprises Holdings, Inc.

Liguei para o Ray, que estava mesmo a preparar-se para ver os Sounders jogarem contra uma equipa qualquer de futebol de Salt Lake City, por isso a nossa conversa foi de uma brevidade misericordiosa. Ele vinha de carro para assistir à entrega dos diplomas na quinta-feira. Queria ir comer qualquer coisa comigo a seguir. Senti o coração cheio e um enorme nó na garganta. Ele sempre tinha sido o meu porto de abrigo ao longo dos percalços românticos da minha mãe, e tínhamos um laço especial que eu acarinhava. Mesmo sendo meu padrasto, sempre me tinha tratado como se eu fosse filha dele, e eu estava em pulgas para o ver. Tinha passado demasiado tempo. Estava mesmo a precisar daquela segurança calma dele e que tanta falta sentia. Talvez conseguisse sintonizar-me com o meu Ray interior, para a reunião do dia seguinte.

Kate e eu concentrámo-nos em encaixotar as coisas e dividimos uma garrafa de vinho maduro barato enquanto o fazíamos. Quando finalmente fui para a cama, depois de ter empacotado quase todas as coisas do meu quarto, sentia-me mais calma. A atividade física de encaixotar tudo tinha sido uma distração oportuna e eu estava cansada. Queria uma boa noite de descanso. Enfiei-me na cama e não demorei a adormecer.

O Paul tinha regressado de Princeton e estava a caminho de Nova Iorque, onde ia começar um estágio numa sociedade financeira. Andou atrás de mim pela loja o dia inteiro, a convidar-me para sair com ele. Era irritante.

– Paul, pela centésima vez, hoje à noite tenho um encontro.

– Não, não tens. Só dizes isso para fugir de mim. Estás sempre a evitar-me.

Sim... seria de pensar que percebesses a mensagem.

– Paul, nunca me pareceu boa ideia sair com o irmão do patrão.

– Vais deixar de trabalhar aqui na sexta e amanhã não trabalhas.

– E vou estar em Seattle a partir de sábado, e tu vais para Nova Iorque muito em breve. Não podíamos ficar mais longe um do outro, nem de propósito. Além disso, hoje tenho um encontro.

– Com o José?

– Não.

– Com quem, então?

– Paul... oh... – O suspiro foi de exasperação. Ele não me ia deixar em paz. – Christian Grey. – Não consegui esconder uma nota de irritação na voz. Mas resultou. A boca do Paul abriu-se e ele ficou a olhar para mim com um ar aparvalhado. Hum! – até o *nome* dele deixava as pessoas sem fala.

– Tens um encontro com o Christian Grey? – perguntou ele finalmente, quando recuperou do choque. Ouvia-se a incredulidade na voz dele.

– Sim.

– Estou a ver.

Paul pareceu ficar visivelmente desanimado, espantado até, e uma pequenina parte de mim ficou chateada por ele ter ficado tão surpreendido. A minha deusa interior também. Fez-lhe um gesto muito vulgar e nada atrativo com os dedos.

Depois daquilo passou a ignorar-me, e às cinco eu saí pontualmente pela porta.

Kate tinha-me emprestado dois vestidos e dois pares de sapatos para aquela noite e para a cerimónia do dia seguinte. Quem me dera sentir mais entusiasmo por roupas e conseguir fazer um esforço extra, mas simplesmente não eram a minha onda. *E o que é a tua onda, Anastasia?* A pergunta sussurrada de Christian atormentava-me. Abanei a cabeça para espantar o nervosismo e decidi-me pelo vestido justo cor de ameixa para a noite. Era discreto e tinha um toque profissional – afinal eu ia negociar um contrato.

Tomei um duche, depilei-me nas pernas e nas axilas, lavei o cabelo e depois passei uma boa meia hora a secá-lo para me cair em ligeiras ondulações até aos seios e pelas costas. Prendi-o com uma mola para o tirar da frente da cara e apliquei base e um bocadinho de brilho para os lábios. Raramente usava maquilhagem – intimidava-me. Nenhuma das minhas heroínas literárias tinha de lidar com maquilhagem – talvez eu percebesse mais a respeito do assunto se elas usassem. Calcei os saltos altos agulha que faziam conjunto com o vestido, e às seis e meia estava pronta.

– Então? – perguntei à Kate.

Ela sorriu.

– Bolas, saíste-te bem, Ana – disse, acenando a cabeça em sinal de aprovação. – Estás uma brasa.

– Uma brasa! A minha intenção era discrição e profissionalismo.

– Isso também, mas principalmente, uma brasa. O vestido fica-te mesmo muito bem e também combina com o teu tom de pele. A forma como cai – disse ela, com um sorriso travesso.

– Kate! – ralhei.

– Estou só a constatar factos, Ana. O conjunto todo está-te a matar. Fica com o vestido. Vais tê-lo a comer-te na mão.

A minha boca comprimiu-se numa linha dura. *Percebeste* mesmo *tudo ao contrário.*

– Deseja-me sorte.

– Precisas de sorte para um encontro? – perguntou com o sobrolho carregado, baralhada.

– Sim, Kate.

– Boa sorte, então. – Abraçou-me e lá saí pela porta da frente.

Tive de conduzir descalça; a Wanda, o meu carocha azulinho, não tinha sido pensado para condutoras com saltos agulha. Encostei à entrada do Heathman precisamente às dezoito e cinquenta e oito e dei as chaves ao arrumador para o estacionar. Ele olhou para o carocha de lado mas eu ignorei-o. Respirei fundo e preparei-me mentalmente. Entrei no hotel.

Christian estava encostado ao bar, descontraído, a beber um copo de vinho branco. Estava vestido como habitual, camisa de linho branca, calças de ganga pretas, gravata preta e casaco preto. O cabelo estava tão despenteado como sempre. Suspirei. Parei alguns segundos à entrada do bar a admirar a vista. Ele olhou, com nervosismo, pareceu-me, para a entrada e ficou muito quieto quando me viu. Piscou os olhos um par de vezes e a sua boca abriu-se lentamente num sorriso *sexy* que me deixou sem fala e toda derretida por dentro. Fazendo um esforço supremo para não morder o lábio, avancei, ciente de que eu, Anastasia Steele do Vale dos Desajeitados, estava de saltos altos agulha. Ele veio graciosamente ao meu encontro.

– Estás deslumbrante – murmurou, inclinando-se para me beijar a face. – De vestido, Miss Steele. Aprovo. – Deu-me o braço e conduziu-me para um dos pequenos compartimentos mais reservados, fazendo sinal ao empregado. – O que queres beber?

Os meus lábios curvaram-se num sorriso breve, maroto, quando me sentei e me acomodei – bem, pelo menos ele estava a perguntar-me.

– Quero o mesmo que tu, por favor. – Sim, eu conseguia ser simpática e comportar-me. Divertido, ele pediu outro copo de Sancerre e sentou-se à minha frente.

– Aqui têm uma excelente carta de vinhos – comentou. Pousando os cotovelos na mesa, colocou as mãos em triângulo à frente da boca, os olhos vivos com alguma emoção imperscrutável. E depois apareceu... A familiar corrente que saía dele e que se ligava algures bem dentro de mim. Mexi-me, desconfortável com o escrutínio dele, com o coração a palpitar. Tinha de manter a cabeça fria.

– Estás nervosa? – perguntou-me suavemente.

– Sim.

Inclinou-se para a frente.

– Eu também – sussurrou num tom cúmplice. Os meus olhos dispararam na direção dos dele. *Ele? Nervoso? Nunca.* Pisquei os olhos, ao que ele reagiu com o seu adorável sorriso assimétrico. O empregado chegou com o meu vinho, um pratinho de frutos secos vários e outro de azeitonas.

– Então, como vamos fazer isto? – perguntei. – Ver as minhas observações uma a uma?

– Impaciente como sempre, Miss Steele.

– Bom, podia perguntar-te o que achaste do tempo hoje.

Ele sorriu e os seus dedos compridos pegaram em mais uma azeitona. Atirou-a para a boca e os meus olhos deixaram-se atrair por ela, aquela boca, que já esteve em mim... em todas as partes de mim. Corei.

– O tempo pareceu-me particularmente irrelevante, hoje – disse ele com um sorriso de soslaio.

– Está a zombar de mim, Mr. Grey?

– Estou, Miss Steele.

– Sabes que este contrato legalmente é não-executório.

– Tenho perfeito conhecimento disso, Miss Steele.

– Ias informar-me disso?

Ele franziu o sobrolho.

– Pensavas que te ia obrigar a fazer alguma coisa que não quisesses e que depois fingia ter direitos legais sobre ti?

– Bem... sim.

– Não me tens em grande conta, pois não?

– Não respondeste à minha pergunta.

– Anastasia, não importa se é executório ou não. Representa um acordo que eu gostaria de fazer contigo. Mostra o que eu gostaria de obter de ti e o que tu podes esperar de mim. Se não for do teu agrado, então não assines. Se decidires assinar e depois decidires que não te agrada, existem cláusulas de escape suficientes para poderes desvincular-te. Mesmo que fosse executório, julgas que ia arrastar-te pelos tribunais se tu decidisses afastar-te?

Bebi o meu vinho demoradamente. O meu subconsciente deu-me uma palmada no ombro. Tens de ter a cabeça no lugar. *Não bebas demais.*

– Relações como estas têm como base a honestidade e a confiança – continuou ele. – Se não confiares em mim, se não acreditares que eu sei o que estou a fazer e como te estou a afetar, até onde posso ir contigo, até onde te posso levar, e se não conseguires ser honesta comigo, então não temos como fazer isto.

Oh céus, rapidamente chegámos ao âmago da coisa. *Até onde ele me podia levar.* Que raio. O que é que aquilo queria dizer?

– Por isso é bastante simples, Anastasia. Confias em mim ou não? – Os olhos dele ferviam.

– Tiveste negociações semelhantes com, hã... as quinze?

– Não.

– Porque não?

– Porque todas eram submissas declaradas. Sabiam o que queriam da relação comigo e o que eu esperava de uma maneira geral. Com elas foi só uma questão de afinar os limites ultrapassáveis, esse tipo de pormenores.

– Há alguma loja onde vás? Uma Submissas 'R' Us?

Ele riu. – Não exatamente.

– Então como é?

– É disso que queres falar? Ou vamos ao que realmente interessa? As tuas observações, como tu dizes?

Engoli em seco. *Se confio nele?* Era àquilo que tudo se resumia – confiança? De certeza que era biunívoca. Lembrei-me da cena dele quando telefonei ao José.

– Tens fome? – perguntou, interrompendo-me o fio dos pensamentos.

Oh não... comida.

– Não.

– Já comeste hoje?

Fiquei a olhar para ele. *Honestidade... Com os diabos,* ele não ia gostar da resposta.

– Não – respondi com a voz sumida.

Ele semicerrou os olhos.

– Tens de comer, Anastasia. Podemos comer aqui ou na minha suíte. O que é que preferes?

– Julgo que devemos continuar num sítio público, em território neutro.

Ele fez um sorriso sarcástico.

– Achas mesmo que isso me deteria? – disse ele suavemente, num aviso sensual.

Os meus olhos abriram-se mais e eu engoli novamente em seco.

– Espero que sim.

– Anda, reservei uma sala privada para jantarmos. Sem público. – Dirigiu-me um sorriso enigmático e saiu da mesa, estendendo-me a mão.

– Traz o teu vinho – murmurou ele.

Dei-lhe a mão, levantei-me da mesa e coloquei-me ao lado dele. Ele soltou-me a mão e agarrou-me no cotovelo. Conduziu-me de volta ao bar, que atravessámos, subindo depois a escadaria que desembocava numa *mezanine*. Aproximou-se de nós um jovem envergando a farda completa do Heathman.

– Mr. Grey, por aqui senhor.

Seguimo-lo por uma zona de estar de luxo até uma sala de jantar privativa. *Uma mesa solitária.* A sala era pequena mas sumptuosa. Por baixo de um lustre cintilante, a mesa apresentava-se com uma toalha engomada, copos de cristal, talheres de prata e um ramo de rosas brancas. Um biombo antigo e sofisticado permeava o compartimento forrado a madeira. O criado puxou a minha cadeira e eu sentei-me. Colocou-me o guardanapo no colo. O Christian sentou-se à minha frente. Olhei para ele.

– Não mordas o lábio – sussurrou.

Eu franzi a testa. Raios, nem sequer me apercebia de fazer aquilo.

– Já pedi. Espero que não te importes.

Sinceramente, fiquei aliviada. Não tinha a certeza de conseguir tomar mais nenhuma decisão.

– Tudo bem – aquiesci.

– É bom saber que consegues ser recetiva. E então, onde íamos?

– No que realmente interessa. – Bebi mais um grande gole de vinho. Era deveras delicioso. Christian Grey era muito bom com vinhos.

Lembrei-me do último vinho que ele me tinha dado, na cama. O pensamento intruso fez-me corar.

– Sim, as tuas observações. – Enfiou a mão no bolso do casaco e tirou um pedaço de papel. O meu e-mail.

– Cláusula 2. De acordo. É para benefício dos dois. Vou reformular.

Eu pisquei os olhos. Merda... Íamos verificar cada um dos pontos um a um. Não me sentia tão corajosa na presença dele. Ele parecia tão sério. Reforcei a coragem com mais um gole de vinho. Christian continuou.

– A minha saúde sexual. Bem, todas as minhas parceiras anteriores fizeram análises ao sangue e eu faço análises regularmente, de seis em seis meses, para verificar todos os riscos que mencionas. Todos os meus testes mais recentes estão bem. Nunca tomei drogas. Na verdade, sou veementemente antidroga. Tenho uma política de tolerância zero relativamente a drogas para todos os meus funcionários, e insisto na prática de testes de droga aleatórios.

Uau... controlo compulsivo levado ao extremo. Olhei para ele e pisquei os olhos, chocada.

– Nunca fiz transfusões de sangue. Isto responde à tua pergunta?

Eu acenei com a cabeça, impassível.

– Já falámos antes sobre o teu ponto seguinte. Podes desistir em qualquer altura, Anastasia. Eu não te impedirei. Se o fizeres, no entanto, está tudo terminado. Só para que saibas.

– OK – respondi baixinho. Se eu fosse embora, estava tudo terminado. Pensar naquilo era-me surpreendentemente doloroso.

O empregado chegou com o nosso primeiro prato. Como é que eu ia conseguir comer? Santo Deus, ele tinha mandado vir ostras em cama de gelo.

– Espero que gostes de ostras. – A voz de Christian era suave.

– Nunca provei.

Nunca.

– A sério? OK – disse ele, pegando numa. – A única coisa que tens de fazer é inclinar a cabeça e engolir. Acho que consegues fazê-lo.

Olhou para mim e eu soube a que se referia. Fiquei vermelhíssima. Ele sorriu-me, espremeu sumo de limão para cima da ostra e depois fê-la escorregar.

– Hum, delicioso. Sabe a mar – disse ele, sorrindo. – Vá lá– encorajou-me.

– Então, não mastigo?

– Não, Anastasia, não mastigas. – Os olhos dele tinham um brilho divertido. Parecia tão novo, assim.

Mordi o lábio e a expressão dele mudou imediatamente. Olhou para mim com um ar contido. Eu estiquei o braço para pegar na minha primeiríssima ostra. OK... não havia de ser nada. Espremi-lhe um bocado de sumo de limão para cima e engoli. Escorregou-me pela garganta, qual água do mar, e sal, o ácido forte do limão, e a textura... ohh. Lambi os lábios enquanto ele me observava intensamente, com os olhos velados.

– Então?

– Vou comer outra – disse eu sem expressão.

– Linda menina – replicou, orgulhoso.

– Escolheste-as deliberadamente? Não são conhecidas pelas suas propriedades afrodisíacas?

– Não, são o primeiro item do menu. Não preciso de nenhum afrodisíaco perto de ti. Julgo que sabes disso, e julgo que reages da mesma maneira à minha presença – respondeu simplesmente. – Então, onde íamos? – Espreitou para o meu e-mail enquanto eu pegava noutra ostra.

Ele reage da mesma maneira. Eu afeto-o... uau.

– Obedecer-me em todas as coisas. Sim, quero que o faças. Preciso que o faças. Pensa nisso como um *role-play*, Anastasia.

– Mas tenho receio que me magoes.

– Magoar-te como?

– Fisicamente.

E emocionalmente.

– Pensas mesmo que eu faria isso? Ultrapassar algum limite que tu não conseguisses suportar?

– Disseste que já magoaste uma pessoa antes.

– Sim, fi-lo. Foi há muito tempo.

– Como é que a magoaste?

– Suspendi-a no teto do meu quarto de diversões. Na verdade, essa é outra das tuas questões. A suspensão – é para isso que são os mosquetões que estão lá no teto. Jogos de cordas. Uma das cordas estava demasiado apertada.

Levantei a mão, pedindo-lhe que parasse.

– Não preciso de saber mais nada. Então não me vais suspender?

– Não se tu não quiseres mesmo. Podes fazer disso um limite intransponível.

– OK.

– E obedecer, achas que consegues fazer isso?

Fitou-me, o olhar intenso. Eu sentia os segundos a passar.

– Poderia tentar – sussurrei.

– Bom – disse ele com um sorriso. – Duração. Um mês em vez de três é muito pouco tempo, especialmente se queres passar um fim de semana longe de mim por mês. Não acho que consiga ficar longe de ti durante tanto tempo. Mal consigo agora. – Fez uma pausa.

Ele não conseguia ficar longe de mim? O quê?

– Que tal ficares com um dia, um fim de semana por mês, e eu ter uma noite a meio dessa semana?

– OK.

– Por favor, vamos tentar durante três meses. Se vires que não é para ti, então podes sair em qualquer altura.

– Três meses? – Senti que não me dava hipótese de pensar. Bebi mais um bom trago de vinho e permiti-me comer outra ostra. Podia aprender a gostar.

– A questão da posse é apenas uma terminologia e vai de encontro ao princípio da obediência. Serve para te colocar no estado de espírito adequado, para compreenderes o porquê de fazer o que faço. E eu quero que saibas que, assim que me entrares pela porta como minha submissa, farei o que quiser contigo. Tens de aceitar isso de bom grado. É por isso que tens de confiar em mim. Vou foder-te, em qualquer altura e de todas as maneiras que eu quiser, onde eu quiser. Vou disciplinar-te, porque tu vais fazer asneiras. Vou treinar-te para me satisfazeres. Mas eu sei que tu nunca fizeste isto. Vamos começar com calma e eu vou ajudar-te. Iremos experimentar vários cenários. Eu quero que tu confies em mim, mas sei que tenho de ganhar a tua confiança, e vou fazê-lo. O "ou não" serve, mais uma vez, para te colocar no estado de espírito certo; significa que vale tudo.

Ele era tão apaixonado, hipnótico. Era óbvio que aquela era a sua obsessão, a sua forma de ser... Não conseguia tirar os olhos dele. Ele queria mesmo, mesmo, aquilo. Parou de falar e pôs-se a olhar para mim.

– Ainda estás aqui? – sussurrou, a voz rica, envolvente e sedutora. Bebeu um gole de vinho com o olhar penetrante a prender o meu.

O empregado assomou à porta e Christian fez um gesto subtil com a cabeça, dando-lhe permissão para levantar a mesa.

– Queres um pouco mais de vinho?

– Tenho de conduzir.

– Água, então?

Eu acenei afirmativamente.

– Com ou sem gás?

– Com, por favor.

O empregado saiu.

– Estás muito silenciosa – sussurrou o Christian.

– Tu estás muito falador.

Ele sorriu.

– Disciplina. Existe uma linha muito ténue a separar o prazer da dor, Anastasia. São dois lados da mesma moeda, e um não existe sem o outro. Posso mostrar-te o prazer que existe na dor. Neste momento não acreditas em mim, mas é a isso que me refiro quando falo de confiança. Haverá dor, mas nada que não possas suportar. Mais uma vez, trata-se de confiança. Confias em mim, Ana?

Ana!

– Sim, confio – respondi espontaneamente, sem pensar... porque era verdade, eu *confiava* nele.

– Bom – pareceu aliviado. – O resto são só pormenores.

– Pormenores importantes.

– OK, vamos vê-los.

A minha cabeça estava atordoada com as palavras dele. Devia ter levado o gravador digital da Kate para poder ouvir aquilo outra vez mais tarde. Era tanta informação, tanto que eu tinha de processar. O empregado reapareceu com as nossas entradas: peixe-carvão-do--Pacífico, espargos e batatas a murro com molho holandês. Nunca me tinha sentido menos motivada para comer.

– Espero que gostes de peixe – disse o Christian num tom moderado.

Dei uma garfada na comida e bebi um longo gole da minha água mineral. Desejei veementemente que fosse vinho.

– As regras. Vamos falar sobre elas. A comida é um ponto não negociável?

– Sim.

– Posso modificá-la para passar a dizer que comes pelo menos três refeições por dia?

– Não.

Não ia ceder nem por nada. Pessoa nenhuma ia ditar-me aquilo que eu comia. Como fodia, sim, mas comer... não, nem pensar.

Ele franziu os lábios: – Preciso de saber que não estás com fome.

Eu franzi o sobrolho. *Porquê?*

– Terás de confiar em mim.

Ele ficou um momento a olhar para mim e depois relaxou.

– *Touché*, Miss Steele – disse ele calmamente. – Concedo a comida e o sono.

– Porque não posso olhar para ti?

– É uma coisa Dom/sub. Vais habituar-te.

Vou?

– Porque não te posso tocar?

– Porque não podes.

A boca dele era uma linha teimosa.

– É por causa da Mrs. Robinson?

Ele olhou para mim com um ar confuso: – Porque me perguntas isso? – E compreendeu imediatamente. – Achas que ela me traumatizou?

Eu acenei que sim.

– Não, Anastasia. Ela não é a razão. Além disso, a Mrs. Robinson não me admitia nada parecido.

Oh... mas eu sim. Fiz beicinho.

– Então não tem nada a ver com ela.

– Não. E também não quero que te toques.

O quê? Ah! A cláusula da não masturbação.

– Por curiosidade... porquê?

– Porque quero todo o teu prazer. – A voz dele era de veludo, mas determinada.

Oh... não tinha resposta para aquilo. Por um lado era tão "quero morder esse lábio" e por outro era tão egoísta. Franzi a testa e comi mais um pouco de peixe. A comida, o sono. Ele ia andar devagarinho e ainda não tínhamos discutido os limites ultrapassáveis, mas eu não tinha a certeza de conseguir atirar-me àquilo enquanto comia.

– Dei-te muito em que pensar, não dei?

– Sim.

– Queres ver os limites ultrapassáveis, agora, também?

– Não enquanto como.

Ele sorriu: – Impressionável?

– Algo parecido.

– Não comeste grande coisa.

– Comi o bastante.

– Três ostras, quatro dentadas de peixe, um espargo; nenhuma batata, nenhuma azeitona, e não comeste o dia inteiro. Disseste que podia confiar em ti.

Credo! Ele tinha feito um inventário.

– Christian, por favor, não é todos os dias que tenho de passar por conversas como esta.

– Preciso de ti em forma e saudável, Anastasia.

– Eu sei.

– E neste momento, quero arrancar-te esse vestido de cima.

Engoli em seco. *Arrancar-me o vestido da Kate.* Senti a tensão no fundo do ventre. Músculos com os quais eu agora estava mais familiarizada retesavam-se com as palavras dele. Mas eu não podia deixar. A sua arma mais potente, usada contra mim novamente. Ele era muito bom no sexo – até eu tinha conseguido perceber isso.

– Não me parece que seja boa ideia – murmurei calmamente. – Nem sequer comemos sobremesa.

– Queres sobremesa? – retorquiu ele.

– Sim.

– Podias ser tu a sobremesa – sussurou, sugestivo.

– Não me parece que seja suficientemente doce.

– Anastasia, tu és deliciosamente doce. Eu sei.

– Christian, tu usas o sexo como arma. Não é justo, de todo – disse, olhando para as mãos e depois diretamente para ele. Ele ergueu as sobrancelhas, surpreendido, e vi que ele ponderava as minhas palavras. Passou uma mão pensativa pelo queixo.

– Tens razão. Uso. Na vida fazemos uso do que sabemos, Anastasia. Mas isso não muda o muito que te quero. Aqui. Agora.

Como é que ele conseguia seduzir-me apenas com a voz? Eu já estava ofegante – o sangue quente a correr disparado pelas veias, os nervos a palpitar.

– Gostava de experimentar uma coisa – soprou.

Eu franzi a testa. Ele acabava de me dar uma porrada de ideias para processar, e agora aquilo.

– Se fosses minha sub não terias de pensar sobre o assunto. Seria fácil. – A voz dele era doce, sedutora. – Ias livrar-te de todas as decisões, e dos cansativos processos de pensamento por detrás delas. O "é a coisa certa? Devia acontecer aqui? Pode acontecer agora?" Não terias de te preocupar com nenhum desses pormenores. É isso que eu farei enquanto teu Dom. E neste momento, eu sei que me queres, Anastasia.

A minha testa franziu ainda mais. Como é que ele sabia?

– Eu sei porque...

Com o caraças, ele estava a responder à pergunta que eu não tinha formulado. Também tinha dotes psíquicos?

– ... o teu corpo trai-te. Estás a juntar as coxas uma à outra, estás corada e a tua respiração mudou.

OK, era demais.

– Como é que sabes das minhas coxas? – A minha voz era baixa, incrédula. Estavam debaixo da mesa, por amor de Deus.

– Senti a toalha a mexer-se, e é uma hipótese fundamentada baseada em anos de experiência. Tenho razão, não tenho?

Eu corei e pus-me a olhar para as mãos. Era por isso que eu estava em desvantagem naquele jogo de sedução. Era ele quem sabia e compreendia as regras. Eu era demasiado ingénua e inexperiente. O meu único quadro de referência era a Kate, e ela não aturava merdas dos homens. As minhas outras referências eram todas ficcionais: a Elizabeth

Bennet ficaria escandalizada, a Jane Eyre demasiado assustada, e a Tess sucumbiria, tal como eu sucumbi.

– Não acabei o peixe.

– Preferes o peixe a mim?

Levantei logo a cabeça para olhar para ele e os seus olhos pareciam prata fundida pela urgência do desejo.

– Pensei que gostavas que eu não deixasse nada no prato.

– Agora mesmo, Miss Steele, não me importo patavina com a sua comida.

– Christian. Não jogas limpo.

– Eu sei. Nunca joguei.

A minha deusa interior franziu-me o sobrolho. Tu consegues fazer isto, incitou-me, jogar o mesmo jogo que aquele deus do sexo. *Conseguia?* OK. O que fazer? A minha inexperiência era muito limitativa. Peguei num espargo, olhei para o Christian e mordi o lábio. Depois, muito lentamente, pus a ponta do espargo na boca e chupei-o.

Os olhos do Christian arregalaram-se impercetivelmente, mas eu vi.

– Anastasia. O que estás a fazer?

Arranquei a ponta com uma dentada.

– A comer o meu espargo.

Christian mexeu-se na cadeira.

– Parece-me que está a brincar comigo, Miss Steele.

Fingi inocência.

– Estou apenas a acabar de comer, Mr. Grey.

O empregado escolheu aquele momento para bater à porta e, sem autorização, entrar. Olhou brevemente para Christian, que lhe mostrou um sobrolho franzido seguido de um aceno de cabeça, e depois levantou a mesa. A chegada dele tinha estragado o momento e eu agarrei-me àquele pequeno momento de clareza. Eu tinha de ir. A nossa reunião ia acabar de uma única forma se eu ficasse, e eu precisava de limites depois de uma conversa tão intensa. Por muito que o meu corpo ansiasse pelo toque dele, a minha mente rebelava-se. Precisava de alguma distância para pensar em tudo o que ele tinha dito. Eu ainda não tinha tomado uma decisão, e a aura e perícia sexuais dele não me facilitavam a vida.

– Queres sobremesa? – perguntou Christian, sempre cavalheiro, mas ainda com os olhos incendiados.

– Não, obrigada. Acho que é melhor ir. – Olhei para as mãos.

– Ir? – Ele não conseguiu esconder a surpresa.

O empregado saiu apressadamente.

– Sim. – Era a decisão acertada. Se eu ficasse lá, naquela sala com ele, ele ia foder-me. Levantei-me, determinada. – Temos ambos a cerimónia de entrega de diplomas amanhã.

Christian pôs-se automaticamente em pé, revelando anos de arreigada civilidade.

– Eu não quero que vás.

– Por favor... tenho de ir.

– Porquê?

– Porque me deste tanto em que pensar... e preciso de alguma distância.

– Eu podia fazer-te ficar – ameaçou.

– Sim, podias facilmente, mas não quero que o faças.

Ele passou a mão pelo cabelo, olhando cuidadosamente para mim.

– Sabes, quando me caíste de para-quedas dentro do escritório para me entrevistar, eras toda "sim, senhor", "não, senhor". Eu julguei que fosses uma submissa nata. Mas, muito francamente, Anastasia, não tenho a certeza de que tenhas um único osso submisso no teu corpo delicioso. – Avançava lentamente para mim enquanto falava, a voz tensa.

– Talvez tenhas razão – soprei.

– Quero a oportunidade de explorar essa possibilidade – murmurou ele, fitando-me. Esticou o braço e acariciou-me a face, o polegar sobre o meu lábio inferior. – Não conheço outra maneira, Anastasia. É assim que eu sou.

– Eu sei.

Ele inclinou-se para me beijar mas parou antes de os lábios tocarem nos meus, e os seus olhos procuraram os meus olhos, desejosos, pedindo permissão. Eu ofereci-lhe os lábios e ele beijou-me, e como eu não sabia se voltaria a beijá-lo, deixei-me ir – e as minhas mãos mexeram-se por vontade própria e enfiaram-se no cabelo dele, puxando-o para mim; eu abrindo a minha boca, a minha língua roçando na dele. A sua mão agarrou-me na nunca quando ele aprofundou o beijo, respondendo ao meu ardor. A sua outra mão deslizou-me pelas costas e abriu-se lá no fundo, com ele a puxar-me contra o corpo dele.

– Não consigo persuadir-te a ficares? – soprou, entre beijos.

– Não.

– Passa a noite comigo.

– Sem poder tocar-te? Não.

Ele gemeu de exasperação.

– És impossível. – Afastou-se e fitou-me.

– Porque tenho a impressão de que me estás a dizer adeus?

– Porque estou de saída.

– Não é a isso que me refiro, e tu sabes.

– Christian, tenho de pensar sobre isto. Não sei se consigo ter o tipo de relação que tu queres.

Ele fechou os olhos e encostou a testa à minha, dando-nos a ambos a oportunidade de acalmar a respiração. Passado um bocado beijou-me na testa, inspirou profundamente com o nariz no meu cabelo e depois largou-me, dando um passo para trás.

– Como desejar, Miss Steele – disse, com o rosto impassível. – Vou levá-la à entrada. – Estendeu a mão. Eu baixei-me para apanhar a carteira e dei-lhe a mão. *Com o caraças, aquilo podia ser o fim.* Eu segui-o, dócil, pela escadaria abaixo e depois para o *lobby*, com a nuca a fervilhar, o sangue a latejar. Aquele podia ser o último adeus, se eu decidisse dizer que não. Senti o coração a contrair-se dolorosamente no peito. Que reviravolta. Que diferença um momento de clareza podia fazer a uma rapariga.

– Tens o talão do carro?

Enfiei a mão na carteira e entreguei-lhe o talão, que ele deu ao porteiro. Espreitei-o enquanto esperávamos.

– Obrigada pelo jantar – murmurei.

– Foi um prazer, como sempre, Miss Steele – replicou ele, educadamente, apesar de parecer perdido em pensamentos, completamente absorto.

Enquanto olhava para ele, guardei o seu bonito perfil na memória. A ideia de que podia não voltar a vê-lo atormentava-me, indesejada e demasiado dolorosa. Ele virou-se de repente, fitando-me com uma expressão intensa.

– Vais mudar-te este fim de semana para Seattle. Se tomares a decisão certa, posso ver-te no domingo? – Pareceu hesitante.

– Veremos. Talvez – soprei.

Ele pareceu momentaneamente aliviado, e depois franziu o sobrolho.

– Agora está mais fresco, não tens um casaco?

– Não.

Abanou a cabeça de irritação e tirou o dele.

– Toma. Não quero que apanhes frio.

Eu olhei para ele e pisquei os olhos quando ele o segurou para mim, e quando estiquei os braços para trás lembrei-me daquela vez no escritório dele em que ele me tinha ajudado a vestir o casaco – quando o conheci – e o efeito que ele tinha tido em mim nessa altura. Nada mudara; na verdade, era mais intenso. O casaco dele estava quentinho, era grande demais, e tinha o cheiro dele... delicioso.

Lá fora, o meu carro apareceu. A boca de Christian abriu-se.

– É aquilo que tu conduzes? – Estava em estado de choque. Pegou na minha mão e conduziu-me para o exterior. O arrumador saiu e entregou-me as minhas chaves, e o Christian pôs-lhe muito naturalmente algum dinheiro na mão.

– Isto tem condições para andar? – Agora o olhar dele estava furioso.

– Sim.

– Chega até Seattle?

– Sim, chega.

– Em segurança?

– Sim – ripostei, exasperada. OK, era antigo, mas era meu e estava em condições de andar. – Foi o meu padrasto que mo comprou.

– Oh, Anastasia, acho que podemos fazer melhor do que isto.

– O que estás a dizer? – Fez-se luz. – Tu *não* me vais comprar um carro.

Ele olhou-me com ar ameaçador, o maxilar tenso.

– Veremos – disse com firmeza. – Abriu a porta do condutor com um esgar e ajudou-me a entrar. Tirei os sapatos e baixei o vidro. Ele olhava para mim com uma expressão impenetrável, olhos sombrios.

– Vai com cuidado – disse calmamente.

– Adeus, Christian Grey.

A minha voz tinha uma gravidade de lágrimas contidas – *credo, eu não ia chorar.* Fiz-lhe um pequeno sorriso.

Quando me afastei, senti o peito a apertar, as lágrimas a correr, e abafei um soluço. Logo, tinha lágrimas a escorrer-me pela cara e não compreendia porque chorava. Estava a manter a minha posição. Ele tinha explicado tudo. Foi claro. Queria-me, mas a verdade é que eu precisava de mais. Precisava que ele me quisesse como eu o queria e precisava dele, e no fundo eu sabia que isso não era possível. Sentia-me assoberbada.

Eu nem sequer sabia em que categoria o enfiar. Se eu fizesse aquilo... ele ia ser meu namorado? Iria poder apresentá-lo aos meus amigos? Ir a bares, ao cinema, ao *bowling* até, com ele? A verdade é que não me parecia que assim fosse. Ele não me ia deixar tocar nele, nem dormir com ele. Eu sabia que não tinha tido aquelas coisas no passado, mas queria tê-las no futuro. E aquele não era o futuro que ele previa.

E se eu dissesse que sim, e dali a três meses ele dissesse que não, que estava farto de tentar moldar-me para ser uma coisa que eu não era? Como é que eu me sentiria? Teria feito um investimento emocional de três meses, a fazer coisas que não tinha a certeza de querer fazer. E se depois ele dissesse que não, que o acordo estava terminado, como é que eu conseguiria lidar com aquele nível de rejeição? Talvez fosse melhor recuar já com a autoestima que tinha ainda razoavelmente intacta.

Mas pensar em não voltar a vê-lo era angustiante. Como é que ele tinha passado a fazer parte de mim tão rapidamente? Não podia ser só por causa do sexo... ou podia? Limpei as lágrimas com a mão. Não queria analisar os meus sentimentos por ele. Tinha medo do que pudesse descobrir se o fizesse. *O que ia eu fazer?*

Estacionei à porta de casa. Não havia luzes acesas. A Kate devia ter saído. Fiquei aliviada. Não queira que ela me apanhasse a chorar outra vez. Enquanto me vestia, liguei a máquina cruel e na caixa de entrada tinha uma mensagem do Christian.

De: Christian Grey
Assunto: Hoje à Noite
Data: 25 Maio 2011 22:01
Para: Anastasia Steele

Não compreendo porque é que fugiste hoje à noite. Espero sinceramente ter respondido a todas as tuas perguntas de forma adequada. Sei que te dei muito em que pensar e espero fervorosamente que consideres seriamente a minha proposta. Eu quero mesmo fazer com que isto funcione. Vamos devagar.
Confia em mim.

Christian Grey
CEO, Grey Enterprises Holdings, Inc.

O e-mail dele fez-me chorar ainda mais. Eu não era uma fusão. Eu não era uma aquisição. Ao ler aquilo, bem podia sê-lo. Não respondi. Simplesmente não sabia o que lhe dizer. Enfiei-me no pijama e depois na cama, com o casaco dele à minha volta. Fiquei deitada de olhos abertos na escuridão e pensei em todas as vezes que ele me tinha avisado para ficar longe dele.

Anastasia, devias afastar-te de mim. Não sou o homem certo para ti.
Eu não funciono assim.
Eu não sou do tipo romântico.
Eu não faço amor.
Não conheço outra maneira.

E, chorando silenciosamente na almofada, foi àquela última ideia que me agarrei. Eu também não conhecia outra maneira. Talvez juntos pudéssemos traçar um novo rumo.

CAPÍTULO CATORZE

Christian estava de pé ao meu lado com uma chibata de couro entrançado na mão. Usava umas Levis velhas, gastas, rasgadas e mais nada. Batia lentamente com a chibata na palma da mão e olhava para mim. Sorria, triunfante. Eu não me conseguia mexer. Estava nua e algemada, de pernas e braços abertos numa cama grande de quatro pilares. Ele inclinou-se e desceu-me a ponta da chibata da testa ao nariz, para eu cheirar o couro, e passou-a por cima dos meus lábios afastados e arquejantes. Empurrou-me a ponta para a boca para eu provar o couro macio e rico.

– Chupa – ordenou com voz suave.

Eu obedeci, e a minha boca envolveu a ponta.

– Chega – disparou.

Continuei, com a respiração alterada, mas ele tirou-me a chibata da boca, e começou a descer com ela pelo meu queixo até à cova na base do pescoço. Fê-la girar lentamente para depois continuar a deslizar a ponta pelo corpo, passando-a pelo esterno, entre os seios, por cima do tronco, até ao umbigo. Eu ofegava, contorcia-me, puxava as algemas que me apertavam os pulsos e os tornozelos. Fez rodopiar a ponta no meu umbigo e continuou a deslizá-la para sul, pelos meus pelos púbicos e o clítoris. Com um movimento da mão bateu-me no ponto de prazer com uma vergastada seca e eu vim-me, gloriosamente, gritando a minha libertação.

Acordei abruptamente, sem conseguir respirar, coberta de suor e sentindo as réplicas do meu orgasmo. *Com os diabos!* Estava completamente desorientada. *Que raio acabava de acontecer?* Estava sozinha no meu quarto. Como? Porquê? Sentei-me de um salto, chocada... Uau. Era de manhã. Olhei para o despertador – oito horas. Pus a cabeça entre as mãos. Não sabia que conseguia sonhar com sexo. Teria sido alguma coisa que eu comi? Talvez fossem as ostras e a pesquisa na Internet a manifestarem-se no meu primeiro sonho molhado. Foi assombroso. Não fazia ideia de que podia ter um orgasmo enquanto dormia.

A Kate andava pela cozinha quando eu lá entrei, titubeante.

– Ana, estás bem? Estás com um ar estranho. É o casaco do Christian que tens vestido?

– Estou bem. – Bolas! Devia ter-me visto ao espelho. Evitei os seus olhos verdes e incisivos. Ainda estava a recuperar do acontecimento matinal. – Sim, é o casaco do Christian.

Ela franziu a testa.

– Dormiste?

– Não muito bem.

Aproximei-me da chaleira. Precisava de chá.

– Como correu o jantar?

Lá íamos nós.

– Comemos ostras, seguidas de peixe-carvão-do-Pacífico, por isso diria que foi marítimo.

– *Ugh*... detesto ostras, e não quero saber da comida. Como é que o Christian estava? De que é que falaram?

– Cortês.

Fiz uma pausa. O que podia dizer? Que o HIV dele estava negativo, que gostava à brava de *role-plays*, que queria que eu obedecesse a todas as ordens dele, que magoou alguém que tinha prendido ao teto da sala de diversões e que queria foder-me na sala de jantar privativa. Seria um bom resumo? Tentei desesperadamente lembrar-me de alguma coisa do meu encontro com o Christian sobre a qual pudesse falar com a Kate.

– Ele não gostou de me ver com a Wanda.

– E quem gosta, Ana? Não é novidade. Porque estás tão acanhada? Deita tudo cá para fora, amiga.

– Oh, Kate, falámos sobre muitas coisas. Sabes como é, ele é complicado com a comida. Por falar nisso, gostou do teu vestido. – A água já fervia e eu fui fazer chá. – Queres chá? Queres que ouça o teu discurso para hoje?

– Sim, por favor. Estive a trabalhar nele ontem à noite na casa da

Becca. Vou buscá-lo. E sim, apetece-me mesmo uma chávena de chá – disse ela, saindo da cozinha.

Ufa... tinha despistado a Katherine Kavanagh. Cortei um *bagel* ao meio e enfiei-o na torradeira. Corei, lembrando do meu sonho vívido. Mas que raio é que tinha sido aquilo?

Na noite anterior tinha tido dificuldade em adormecer. A minha cabeça andava às voltas com as várias opções. Estava tão confusa. A ideia que o Christian fazia de uma relação mais parecia uma oferta de emprego. Tinha horário definido, uma descrição de funções e um procedimento de queixa um bocado duro. Não era assim que eu tinha imaginado o meu primeiro romance – mas, claro, o Christian não era dado a relações românticas. Se lhe dissesse que queria mais, ele podia dizer que não... e eu podia pôr em risco o que ele tinha proposto. E era aquilo que mais me preocupava, porque não queria perdê-lo. Mas não tinha a certeza de ter estômago para ser a submissa dele – lá no fundo, eram as vergastas e os chicotes que me desencorajavam. Eu tinha medo da dor e faria tudo para a evitar. Pensei no meu sonho... *iria ser assim?* A minha deusa interior saltava com pompons de *cheerleader* e gritava-me que sim.

Kate voltou para a cozinha com o computador. Eu concentrei-me no meu *bagel* e ouvi-a pacientemente a declamar o discurso para a cerimónia da entrega dos diplomas.

Estava vestida e pronta quando o Ray chegou. Abri a porta da frente e ele estava à entrada vestido com um fato que não lhe assentava bem. Senti dentro de mim um ímpeto de gratidão e amor por aquele homem descomplicado e atirei-me para cima dele numa demonstração pouco usual de afeto. Ele ficou espantado, confuso.

– Ei, Annie, também estou contente por te ver – murmurou ao abraçar-me. Pousou-me no chão, com as mãos em cima dos meus ombros, e depois olhou para mim de alto a baixo, franzindo o sobrolho. – Estás bem, miúda?

– Claro, pai. Uma rapariga não pode ficar contente por ver o velhote dela?

Ele sorriu, os olhos escuros enrugando-se nos cantos, e foi atrás de mim para a sala.

– Estás com bom aspeto – disse ele.

– O vestido é da Kate. – Olhei para o vestido cinzento de *chiffon* sem costas.

Ele fez uma careta.

– Onde está a Kate?

– Foi para o *campus*. Ela vai discursar, por isso tem de chegar cedo.

– Vamos indo?

– Pai, temos meia hora. Queres uma chávena de chá? E podes contar-me como vai o pessoal de Montesano. Como correu a viagem?

Ray estacionou o carro no parque do *campus* e seguimos a fila de pessoas que salpicava a paisagem de trajes pretos e vermelhos e que se dirigia para o ginásio.

– Boa sorte, Annie. Pareces uma pilha de nervos. Tens de fazer alguma coisa?

Bolas... porque é que o Ray tinha escolhido aquele dia para ser bom observador?

– Não, pai. É um dia importante. *E vou vê-lo.*

– Sim, a minha menina acabou a faculdade. Estou tão orgulhoso de ti, Annie.

– Oh... obrigada, pai. – Adorava aquele homem.

O ginásio estava apinhado. Ray tinha ido sentar-se junto dos outros pais e amigos nas bancadas e eu fui para o meu lugar. Estava vestida com a capa preta e o chapéu e sentia-me protegida por eles, anónima. Ainda não estava ninguém no palco, mas eu não parecia conseguir acalmar os nervos. Tinha o coração aos saltos e a respiração acelerada. Ele estava ali, em algum lado. Imaginei que a Kate podia estar a falar com ele, a interrogá-lo, talvez. Dirigi-me para o meu lugar entre os estudantes cujos apelidos também começavam por "S". Estava na segunda fila, o que me conferia ainda mais invisibilidade. Olhei para trás e vi o Ray nas bancadas. Acenei-lhe. Ele devolveu-me o aceno, constrangido. Eu sentei-me e esperei.

O auditório encheu-se rapidamente e ouvia-se cada vez mais o burburinho das vozes excitadas. A fila de cadeiras da frente encheu. Ao meu lado sentaram-se duas raparigas, uma de cada lado, que eu não conhecia, de um departamento diferente. Via-se que eram grandes amigas e falavam excitadas uma com a outra, comigo pelo meio.

Às onze, precisamente, o reitor apareceu no palco, seguido pelos três vice-reitores e depois os professores catedráticos, todos envergando a toga preta e vermelha. Levantámo-nos e aplaudimos o nosso corpo docente. Alguns professores acenavam com a cabeça e com o braço, outros pareciam aborrecidos. O Professor Collins, meu tutor e professor preferido, parecia acabado de cair da cama, como de costume. Os últimos a entrar no palco foram a Kate e o Christian, e ele destacava-se pelo seu fato de alfaiate cinzento e os reflexos acobreados à luz do auditório. Tinha um ar tão sério e contido. Quando se sentou, desapertou o casaco de um só botão e eu vi-lhe a gravata. *Com os diabos... aquela gravata!* Como reflexo, esfreguei os pulsos. Não conseguia tirar os olhos dele. Tinha posto aquela gravata, de propósito, sem dúvida. A minha boca comprimiu-se numa linha dura. A assistência sentou-se e os aplausos pararam.

– Olha para ele! – soprou entusiasmada para a amiga uma das raparigas ao meu lado.

– É uma brasa.

Eu fiquei muito hirta. Não estavam a falar do Professor Collins.

– Deve ser o Christian Grey.

– É solteiro?

Fiquei eriçada.

– Não me parece – murmurei.

– Oh. – Ambas as raparigas olharam para mim, surpreendidas.

– Acho que é *gay* – murmurei.

– Que pena – lamentou-se uma das raparigas.

Quando o reitor se levantou e deu início à cerimónia com o seu discurso, vi o Christian perscrutar subtilmente a sala. Afundei-me na cadeira, encolhendo os ombros, tentando assumir a postura mais discreta possível. Falhei miseravelmente, e um segundo depois os olhos dele encontraram os meus. Ele ficou a olhar para mim, o rosto impassível, completamente imperscrutável. Eu mexi-me na cadeira, desconfortável, hipnotizada pelo olhar dele, a sentir um ardor a espalhar-se pelo rosto. Inconscientemente, lembrei-me do sonho ao acordar e os músculos do meu ventre fizeram mais uma vez aquele movimento delicioso. Eu inspirei com vigor. A sombra de um sorriso passou-lhe pelos lábios, mas foi fugaz. Ele fechou os olhos por um instante e quando os abriu tinha retomado a expressão indiferente. Olhou rapidamente para o reitor e depois em frente, para o emblema da WSUV que estava pendurado por cima da entrada. Não voltou a virar-se para mim. O reitor arrastava-se e o Christian ainda não tinha voltado a olhar na minha direção. Limitava-se a fixar um ponto à frente dele.

Porque é que ele não olhava para mim? Talvez tivesse mudado de ideias? Senti-me invadida por uma onda de desconforto. Talvez eu tê-lo abandonado na noite anterior também tivesse sido o fim para ele. Tinha-se cansado de esperar que eu me decidisse. Oh, não, eu podia ter dado cabo de tudo. Lembrei-me do e-mail dele. Talvez ele estivesse furioso por eu não ter respondido.

De repente, ouviram-se aplausos em todo o lado, quando Miss Katherine Kavanagh subiu ao palco. O reitor sentou-se e a Kate atirou o bonito cabelo comprido para trás, pousando os papéis no atril. Levou o seu tempo, sem se sentir intimidada pela quantidade de pessoas que olhava para ela. Quando ficou pronta sorriu, olhou para a multidão fascinada e, eloquentemente, deu início ao seu discurso. Foi serena e engraçada. As raparigas ao meu lado desataram a rir à primeira piada. *Oh, Katherine Kavanagh, tinhas mesmo jeito para aquilo.* Fiquei tão orgulhosa dela naquele momento que os meus pensamentos completamente votados ao Christian foram postos de lado. Apesar de já conhecer o discurso dela, ouvi-a atentamente. Ela dominava a sala e levava a assistência com ela.

O tema dela foi " E a seguir à universidade?" Deveras acertado. Christian observava-a, com as sobrancelhas arqueadas – de surpresa, pareceu-me. Sim, podia ter sido a Kate a entrevistá-lo. E podia ser que fosse a ela que ele agora faria propostas indecentes. A bela Kate e o belo Christian, juntos. Eu seria como as duas raparigas que estavam ao meu lado, a admirá-lo de longe. Sei que a Kate não lhe teria ligado patavina. O que é que ela lhe tinha chamado no outro dia? Sacana. Pensar num confronto entre a Kate e o Christian fazia-me sentir desconfortável. Tinha de dizer que não sabia em qual dos dois apostaria.

A Kate concluiu o discurso com um floreado e, espontaneamente, toda a gente se levantou, aplaudindo e gritando, naquela que era a sua primeira ovação. Eu olhei alegremente para ela e ela devolveu-me um sorriso. *Bom trabalho, Kate.* Sentou-se, assim como a assistência, e o reitor levantou-se e apresentou o Christian... *Com os diabos,* o Christian ia discursar. O reitor aludiu brevemente aos feitos dele: diretor-geral da sua própria empresa, de extraordinário sucesso, um verdadeiro *self-made man.*

– .. e também um grande mecenas da nossa universidade. Por favor deem as boas vindas a Mr. Christian Grey.

O reitor apertou a mão ao Christian e ouviu-se um aplauso educado. Eu tinha o coração nas mãos. Ele aproximou-se do atril e olhou para o auditório. Parecia tão confiante, ali em pé à frente de nós todos, tal como a Kate tinha estado antes dele. As duas raparigas ao meu lado inclinaram-se para a frente, encantadas. Na verdade, penso que a maior parte dos elementos femininos da plateia se inclinaram para a frente, e alguns dos homens também. Começou a falar, a voz suave, controlada e hipnótica.

– Estou profundamente grato e comovido pelo grande elogio que me fazem hoje os responsáveis pela WSU. Proporciona-me a rara oportunidade de falar sobre o impressionante trabalho do departamento de ciências do ambiente desta universidade. O nosso objetivo é desenvolver métodos agrícolas viáveis e ecologicamente sustentáveis para os países do terceiro mundo; o nosso objetivo último é ajudar a erradicar a fome e a pobreza no mundo inteiro. Mais de mil milhões de pessoas, principalmente na África Subsariana, Sul da Ásia e América Latina, vivem na mais abjeta pobreza. A disfunção agrícola prolifera nessas partes do mundo e o resultado é a destruição ecológica e social. Eu sei o que é sentir verdadeira fome. É uma jornada muito pessoal para mim...

O queixo caiu-me ao chão. *O quê?* O Christian já passou fome. *Que raio...* Bom, isso explicava muita coisa. E lembrei-me da entrevista; ele *queria* dar de comer ao mundo inteiro. Dei desesperadamente voltas à cabeça para me lembrar do que a Kate tinha escrito no artigo. Adotado aos quatro anos, parecia-me. Não conseguia imaginar que a Grace o tivesse deixado passar fome, por isso devia ter sido antes disso, quando ele era rapazinho. Engoli em seco, sentindo o coração apertado ao pensar num rapazinho esfomeado, de olhos cor de cinza. *Oh, não.* Que tipo de vida teria ele tido antes de os Grey o encontrarem e salvarem?

Fui tomada por uma sensação de pura indignação. Pobre Christian, todo lixado, excêntrico e filantrópico – apesar de eu estar certa de que ele não se via daquela forma e repeliria quaisquer pensamentos de compaixão ou pena. De repente, todos desataram a aplaudir e se puseram em pé. Eu fiz o mesmo, apesar de não ter ouvido metade do discurso dele. Ele fazia aquelas boas obras, dirigia uma empresa enorme e andava atrás de mim ao mesmo tempo. Era impressionante. Lembrei-me dos breves trechos da conversa sobre o Darfur... tudo encaixava. *Comida.*

Ele recebeu o aplauso caloroso com um sorriso breve – até a Kate aplaudia – e depois voltou para o lugar dele. Não olhou na minha direção e eu tentava, vacilante, assimilar aquela nova informação sobre ele.

Um dos vice-reitores pôs-se de pé e demos início ao longo e entediante processo da receção dos diplomas. Havia mais de quatrocentos a serem entregues e demorou pouco mais de uma hora até eu ouvir o meu nome. Fui até ao palco entre as duas raparigas excitadas. O Christian olhou para mim com uma expressão doce mas reservada.

– Parabéns, Miss Steele – disse, com um passou-bem, apertando-me ligeiramente a mão. Senti a pressão da mão dele na minha. – Tem algum problema com o seu portátil?

Eu fiz uma careta quando ele me entregou o diploma.

– Não.

– Então *estás* a ignorar os meus e-mails.

– Só vi o das fusões e aquisições.

Ele olhou para mim com um ar confuso.

– Depois – disse ele, e eu tive de avançar porque estava a impedir a fila de continuar.

Voltei para o meu lugar. E-mails? Devia ter enviado outro. O que diria?

A cerimónia levou mais uma hora a acabar. Era interminável. Por fim, o reitor conduziu os docentes para fora do palco, ao som de entusiasmados aplausos, precedidos do Christian e da Kate. Ele não olhou para mim, apesar de eu desejar que sim. A minha deusa interior não ficou satisfeita.

Quando me levantava e esperava que a minha fila dispersasse, a Kate chamou-me. Vinha do palco na minha direção.

– O Christian quer falar contigo – gritou.

As duas raparigas que agora estavam de pé ao meu lado viraram-se e olharam boquiabertas para mim.

– Ele disse-me para cá vir – continuou ela.

Oh...

– O teu discurso correu otimamente, Kate. – Ela ficou radiante.

– Vens? Ele consegue ser muito insistente. – Revirou os olhos e eu ri-me.

– Nem fazes ideia. Não posso deixar o Ray sozinho durante muito tempo.

Olhei para o Ray e fiz-lhe um gesto a pedir cinco minutos. Ele acenou que sim, dando-me o OK, e eu fui atrás da Kate para o corredor que ficava na parte de trás do palco. O Christian falava com o reitor e dois dos professores. Levantou os olhos quando me viu.

– Peço desculpa, senhores – ouvi-o murmurar. Veio em direção a mim e dirigiu um sorriso breve à Kate.

– Obrigada – disse, e antes de ela conseguir responder, agarrou-me no cotovelo e levou-me para o que parecia um vestiário masculino. Abriu-o para ver se estava vazio, e depois fechou a porta.

Com os diabos, o que é que ele estava a pensar? Olhei para ele quando ele se voltou para mim.

– Porque não me respondeste ao e-mail? Ou enviaste uma mensagem? – perguntou, com os olhos furiosos. Eu fiquei atrapalhada.

– Ainda não olhei para o computador hoje, nem para o telemóvel.

Bolas, ele tinha-me ligado? Tentei a minha manobra de diversão que tinha sido tão eficaz com a Kate.

– Foi um discurso fantástico.

– Obrigado.

– Elucidou-me sobre as tuas questões alimentares.

Ele passou uma mão pelo cabelo, exasperado.

– Anastasia, não quero ir por aí neste momento. – Fechou os olhos, parecendo estar a sofrer. – Estava preocupado contigo.

– Preocupado, porquê?

– Porque foste para casa naquela carroça a que chamas carro.

– O quê? Não é uma carroça. Anda bem. O José faz-me o favor de o verificar regularmente.

– O José, o fotógrafo? – Os olhos do Christian semicerraram-se, o rosto paralisou. *Oh, bolas!*

– Sim, o carocha era da mãe dele.

– Sim, e provavelmente da mãe da mãe dela. Não é seguro.

– Conduzo-o há mais de três anos. Lamento que te tenhas inquietado. Porque não ligaste?

Fogo, era uma reação mesmo despropositada.

Ele respirou fundo.

– Anastasia, preciso de uma resposta tua. Esta espera está a deixar-me louco.

– Christian, eu... olha, deixei o meu pai sozinho.

– Amanhã. Quero uma resposta até amanhã.

– OK. Amanhã. Digo-te nessa altura.

Ele afastou-se, olhou-me calmamente e os ombros dele relaxaram.

– Ficas para as bebidas? – perguntou.

– Não sei o que o Ray quer fazer.

– O teu padrasto? Gostava de o conhecer.

Oh, não... porquê?

– Não tenho a certeza de que seja uma boa ideia.

Christian abriu a porta, a boca numa linha descontente.

– Tens vergonha de mim?

– Não! – Era a minha vez de me exasperar. – E como é que te vou apresentar ao meu pai? "Este é o homem que me desflorou e que agora quer que iniciemos uma relação BDSM?" Não estás de ténis.

Ele fulminou-me com o olhar mas depois os lábios dele curvaram-se num sorriso. E apesar do facto de estar zangada com ele, a minha cara respondeu por vontade própria com um sorriso.

– Só para que saibas, consigo correr muito depressa. Diz-lhe só que sou teu amigo, Anastasia.

Abriu a porta e eu saí. Tinha a cabeça num turbilhão. O reitor, os três vice-reitores, quatro professores e a Kate ficaram a olhar para mim quando eu passei apressada. *Bolas!* Deixando Christian Grey com os académicos, fui à procura do Ray.

Diz-lhe que sou teu amigo.

Amigo colorido, comentou o meu subconsciente de sobrolho carregado. Eu sabia, eu sabia. Afastei o desagradável pensamento. Como é que ia apresentá-lo ao Ray? O recinto ainda estava cheio pelo menos até meio e o Ray ainda não tinha saído do sítio dele. Viu-me, acenou-me e começou a descer.

– Ei, Annie. Parabéns. – Pôs o braço à minha volta.

– Queres vir tomar uma bebida na tenda grande?

– Claro. É o teu dia. Mostra o caminho.

– Não temos de ir se tu não quiseres. – *Por favor diz que não.*

– Annie, estive duas horas sentado a ouvir todo o tipo de algaraviada. Eu preciso de uma bebida. – Dei-lhe o braço e saímos com a multidão para o calor do início da tarde. Passámos a fila para o fotógrafo oficial.

– Oh, o que me lembra... – Tirou uma máquina digital do bolso. – Uma para o álbum, Annie. – Olhei para ele e revirei os olhos quando ele me tirou uma foto.

– Posso tirar o chapéu e a capa agora? Sinto-me um bocado palerma.

Tens um ar um bocado palerma... O meu subconsciente estava no auge da sua mordacidade. *Então, vais apresentar o Ray ao homem que andas a foder?* Fulminava-me com o olhar por trás dos óculos em forma de asa. *Ele ia ficar tão orgulhoso.* Deus, às vezes detestava-o.

A tenda era enorme e estava apinhada – alunos, pais, professores e amigos, todos a conversar alegremente. O Ray passou-me um copo de champanhe, ou vinho espumante barato, pareceu-me. Não estava fresco e era doce. Os meus pensamentos voltaram-se para o Christian... *ele não ia gostar daquilo.*

– Ana!

Virei-me, e o Ethan Kavanagh pegou em mim e fez-me rodopiar, sem me entornar o vinho – que feito.

– Parabéns! – Olhou para mim, radiante, com os olhos verdes cintilantes.

Que surpresa! O cabelo loiro escuro despenteado era muito *sexy*. Ele era tão bonito como a Kate. A semelhança entre os dois era espantosa.

– Uau! Ethan! Que bom ver-te. Pai, este é o Ethan, o irmão da Kate. Ethan, este é o meu pai, Ray Steele.

Eles cumprimentaram-se, o meu pai avaliando friamente Mr. Kavanagh.

– Quando regressaste da Europa? – perguntei.

– Regressei há uma semana, mas queria fazer uma surpresa à minha irmãzinha – disse, em tom conspirador.

– Que lindo – comentei com um sorriso.

– Ela foi a melhor aluna, a escolhida para discursar, não podia perder isto. – Parecia imensamente orgulhoso da irmã.

– Ela fez um ótimo discurso.

– Lá isso fez – concordou o Ray.

Ethan tinha o braço à volta da minha cintura quando eu olhei para os olhos cinzentos e gelados de Christian Grey. A Kate estava ao lado dele.

– Olá Ray.

Kate beijou o Ray em ambas as faces, fazendo-o corar.

– Já conheces o namorado da Ana? Christian Grey.

Com os diabos... Kate! Merda! Fiquei sem pinga de sangue na cara.

– Mr. Steele, é um prazer conhecê-lo – cumprimentou o Christian suavemente, calorosamente, sem se perturbar minimamente com a apresentação da Kate.

Estendeu a mão, que o Ray, honra lhe fosse feita, apertou, sem mostrar um laivo da surpresa que acabavam de lhe atirar para cima.

Muito obrigada, Katherine Kavanagh, agradeci enfurecida. Pareceu-me que o meu subconsciente tinha desmaiado.

– Mr. Grey – murmurou o Ray, com uma expressão indecifrável, exceto talvez pelos seus grandes olhos castanhos que se abriram um pouco mais e depois se deslocaram para o meu rosto como que a perguntar-me quando lhe ia dar aquela informação. Mordi o lábio.

– E este é o meu irmão, Ethan Kavanagh – disse a Kate para o Christian.

Christian voltou o seu olhar gélido para o Ethan, que ainda tinha um braço à minha volta.

– Mr. Kavanagh. – Apertaram as mãos. O Christian estendeu-me a mão.

– Ana, querida – murmurou, e eu quase desfaleci ao ouvi-lo tratar-me assim.

Afastei-me do Ethan, com o Christian a sorrir-lhe friamente, e coloquei-me ao lado dele. A Kate sorriu-me. Ela sabia exatamente o que estava a fazer, a raposa.

– Ethan, a mãe e o pai queriam falar contigo – disse, arrastando-o dali para fora.

– Então, miúdos, há quanto tempo é que se conhecem? – perguntou o Ray, olhando impassível para o Christian e para mim.

A capacidade de falar tinha-me abandonado. Queria que o chão me engolisse. O Christian pôs o braço à minha volta, com o polegar a roçar-me as costas expostas numa carícia, para depois a mão me agarrar o ombro.

– Há uns quinze dias – disse ele calmamente. – Conhecemo-nos quando a Anastasia me foi entrevistar para o jornal académico.

– Não sabia que trabalhavas no jornal académico, Anastasia. – Senti uma ligeira repreensão na voz do Ray, revelando a sua irritação. *Merda.*

– A Kate estava doente – murmurei. Foi tudo o que consegui fazer.

– Fez um belo discurso, Mr. Grey.

– Obrigado. Ouvi dizer que é um pescador entusiasta.

Ray arqueou as sobrancelhas e sorriu – um sorriso raro, genuíno, sincero dos dele – e começaram a falar de peixe. Na verdade, não demorei muito a sentir que estava a mais. O Christian estava a esforçar-se ao máximo para conquistar o meu pai... *como te fez a ti*, atirou-me o meu subconsciente. O poder dele não conhecia limites. Despedi-me e fui à procura da Kate.

Ela estava a falar com os pais, que estavam encantadores como sempre e me cumprimentaram afetuosamente. Trocámos algumas observações cordiais, principalmente acerca da viagem iminente aos Barbados, e sobre a nossa mudança.

– Kate, como é que pudeste denunciar-me ao Ray? – sibilei-lhe logo que tive a certeza de que não conseguiam ouvir-nos.

– Porque sei que tu nunca o farias, e queria ajudar-te com as dificuldades do Christian em assumir compromissos – disse, sorrindo docemente.

Eu fiz uma careta. *Sou eu que não me comprometo com ele, ó parva!*

– Ele parece estar muito à vontade com isso, Ana. Não te preocupes demais. Olha para ele, não consegue tirar os olhos de ti.

Eu olhei para cima e tanto o Ray como o Christian estavam a olhar para mim.

– Tem-te vigiado como um falcão.

– É melhor ir salvar o Ray, ou o Christian. Não sei qual dos dois. Isto ainda não está terminado, Katherine Kavanagh! – disse eu com um olhar fulminante.

– Ana, fiz-te um favor – gritou quando eu me afastei.

– Olá. – Cumprimentei-os aos dois com um sorriso.

Pareciam bem. O Christian parecia divertido com algo que só ele sabia e o meu pai tinha um ar extraordinariamente relaxado, atendendo a que estava numa situação social. *Sobre que é que eles teriam estado a falar para além de peixe?*

– Ana, onde são as casas de banho?

– Sai da tenda e vira à esquerda.

– Vejo-vos daqui a pouco, miúdos. Divirtam-se.

O Ray foi-se embora. Olhei nervosamente para o Christian. Parámos por um momento para um fotógrafo nos tirar uma fotografia aos dois.

– Obrigado, Mr. Grey – despediu-se o fotógrafo. Eu fiquei a piscar os olhos do *flash*.

– Então também conquistaste o meu pai?

– Também? – repetiu ele, com olhos penetrantes e uma sobrancelha inquiridora. Eu corei. Ele aproximou a mão do meu rosto e passou-me os dedos pela face.

– Oh, quem me dera saber o que estás a pensar, Anastasia – sussurrou, grave, pegando-me no queixo com a mão e erguendo-me a cabeça para ficarmos a olhar intensamente um para o outro.

A minha respiração parou por um momento. Como é que ele conseguia ter aquele efeito em mim, até naquela tenda apinhada?

– Agora mesmo, estou a pensar, "Bonita gravata" – disse eu num sussurro.

Ele riu-se.

– Tornou-se numa das minhas preferidas, recentemente.

Eu fiquei toda vermelha.

– Estás muito gira, Anastasia. Esse vestido sem costas fica-te muito bem e eu posso acariciar-tas, sentir a tua pele linda.

De repente, era como se só estivéssemos nós na tenda. Só nós os dois. O meu corpo todo tinha ganhado vida, cada terminal nervoso cantava docemente, aquela eletricidade a puxar-me, a crescer entre nós.

– Tu sabes que vai ser bom, não sabes, querida? – sussurrou-me. Fechei os olhos ao sentir-me ceder e derreter.

– Mas eu quero mais – respondi-lhe eu.

– Mais? – perguntou ele, olhando-me confuso, os olhos mais graves.

Eu acenei com a cabeça e engoli em seco. *Agora ele já sabia.*

– Mais – repetiu ele suavemente. A testar a palavra – uma palavra pequena e simples, mas tão prometedora. Passou-me o polegar pelo lábio inferior. – Queres romantismo e flores.

Voltei a acenar que sim. Ele piscou os olhos e eu vi neles a luta interior que ele travava.

– Anastasia – disse ele com voz suave. – Não é algo que eu conheça.

– Eu também não.

Ele sorriu ligeiramente.

– Tu não conheces muitas coisas – murmurou ele.

– E tu conheces as coisas erradas.

– Erradas? Não para mim. – Abanou a cabeça. Parecia tão sincero. – Experimenta – sussurrou. Um desafio, tentando-me, e ele inclinou a cabeça para o lado e ofereceu-me o seu sorriso enviesado e deslumbrante.

Eu arquejei, qual Eva no Jardim do Éden; ele era a serpente, e eu não conseguia resistir.

– OK – sussurrei.

– O quê? – Tinha a sua atenção total e completa. Engoli em seco.

– OK. Vou tentar.

– Estás a concordar? – Era notório que ele não estava a conseguir acreditar.

– Respeitando os limites ultrapassáveis, sim. Vou tentar. – A minha voz soou tão baixa. Christian fechou os olhos e puxou-me para os braços dele num abraço.

– Céus, Ana, és tão surpreendente. Deixas-me sem fôlego.

Ele recuou um passo e de repente o Ray estava de volta, e os meus ouvidos começaram a registar o barulho da tenda. Não estávamos sozinhos. *Com os diabos, acabava de aceitar ser a sub dele.* O Christian sorriu para o Ray e os olhos dele dançavam de alegria.

– Annie, vamos almoçar?

– OK.

Olhei para o Ray e fechei os olhos, tentando encontrar o equilíbrio. *O que é que fizeste?*, gritou-me o meu subconsciente. A minha deusa interior fazia *flips* para trás numa sequência digna de uma ginasta olímpica russa.

– Quer vir connosco, Christian? – perguntou o Ray.

Christian! Olhei para ele, implorando-lhe que recusasse. Precisava de espaço para pensar... mas que raio é que eu tinha feito?

– Obrigada, Mr. Steele, mas tenho planos. Foi ótimo conhecê-lo.

– Digo o mesmo – respondeu o Ray. – Cuide da minha menina.

– Oh, é o que tenciono fazer.

Apertaram as mãos. Eu senti-me enjoada. O Ray não fazia ideia da forma como o Christian tencionava tomar conta de mim. O Christian pegou-me na mão e levou-a aos lábios, beijando-me ternamente os nós dos dedos, com os olhos ardentes nos meus.

– Até mais logo, Miss Steele – soprou, a voz plena de promessas.

Ouvi-o e senti o ventre a contrair-se. *Espera aí... mais logo?*

O Ray pegou-me no braço e levou-me para a entrada da tenda.

– Parece um rapaz sério. E bem na vida. Podia ser muito pior, Annie. Embora não perceba porque teve de ser a Katherine a dizer-me... – ralhou.

Eu encolhi os ombros como que desculpando-me.

– Bem, qualquer homem que goste e que saiba de pesca à linha me parece bem.

Eh lá – o Ray aprovava. Se ele soubesse.

Ray deixou-me em casa ao fim da tarde.

– Liga à tua mãe – disse ele.

– Vou ligar. Obrigada por teres vindo, pai.

– Não teria faltado por nada deste mundo, Annie. Fazes-me sentir tão orgulhoso.

Oh, não... Eu não ia ficar emocionada. Senti um grande nó a formar-se na garganta e abracei-o com força. Ele pôs os braços à minha volta, desorientado, e eu não consegui evitar – comecei a sentir lágrimas nos olhos.

– Ei, Annie, querida – disse ele com ternura. – Que grande dia... não foi? Queres que entre e te faça um chá?

Ri-me, apesar das lágrimas. O chá era sempre a resposta, segundo o Ray. Lembrei-me da minha mãe a queixar-se dele, a dizer que quando se tratava de chá e mimo, ele era sempre bom no chá, mas nem tanto na compreensão.

– Não, pai, estou bem. Foi tão bom ver-te. Visito-te muito em breve, quando estiver instalada em Seattle.

– Boa sorte com as entrevistas. Diz-me como é que vão correndo.

– Combinado, pai.

– Adoro-te Annie.

– Também te adoro, pai.

Ele sorriu, com os olhos escuros mais doces e brilhantes, e entrou no carro. Eu acenei-lhe quando ele partiu para o crepúsculo, e entrei, apática, no apartamento.

A primeira coisa que fiz foi ver o telemóvel. Precisava de o pôr a carregar, por isso procurei o carregador e liguei-o à ficha para poder ver as minhas mensagens. Quatro chamadas não atendidas, uma mensagem de voz, e duas mensagens escritas. Três chamadas não atendidas do Christian... sem mensagens de voz. Uma chamada não atendida do José e uma mensagem de voz dele a desejar que a cerimónia corresse maravilhosamente.

Abri as mensagens.

Chegaste bem a casa?

Liga-me

Eram ambas do Christian. Porque é que ele não tinha ligado para casa? Entrei no quarto e liguei a máquina cruel.

De: Christian Grey
Assunto: Hoje à Noite
Data: 25 Maio 2011 23:58
Para: Anastasia Steele

Espero que tenhas conseguido chegar a casa naquele teu carro.
Dá-me notícias.

Christian Grey
CEO, Grey Enterprises Holdings, Inc.

Bolas... porque é que ele estava tão preocupado com o meu carocha? Há três anos que me prestava um serviço leal, e o José tinha-se sempre disponibilizado para tratar dele. O e-mail seguinte do Christian era daquele dia.

De: Christian Grey
Assunto: Limites Ultrapassáveis
Data: 26 Maio 2011 17:22
Para: Anastasia Steele

O que posso dizer que ainda não tenha dito?
Estou disponível para os discutir em qualquer altura.

Estavas linda hoje.

Christian Grey
CEO, Grey Enterprises Holdings, Inc.

Queria vê-lo. Carreguei no botão de responder.

De: Anastasia Steele
Assunto: Limites Ultrapassáveis
Data: 26 Maio 2011 19:23
Para: Christian Grey

Posso aparecer esta noite para os discutir, se quiseres.
Ana

De: Christian Grey
Assunto: Limites Ultrapassáveis
Data: 26 Maio 2011 19:27
Para: Anastasia Steele

Eu vou ter contigo. Estava a falar a sério quando disse que não me sentia bem contigo a conduzir aquele carro.
Vou ter contigo daqui a nada.

Christian Grey
CEO, Grey Enterprises Holdings, Inc.

Com os diabos... ele ia aparecer, já. Havia uma coisa que eu tinha de preparar para lhe dar – as primeiras edições do Thomas Hardy ainda estavam na estante da sala de estar. Não podia ficar com elas. Embrulhei-as em papel pardo e rabisquei no embrulho uma fala da Tess, do livro:

Acedo às tuas condições, Angel, porque sabes melhor qual deve ser o meu castigo; só que... não mo tornes impossível de suportar.[6]

6. Retirado de *Tess dos Urbervilles*, de Thomas Hardy; Círculo de Leitores.1984. (N. da T.)

CAPÍTULO QUINZE

– Olá. – Sentia-me insuportavelmente acanhada ao abrir a porta. Christian estava no alpendre de *jeans* e blusão de cabedal.

– Olá – disse-me e o seu rosto iluminou-se com o habitual sorriso radioso. Eu fiquei por instantes a admirar aquele borracho. Meu Deus, como ficava *sexy* de cabedal.

– Entra.

– Se me permites – disse, divertido. Ao entrar, ergueu uma garrafa de champanhe. – Pensei que deveríamos celebrar a tua licenciatura. Nada como um bom Bollinger.

– Interessante escolha de palavras – comentei, secamente.

Ele sorriu.

– Gosto da tua sagacidade, Anastasia.

– Só temos chávenas de chá. Encaixotámos todos os copos.

– Chávenas de chá? Parece-me bem.

Dirigi-me para a cozinha, nervosa, com borboletas a inundarem-me o estômago. Era como ter uma pantera ou um puma absolutamente imprevisível e predatório na sala de estar.

– Também queres os pires?

– As chávenas de chá chegam, Anastasia – disse Christian, distraidamente, da sala de estar.

Quando voltei ele estava a olhar para o pacote de livros castanho. Eu poisei as chávenas em cima da mesa.

– Isso é para ti – murmurei, nervosamente.

Bolas… isto é capaz de dar discussão.

– Hum, calculei que fosse. A citação é bastante adequada. – Passou distraidamente o longo indicador pela escrita. – Pensei que me chamava d'Ubberville e não Anjo, mas tu optaste pelo aviltamento. – Dirigiu-me um breve sorriso de lobo. – Eu sabia que ias desencantar algo bastante adequado…

– É também um apelo – sussurrei. *Porque estou tão nervosa?* Sentia a boca seca.

– Um apelo? Para que eu seja brando contigo?

Eu anuí.

– Comprei-os para ti – disse, serenamente, com um olhar impassível. – Se os aceitares serei mais brando contigo.

Eu engoli convulsivamente.

– Christian, não os posso aceitar. É demasiado.

– Vês? Era disto que eu estava a falar. Estás a desafiar-me. Eu quero que tu os aceites e acabou-se a conversa. É muito simples. Não tens de pensar no assunto. Como submissa, devias sentir-te agradecida por eles e aceitar simplesmente o que eu te compro, pelo facto de isso me agradar.

– Eu não era submissa quando mos compraste – sussurrei.

– Não... mas tu concordaste, Anastasia. – Ficou com um olhar cauteloso.

Eu suspirei. Não vou levar a melhor, portanto passemos ao plano B.

– Então posso fazer o que quiser com eles?

Ele olhou-me desconfiado mas acedeu.

– Sim.

– Nesse caso, gostaria de os oferecer a uma instituição de caridade, uma instituição que esteja a funcionar em Darfur, um local que me parece que te é querido, e eles poderão leiloá-los.

– Se é isso que queres fazer – disse, cerrando os lábios numa linha rígida. Estava desapontado.

Eu corei.

– Vou pensar no assunto – murmurei. Não queria desapontá-lo e voltei a lembrar-me das suas palavras. *Eu quero que tu queiras agradar-me.*

– Não penses, Anastasia. Acerca disto, não. – Falava num tom de voz baixo e sério.

Como posso não pensar? *Podes fazer de conta que és um carro, como os outros bens dele.* A réplica do meu subconsciente era corrosiva e indesejável e eu ignorei-a. Não podemos rebobinar? Agora o ambiente entre nós estava tenso e eu não sabia o que fazer. Baixei os olhos para os dedos. Como vou resolver esta situação?

Ele poisou a garrafa de champanhe em cima da mesa e parou diante de mim. Colocou-me a mão por baixo do queixo e inclinou-me a cabeça para cima, olhando-me com uma expressão grave.

– Eu vou comprar-te montes de coisas, Anastasia. Habitua-te a isso. Tenho dinheiro para o fazer, pois sou um homem muito abastado. – Inclinou-se, depositando-me um beijo breve e casto nos lábios. – Por favor – disse, libertando-me.

Oh, balbuciou o meu subconsciente.

– Faz-me sentir reles – murmurei.

Christian passou a mão pelo cabelo, exasperado.

– Mas não devia fazer. Estás a pensar demasiado no assunto, Anastasia. Não teças julgamentos morais vagos acerca de ti própria, baseando-te no que os outros possam pensar. Não desperdices a tua energia. Isto é apenas fruto das tuas reservas em relação ao nosso acordo, o que é perfeitamente natural, pois não sabes no que te estás a meter.

Eu franzi o sobrolho, tentando assimilar as suas palavras.

– Para com isso – disse-me. Voltou a aninhar-me o queixo na mão e puxou-o delicadamente, afastando-me o lábio inferior dos dentes. – Nada em ti é reles, Anastasia. Não vou permitir que penses isso. Apenas te trouxe alguns livros antigos que achei que poderiam ter algum significado para ti, nada mais. Bebe um pouco de champanhe.

O seu olhar tornou-se mais afetuoso e brando e eu sorri-lhe hesitantemente.

– Assim já está melhor – murmurou. Pegou no champanhe retirou-lhe a cobertura de papel de alumínio e a armação de arame. Depois, torcendo a garrafa e não propriamente a rolha, abriu-a com um pequeno estoiro e um floreado ensaiado, enchendo as chávenas até meio, sem verter uma gota.

– É cor-de-rosa – murmurei, surpreendida.

– Bollinger Grand Anné, Rosé, de 1999, uma excelente colheita – disse, deleitado.

– Em chávenas de chá.

Ele sorriu.

– Em chávenas de chá. Parabéns pela tua licenciatura, Anastasia. – Batemos ao de leve com as chávenas uma na outra e ele bebeu um golo, mas eu não pude deixar de pensar que estávamos a brindar à minha capitulação.

– Obrigada – murmurei, bebendo um golo. É claro que era delicioso. – Vamos examinar os limites ultrapassáveis?

Ele sorriu e eu corei.

– Sempre tão ávida. – Christian deu-me a mão e conduziu-me para o sofá, sentando-se e sentando-me a seu lado.

– O teu padrasto é um homem muito taciturno.

Oh... nada de limites ultrapassáveis, afinal. Só quero arrumar esse assunto; a ansiedade está a dar cabo de mim.

– Conseguiste que ele te viesse comer à mão – Fiz beicinho.

Christian riu baixinho.

– Só porque sei pescar.

– Como sabias que ele gostava de pescar?

– Tu disseste-me quando fomos tomar café.

– Ah... disse? – Bebi mais um golo de champanhe. Uau, ele tinha boa memória para os detalhes. Hum... aquele champanhe era realmente muito bom. – Provaste o vinho na receção?

Christian fez uma careta.

– Sim, era péssimo.

– Eu pensei em ti quando o provei. Como te tornaste tão entendido em vinhos?

– Não sou um entendido, Anastasia, simplesmente sei daquilo que gosto. – Os seus olhos brilharam quase em tons de prata, o que me fez corar. – Mais um pouco? – perguntou, referindo-se ao champanhe.

– Por favor.

Christian levantou-se elegantemente e foi buscar a garrafa, enchendo-me a chávena. Estaria a embriagar-me? Olhei-o desconfiada.

– Este sítio está bastante nu. Estás pronta para a mudança?

– Mais ou menos.

– Trabalhas amanhã?

– Sim, é o meu último dia no Clayton's.

– Eu ajudava-te na mudança, mas prometi ir buscar a minha irmã ao aeroporto.

Ah... aquilo era uma novidade.

– A Mia chega muito cedo de Paris, no sábado de manhã. Eu volto para Seattle amanhã, mas constou-me que o Elliot vos vai dar uma mãozinha a ambas.

– Sim, a Kate está muito entusiasmada com isso.

Christian franziu o sobrolho.

– Sim, a Kate e o Elliot, quem iria imaginar? – murmurou. Não estava satisfeito por qualquer razão. – O que estás a fazer em relação ao trabalho em Seattle?

Quando iremos falar acerca dos limites? Qual é o jogo dele?

– Tenho algumas entrevistas para estágios.

– Quando tencionavas contar-me isso? – perguntou, arqueando uma sobrancelha.

– Hum... estou a contar-te agora.

Ele semicerrou os olhos.

– Onde?

Eu não queria contar-lhe por qualquer razão. Talvez por ele poder usar a sua influência.

– Em algumas editoras.

– É isso que queres fazer? Qualquer coisa no meio editorial?

Eu acenei cautelosamente com a cabeça

– E então? – Olhou-me pacientemente, à espera de mais informação.

– Então o quê?

– Não sejas obtusa, Anastasia, que editoras? – disse, num tom repreensivo.

– São apenas pequenas editoras – murmurei.

– Porque não queres que eu saiba?

– Excesso de influência

Ele franziu o sobrolho.

– Agora *és tu* que estás a ser obtuso.

Ele riu-se: – Eu, obtuso? Meu Deus, estás a desafiar-me. Bebe e vamos conversar sobre esses limites. – Tirou outra cópia do meu e-mail e a lista. Será que andaria por aí a passear com aquelas listas nos bolsos? Achava que também havia uma no casaco dele que eu tinha comigo. Merda, era melhor mão me esquecer disso. Esvaziei a minha chávena.

Ele olhou-me brevemente de relance.

– Mais?

– Por favor.

Ele dirigiu-me o seu sorriso presumido particular, ergueu a garrafa de champanhe e fez uma pausa.

– Comeste alguma coisa?

Ah não... essa velha ladainha, não.

– Sim, comi uma refeição de três pratos com o Ray. – Revirei-lhe os olhos. Estava a ficar ousada com o champanhe.

Ele inclinou-se para a frente e segurou-me no queixo, olhando-me atentamente, nos olhos.

– Da próxima vez que me revirares os olhos, deito-te em cima do meu joelho.

O quê?

– Oh – sussurrei eu. Consegui ver-lhe a excitação nos olhos.

– Oh – respondeu ele, imitando o meu tom. – É assim que começa, Anastasia.

O coração martelou-me o peito e as borboletas escaparam-se do meu estômago, contraindo-me a garganta. *Porque seria isso sexy?*

Ele encheu-me a chávena e eu bebi praticamente tudo, olhando depois para ele, humilhada.

– Agora já consegui chamar a tua atenção, não foi?

Eu acenei com a cabeça.

– Responde-me.

– Sim... já conseguiste chamar a minha atenção.

– Ótimo – disse ele com um sorriso sabido. – Portanto, atos sexuais. Já fizemos a maior parte destas coisas.

Eu cheguei-me mais para junto dele, no sofá e dei uma olhadela à lista.

APÊNDICE 3

Limites ultrapassáveis

A discutir e a acordar entre ambas as partes:

A submissa consente em:

Masturbação

Cunnilingus

Fellatio

Engolir Sémen

Coito vaginal

Fisting vaginal

Coito anal

Fisting anal

– Nada de *fisting* dizes tu. Opões-te a mais alguma coisa? – perguntou, brandamente.

Eu engoli em seco.

– Relações anais não me deixam propriamente entusiasmada.

– Acederei em relação ao *fisting*, mas gostaria muito de reclamar o teu rabo, Anastasia. Mas poderemos esperar. Além do mais, isso não é coisa em que se possa mergulhar de cabeça. – Sorriu-me afetadamente. – O teu traseiro precisa de treino.

– Treino? – sussurrei.

– Ah pois, será necessária uma cuidadosa preparação. As relações anais podem ser bastante agradáveis, acredita, mas se experimentarmos e tu não gostares não teremos de o voltar a fazer. – Sorriu-me.

Eu pisquei-lhe os olhos. Ele pensava que eu ia gostar? Como sabe ele que é agradável?

– Já o fizeste? – perguntei.

– Já.

Raios. Arquejei.

– Com um homem?

– Não, nunca pratiquei sexo com um homem. Não é a minha cena.

– Com a Mrs. Robinson?

– Sim.

Com os diabos... como é possível? Franzi o sobrolho e ele continuou a ler a lista.

– E... engolir sémen. Bom, aí dou-te nota máxima.

Eu corei e a minha deusa interior estalou os lábios, radiante.

– Então? – perguntou, olhando para mim e sorrindo. – Engolir sémen está bem?

Eu anuí, sem conseguir olhá-lo nos olhos e voltei a esvaziar a chávena.

– Mais? – quis saber.

– Mais – respondi, lembrando-me subitamente da conversa que tínhamos tido nesse dia, enquanto ele me enchia de novo o copo. Estará a referir-se a isso ou apenas ao champanhe? Será esta história do champanhe mais do que isso?

– Brinquedos sexuais? – perguntou.

Eu encolhi os ombros, olhando para a lista.

A Submissa consente o uso de:

Vibradores

Plugs anais

Dildos

Outros brinquedos vaginais/anais

– Tampão Anal? Serve para o que diz na caixa? – Franzi o nariz, enojada

– Sim – disse ele, sorrindo. – E volto a fazer referência às relações anais acima mencionadas. Treino.

– Ah sim?... E o que são os "outros"?

– Contas, ovos... esse tipo de coisas.

– Ovos? – Fiquei alarmada.

– Não são ovos verdadeiros – disse, rindo-se alto e abanando a cabeça.

Eu olhei-o de lábios crispados.

– Ainda bem que me achas piada – disse incapaz de esconder o melindre na voz.

Ele parou de rir.

– Peço desculpa, Miss Steele, lamento – afirmou, tentando mostrar-se arrependido, mas ainda com os olhos saltitantes de riso. – Tem algum problema com os brinquedos?

– Não – disse eu, bruscamente.

– Anastasia – disse, num tom bajulador – Lamento, acredita. Não era minha intenção rir. É que nunca conversei sobre isto tão detalhadamente e tu és tão inexperiente. Desculpa. – Estava com uns olhos grandes, cinzentos e sinceros.

Eu descontraí-me um pouco e bebi mais um golo de champanhe.

– Muito bem... *bondage* – disse, voltando à lista. Eu examinei a lista e a minha deusa interior começou aos pulinhos como uma criança pequena, à espera de um gelado.

A Submissa consente:

Bondage com corda

Bondage com algemas em couro

Bondage com algemas/manilhas/ grilhetas

Bondage com fita

Bondage com outros

Christian arqueou a sobrancelha:

– Então?

– Está bem – sussurrei, apressando-me a olhar de novo para a lista.

A Submissa consente em ser imobilizada nas seguintes posições:

Mãos amarradas à frente

Tornozelos amarrados

Cotovelos amarrados

Mãos amarradas atrás

Joelhos amarrados

Pulsos amarrados aos tornozelos

Amarrada a objetos fixos, mobília, etc.

Amarrada a barra imobilizadora

Suspensão

A Submissa consente em ser vendada?

A Submissa consente em ser amordaçada?

– Já falámos na suspensão. Não me importo que queiras impor isso como limite rígido. Demora muito tempo e eu só te tenho durante curtos períodos de tempo. Mais alguma coisa?

– Não te rias de mim, mas o que é uma barra separadora?

– Prometo não me rir. Já pedi desculpa duas vezes. – Olhou-me penetrantemente. – Não me obrigues a fazê-lo de novo – advertiu-me ele e eu acho que encolhi visivelmente... ele era tão autoritário. – Uma barra separadora é uma barra com algemas para os tornozelos e/ou pulsos. São divertidas.

– Ok... quanto à mordaça ficaria com receio de não poder respirar.

– *Eu* próprio ficaria preocupado se não pudesses respirar. Não te quero sufocar.

– Como usarei as palavras de segurança, se estiver amordaçada?

Ele fez uma pausa.

– Primeiro que tudo espero que nunca tenhas de as usar, mas se estiveres amordaçada, usaremos sinais de mãos – respondeu, simplesmente.

Olhei para ele e pestanejei. Mas se eu estivesse amarrada como poderia isso resultar? Estava a começar a ficar confusa... *hum, o álcool.*

– Estou apreensiva em relação à mordaça.

– Ok, vou tomar nota disso.

Eu fiquei a olhar para ele, ao compenetrar-me da realidade.

– Gostas de amarrar as tuas submissas para que elas não te possam tocar?

Ele olhou-me, arregalando os olhos.

– Essa é uma das razões – disse, calmamente.

– Foi por isso que me amarraste as mãos?

– Sim.

– Não gostas de falar no assunto – murmurei.

– Não, não gosto. Queres outra bebida? A bebida está a tornar-te corajosa e eu preciso de saber o que sentes em relação à dor.

Raios... aquela era a parte complicada. Ele voltou a encher-me a chávena e eu bebi.

– Em geral, qual é a tua atitude quando te infligem dor? – Christian olhou-me com um ar expectante. – Estás a morder o lábio – disse ele, num tom sombrio.

Eu parei imediatamente, mas não sabia o que dizer. Corei e olhei para as mãos.

– Foste castigada fisicamente em criança?

– Não.

– Então não tens nenhuma referência?

– Não.

– Não é tão mau como pensas. A tua imaginação é o teu pior inimigo neste aspeto – sussurrou ele.

– Tenho de passar por isso?

– Sim.

– Porquê?

– Porque faz parte, Anastasia. É isso que eu faço. Vejo que estás nervosa. Vamos examinar os métodos.

Mostrou-me a lista e o meu subconsciente fugiu aos gritos e escondeu-se atrás do sofá:

Açoitamento

Açoitamento com chicote

Ser mordida

Grampos genitais

Cera quente

Palmatórias

Vergastas

Grampos para mamilos

Gelo

Outros tipos/métodos de dor

– Bom, tu disseste que não querias grampos genitais. Tudo bem, é a vergasta que dói mais.

Eu empalideci.

– Poderemos fazê-lo de forma gradual.

– Ou não o fazer de todo – sussurrei.

– Isto faz parte do acordo, querida, mas faremos tudo isso de forma gradual. Não irei longe demais contigo.

– O que mais me preocupa é a história da punição. – A minha voz estava muito débil.

– Bom, ainda bem que me disseste. Por agora, excluiremos a vergasta da lista. Aumentaremos de intensidade à medida que te fores sentindo mais confortável com tudo o resto. Vamos levar isto com calma.

Eu engoli em seco e ele inclinou-se para a frente, beijando-me nos lábios.

– Pronto. Não foi assim tão mau, pois não?

Eu encolhi os ombros, sentindo de novo o coração na boca.

– Escuta, quero falar contigo sobre mais uma coisa e depois vou levar-te para a cama.

– Para a cama? – Pisquei os olhos rapidamente e o sangue latejou-me pelo corpo, aquecendo-me pontos que eu nem sequer sabia que existiam, até há muito pouco tempo.

– Vá lá, Anastasia, depois de falar de tudo isto, apetece-me, neste preciso momento, foder-te durante uma semana. Também deve estar a produzir algum efeito em ti.

Eu retorci-me. A minha deusa interior estava ofegante.

– Estás a ver? Além disso quero experimentar uma coisa.

– Algo de doloroso?

– Não... para de ver dor em tudo. Trata-se sobretudo de prazer. Já te magoei até agora?

Eu corei.

– Não.

– Então? Antes disseste que querias mais. – Calou-se, parecendo subitamente hesitante.

Oh Meu Deus... o que é que isto irá dar?

Ele agarrou-me na mão.

– Talvez pudéssemos tentar, nas horas em que não fores minha submissa. Não sei se resultará. Não sei se é possível separar tudo. Pode não resultar, mas estou disposto a tentar. Talvez uma noite por semana, não sei.

Caramba… fiquei de boca aberta. O meu subconsciente estava em estado de choque. *Christian Grey queria mais* e estava disposto a tentar! O meu subconsciente espreitou de trás do sofá. O seu rosto de hárpia ainda revelava perplexidade.

– Tenho uma condição – disse ele, fitando cautelosamente a minha expressão perplexa.

– Que condição? – sussurrei. Tudo o que queiras, faço tudo o que queiras.

– Que aceites cortesmente o meu presente de licenciatura.

– Oh – No meu íntimo eu sabia o que era e o receio floresceu-me nas entranhas.

Ele estava de olhos postos em mim, a avaliar a minha reação.

– Anda – murmurou ele, levantando-se e arrastando-me consigo. Tirou o casaco e colocou-mo sobre os ombros, encaminhando-se para a porta.

Estacionado lá fora estava um Audi Coupé vermelho.

– É para ti. Parabéns pela licenciatura – murmurou, puxando-me para os seus braços e beijando-me o cabelo.

Comprara-me o raio de um carro novinho em folha a avaliar pela aparência. Raios… Já tivera problemas de sobra com os livros. Eu olhei para ele inexpressivamente, tentando desesperadamente perceber como me estava a sentir em relação àquilo. Por um lado estava horrorizada, por outro agradecida e surpreendida pelo facto de ele o ter feito, mas a emoção predominante era a raiva. Sim, estava zangada, especialmente depois de tudo o que lhe dissera acerca dos livros, mas nessa altura ele já tinha comprado aquilo. Ele deu-me a mão e conduziu-me pelo caminho de acesso, até àquela nova aquisição.

– Aquele teu Carocha está velho e é francamente perigoso, Anastasia. Jamais me perdoaria se te acontecesse alguma coisa, quando me é tão fácil resolver a questão…

Ele estava de olhos postos em mim, mas naquele momento eu não conseguia olhar para ele e fiquei parada, a olhar em silêncio para aquela fantástica radiância vermelha, a cheirar a novo.

– Eu falei nele ao teu padrasto e ele concordou plenamente – murmurou.

Eu virei-me e olhei-o furiosa, com a boca aberta de horror.

– Falaste nisto ao Ray? Como foste capaz? – Mal conseguia proferir as palavras. *Como se atreveu ele?* Pobre Ray. Senti-me nauseada, mortificada pelo meu pai.

– É um presente, Anastasia. Não podes simplesmente agradecer?

– Mas tu sabes que é demasiado.

– Para mim não é. Para a minha paz de espírito, não.

Eu franzi-lhe o sobrolho, sem saber o que dizer. Ele não entendia, pois tivera dinheiro durante toda a vida. Ok, durante toda a vida, não – em criança, não – e a minha perceção do mundo modificou-se. A ideia dava bastante em que pensar e eu mostrei-me mais branda em relação ao carro, sentindo-me culpada pelo meu ataque de raiva. As suas intenções eram boas. Mal orientadas, mas não maldosas.

– Fico feliz por me emprestares isto, à semelhança do portátil.

Ele suspirou pesadamente.

– Ok, emprestado por tempo indeterminado. – Olhou-me cautelosamente.

– Por tempo indeterminado, não, por agora. Obrigada.

Ele franziu o sobrolho. Eu estiquei-me e beijei-o na face.

– Obrigada pelo carro, Senhor – disse, tão docemente quanto possível.

Ele agarrou-me subitamente e puxou-me contra si, prendendo-me com uma mão nas costas e agarrando-me no cabelo com a outra.

– És uma mulher desafiadora, Ana Steele. – Deu-me um beijo apaixonado e implacável, forçando-me a abrir os lábios com a língua.

O meu sangue aqueceu imediatamente e eu devolvi-lhe o beijo com a minha própria paixão. Desejava-o imenso, apesar do carro, dos livros, dos limites ultrapassáveis… e da abada que levara. Desejava-o.

– Estou a fazer um esforço imenso para me controlar e não te foder imediatamente em cima do capot deste automóvel, só para te mostrar que és minha e que se quiser comprar-te uma porcaria de um automóvel, compro – resmungou. – Agora vamos para dentro despir-te essa roupa – disse, beijando-me rápida e rudemente.

Que zangado que ele estava, caramba. Agarrou-me na mão e conduziu-me de novo para o apartamento, levando-me diretamente para o quarto... sem passar pela casa de partida. O meu subconsciente estava de novo atrás do sofá, com a cabeça escondida debaixo das mãos. Ele acendeu a luz ao lado da cama e deteve-se, olhando para mim.

– Por favor não te zangues comigo – sussurrei.

Ele estava com um olhar impassível. Os seus olhos pareciam cacos gelados de vidro fumado.

– Lamento a questão do carro e dos livros... – Calei-me. Ele continuava silencioso e pensativo. – Quando estás zangado assustas-me – sussurrei, olhando para ele.

Ele fechou os olhos e abanou a cabeça. Quando os abriu estava com uma expressão mais branda. Depois respirou fundo e engoliu em seco.

– Vira-te – sussurrou. – Quero tirar-te esse vestido.

Mais uma mudança de humor volátil; era tão difícil acompanhá-lo. Eu virei-me obedientemente, com o coração a martelar-me o peito e o desconforto deu imediatamente lugar ao desejo, fazendo-me o sangue latejar e instalando-se ao fundo do meu ventre, como uma ânsia sombria. Ele afastou-me o cabelo, para o lado direito, e este enrolou-se sobre o meu seio. Colocou-me o indicador na nuca e arrastou-o ao longo da minha coluna, com uma lentidão dolorosa, arranhando-me a pele com a unha.

– Gosto deste vestido – murmurou. – Gosto de ver a tua pele imaculada.

Enfiou o dedo na parte de trás do meu vestido sem costas, a meio da coluna, puxando-me para junto si e eu recuei contra ele até ficar encostada ao seu corpo. Inclinou-se e cheirou-me o cabelo.

– Cheiras tão bem, Anastasia. O teu odor é tão doce. – Roçou-me ao de leve com o nariz pela orelha, percorrendo-me o pescoço e deixando-me um rasto de beijos suaves e leves como penas, ao longo do ombro.

A minha respiração alterou-se, tornando-se superficial e rápida, carregada de expetativa. Os seus dedos estavam no fecho do vestido. Ele abriu-o, mais uma vez com uma lentidão dolorosa. Os seus lábios moviam-se, lambendo-me, beijando-me e sugando-me até ao outro ombro. Era irresistivelmente bom naquilo. O meu corpo correspondeu e eu comecei a contorcer-me languidamente sob o seu toque.

– Vais. Ter. De. Aprender. A Ficar. Quieta – sussurrou, beijando-me em torno da nuca, entre cada palavra.

Puxou o fecho do vestido no pescoço e este caiu, amontoando-se em redor dos meus pés.

– Sem sutiã, Miss Steele, gosto disso.

Ele alcançou-me os seios por trás, aninhando-os nas suas mãos e os meus mamilos arrepiaram-se ao sentir o seu toque.

– Levanta os braços e coloca-os à volta da minha cabeça – murmurou contra o meu pescoço.

Eu obedeci imediatamente. Os meus seios subiram, fazendo pressão contra as suas mãos e os meus mamilos endureceram ainda mais. Entrelacei os dedos na sua cabeleira, puxando-lhe muito delicadamente o cabelo macio e sexy e virei a cabeça para um lado para que ele me pudesse alcançar o pescoço mais facilmente.

– Mmm... – murmurou, naquele espaço atrás da orelha, puxando-me os mamilos com os seus dedos longos, da mesma forma que eu estava a puxar-lhe o cabelo.

Eu gemi, sentindo uma impressão aguda e clara nas virilhas.

– Queres que te faça vir assim? – sussurrou.

Eu arqueei as costas, para empurrar os meus seios contra as suas mãos experientes.

– Gosta disto, não gosta Miss Steele?

– Mmm...

– Diz-me – disse prosseguindo aquela tortura lenta e sensual, puxando-me delicadamente os mamilos.

– Sim.

– Sim, o quê?

– Sim... Senhor.

– Linda menina. – Beliscou-me com força e o meu corpo contorceu-se convulsivamente contra ele.

Arfei perante a sensação requintada e aguda de dor e de prazer. Senti-o contra mim. Gemi e as minhas mãos agarraram-lhe o cabelo, puxando-o com mais força.

– Acho que ainda não estás pronta para te vir – sussurrou, imobilizando as mãos, mordendo-me delicadamente o lóbulo da orelha e puxando-o. – Além disso, desagradaste-me.

Oh...não, o que quererá isso dizer? O meu cérebro registou-o através da névoa de desejo carente e eu gemi.

– Por isso, afinal, talvez não permita que te venhas. – Os seus dedos voltaram a concentrar-se nos meus mamilos, puxando-os, torcendo--os e apertando-os e eu rocei o meu traseiro contra ele, movendo-me de lado a lado.

Sentia o seu sorriso contra o meu pescoço, enquanto as suas mãos desciam até às minhas ancas. Ele encaixou os dedos na parte de trás das minha cuecas, e esticou-as forçando o tecido com os polegares, até as rasgar, e atirando-as para a minha frente para que eu as visse... *Com os diabos.* As suas mãos desceram até ao meu sexo e ele introduziu-me lentamente um dedo, por trás.

– Ah, sim, a minha querida menina está pronta – sussurrou, ao virar-me, de forma a ficar de frente para ele. A sua respiração estava mais acelerada. Meteu o dedo na boca. – Que bem que sabe, Miss Steele – suspirou ele.

Com os diabos. O dedo dele estava salgado... de mim.

– Despe-me – ordenou-me, serenamente, olhando-me de olhos semicerrados.

Eu tinha apenas os sapatos calçados – ou melhor, os sapatos de salto alto de Kate. Aquilo apanhou-me de surpresa, pois nunca antes despira um homem.

– Tu consegues – incitou-me, brandamente.

Eu pisquei os olhos rapidamente. Por onde começar? Alcancei a sua *t-shirt* mas ele agarrou-me nas mãos, sorrindo-me maliciosamente.

– Ah, não – disse, abanando a cabeça. – A *t-shirt*, não. Podes precisar de me tocar, para me fazeres o que planeei. – Os seus olhos estavam animados de excitação.

Oh... isto é uma novidade... Posso tocar-lhe com roupa. Ele pegou--me numa das mãos, encostando-a à sua ereção.

– É este o efeito que provoca em mim, Miss Steele.

Eu arquejei, fletindo os dedos em torno do volume do seu pénis e ele sorriu.

– Quero entrar dentro de ti. Tira-me os *jeans*. És tu que mandas.

Caraças... eu é que mando? Fiquei de queixo caído.

– O que vais fazer comigo? – disse, provocadoramente.

Ah, as possibilidades... A minha deusa interior rugiu e eu empurrei-o para a cama num impulso gerado algures por frustração, necessidade e pura bravura Steele. Ele deu uma gargalhada, ao cair, e eu olhei para ele, sentindo-me vitoriosa. A minha deusa interior ia explodir. Arranquei-lhe os sapatos e as meias, desajeitadamente. Ele estava a olhar para mim, com os olhos luminosos de riso e de excitação. Estava... magnífico... e *era meu*. Subi para a cama e montei-me sobre ele para lhe tirar os *jeans*, colocando os dedos por baixo do cós e sentindo os pelos púbicos do seu baixo-ventre. Ele fechou os olhos e fletiu as ancas.

– Vais ter de aprender a ficar quieto – ralhei, puxando-lhe os pelos por baixo do cós das calças.

Ele arfou e sorriu para mim.

– Sim, Miss Steele – murmurou, de olhos flamejantes. – Tenho um preservativo no bolso – sussurrou ele.

Eu procurei lentamente no bolso, observando o seu rosto enquanto tateava. Ele estava de boca aberta. Tirei ambas as embalagens que achei e poisei-as na cama, junto das suas ancas. *Dois!* Os meus dedos super ávidos alcançaram o botão do cós das suas calças, desapertando-o, um pouco atrapalhadamente. Eu estava mais do que excitada.

– Mas que ávida, Miss Steele – murmurou, com um toque de humor na voz. Eu puxei-lhe o fecho, confrontando-me então com o problema de lhe tirar as calças... *hum*. Saí atrapalhadamente de cima dele e puxei-as, mas estas mal se moveram. Como podia aquilo ser tão difícil?

– Não vou conseguir ficar quieto se começares a morder esse lábio – advertiu-me, arqueando depois a pélvis para cima, para que eu lhe pudesse tirar as calças e os boxers ao mesmo tempo... libertando-o, uau. Ele sacudiu as roupas para o chão.

Valha-me Deus, tinha-o ali, ao meu dispor. De repente parecia Natal.

– E agora, o que vais fazer? – sussurrou e todos os vestígios de humor desapareceram. Estiquei o braço e toquei-lhe, observando a sua expressão ao fazê-lo. Ele fez um O com a boca e inspirou bruscamente. A pele era tão macia, aveludada... e rija... hum, que deliciosa combinação.

Eu inclinei-me para a frente com os cabelos caídos à minha volta e meti-o na boca, chupando-o com força. Ele fechou os olhos, sacudindo as ancas por baixo de mim.

– Jesus, Ana, calma – gemeu.

Eu sentia-me tão poderosa; era tão estimulante brincar com ele e testá-lo com a boca e a língua. Ele retesou o corpo por baixo de mim, enquanto a minha boca deslizava para cima e para baixo e eu empurrei-o repetidamente até ao fundo da garganta... de lábios contraídos.

– Para, Ana, para, eu não me quero vir.

Eu endireitei-me, piscando os olhos, ofegante como ele, mas confusa. *Julgava que era eu que mandava.* A minha deusa interior estava com ar de que lhe tinham roubado um gelado.

– A tua inocência e o teu entusiasmo são bastante desarmantes – disse, ofegante. – Tu por cima... é isso que temos de fazer.

Ah, bom.

– Toma. Põe-me isto. – Deu-me a embalagem de alumínio.

Raios. Como? Rasguei a embalagem e dei comigo com um preservativo viscoso nos dedos.

– Aperta o topo e desenrola-o. Não convém deixar ar nenhum na ponta desse malandro – disse ele, ofegante.

Eu concentrei-me bastante e fiz o que ele disse, muito devagar.

– Meu Deus, estás-me a matar, Anastasia – gemeu.

Eu admirei-o a ele e à minha obra de arte. Era realmente um belíssimo espécime. Era muitíssimo excitante olhar para ele.

– Agora quero enterrar-me dentro de ti – murmurou. Ele sentou-se tão de repente, que ficámos de nariz colado um ao outro. Eu olhei-o, amedrontada.

– Assim – sussurrou. Uma das suas mãos serpenteou em torno das minhas ancas e ele ergueu-me, posicionando-se por baixo de mim com a outra, e baixando-me muito lentamente sobre si.

Eu gemi ao senti-lo abrir-me e preencher-me e fiquei de queixo caído, apanhada de surpresa por aquela sensação deliciosa, sublime e agonizante de preenchimento excessivo. *Oh... por favor.*

– É isso mesmo, amor, sente-me, sente-me todo – rosnou, fechando os olhos por breves instantes.

Estava embainhado em mim até cima. Segurou-me, durante segundos... minutos... não faço ideia, olhando-me atentamente nos olhos.

– Assim é profundo – murmurou, fletindo e girando as ancas no mesmo movimento. Eu gemia... oh meu Deus – a sensação irradiava-me por todo o ventre... por toda a parte... *Merda!*

– Outra vez – sussurrei. Ele sorriu indolentemente e fez-me a vontade. Eu gemi, atirei a cabeça para cima e os cabelos caíram-me para as costas e ele afundou-se muito lentamente na cama.

– Mexe-te, Anastasia, mexe-te para cima e para baixo, como quiseres. Pega-me nas mãos – sussurrou ele, com uma voz rouca e grave, terrivelmente sexy.

Eu apertei-lhe as mãos, agarrando-me desesperadamente a elas. Depois ergui-me delicadamente e voltei a baixar-me. Os seus olhos estavam flamejantes, loucos de expectativa. A sua respiração era áspera, tal como a minha e ele erguia a pélvis quando eu descia, voltando a empurrar-me para cima. Fomos ganhando ritmo... movendo-nos repetidamente para cima e para baixo... para cima e para baixo... sabia tão... bem.

Eu sentia aquele preenchimento profundo e transbordante, entre cada inspiração ofegante... aquela sensação veemente a pulsar através de mim e a crescer rapidamente. Olhei-o nos olhos... e vi deslumbramento, deslumbramento comigo.

Estava a fodê-lo e era eu que mandava. Ele era meu e eu era dele. A ideia arrastou-me borda fora, como se estivesse presa a um bloco de cimento, e eu atingi o orgasmo em torno dele... gritando incoerentemente. Ele agarrou-me nas ancas e fechou os olhos, de maxilares crispados, inclinando a cabeça para trás, e veio-se silenciosamente. Eu prostrei-me sobre o seu peito, esgotada, sentindo-me algures entre a fantasia e a realidade, num local onde não havia limites intransponíveis nem limites ultrapassáveis.

CAPÍTULO DEZASSEIS

O mundo exterior invadiu-me lentamente os sentidos. E que invasão, meu Deus. Eu estava a flutuar e sentia os membros frouxos e lânguidos, completamente derreados. Estava deitada em cima dele, com a cabeça poisada sobre o seu peito. Ele cheirava divinalmente a roupa de linho lavada, gel de banho caro e à melhor e mais sedutora fragância do planeta... Christian. Eu não me queria mexer, queria respirar aquele elixir para toda a eternidade. Rocei o nariz nele, desejando não ter a barreira da *t-shirt*. Enquanto o resto do meu corpo recuperava a razão, abri a mão sobre o seu peito. Era a primeira vez que lhe tocava ali. Era firme... e forte. Ele ergueu subitamente a mão e agarrou na minha, mas suavizou o gesto, levando-a à boca e beijando-me docemente os nós dos dedos. Depois virou-se, para olhar para mim.

– Não faças isso – murmurou, beijando-me ao de leve.

– Porque não gostas que te toquem? – sussurrei, olhando para os seus olhos cinzentos claros.

– Porque estou lixado da cabeça em cinquenta sombras.

Ah bom... a honestidade dele era completamente desarmante. Eu pisquei-lhe os olhos.

– Tive um início de vida bastante duro e não quero sobrecarregar-te com os detalhes. Não o faças. – Roçou o nariz contra o meu, afastando-se depois de mim e sentou-se.

– Creio que se cobriram todas as questões elementares. Que tal foi?

Parecia totalmente satisfeito consigo mesmo e ao mesmo tempo estava a ser bastante terra a terra, como se tivesse acabado de assinalar outro item numa lista, mas eu ainda estava hesitante, devido ao comentário sobre o "início de vida duro". Era tão frustrante – eu estava desesperada para saber mais, mas ele não me queria contar. Inclinei a cabeça para um lado, como ele costumava fazer e fiz um esforço enorme para lhe sorrir.

– Se imaginaste por um instante que fosse que eu achei que me cedeste o controlo, é porque não tiveste em conta a minha média de licenciatura. – Sorri-lhe timidamente. – Mas obrigada pela ilusão.

– Miss Steele a menina não é apenas uma cara bonita. Teve seis orgasmos até agora e todos eles me pertencem – gabou-se, de novo num tom brincalhão.

Eu corei e pisquei os olhos ao mesmo tempo, ao vê-lo olhar para mim. *Ele está a contá-los!* Ele franziu a testa.

– Tens alguma coisa para me contar? – O seu tom de voz tornou-se subitamente severo.

Eu franzi o sobrolho. *Bolas.*

– Tive um sonho esta manhã.

– Ah, sim? – disse, dirigindo-me um olhar penetrante.

Duas vezes bolas. Estarei metida em sarilhos?

– Vim-me enquanto dormia – disse, tapando os olhos com um braço. Ele não disse nada. Espreitei por baixo do braço e ele parecia divertido.

– Durante o sono?

– Acordou-me.

– Estou certo que sim. Estavas a sonhar com quê?

Raios.

– Contigo.

– O que estava eu a fazer?

Eu voltei a tapar os olhos com o braço, contemplando por instantes a ideia de que se eu não o pudesse ver ele também não me podia ver a mim, como se fosse uma miúda pequena.

– O que estava eu a fazer, Anastasia? Não vou perguntar outra vez.

– Tinhas uma chibata.

Ele afastou-me o braço.

– A sério?

– Sim. – Eu estava vermelha.

– Ainda tens recuperação – murmurou. – Eu tenho várias chibatas.

– De couro castanho, entrançado?

Ele soltou uma gargalhada.

– Não, mas estou certo de que poderia arranjar uma.

Ele inclinou-se, beijou-me rapidamente e depois levantou-se e agarrou nos boxers. *Oh, não...ele vai-se embora.* Olhei rapidamente para as horas. Eram apenas vinte para as dez. Saí também da cama, apressadamente, agarrei nas minhas calças de fato de treino e num top sem mangas e voltei a sentar-me na cama, de pernas cruzadas, a observá-lo. Não queria que ele se fosse embora, mas o que podia eu fazer?

– Quando contas ter o período? – perguntou, interrompendo-me os pensamentos.

O quê?

– Detesto usar estas coisas – resmungou. Ergueu o preservativo, e depois deitou-o para o chão e vestiu os *jeans.*

– Então? – disse ele, instigando-me a falar, ao ver que eu não respondia, e olhando-me expetante como se estivesse à espera da minha opinião sobre o tempo. Raios... aquilo eram questões pessoais.

– Para a semana que vem – disse, baixando os olhos para as mãos.

– Tens de escolher um contracetivo qualquer.

Ele era tão autoritário. Olhei-o inexpressivamente. Ele voltou a sentar-se na cama e calçou as meias e os sapatos.

– Tens um médico?

Abanei a cabeça. De volta às fusões e aquisições – mais uma mudança de humor de cento e oitenta graus.

Ele franziu o sobrolho.

– Posso pedir ao meu médico que te venha examinar a casa, no domingo, antes de me visitares, ou então em minha casa. O que preferes?

Não havia ali imposição nenhuma. Mais uma coisa que ele ia pagar... mas na verdade, aquilo era em seu próprio benefício.

– Na tua casa. – Isso queria dizer que o veria de certeza no domingo.

– Ok, dir-te-ei a que horas.

– Vais-te embora?

Não vás... fica comigo, por favor.

– Vou.

Porquê?

– Como vais regressar? – sussurrei.

– O Taylor virá buscar-me.

– Eu posso levar-te. Tenho um lindo carro novo.

Ele olhou-me com uma expressão afetuosa.

– Assim já gosto mais. Mas acho que bebeste demasiado.

– Embriagaste-me de propósito?

– Sim.

– Porquê?

– Porque pensas demasiado em tudo e és tão reticente como o teu padrasto. Basta uma gota de vinho para começares a falar e eu preciso que fales honestamente comigo, de contrário fechas-te, e eu fico sem saber o que estás a pensar. *In vino veritas*[7] Anastasia.

– E achas que és sempre honesto comigo?

– Faço um esforço para ser. – Olhou-me cautelosamente. – Isto só resultará se formos honestos um com o outro.

– Eu gostaria que ficasses e usasses isto. – Ergui o segundo preservativo.

Ele sorriu, com o divertimento a brilhar-lhe nos olhos.

– Anastasia, ultrapassei demasiados limites aqui, hoje à noite. Tenho de me ir embora. Vemo-nos no domingo. Terei o contrato revisto, pronto para assinares e poderemos começar realmente a brincar.

– Brincar? – *Com os diabos.* Senti o coração na boca.

– Gostaria de montar uma cena contigo, mas não o farei antes de assinares o contrato, para ter a certeza de que estás pronta.

– Ah. Então eu poderia prolongar isto se não assinasse?

Ele olhou-me e avaliou-me, e os seus lábios estremeceram num sorriso.

– Bom, penso que tu conseguirias fazê-lo, mas eu poderia ir-me abaixo com o esforço.

– Ires-te abaixo? Como? – A minha deusa interior despertara e estava atenta.

Ele acenou lentamente e depois sorriu, dizendo num tom trocista:

– As coisas poderiam ficar pretas. – O sorriso dele era contagioso.

– Pretas como?

– Sabes como é, explosões, perseguições de carro, raptos, encarceramentos.

7. Em latim, "A verdade está no vinho". (N. da T.)

– Serias capaz de me raptar?

– Ah, pois – disse, com um sorriso.

– Aprisionar-me contra a minha vontade? – *Raios, que sexy que isto é.*

– Ah, pois – anuiu. – E depois seria PTE 24/7.

– Agora perdi-me – sussurrei eu, com o coração a martelar-me no peito… *estará a falar a sério?*

– Partilha total de energia, dia e noite. – Estava com os olhos a brilhar e a sua excitação era palpável, mesmo do sítio onde eu estava sentada.

Com os diabos.

– Portanto não tens alternativa – disse, sardonicamente.

– Obviamente. – Não consegui conter o sarcasmo na voz, e revirar os olhos.

– Anastasia Steele, será que acabaste de me revirar os olhos?

Raios.

– Não – guinchei.

– Eu acho que sim. O que é que eu te disse que faria se me voltasses a revirar os olhos?

Raios. Ele sentou-se à beira da cama.

– Anda cá – disse, brandamente.

Eu empalideci. Caramba… ele estava a falar a sério. Sentei-me a olhar para ele, completamente imóvel.

– Eu ainda não assinei – sussurrei.

– Eu disse-te o que faria e sou um homem de palavra. Vou espancar-te e depois vou foder-te bem depressa e com muita força. Afinal, parece que sempre vamos precisar desse preservativo.

Estava com uma voz suave e ameaçadora, *terrivelmente sexy.* Um desejo líquido poderoso e ávido contorceu-me virtualmente as entranhas. Ele olhou-me de olhos ardentes, à espera. Eu descruzei hesitantemente as pernas. *Deveria fugir?* Pronto; naquele preciso momento o nosso relacionamento estava em risco. Deixo-o fazer isto ou digo-lhe que não e acaba-se tudo? Porque que eu sabia que iria acabar se dissesse que não. *Fá-lo!*, suplicou-me a minha deusa interior. O meu subconsciente estava tão paralisado como eu.

– Estou à espera – disse. – Não sou um homem paciente.

Oh, por tudo o que há de mais sagrado nesta vida. Eu estava ofegante, receosa e excitada, com o sangue a latejar-me no corpo e as pernas frouxas como geleia. Gatinhei lentamente para junto dele, até ficar a seu lado.

– Linda menina – murmurou. – Agora, põe-te de pé.

Oh, merda... porque não trata do assunto de uma vez? Eu não sabia se me conseguiria pôr de pé. Levantei-me hesitantemente. Ele estendeu-me a mão e eu coloquei-lhe o preservativo na palma da mão. Subitamente, agarrou-me e deitou-me sobre o seu colo, posicionando agilmente o corpo, de forma a eu apoiar o torso sobre a cama, junto dele. Passou a perna direita por cima das minhas pernas e assentou o antebraço esquerdo sobre o fundo das minhas costas, prendendo-me para que eu não me pudesse mexer. *Ah merda!*

– Põe as mãos de ambos os lados da tua cabeça – ordenou.

Eu obedeci imediatamente.

– Porque estou eu a fazer isto, Anastasia? – perguntou.

– Porque eu te revirei os olhos. – Eu mal conseguia falar.

– Achas isso educado?

– Não.

– Vais voltar a fazê-lo?

– Não.

– Espancar-te-ei de cada vez que o fizeres, entendido?

Tirou-me as calças de fato de treino muito lentamente. Até que ponto aquilo era humilhante? Humilhante, assustador e sexy. Ele estava a complicar tanto as coisas. Sentia o coração na boca. Mal podia respirar. *Merda, será que isto vai doer?*

Ele colocou a mão sobre o meu traseiro nu, e acariciou-me suavemente, afagando-o em círculos, com a palma da mão. Depois, deixei de sentir a sua mão... e ele bateu-me... com força. *Au!* Eu reagi à dor, abrindo bruscamente os olhos e tentei levantar-me, mas ele colocou a mão entre as omoplatas, prendendo-me. Voltou a acariciar-me, onde me batera e a sua respiração alterou-se – estava mais ruidosa e áspera. Voltou a bater-me várias vezes, em rápida sucessão. *Aquilo doía, foda-se.* Eu não fiz qualquer ruído e franzi o rosto de dor. Tentei torcer-me para escapar aos golpes, estimulada pela adrenalina que me aguilhoava e me percorria o corpo.

– Fica quieta – resmungou –, senão bato-te durante mais tempo.

Agora estava a massajar-me. A palmada veio a seguir. Surgiu um padrão rítmico: carícia, festa e palmada forte. Tinha de me concentrar para aguentar aquela dor. Esvaziei a mente, esforçando-me para absorver aquela penosa sensação. Nunca me batia no mesmo sítio duas vezes seguidas – estava a expandir-me a dor.

– Ai! – gritei, à décima palmada, inconsciente de que estivera a contá-las mentalmente.

– Estou apenas a aquecer.

Voltou a bater-me, acariciando-me depois suavemente. A combinação da palmada dolorosa com a carícia suave era terrivelmente entorpecedora. Bateu-me mais uma vez... aquilo estava a tornar-se insuportável. Sentia o rosto dorido de tão franzido que estava. Ele afagou-me suavemente. Seguiu-se a palmada e eu voltei a gritar.

– Ninguém te ouve querida, só eu.

Voltou a bater-me várias vezes. Algures no meu íntimo queria pedir-lhe que parasse, mas não o fiz. Não queria dar-lhe essa satisfação. Ele prosseguiu naquele ritmo implacável. Eu gritei mais seis vezes. Dezoito palmadas ao todo. Sentia o corpo a zunir com aquele ataque impiedoso.

– Já chega – sussurrou, asperamente. – Bravo, Anastasia. Agora vou foder-te.

Acariciou-me delicadamente o traseiro e eu senti-o a arder, enquanto ele o afagava em círculos, de cima para baixo. Subitamente, introduziu dois dedos dentro de mim, apanhando-me totalmente de surpresa. Eu arquejei, ao sentir aquele novo ataque irromper-me pelo cérebro entorpecido.

– Sente isto. Vê como o teu corpo aprecia isto, Anastasia. Estás a ficar encharcada só para mim. – Havia assombro na sua voz. Depois, moveu rapidamente os dedos para dentro e para fora, repetidas vezes.

Eu gemi. *Não, certamente que não.* Depois deixei de sentir os seus dedos... e fiquei em carência.

– Da próxima vez, obrigar-te-ei a contar. Bom, onde está esse preservativo?

Alcançou o preservativo que estava junto de si e ergueu-me delicadamente, empurrando-me contra a cama de rosto virado para baixo.

Ouvi-o abrir o fecho das calças e rasgar a pacote. Tirou-me as calças de fato de treino, ergueu-me até eu ficar de joelhos, acariciando-me delicadamente o traseiro, agora bastante dorido.

– Agora vou possuir-te. Podes vir-te – murmurou.

O quê? Como se eu tivesse alternativa.

Ele penetrou-me rapidamente, preenchendo-me, e eu gemi alto. Ele começou a mexer-se, penetrando-me com força, contra o traseiro dorido, a um ritmo rápido e intenso. A sensação era mais que requintada, era crua, degradante, de enlouquecer. Os meus sentidos estavam devastados, desconexos, unicamente concentrados no que ele me estava fazer, no puxão familiar que ele me estava a fazer sentir ao fundo do ventre, a retesar-me, a excitar-me, NÃO... O meu corpo traiçoeiro explodiu num orgasmo intenso e avassalador.

– Oh, Ana! – gritou alto, ao atingir o orgasmo, segurando-me enquanto se vertia para dentro de mim. Deixou-se cair a meu lado, ofegante, e puxou-me para cima dele, enterrando o rosto no meu cabelo e apertando-me contra ele.

– Oh, amor – sussurrou. – Bem-vinda ao meu mundo.

Ficámos ali deitados, a ofegar juntos, à espera que a nossa respiração abrandasse. Ele afagou-me delicadamente o cabelo. Eu estava de novo deitada sobre o seu peito, mas desta vez não tinha força para erguer a mão e senti-lo. *Caramba. Sobrevivi.* Não foi assim tão mau. Era mais estóica do que pensava. A minha deusa interior estava prostrada... bom, pelo menos estava calada. Christian voltou a roçar-me o nariz no cabelo, inspirando profundamente.

– Bravo, querida – sussurrou, com uma alegria calma na voz, e as suas palavras envolveram-me como uma toalha macia e fofa do Hotel Heathman. Estava radiante por ele estar feliz.

Ele puxou-me a alça do top.

– É com isto que dormes? – perguntou, brandamente.

– Sim – sussurrei, sonolenta.

– Devias vestir-te de seda e cetim, minha linda menina. Eu levo-te às compras.

– Eu gosto das minhas roupas desportivas – murmurei, tentando em vão parecer irritada.

Ele voltou a beijar-me a cabeça.

– Veremos – disse.

Ficámos deitados durante mais alguns minutos, ou horas, sabe-se lá, e eu creio que adormeci.

– Tenho de me ir embora – disse, inclinando-se e beijando-me delicadamente a testa. – Estás bem? – O seu tom de voz era brando.

Eu ponderei na pergunta dele. O meu traseiro estava dorido. Bom, agora parecia brilhar, mas tirando isso, sentia-me radiante, por incrível que pareça. Essa constatação foi humilhante e inesperada. Não percebia.

– Estou bem – sussurrei. Não queria dizer mais do que isso.

Ele levantou-se.

– Onde é a tua casa de banho?

– Ao fundo do corredor, à esquerda.

Ele pegou no outro preservativo e saiu do quarto. Eu levantei-me rapidamente e voltei a vestir as calças de fato de treino. Arranhavam-me um pouco o traseiro, ainda dorido. Estava tão confusa com a minha reação. Recordava-me de o ouvir dizer – não sei bem quando – que eu iria sentir-me muito melhor depois de uma boa surra. *Como era isso possível?* Realmente não percebia, mas por estranho que pareça, sentia-me melhor. Não vou dizer que apreciasse a experiência. Na verdade, continuaria a fazer os possíveis para a evitar, mas agora... estava com aquela sensação segura e estranha de satisfação, banhada em júbilo. Aninhei a cabeça nas mãos. Não entendia.

Christian voltou a entrar no quarto, mas eu não consegui encará-lo e olhei para as mãos.

– Encontrei óleo de bebé. Deixa-me esfregá-lo no teu traseiro.

O quê?

– Não, eu vou ficar bem.

– Anastasia – advertiu-me e eu senti vontade de revirar os olhos, mas contive-me prontamente. Eu estava de frente para a cama. Ele sentou-se a meu lado e voltou a puxar-me as calças de fato de treino para baixo. *Nem um momento de sossego,* comentou amargamente o meu subsconsciente, e eu mandei-o mentalmente àquela parte. Christian esguichou óleo de bebé para a mão, massajando-me depois o traseiro com uma ternura cuidadosa – de desmaquilhante a bálsamo calmante para um rabo espancado. Quem poderia imaginar que aquele líquido era tão versátil?

– Gosto de sentir as minhas mãos em ti – murmurou e eu tive de concordar; eu também gostava. – Pronto – disse ele quando terminou, voltando a puxar-me as calças para cima.

Olhei de relance para o relógio. Eram dez e meia.

– Agora vou-me embora.

– Eu levo-te à porta. – Ainda não conseguia olhar para ele.

Ele deu-me a mão e conduziu-me à porta da entrada. Felizmente, a Kate ainda não estava em casa. Devia estar ainda a jantar com os pais e Ethan. Estava bastante satisfeita por ela não estar por perto para testemunhar a minha punição.

– Não tens de telefonar ao Taylor? – perguntei, evitando encará-lo.

– O Taylor está aqui desde as nove. Olha para mim – sussurrou.

Eu fiz um esforço para o encarar e quando olhei para ele vi que ele estava deslumbrado a olhar para mim.

– Tu não choraste – murmurou. Depois, agarrou-me subitamente e beijou-me com sofreguidão. – Domingo – sussurrou, contra os meus lábios. Era uma promessa e uma ameaça.

Eu vi-o descer o caminho de acesso e entrar para o grande Audi negro. Ele não olhou para trás. Eu fechei a porta e fiquei desamparada na sala de estar de um apartamento onde só passaria mais duas noites, um local onde vivera feliz durante quase quatro anos... contudo, hoje sentia-me sozinha e desconfortável ali, pela primeira vez na vida, infeliz na minha própria companhia. Ter-me-ia afastado assim tanto do que era? Sabia ter um poço de lágrimas latente, não muito abaixo do meu exterior bastante entorpecido. O que estava eu a fazer? A ironia era que não conseguia sequer sentar-me e desfrutar de um bom ataque de choro. Tinha de ficar de pé. Sabia que era tarde mas decidi telefonar à minha mãe.

– Como estás querida? Como correu a formatura? – disse, entusiasmada, ao telefone. A sua voz era como um bálsamo calmante.

– Desculpa ser tão tarde – sussurrei.

Ela fez uma pausa.

– O que se passa, Ana? – Agora toda ela era seriedade.

– Nada, mãe, queria apenas ouvir a tua voz.

Ela ficou em silêncio por instantes.

– O que foi Ana? Por favor, diz-me. – A voz dela era suave e reconfortante e eu sabia que ela se preocupava comigo. As lágrimas começaram-me a correr, sem querer. Era tão frequente chorar nos últimos dias.

– Por favor, Ana – disse. A sua angústia refletia a minha.

– Oh, mãe, é um homem.

– O que te fez ele? – A sua apreensão era palpável.

– Não é nada disso. – *Embora fosse...* Oh, raios. Eu não a queria preocupar, queria apenas que alguém fosse forte por mim, naquele momento.

– Ana, por favor, estás a preocupar-me.

Eu inspirei profundamente.

– Estou mais ou menos apaixonada por este tipo, mas ele é tão diferente de mim que não sei se deveríamos estar juntos.

– Oh, querida, quem me dera poder estar contigo. Tenho tanta pena de ter perdido a tua formatura. Finalmente apaixonaste-te por alguém. Oh, querida, os homens são complicados. São uma espécie diferente, meu amor. Há quanto tempo é que o conheces?

Christian era sem dúvida de uma espécie diferente... *de um planeta diferente.*

– Há quase três semanas, ou coisa assim.

– Isso é pouquíssimo tempo, querida. Como é possível conheceres alguém nesse espaço de tempo? Leva as coisas com calma e mantém-no à distância até concluíres se ele te merece ou não.

Uau... era enervante quando a minha mãe era assim perspicaz, mas naquele caso chegara atrasada. Se ele me *merecia?* Era um conceito interessante. Eu estava sempre a pensar se o merecia a ele.

– Querida, pareces estar tão infeliz. Vem cá a casa visitar-nos. Sinto a tua falta. O Bob também adoraria ver-te. Podes distanciar-te um pouco e talvez pôr as coisas em perspetiva. Precisas de fazer uma pausa. Tens andado a trabalhar tanto.

Caramba, como era tentador fugir para a Geórgia. Apanhar um pouco de sol e beber uns *cocktails*. O bom humor da minha mãe... os seus abraços afetuosos.

– Tenho duas entrevistas de emprego em Seattle, na segunda-feira.

– Ah, mas isso são excelentes notícias.

A porta abriu-se. Kate apareceu e sorriu-me, mas ficou com uma expressão desanimada, quando viu que eu tinha estado a chorar.

– Mãe, tenho de ir. Vou pensar em fazer-vos uma visita. Obrigada.

– Por favor querida, não permitas que um homem te afete. És demasiado jovem. Vai e diverte-te.

– Sim, mãe, amo-te.

– Oh, Ana, eu também te amo muito. Protege-te, querida. – Eu desliguei e encarei Kate, que me dirigiu um olhar penetrante.

– Aquele sacana escandalosamente rico voltou a perturbar-te?

– Não... mais ou menos... sim.

– Manda-o dar uma volta, Ana. Tens andado tão instável desde que o conhecestes. Nunca te vi assim.

O discurso de Katherine Kavanagh era muito claro, tudo preto no branco e não nas vagas e intangíveis nuances de cinzento que coloriam o meu mundo. *Bem-vinda ao meu mundo.*

– Senta-te. Vamos conversar e beber um pouco de vinho. Ah, estiveste a beber champanhe. – Olhou para a garrafa. – E do bom.

Eu sorri debilmente, olhando apreensivamente para o sofá, e aproximando-me cautelosamente dele. *Hum... sentar.*

– Estás bem?

Eu caí para cima do sofá e aterrei de rabo.

Nem sequer lhe ocorreu pedir-me uma explicação, pois eu era uma das pessoas mais descoordenadas do estado de Washington. Nunca imaginei encarar isso como uma bênção. Sentei-me cuidadosamente, agradavelmente surpreendida por estar bem e concentrei-me em Kate, mas a minha mente embotou-se, transportando-me de novo para o Heathman. *Se fosses minha não conseguirias sentar-te durante uma semana, depois da brincadeira de ontem,* dissera ele, então, e eu só conseguia pensar em ser sua, na altura. Todos os sinais de alarme estavam lá, só que eu estava demasiado desinformada e enamorada para reparar neles.

Kate voltou para a sala de estar, com uma garrafa de vinho tinto e chávenas lavadas.

– Aqui tens. – Passou-me uma chávena de vinho. Não iria saber tão bem como o Bolly.

– Ana, se ele é um sacana com problemas em assumir compromissos, deixa-o, ainda que eu não entenda realmente porque tem problemas em assumi-los. Não tirava os olhos de ti no vestíbulo. Observava-te como um falcão. Eu diria que estava completamente apaixonado, mas talvez tenha uma forma estranha de o mostrar.

Apaixonado, o Christian? Forma estranha de o mostrar, digo eu.

– É complicado Kate, como correu a tua noite? – perguntei.

Não conseguiria conversar sobre aquilo com a Kate, sem lhe revelar demasiado, mas bastava fazer-lhe uma pergunta sobre o seu dia para que Kate desatasse a falar. Era reconfortante ficar sentada a ouvir a sua tagarelice habitual. A grande notícia era que Ethan talvez viesse viver connosco depois das férias deles. Iria ser divertido, pois Ethan era um ponto. Eu franzi o sobrolho. Não me parecia que Christian aprovasse. *Azar o dele.* Teria de engolir o sapo. Bebi algumas chávenas de vinho e decidi dar por terminada a noite. Fora um dia muito longo. Kate abraçou-me, pegando depois no telefone para ligar ao Elliot.

Eu verifiquei a máquina cruel depois de lavar os dentes. Tinha um e-mail do Christian.

De: Christian Grey
Assunto: Tu
Data: 26 de maio de 2011 23:14
Para: Anastasia Steele

Cara Miss Steele,
Você é, simplesmente, maravilhosa. A mulher mais bela, inteligente, espirituosa e corajosa que eu já conheci. Tome um Ben-u-ron – isto não é um pedido – e não volte a guiar o seu Carocha, porque eu vou acabar por saber.

Christian Grey
CEO, Grey Enterprises Holdings, Inc.

Ah, não voltar a guiar o meu carro. Escrevi a minha resposta.

De: Anastasia Steele
Assunto: Lisonjas
Data: 26 de maio de 2011 23:20
Para: Christian Grey

Caro Mr. Grey,
As lisonjas não o levam a lado nenhum, mas uma vez que já esteve por toda a parte, a questão é irrelevante.

Terei de levar o meu Carocha a uma garagem para o poder vender, por isso não aceitarei cortesmente nenhum dos seus disparates sobre o assunto.
Vinho tinto sempre é preferível a Ben-u-ron.

Ana

PS: As vergastadas são um limite RÍGIDO para mim.

Cliquei no "enviar".

De: Christian Grey
Assunto: Mulheres Frustrantes Que Não Conseguem Aceitar Elogios
Data: 26 de maio de 2011 23:26
Para: Anastasia Steele

Cara Miss Steele,

Não a estou a lisonjear. Devia ir para a cama.

Aceito a sua adenda aos limites intransponíveis.

Não beba demasiado.

Taylor desembaraçar-se-á do seu carro e conseguirá também um bom preço por ele.

Christian Grey
CEO, Grey Enterprises Holdings, Inc.

De: Anastasia Steele
Assunto: Taylor É A Pessoa Indicada Para o Fazer?
Data: 26 de maio de 2011 23:40
Para: Christian Grey

Caro Senhor,

Estou intrigada por permitir de bom grado que o seu braço direito corra o risco de conduzir o meu carro, mas não uma mulher qualquer com quem fode de vez em quando. Como posso ter a certeza de que o Taylor é a pessoa indicada para me conseguir o melhor negócio com o dito carro? No passado, provavelmente antes de o conhecer, eu era famosa por ser dura a negociar.

Ana

De: Christian Grey
Assunto: Acautele-se!
Data: 26 de maio de 2011 23:44
Para: Anastasia Steele

Cara Miss Steele,

Presumo que seja O VINHO TINTO a falar e que tenha tido um dia demasiado longo, embora esteja tentado a voltar aí de carro, para me assegurar de que não se irá sentar durante uma semana e não apenas durante uma noite.

Taylor é um ex-militar e consegue conduzir tudo, desde uma moto a um tanque Sherman. O seu carro não representa nenhum perigo para ele.

Por favor não se refira a si mesma como "uma mulher qualquer com quem fodo de vez em quando". Muito francamente, isso ENFURECE-ME, e não iria gostar de mim zangado.

Christian Grey
CEO, Grey Enterprises Holdings, Inc.

De: Anastasia Steele
Assunto: Acautele-se Você
Data: 26 de maio de 2011 23:57
Para: Christian Grey

Caro Mr. Grey,

De qualquer forma, não sei ao certo se gosto de si, especialmente neste momento.

Miss Steele

De: Christian Grey
Assunto: Acautele-se Você
Data: 27 de maio de 2011 00:03
Para: Anastasia Steele

Porque não gostas de mim?

Christian Grey

CEO, Grey Enterprises Holdings Inc.

De: Anastasia Steele

Assunto: Acautele-se Você

Data: 27 de maio de 2011 00:09

Para: Christian Grey

Porque nunca ficas comigo.

Pronto, aquilo dar-lhe-ia algo em que pensar. Fechei o computador com um floreado pouco sentido e meti-me na cama. Apaguei a luz da mesinha de cabeceira, e olhei para o teto. Fora um dia longo, com abanões emocionais sucessivos. Foi reconfortante passar algum tempo com o Ray. Ele parecia estar bem e, por estranho que parecesse, aprovava a minha relação com o Christian. Raios. A Kate e a sua língua de palmo e meio. Ouvir Christian dizer que tinha fome. O que raio o levara a dizer isso? E o carro, meu Deus. Eu ainda nem sequer contara à Kate do carro novo. Onde teria Christian a cabeça?

E hoje à noite bateu-me mesmo. Nunca na vida ninguém me batera. Em que me fui eu meter? Muito lentamente, as lágrimas interrompidas pela chegada da Kate começaram a escorrer-me pela cara, entrando-me nos ouvidos. Apaixonara-me por alguém tão fechado emocionalmente, que só me poderia magoar – no meu íntimo sabia isso – alguém que admitira ele próprio estar completamente marado da cabeça. *Porque* estaria ele tão marado da cabeça? Devia ser horrível estar tão perturbado como ele estava. A ideia de que tivesse sofrido alguma crueldade insuportável em bebé, fez-me chorar ainda mais. *Talvez se ele fosse mais normal não te quisesse*, disse o meu subconsciente, contribuindo maliciosamente para as minhas cogitações... e no meu íntimo eu sabia que isso era verdade. Enterrei o rosto na almofada, as comportas abriram-se... e eu dei comigo a chorar descontroladamente, com o rosto na almofada, pela primeira vez, em anos.

Os gritos da Kate distraíram-me momentaneamente da escuridão que me pairava na alma.

– *O que raio pensas que estás aqui a fazer?*

– *Mas não podes!*

– *O que raio lhe fizeste tu agora?*

– *Chora a toda a hora, desde que te conheceu.*

– *Não podes entrar aqui!*

Christian entrou de rompante no meu quarto e acendeu a luz de cima, sem cerimónias, fazendo-me franzir os olhos.

– Jesus, Ana – murmurou ele, voltando a apagar a luz. Um segundo depois estava a meu lado.

– O que estás aqui a fazer? – perguntei-lhe, arquejante, entre soluços. Bolas. Não conseguia parar de chorar.

Ele acendeu a luz ao lado da cama, forçando-me mais uma vez a franzir os olhos. Kate apareceu e ficou parada à porta.

– Queres que ponha este estupor na rua? – perguntou ela, irradiando hostilidade termonuclear.

Christian arqueou-lhe as sobrancelhas, sem dúvida surpreendido com o seu elogioso epíteto e o seu antagonismo feroz. Eu abanei-lhe a cabeça e ela revirou-me os olhos. *Oh... eu não faria isso perto de Mr. G.*

– Se precisares de mim grita – disse ela, num tom mais brando. – Grey, estás na minha lista negra e eu estou de olho em ti – disse-lhe ela num tom sibilante. Ele pestanjou. Ela deu meia volta e encostou a porta, mas não a fechou.

Christian olhou-me com uma expressão grave. O seu rosto estava acinzentado. Estava com o casaco listrado. Tirou um lenço do bolso interior do casaco e deu-mo. Creio que ainda tinha outro, por aí algures.

– O que se passa? – perguntou ele, serenamente.

– Porque estás aqui? – perguntei-lhe, ignorando a sua pergunta. As minhas lágrimas pararam miraculosamente, mas o meu corpo continuava fustigado por soluços secos.

– O meu papel é, em parte, zelar pelas tuas necessidades. Tu disseste que querias que eu ficasse, por isso aqui estou eu. Porém, encontro-te neste estado. – Pestanejou, com um ar verdadeiramente perplexo. – Tenho a certeza de que sou o responsável, mas não faço ideia porquê. Foi por te ter batido?

Levantei-me e retraí-me ao sentir o traseiro dorido, sentando-me e encarando-o.

– Tomaste um Ben-u-ron?

Abanei a cabeça. Ele semicerrou os olhos, levantou-se e saiu do quarto. Ouvi-o falar com Kate, mas não percebi o que estavam a dizer. Ele voltou, alguns momentos depois, com comprimidos e uma chávena com água.

– Toma isto – ordenou-me, brandamente, sentando-se na cama, a meu lado.

Eu assim fiz.

– Fala comigo – sussurrou-me. – Tu disseste-me que estavas bem. Nunca te teria abandonado se soubesse que estavas nesse estado.

Eu olhei para as mãos. O que podia eu dizer que já não tivesse dito? Queria mais. Queria que ele ficasse porque *ele* queria ficar comigo e não por estar num estado lastimoso. E não queria que ele me batesse. Seria isso assim tão descabido?

– Presumo que quando me disseste que estavas bem, não estavas.

Eu corei.

– Eu julgava que estava bem.

– Anastasia, não podes dizer-me aquilo que achas que eu quero ouvir. Isso não é muito honesto – repreendeu-me ele. – Como posso eu acreditar seja no que for que me tenhas dito?

Eu olhei para ele e ele estava de sobrolho franzido, com um olhar sombrio. Passou ambas as mãos pelo cabelo.

– Como te sentiste enquanto eu te estava a bater e depois?

– Não gostei e preferia que não o voltasses a fazer.

– Não era suposto gostares.

– Porquê, tu gostas? – disse eu, olhando-o.

A minha pergunta surpreendeu-o.

– Queres mesmo saber?

– Acredita que estou fascinada. – Não consegui propriamente conter o sarcasmo na voz.

Ele voltou a semicerrar os olhos.

– Cuidado – avisou ele.

Eu empalideci

– Vais bater-me outra vez?

– Não, hoje à noite, não.

Ufa... eu e o meu subconsciente suspirámos ambos de alívio, em silêncio.

– Então? – disse eu, incitando-o.

– Gosto da sensação de controlo que isso me dá, Anastasia. Eu quero que tu te comportes de certa forma e se não o fizeres eu irei castigar-te e tu aprenderás a portar-te da forma que eu quero. Gosto de te castigar. Apetece-me espancar-te desde o dia em que me perguntaste se eu era *gay*.

Eu corei ao lembrar-me disso. *Apeteceu-me espancar-me a mim mesma depois de fazer essa pergunta.* Portanto, a culpa de tudo aquilo era da Katherine Kavanagh e se tivesse sido ela a ir àquela entrevista e a colocar a questão do *gay*, estaria ali sentada com o rabo dorido. A ideia não me agradou. Que confuso que aquilo era.

– Então não gostas de mim como eu sou.

Ele olhou-me, mais uma vez perplexo.

– Acho-te adorável como és.

– Então porque estás a tentar modificar-me?

– Eu não quero modificar-te. Gostaria que fosses gentil, que seguisses o conjunto de regras que te dei e que não me desafiasses. É simples – disse ele.

– Mas queres castigar-me?

– Quero.

– É isso que eu não entendo.

Ele suspirou e voltou a passar as mãos pelo cabelo.

– É assim que eu sou, Anastasia. Preciso de te controlar. Preciso que tu te comportes de determinada maneira e se não o fizeres – vou adorar ver a tua linda pele, cor de alabastro, vermelha e quente debaixo das minhas mãos. Isso excita-me.

Caramba. Agora já estávamos a chegar a algum lado.

– Então não é pela dor que me obrigas a suportar?

Ele engoliu em seco.

– Em parte, para ver se a aguentas, mas essa não é a única razão. É o facto de poder fazer contigo aquilo que quiser – a forma máxima de exercer controlo sobre outra pessoa. Além disso, excita-me. Excita-me imenso, Anastasia. Olha, não me estou a explicar muito bem... pois nunca tive de o fazer antes. Honestamente, não pensei nisto muito a fundo, pois sempre estive com gente semelhante a mim. – Encolheu os ombros, como quem pede desculpa. – E ainda não respondeste à minha pergunta. Como te sentiste depois?

– Confusa.

– Aquilo excitou-te sexualmente, Anastasia. – Fechou os olhos por breves instantes e quanto os voltou a abrir e olhou para mim, estavam flamejantes.

A sua expressão estimulou essa parte sombria de mim, enterrada nas profundezas do meu ventre – a minha libido desperta e domesticada por ele, mas insaciável, mesmo naquele instante.

– Não olhes para mim assim – murmurou ele.

Eu franzi o sobrolho. *Raios, o que fiz eu agora?*

– Eu não tenho preservativos, Anastasia e tu sabes que estás perturbada. Contrariamente ao que a amiga com quem partilhas o apartamento pensa, eu não sou um monstro libertino. Então, sentiste-te confusa?

Eu contorci-me sob o seu olhar intenso.

– Tu não tens problemas em ser honesta comigo, por escrito. Os teus e-mails revelam-me sempre exatamente como te sentes. Porque não consegues fazer isso pessoalmente? Intimido-te assim tanto?

Remexi numa nódoa imaginária na colcha azul e creme da minha mãe.

– Tu fascinas-me, Christian, arrasas-me por completo. Sinto-me como Ícaro, a voar demasiado perto do sol – sussurrei eu.

Ele arquejou.

– Bom, acho que entendeste tudo ao contrário – sussurrou ele.

– O quê?

– Oh, Anastasia, tu enfeitiçaste-me. Não é óbvio?

Não, para mim não era. *Enfeitiçado*...a minha deusa interior estava de boca aberta. Nem ela acreditava nisso.

– Ainda não respondeste à minha pergunta. Manda-me um e-mail, por favor. Mas imediatamente. Gostaria bastante de dormir. Posso ficar?

– Queres ficar? – Não consegui esconder a esperança na minha voz.

– Tu querias-me aqui.

– Não respondeste à minha pergunta.

– Eu mando-te um e-mail – murmurou ele, petulantemente.

Levantou-se e tirou o BlackBerry, as chaves, a carteira e o dinheiro dos bolsos dos *jeans*. Caramba, os homens andavam com montes de porcarias nos bolsos. Ele tirou o relógio de pulso, os sapatos, as meias e os *jeans*, colocou o casaco sobre a minha cadeira, contornou a cama para o outro lado e aninhou-se junto de mim.

– Deita-te – ordenou ele.

Eu deslizei lentamente para debaixo das cobertas, retraindo-me e olhando para ele. Raios... ele ia ficar. Creio que estava entorpecida de exultação e surpresa. Ele apoiou-se num cotovelo e olhou para mim.

– Se vais chorar, chora à minha frente, pois eu preciso de saber.

– Queres que eu chore?

– Não propriamente, quero apenas saber como te sentes. Não quero que me escapes por entre os dedos. Apaga a luz. É tarde e ambos temos de trabalhar amanhã.

Tão perto... e mesmo assim tão autoritário, mas não me podia queixar, pois ele estava na minha cama e eu não percebia bem porquê... devia talvez chorar mais frequentemente à sua frente. Apaguei a luz ao lado da cama.

– Deita-te de lado e vira-te de costas para mim – murmurou ele, na escuridão.

Eu revirei os olhos, plenamente consciente de que ele não me podia ver, mas obedeci. Ele aproximou-se cautelosamente e envolveu-me nos seus braços, puxando-me contra o seu peito.

– Dorme, meu amor – sussurrou ele e eu senti o seu nariz no meu cabelo, quando respirou profundamente.

Caramba, o Christian Grey estava a dormir comigo. E adormeci tranquilamente no conforto e no consolo dos seus braços.

CAPÍTULO DEZASSETE

A chama da vela era demasiado quente, tremeluzindo e saltitando na brisa abafada de mais, uma brisa que não nos aliviava do calor. Asas diáfanas e macias adejavam na escuridão, salpicando o círculo de luz de escamas poeirentas. Eu tentava a custo resistir mas estava exausta. Depois tudo se tornou demasiado claro e eu dei comigo a voar demasiado perto do sol, deslumbrada pela luz, esturricada, a derreter, esgotada do meu esforço para me manter no ar. Sentia-me tão quente. O calor... era sufocante, arrasador, e acordou-me.

Abri os olhos e dei comigo envolta em Christian Grey. Ele estava embrulhado em mim como uma bandeira da vitória. Dormia profundamente, com a cabeça poisada sobre o meu peito, um braço sobre mim, a prender-me contra si, e uma das pernas por cima de mim, encaixada em torno das minhas pernas. Estava a sufocar-me com o seu calor corporal e era pesado. Só instantes depois me compenetrei de que ele ainda estava na minha cama e dormia profundamente. Lá fora havia luz – manhã. Ele passara a noite inteira comigo.

Eu tinha o braço direito esticado, sem dúvida na ânsia de um ponto mais fresco e, enquanto assimilava o facto de ele ainda estar comigo, ocorreu-me que lhe podia tocar, pois ainda estava a dormir. Levantei hesitantemente a mão e passei-lhe as pontas dos dedos pelas costas. Ouvi um vago gemido de agitação, vindo do fundo da sua garganta, e ele remexeu-se. Roçou-me o nariz pelo peito e inspirou profundamente ao despertar. Os seus olhos cinzentos pestanejaram, sonolentos, cruzando-se com os meus, por baixo da sua cabeleira desgrenhada.

– Bom dia – balbuciou, franzindo o sobrolho. – Uau, mesmo a dormir, sinto-me atraído por ti. – Movendo-se lentamente, retirou os membros de cima de mim, recuperando gradualmente a noção do que o rodeava. Eu apercebi-me da sua ereção contra a minha anca. Ele reparou na minha reação de espanto, dirigindo-me um sorriso lento e *sexy*.

– Hum... isto tem francas possibilidades, mas acho que devíamos esperar até domingo. – Inclinou-se e roçou-me o nariz pela orelha.

Eu corei, mas depois senti o seu calor afoguear-me em sete tons escarlate.

– Estás muito quente – murmurei.

– Tu também não estás mal de todo – murmurou ele, encostando-se sugestivamente a mim.

Eu corei um pouco mais. *Não era isso que eu queria dizer.* Ele apoiou-se num cotovelo e olhou-me, divertido. Depois, para minha surpresa, curvou-se e beijou-me delicadamente nos lábios.

– Dormiste bem? – perguntou-me.

Eu acenei afirmativamente, olhando para ele e apercebi-me que dormira muito bem, a não ser, talvez, durante a última meia hora, quando me sentira demasiado quente.

– Eu também – disse ele, franzindo o sobrolho. – Sim, mesmo muito bem. – Arqueou as sobrancelhas, num misto de surpresa e confusão. – Que horas são?

Olhei de relance para o despertador.

– São sete e meia.

– Sete e meia... merda! – Saiu apressadamente da cama, arrastando consigo os *jeans*.

Era a minha vez de me sentir divertida. Sentei-me. Christian Grey estava atrasado e aturdido e isso era algo que eu nunca antes vira. Apercebi-me tarde de mais que o traseiro já não me doía.

– Tu tens uma péssima influência em mim. Tenho uma reunião. Tenho de me ir embora. Tenho de estar em Portland às oito. Isso é um sorriso afetado?

– Sim.

Ele sorriu.

– Estou atrasado e não costumo atrasar-me. Mais uma estreia, Miss Steele. – Vestiu o casaco e depois curvou-se, agarrando-me na cabeça entre ambas as mãos.

– Domingo – disse ele e a palavra parecia cheia de promessas por revelar. Nas profundezas do meu corpo, tudo se expandiu e contraiu, em deliciosa expetativa. A sensação era maravilhosa.

Com os diabos, se ao menos a minha mente pudesse acompanhar o corpo. Ele inclinou-se para a frente e beijou-me rapidamente. Recolheu os seus objetos pessoais da minha mesinha de cabeceira e agarrou nos sapatos, mas não os calçou.

– Taylor virá cá e tratará do teu Carocha. Eu estava a falar a sério. Não o conduzas. Vemo-nos em minha casa, no domingo. Depois mando-te um e-mail com a hora. – Dito isto, saiu como um tornado.

Christian Grey passara a noite comigo e eu sentia-me repousada. Não houvera sexo, apenas carícias. Ele dissera-me que nunca tinha dormido com ninguém – mas já dormira três vezes comigo. Sorri e saí lentamente da cama. Sentia-me mais optimista do que no dia anterior. Dirigi-me para a cozinha, necessitada de uma chávena de chá.

Depois do pequeno-almoço, tomei um duche e vesti-me rapidamente para o meu último dia no Clayton's. Era o fim de uma era – o adeus a Mr. e Mrs. Clayton, à WSU Vancouver, ao meu apartamento e ao meu Carocha. Olhei de relance para a máquina cruel – eram apenas 7h52. Tinha tempo.

De: Anastasia Steele

Assunto: Ataque e Agressão: Sequelas

Data: 27 de maio de 2011 08:05

Para: Christian Grey

Caro Mr. Grey,

Queria saber porque me senti confusa depois de me (que eufemismo utilizar?)... depois de me espancar, castigar, bater e atacar. Bom, durante todo esse alarmante processo, senti-me aviltada, rebaixada e violentada. Além disso, por muito que isso me mortifique, tem razão, eu fiquei excitada, e isso foi inesperado. Como muito bem sabe, tudo o que se relaciona com sexo é uma novidade para mim. Gostaria apenas de ser mais experiente e portanto, estar mais bem preparada. Fiquei chocada por me sentir excitada.

O que realmente me preocupou foi a forma como me senti depois, o que é mais difícil de expressar. Fiquei feliz por fazê-lo feliz e senti-me aliviada por não ter sido tão doloroso como eu pensava que iria ser. Quando estava nos seus braços senti-me... saciada. Mas sinto-me muito desconfortável, talvez até culpada por sentir isso. Não tem muito a ver comigo e por isso estou confusa. Isto responde à sua pergunta?

Espero que o mundo das Fusões e Aquisições esteja estimulante como sempre... e que não tenha chegado muito atrasado.

Obrigada por ter ficado comigo.

Ana

De: Christian Grey
Assunto: Liberte a Sua Mente
Data: 27 de maio de 2011 08:24
Para: Anastasia Steele

Interessante título... ainda que ligeiramente exagerado, Miss Steele.

Respondendo às suas questões:

> Aceito o termo espancamento, pois foi disso mesmo que se tratou.

> Então, sentiu-se aviltada, rebaixada e atacada – mais parece a Tess D'Urbervilles. Se a memória não me falha, creio que foi você que optou pelo rebaixamento. Sente-se realmente assim ou acha que se deveria sentir assim? É que são duas coisas muito diferentes. Se é assim que

se sente, acha que poderia tentar aceitar esses sentimentos e lidar com eles, por mim? É isso que uma submissa faria.

> Sinto-me grato pela sua inexperiência, valorizo-a e só agora estou a começar a entender o que significa. Colocando as coisas de forma simples... significa que você é minha em todos os sentidos.

> Sim, ficou excitada, o que por seu turno foi bastante excitante, não há nada de mal nisso.

> Feliz não chega sequer para expressar como me senti. Prazer arrebatador é mais aproximado.

> A punição e o espancamento doem muito mais do que o espancamento sensual – por isso nunca será pior do que isto, a menos que cometa uma transgressão grave, claro, situação em que utilizarei um instrumento para a punir. Fiquei com a mão muito dorida mas isso agrada-me.

> Também me senti saciado – mais do que jamais poderia imaginar.

> Não desperdice a sua energia com sentimentos de culpa, iniquidade, etc. Somos adultos consensuais e o que fazemos à porta fechada fica entre nós. Você precisa de libertar a sua mente e escutar o seu corpo.

O mundo de F & A não é nem de longe tão estimulante como você, Miss Steele.

Christian Grey
CEO, Grey Enterprises Holdings, Inc.

———

Caramba... *minha em todos os sentidos.* Contive a respiração.

De: Anastasia Steele
Assunto: Adultos Consensuais!
Data: 27 de maio de 2011 08:26
Para: Christian Grey

Não está numa reunião?
Fico muito satisfeita por saber que ficou com a mão dorida.

Se eu escutasse o meu corpo, estaria no Alasca a estas horas.

Ana

P.S.: Pensarei em aceitar estes sentimentos.

De: Christian Grey
Assunto: Você Não Chamou A Polícia
Data: 27 de maio de 2011 08:35
Para: Anastasia Steele

Miss Steele,
Se está mesmo interessada em saber, estou numa reunião a discutir mercados futuros.

Para que conste, você ficou do meu lado, sabendo o que eu ia fazer.

Em momento algum me pediu para parar e não utilizou nenhuma das palavras de segurança.
É uma adulta – pode escolher.

Para ser franco, estou ansioso por voltar a sentir a palma da minha mão vibrar de dor.

É óbvio que não está a escutar a parte certa do seu corpo.
O Alasca é muito frio e não teria para onde fugir. Eu iria encontrá-la.

Não se esqueça que consigo rastrear o seu telemóvel.

Vá trabalhar.

Christian Grey
CEO, Grey Enterprises Holdings, Inc.

———

Franzi o sobrolho ao ecrã. É claro que ele tinha razão. A escolha era minha. *Hum.* Estaria a falar a sério, ao dizer que ia à minha procura? Deveria escapar-me durante algum tempo? Pensei por instantes na oferta da minha mãe e cliquei no "responder".

———

De: Anastasia Steele
Assunto: Perseguidor
Data: 27 de maio de 2011 08:36
Para: Christian Grey

Já procurou terapia para as suas tendências de perseguidor?
Ana

———

De: Christian Grey
Assunto: Perseguidor, eu?
Data: 27 de maio de 20111 08:38
Para: Anastasia Steele

No que diz respeito às tendências de perseguidor e outras, estou a pagar uma pequena fortuna ao eminente Dr.Flynn.
Vá trabalhar.

Christian Grey
CEO, Grey Enterprises Holdings, Inc.

De: Anastasia Steele
Assunto: Charlatões Caros
Data: 27 de maio de 2011 08:40
Para: Christian Grey

Posso sugerir-lhe humildemente que procure uma segunda opinião?
Não sei se o Dr. Flynn está a ser muito eficiente.

Miss Steele

De: Christopher Grey
Assunto: Segundas Opiniões
Data: 27 de maio de 2011 08:43
Para: Anastasia Steele

Não é que isso lhe diga respeito, com humildade ou sem ela, mas o Dr. Flynn é a segunda opinião.

Terá de acelerar no seu carro novo e correr riscos desnecessários. Acho que isso é contra as regras.

VÁ TRABALHAR.

Christian Grey
CEO, Grey Enterprises Holdings, Inc.

De: Anastasia Steele
Assunto: GRITOS EM MAIÚSCULAS
Data: 27 de maio de 2011 08:47
Para: Christian Grey

Sendo o alvo das suas tendências de perseguidor, por acaso acho que me diz respeito.

Eu ainda não assinei, por isso estou-me a marimbar para as regras. E só começo a trabalhar às 9h30.

Miss Steele

De: Christian Grey
Assunto: Linguagem Descritiva
Data: 27 de maio de 2011 08:49
Para: Anastasia Steele

"Marimbar"? Não me parece que isso venha no dicionário.

Christian Grey
CEO, Grey Enterprises Holdings, Inc.

De: Anastasia Steele
Assunto: Linguagem Descritiva

Data: 27 de maio de 2011 08:52
Para: Christian Grey

Algo intermédio entre controlador e perseguidor.
A linguagem descritiva é um limite rígido para mim.

Vai parar de me incomodar, agora?

Gostaria de ir trabalhar no meu carro novo.

Ana

De: Christian Grey
Assunto: Jovem Desafiadora Mas Divertida
Data: 27 de maio de 2011 08:58
Para: Anastasia Steele

Sinto um formigueiro na palma da mão.
Conduza com cuidado, Miss Steele

Christian Grey
CEO, Grey Enterprises Holdings, Inc.

Era um prazer conduzir o Audi. Tinha direção assistida. Wanda, o meu Carocha, não tinha obviamente direção assistida, por isso o exercício diário que eu fazia ao conduzi-lo iria cessar. Ah, mas segundo as regras de Christian, teria um *personal trainer* com quem lutar. Franzi o sobrolho. Detestava fazer exercício.

Enquanto conduzia tentei analisar a nossa troca de e-mails. Ele às vezes era um filho da mãe paternalista. Depois, pensei em Grace e senti-me culpada. É claro que ela não era a sua mãe biológica. *Hum,* havia ali todo um universo desconhecido de dor. Portanto, filho da mãe paternalista servia perfeitamente. Sim, eu era uma adulta e a escolha era minha, obrigada por me lembrares disso, Christian Grey. O problema era que eu só queria o Christian e não toda a sua… bagagem e, naquele momento, ele tinha o equivalente a um porão de um 747 de bagagem. Poderia simplesmente descontrair-me e aceitá-la, enquanto submissa? Eu dissera-lhe que tentaria, mas era pedir bastante.

Entrei para o parque de estacionamento do Clayton's. Mal podia acreditar, ao entrar, que era o meu último dia. Felizmente a loja estava movimentada e o tempo passou depressa. À hora do almoço, Mr. Clayton chamou-me do armazém. Estava junto de um mensageiro de moto.

– Miss Steele? – perguntou o mensageiro. Eu franzi interrogativamente o sobrolho a Mr.Clayton que encolheu os ombros, tão intrigado como eu. Senti o coração afundar-se. O que me teria mandado Christian agora? Assinei o registo do pequeno pacote e abri-o imediatamente. Era um BlackBerry e o meu coração afundou-se ainda mais. Liguei-o.

De: Christian Grey
Assunto: Blackberry EMPRESTADO
Data: 27 de maio de 2011 11:15
Para: Anastasia Steele

Tenho de te poder contactar a qualquer momento e calculei que precisasses de um Blackberry, uma vez que este é o teu meio de comunicação mais honesto.

Christian Grey
CEO, Grey Enterprises Holdings, Inc.

De: Anastasia Steele
Assunto: Consumismo Descontrolado

Data: 27 de maio de 2011 13:22
Para: Christian Grey

Acho que precisas de telefonar imediatamente ao Dr. Flynn.
As tuas tendências de perseguidor estão a ficar descontroladas.
Estou no trabalho. Mandar-te-ei um e-mail quando chegar a casa.

Obrigada por me ofereceres mais um *gadget*.

Eu não estava enganada ao dizer que tu eras um consumidor nato.

Porque fazes isto?

Ana

De: Christian Grey
Assunto: A Sagacidade de Alguém Tão Jovem
Data: 27 de maio de 2011 13:24
Para: Anastasia Steele

Bem visto, como sempre, Miss Steele.
O Dr. Flynn está de férias.

Faço isto porque posso.

Christian Grey
CEO, Grey Enterprises Holdings, Inc.

Coloquei aquela coisa no bolso de trás, sentindo que já a odiava. Mandar e-mails a Christian era viciante, mas eu devia estar a trabalhar. A coisa voltou a vibrar contra o meu traseiro... *Mas que adequado*, pensei eu, ironicamente, reunindo toda a minha força de vontade e ignorando-o.

Às quatro horas, Mr. e Mrs. Clayton reuniram todos os outros empregados na loja e ofereceram-me um cheque de trezentos dólares, durante um discurso terrivelmente embaraçante. Todos os acontecimentos das últimas três semanas me vieram à cabeça: exames; licenciatura; bilionário marado da cabeça; desfloramento; limites ultrapassáveis e intransponíveis; salas de jogos sem consolas; passeios de helicóptero; e o facto de me ir mudar no dia seguinte. Por incrível que pareça, consegui dominar-me. O meu subconsciente estava impressionado. Abracei os Clayton com força.

Eles tinham sido uns patrões amáveis e generosos e eu ia sentir a falta deles.

Kate estava a sair do carro quando cheguei a casa.

– O que é isso? – perguntou ela, acusadoramente, apontando para o Audi. Eu não consegui resistir.

– É um carro – respondi, sarcasticamente. Ela semicerrou os olhos e, por breves instantes, interroguei-me se ela não me iria deitar também sobre os seus joelhos. – É o meu presente de licenciatura. – Tentei parecer indiferente. *Sim, todos os dias me oferecem carros dispendiosos.* Ela ficou de boca aberta.

– Que generoso é esse sacana extravagante, não é?

Eu acenei com a cabeça.

– Eu tentei recusar, mas francamente achei que não valia a pena discutir por causa disso.

Kate crispou os lábios.

– Não admira que estejas completamente apanhadinha por ele. Eu reparei que ele ficou cá.

– Pois. – Sorri nostalgicamente.

– Vamos acabar de encaixotar as coisas?

Eu assenti e segui-a para dentro de casa. Vi que tinha um e-mail de Christian.

De: Christian Grey
Assunto: Domingo
Data: 27 de maio de 2011 13:40
Para: Anastasia Steele

Vemo-nos às 13h00, no domingo?
O médico estará no Escala às 13h30, para te examinar.

Vou partir para Seattle, agora.

Espero que a tua mudança corra bem e estou ansioso por domingo.

Christian Grey
CEO, Grey Enterprises Holdings, Inc.

Caramba, poderia até estar a falar do tempo. Decidi enviar-lhe um e-mail depois de termos acabado de encaixotar as coisas. Ele conseguia ser tão divertido num momento e tão formal e enfadonho no momento seguinte que era difícil acompanhá-lo. Sinceramente era como escrever um e-mail a um patrão. Revirei os olhos para o e-mail, com um ar desafiador, e juntei-me à Kate para encaixotar as coisas.

Kate e eu estávamos na cozinha quando ouvimos bater à porta. Taylor estava no alpendre, de fato, com uma aparência imaculada. Eu vi resquícios do ex-militar no cabelo cortado à escovinha, na sua excelente forma física e no seu olhar frio.

– Vim buscar o seu carro, Miss Steele – disse ele.

– Ah sim, claro, entre. Vou buscar a chaves.

Seguramente que aquilo ia muito além das suas obrigações. Voltei a pensar na descrição de funções de Taylor. Depois, dei-lhe as chaves e caminhámos em direção ao Carocha azul claro, num silêncio constrangedor

– pelo menos para mim. Abri a porta e retirei a lanterna do porta-luvas. Pronto, já não tinha nada de pessoal dentro da Wanda. *Adeus, Wanda, obrigada.* Acariciei-lhe o tejadilho, ao fechar a porta do lado do passageiro.

– Há quanto tempo trabalha para Mr. Grey? – perguntei.

– Há quatro anos, Miss Steele.

Subitamente, senti um desejo avassalador de o bombardear com perguntas. O que aquele homem devia saber acerca de Christian, quantos segredos. Mas provavelmente assinara o Acordo de Confidencialidade. Olhei-o nervosamente. Tinha a mesma expressão taciturna de Ray e eu senti mais carinho por ele.

– Ele é um bom homem, Miss Steele – disse ele, com um sorriso. Depois acenou-me ligeiramente com a cabeça, entrou no meu carro e foi-se embora com ele.

Apartamento, Carocha, Clayton's – tudo agora eram mudanças. Abanei a cabeça ao voltar para dentro – e a maior de todas elas era Christian Grey. Taylor achava que ele *era um bom homem.* Poderia acreditar nele?

José veio ter connosco às oito, com comida chinesa que trouxera de um *take-away.* Nós já estávamos despachadas. Tínhamos tudo encaixotado e estávamos prontas para partir. Ele trouxe várias garrafas de cerveja. Kate e eu sentámo-nos no sofá e ele sentou-se de pernas cruzadas no chão, entre nós. Vimos televisão da treta e bebemos cerveja, recordando terna e ruidosamente o passado, à medida que o serão avançava e a cerveja fazia efeito. Tinham sido quatro anos excelentes.

O ambiente entre mim e o José regressara ao normal e o beijo que ele tentara dar-me já estava esquecido. Ou melhor, eu varrera-o para debaixo do tapete onde a minha deusa interior estava deitada, a comer uvas, e a tamborilar com os dedos, à espera de domingo não muito pacientemente. Alguém bateu à porta e o coração saltou-me para a boca. Seria...?

Kate foi abrir a porta e o Elliot quase a atirou ao chão, cingindo-a num abraço estilo Hollywood que evoluiu rapidamente para um abraço tipo cinema Europeu. *Sinceramente... arranjem um quarto.* Eu e o José olhámos um para o outro. Estava chocada com a falta de pudor de ambos.

– Vamos até ao bar? – perguntei ao José, que acenou freneticamente com a cabeça. Estávamos demasiado desconfortáveis com a desenfreada cena de sexo que se estava a desenrolar à nossa frente. Kate olhou para mim, afogueada, de olhos brilhantes.

– Eu e o José vamos tomar uma bebida rápida – disse, revirando-lhes os olhos. Ah, pois! Ainda podia revirar os olhos nos meus momentos de lazer.

– Ok – disse Kate, sorrindo.

– Olá Elliot, adeus Elliot.

Ele piscou-nos um olho azul e nós saímos porta fora, a rir baixinho, como dois adolescentes.

Dei o braço ao José no caminho para o bar. Meu Deus, ele era tão pouco complicado. Nunca tinha dado valor a isso antes.

– Sempre vens à inauguração da minha exposição, não vens?

– Claro, José, quando é?

– Nove de junho.

– Que dia é? – Subitamente entrei em pânico.

– É uma quinta-feira.

– Sim, devo conseguir ir... E tu vais visitar-nos a Seattle?

– Tenta impedir-me – respondeu a sorrir.

Já era tarde quando regressei do bar. Não via a Kate nem o Elliot em lado nenhum, mas ouviam-se bem, caramba! *Com os diabos.* Esperava não ser tão ruidosa. O Christian não era. Corei só de pensar nisso e refugiei-me no meu quarto. O José fora-se embora depois de um abraço agradecido, sem qualquer tipo de constrangimentos. Não sabia quando o voltaria a ver. Provavelmente na sua exposição de fotografia. Voltei a sentir-me impressionada por ele ter finalmente conseguido fazer uma exposição. Iria sentir a falta dele e do seu charme infantil. Não conseguira falar-lhe do Carocha. Sabia que ele ia ficar de cabeça perdida quando soubesse e eu só conseguia lidar com um homem furioso comigo, de cada vez. Depois de já estar no quarto, verifiquei a máquina cruel e é claro que tinha um e-mail do Christian.

De: Christian Grey
Assunto: Onde Estás?
Data: 27 de maio de 2011 22:14
Para: Anastasia Steele

"Estou no trabalho. Mando-te um e-mail quando chegar a casa".
Ainda estás no trabalho, ou encaixotaste o teu telefone, o BlackBerry e o MacBook?

Telefona-me, de contrário poderei ver-me obrigado a telefonar ao Elliot.

Christian Grey
CEO, Grey Enterprises Holdings, Inc.

Bolas… o José… merda.

Agarrei no telefone. Cinco chamadas não atendidas e uma mensagem de voz. Escutei hesitantemente a mensagem. Era o Christian.

– *Acho que tens de aprender a corresponder às minhas expetativas. Não sou um homem paciente. Se dizes que me vais contactar quando saíres do trabalho, deverias ter a decência de o fazer, de contrário eu fico preocupado e como não estou familiarizado com essa sensação, não a tolero bem. Telefona-me.*

Duas vezes bolas. Será que nunca me iria dar um momento de descanso? Fiz uma careta para o telefone. Ele estava a sufocar-me. Percorri a lista de contactos até ao número dele, com uma profunda sensação de pavor a crescer-me no estômago e carreguei na tecla de chamada. Sentia o coração na boca enquanto esperava que ele atendesse. Provavelmente apetecia-lhe dar-me uma sova monumental em sete tons. A ideia era deprimente.

– Olá – disse ele, brandamente, e a resposta apanhou-me de surpresa pois contava com a sua raiva. Pelo menos, parecia aliviado.

– Olá – murmurei.

– Estava preocupado contigo.

– Eu sei. Desculpa não ter respondido, mas estou bem.

Ele fez uma breve pausa.

– Tiveste uma noite agradável? – A sua cordialidade era fria.

– Sim. Acabámos de encaixotar as coisas e eu e a Kate comemos comida chinesa do *take-away*, com o José. – Fechei os olhos com força, ao proferir o nome do José, mas Christian não disse nada.

– E tu? – perguntei, para preencher aquele súbito abismo ensurdecedor de silêncio. Não permitiria que ele me fizesse sentir culpada por causa do José.

Por fim ele suspirou.

– Fui a um jantar de recolha de fundos. Foi extremamente entediante. Vim-me embora assim que pude.

Parecia tão triste e resignado. Senti o coração apertado. Imaginei-o sentado ao piano da sua enorme sala de estar, há muitas noites atrás, recordando a insuportável melancolia agridoce da música que tocava.

– Quem me dera que aqui estivesses – sussurrei, sentindo uma ânsia de o abraçar e de o apaziguar, embora ele não mo permitisse. Desejava a sua proximidade.

– Gostavas? – murmurou, brandamente. *Caramba*, isto nem parecia dele. Um formigueiro de apreensão arrepanhou-me o couro cabeludo.

– Sim – sussurrei. Séculos depois, ele suspirou

– Vemo-nos no domingo?

– Sim, no domingo – murmurei, sentindo a emoção percorrer-me o corpo.

– Boa noite.

– Boa noite, Senhor.

A minha abordagem apanhou-o desprevenido, apercebi-me disso pela forma como arfou bruscamente.

– Boa sorte com a tua mudança, amanhã, Anastasia. – Falava num tom de voz brando e ficámos ambos pendurados ao telefone, como dois adolescentes. Nenhum dos dois queria desligar.

– Desliga tu – sussurrei, sentindo finalmente o seu sorriso.

– Não, desliga tu. – E eu percebi que ele estava a sorrir.

– Não quero.
– Eu também não.
– Estavas muito zangado comigo?
– Estava.
– Ainda estás?
– Não.
– Então não me vais castigar?
– Não. Hoje estou generoso.
– Já tinha reparado
– Pode desligar agora, Miss Steele.
– Quer mesmo que o faça, Senhor?
– Vai para a cama, Anastasia.
– Sim, Senhor.
Ambos ficámos em linha.
– Achas que alguma vez conseguirás fazer o que te mandam? – Estava divertido e exasperado, ao mesmo tempo.
– Talvez. Veremos depois de domingo.– Carreguei na tecla e desliguei.

Elliot levantou-se e admirou a sua obra. Voltara a ligar a nossa televisão ao sistema de satélite do nosso apartamento de Pike Place Market. Kate e eu deixámo-nos cair no sofá, a rir baixinho, impressionadas com o seu talento com a broca elétrica. O ecrã plano ficava estranho, encostado à parede de tijolos do armazém reconvertido, mas eu iria sem dúvida habituar-me.

– Vês, querida, é fácil – disse ele, dirigindo um enorme sorriso de dentes brancos a Kate e ela quase se dissolveu por completo no sofá.

Eu revirei os olhos a ambos.

– Adoraria ficar, querida, mas a minha irmã regressou de Paris e tenho um jantar de família obrigatório, hoje à noite.

– Podes passar por cá, depois? – perguntou Kate, hesitantemente, toda delicodoces, o que não era nada próprio dela.

Eu levantei-me e dirigi-me para a cozinha, a pretexto de desembalar um dos caixotes. Eles iam ficar melosos.

– Vou ver se me consigo escapar – prometeu ele.

– Eu desço contigo – disse Kate, sorrindo.

– Até logo, Ana – despediu-se Elliot.

– Adeus, Elliot, dá cumprimentos meus ao Christian.

– Só cumprimentos? – perguntou ele, arqueando sugestivamente as sobrancelhas.

– Sim – Eu corei. Ele piscou-me o olho e eu fiquei vermelha, enquanto ele saía do apartamento, atrás da Kate.

Elliot era adorável e muito diferente de Christian. Era afetuoso, aberto e carnal, muito carnal, demasiado carnal com Kate. Mal conseguiam tirar as mãos de cima um do outro, o que era embaraçante, para dizer a verdade – e me fazia ficar verde de inveja.

Kate regressou cerca de vinte minutos depois, com pizza, e ambas nos sentámos no nosso novo espaço, rodeadas de caixotes, a comer diretamente da caixa. O pai de Kate fora bastante generoso connosco. O apartamento não era grande, mas tinha espaço suficiente – três quartos e uma grande sala de estar, com vista para Pike Place Market – todo ele com soalhos de madeira maciça e paredes de tijolos. As bancadas da cozinha eram em betão polido, um material extremamente utilitário e moderno. Ambas adorámos a ideia de viver no coração da cidade.

Às oito horas a campainha tocou. Kate deu um salto e o coração saltou-me para a boca.

– Uma entrega para Miss Steele e Miss Kavanagh. – A deceção percorreu-me livremente as veias de forma algo inesperada. Não era Christian.

– Segundo andar, apartamento dois.

Kate abriu a porta ao mensageiro e ele ficou de boca aberta ao vê-la de *jeans* justos, *t-shirt* e cabelo puxado para cima, com finas madeixas soltas. Ela produzia esse efeito nos homens. Ele ergueu uma garrafa de champanhe, com um balão em forma de helicóptero, preso. Ela despachou-o, com um sorriso deslumbrante, e leu-me de seguida o cartão:

Minhas Senhoras,

Boa sorte com a vossa nova casa.

Christian Grey

Kate abanou a cabeça, desaprovadoramente.

– Porque não se limitou a escrever "Do Christian"? E para que raio é aquele balão esquisito em forma de helicóptero?

– Charlie Tango.

– O quê?

– O Christian levou-me a Seattle no seu helicóptero – respondi, encolhendo os ombros.

Kate olhou para mim de boca aberta. Tenho de admitir que adorava aqueles momentos por serem tão raros – ver Katherine Kavanagh silenciosa e pasmada – e decidi desfrutar desse breve e sumptuoso momento de deleite.

– Sim, ele tem um helicóptero e foi ele próprio que o pilotou – disse, orgulhosamente.

– É claro que aquele estupor escandalosamente rico tinha de ter um helicóptero. Porque não me contaste? – Kate olhou-me acusadoramente, mas estava a sorrir e a abanar a cabeça, incrédula.

– Tenho tido muito em que pensar, ultimamente.

Ela franziu o sobrolho.

– Vais ficar bem enquanto eu estiver fora?

– Claro que vou – respondi, tranquilizadoramente. *Sem trabalho, numa cidade nova... com um namorado chalado.*

– Deste-lhe a nossa morada?

– Não, mas perseguir é uma das suas especialidades – respondi, sem rodeios, à laia de devaneio.

Kate franziu ainda mais a testa

– Por alguma razão isso não me surpreende. Ele preocupa-me, Ana. Pelo menos o champanhe é bom e está gelado.

Claro. Só Christian mandaria champanhe gelado, ou mandaria a secretária enviá-lo... ou Taylor, talvez. Abrimo-lo imediatamente e procurámos as nossas chávenas de chá, as últimas coisas que tínhamos encaixotado.

– Bollinger Grande Année Rosé, de 1999, uma excelente colheita. – Sorri a Kate e batemos ao de leve com as chávenas uma na outra.

Acordei cedo, deparando-me com uma manhã de domingo cinzenta, depois de uma noite de sono surpreendentemente revigorante, e fiquei deitada, acordada, a olhar para os meus caixotes. *Devias mesmo estar a desembalar esses caixotes,* protestou o meu subconsciente, crispando os seus lábios de hárpia. *Não… hoje é o grande dia.* A minha deusa interior estava fora de si, a saltitar de um pé para o outro. A expetativa pairava sobre a minha cabeça, pesada e agoirenta, como uma nuvem escura de uma tempestade tropical. As borboletas inundaram-me o ventre – a par de uma ânsia mais sombria, carnal e cativante – ao tentar imaginar o que ele me iria fazer… é claro que teria de assinar aquele maldito contrato. Ou será que não? Ouvi o tinido de um e-mail a chegar, na máquina cruel, poisada no chão, junto da minha cama.

De: Christian Grey
Assunto: A Minha Vida em Números
Data: 29 de maio de 2011 08:04
Para: Anastasia Steele

Se vieres de carro vais precisar deste código de acesso, para a garagem subterrânea do Escala: 146963
Estaciona no lote número cinco – é um dos meus.

Código do elevador: 1880

Christian Grey
CEO, Grey Enterprises Holdings, Inc.

De: Anastasia Steele
Assunto: Uma Excelente Colheita
Data: 29 de maio de 2011 08:08
Para: Christian Grey

Sim Senhor, entendido.

Obrigada pelo champanhe e pelo balão Charlie Tango, que está agora amarrado à minha cama.

Ana

De: Christian Grey
Assunto: Inveja
Data: 29 de maio de 2011 08:11
Para: Anastasia Steele

Não tem de quê.
Não se atrase.

Afortunado Charlie Tango.

Christian Grey
CEO, Grey Enterprises Holdings, Inc.

Revirei os olhos perante o seu autoritarismo, mas a última linha fez-me sorrir. Dirigi-me para a casa de banho, interrogando-me se Elliot teria conseguido voltar cá para casa, na noite anterior, e esforçando-me para dominar os nervos.

Consegui conduzir o Audi de saltos altos! Entrei na garagem do Escala precisamente às 12h45 e estacionei no lote número cinco. Quantos lotes terá ele? O SUV e o R8 da Audi estavam lá, bem como dois outros SUVs da Audi, mais pequenos... *hum.* Verifiquei a maquilhagem, que raramente usava, no pequeno espelho da minha pala de proteção. Não tinha espelhos desses no meu Carocha.

Vai miúda! A minha deusa interior estava agarrada aos pompons, em modo de líder de claque. Verifiquei o meu vestido cor de ameixa – ou melhor, o vestido cor de ameixa da Kate, nos inúmeros espelhos do elevador. A última vez que o vestira ele quisera despir-mo. O meu corpo retesou-se só de pensar. A sensação era magnífica e eu recuperei o fôlego. Tinha vestido a roupa interior que o Taylor me comprara. Corei só de imaginar o seu cabelo cortado à escovinha a passear pelos corredores do Agent Provacateur, ou onde quer que a tivesse comprado. As portas abriram-se e eu deparei-me com o vestíbulo do apartamento um.

Taylor estava junto das portas duplas, quando saí do elevador.

– Boa tarde, Miss Steele – disse ele.

– Ah, por favor, trate-me por Ana.

– Ana – disse ele, sorrindo. – Mr. Grey está à sua espera.

Aposto que sim.

Christian estava sentado no sofá da sala de estar, a ler os jornais de domingo, e levantou os olhos, quando Taylor me indicou a sala de estar. A sala estava exatamente como eu me recordava dela. Passara uma semana desde que eu lá estivera, mas parecia que já fora há muito mais tempo. Christian parecia descontraído e calmo – na verdade, estava divinal. Vestira uma camisa larga, de linho branco, e estava sem sapatos nem meias. Tinha o cabelo revolto e um brilho malicioso no olhar. Levantou-se e veio ao meu encontro, com um sorriso divertido e avaliador, nos seus lindos lábios perfeitos.

Fiquei imóvel, à entrada da sala, paralisada pela sua beleza e a deliciosa expetativa do que estava para acontecer. A familiar química entre ambos estava presente, faiscando-me lentamente no ventre e atraindo-me para ele.

– Hum... esse vestido – murmurou ele, aprovadoramente, ao olhar para mim. – Bem-vinda de novo, Miss Steele – sussurrou. Agarrou-me no queixo e inclinou-se, depositando-me um beijo delicado e leve nos lábios. O toque dos seus lábios nos meus reverberou-me pelo corpo. Eu contive a respiração.

– Olá – sussurrei, corando.

– Chegaste a horas. Gosto de pontualidade. Anda. – Pegou-me na mão e conduziu-me para o sofá. – Queria mostrar-te uma coisa –

disse ele, ao sentarmo-nos, passando-me o *Seattle Times*. Na página oito estava uma fotografia de nós os dois, juntos, na cerimónia de formatura. *Raios*. Eu estava no jornal. Verifiquei a legenda.

Christian Grey e amiga na cerimónia de formatura da
WSU Vancouver.

Eu ri-me.

– Então agora sou a tua "amiga".

– É o que parece e está no jornal, por isso deve ser verdade – disse ele, com um sorriso petulante.

Ele estava sentado ao meu lado, totalmente virado para mim, com uma das pernas entalada debaixo da outra. Alcançou-me o cabelo e prendeu-o atrás da orelha, com o seu longo indicador. O meu corpo carente e expectante despertou, ao sentir o seu toque.

– Bom, Anastasia, agora tens uma ideia muito mais concreta sobre as minhas intenções, do que da última vez que cá estiveste.

– Sim. – *Aonde estará ele a querer chegar?*

– E ainda assim, voltaste.

Eu anuí timidamente e os seus olhos brilharam. Ele sacudiu a cabeça como se estivesse a debater-se com a ideia.

– Comeste? – perguntou ele, inesperadamente.

Merda.

– Não.

– Tens fome? – Estava a esforçar-se para não parecer incomodado.

– De comida, não – sussurrei e as suas narinas dilataram-se em resposta.

Ele inclinou-se para a frente e segredou-me ao ouvido:

– Ávida como sempre, Miss Steele. Vou-lhe confessar um pequeno segredo, eu também, mas a Dra. Greene deve estar a chegar. – Endireitou-se no sofá. – Quem me dera que comesses – disse-me, num tom ligeiramente repreensivo, e o meu sangue já quente, arrefeceu. Caramba, o médico. Tinha-me esquecido.

– O que me podes dizer acerca da Dra. Greene? – perguntei, para nos distrair a ambos.

– É a melhor obstetra e ginecologista de Seattle. Que mais posso dizer? – disse, encolhendo os ombros.

– Julgava que ia ter consulta com o teu médico e não me digas que afinal és uma mulher, porque eu não vou acreditar.

Ele olhou-me como quem diz "não sejas ridícula".

– Acho mais adequado consultares um especialista, não te parece? – perguntou, brandamente.

Eu acenei com a cabeça. Meu Deus, se ela era a melhor obstetra e ginecologista e ele marcara a consulta para um domingo, à hora do almoço, era quase impossível imaginar quanto aquilo lhe iria custar. Christian franziu subitamente o sobrolho, como se lhe ocorresse algo de desagradável.

– Anastasia, a minha mãe gostaria que tu fosses jantar connosco esta noite. Acho que o Elliot também vai convidar a Kate. Não sei o que achas disso. Para mim será estranho apresentar-te à minha família.

Estranho? Porquê?

– Tens vergonha de mim? – Não consegui esconder o tom melindrado na voz.

– Claro que não – disse ele, revirando os olhos.

– Porque é que é estranho?

– Porque nunca o fiz antes.

– Porque é que tu podes revirar os olhos e eu não?

Ele pestanejou.

– Não me apercebi de que o estava a fazer.

– Nem eu, habitualmente – disse eu, bruscamente.

Christian olhou-me intensamente, sem dizer nada. Taylor apareceu à porta.

– A Dra. Greene chegou, senhor.

– Leva-a para o quarto de Miss Steele.

O quarto de Miss Steele?

– Estás pronta para escolher um contracetivo? – perguntou, ao levantar-se, estendendo-me a mão.

– Não estás a pensar vir também, pois não? – exclamei, perplexa.

Ele riu-se:

– Pagaria de bom grado para assistir, acredita, mas não creio que a doutora aprovasse, Anastasia.

Eu dei-lhe a mão e ele puxou-me para os seus braços, dando-me um beijo intenso. Eu agarrei-me aos braços dele, surpreendida. Ele levou a mão ao meu cabelo e segurou-me a cabeça, puxando-me contra si, e encostando a sua testa à minha.

– Estou tão feliz por estares aqui – sussurrou-me. – Estou ansioso por te despir.

CAPÍTULO DEZOITO

A Dra. Greene era alta, loura e imaculada, e envergava um fato azul escuro. Lembrava-me a mulher que trabalhava no escritório de Christian. Parecia um modelo de um retrato falado – mais uma loura de Stepford. Os seus longos cabelos louros estavam levemente apanhados num elegante carrapito. Devia ter quarenta e poucos anos.

– Mr. Grey – Apertou a mão esticada de Christian.

– Obrigado por vir tão em cima da hora – disse Christian.

– Obrigada por fazer valer o meu tempo, Mr. Grey, Miss Steele – sorriu com um olhar frio e avaliador.

Apertámos a mão e eu percebi que ela era uma daquelas mulheres que não aturavam idiotas de bom grado. Simpatizei imediatamente com ela tal como me acontecera com Kate. Ela dirigiu um olhar conspícuo a Christian e depois de um instante embaraçoso ele fez o que tinha a fazer.

– Estou lá em baixo – murmurou ele, saindo da sala que viria a converter-se no meu quarto.

– Bom, Miss Steele, Mr. Grey está a pagar-me uma pequena fortuna para tratar de si. Em que lhe posso ser útil?

Depois de um exame completo e de uma longa discussão a Dra. Greene e eu optámos pela mini pílula. Ela passou-me uma receita pré-paga e deu-me instruções para ir buscar as pílulas no dia seguinte. Eu adorei a sua atitude pragmática – deu-me um sermão, até ficar tão azul como o vestido, de tanto me dizer para as tomar todos os dias à mesma hora. Eu percebi que ela estava a arder de curiosidade acerca do meu suposto relacionamento com Mr. Grey, mas não lhe dei quaisquer detalhes. Creio que não estaria com um ar tão calmo e controlado se tivesse visto o Quarto Vermelho da Dor. Eu corei ao passarmos pela porta fechada desse quarto e voltarmos a descer até a galeria de arte que era a sala de estar de Christian.

Christian estava a ler, sentado no sofá. No sistema de som ouvia--se uma ária de ópera impressionante, uma canção doce e comovente que parecia redemoinhar em torno dele, encasulando-o, e impregnando toda a sala. Por instantes pareceu-me sereno. Ao entrarmos virou-se e olhou para nós, sorrindo-me afetuosamente.

– Estão despachadas? – perguntou, como se estivesse verdadeiramente interessado. Apontou o controlo remoto para a caixa branca, polida, que alojava o seu iPod, debaixo da lareira, e a requintada melodia diluiu-se, mas continuou a tocar em música de fundo. Depois levantou--se e veio ao nosso encontro.

– Sim, Mr. Grey, cuide bem dela; é uma jovem muito bonita e inteligente.

Christian foi apanhado de surpresa – tal como eu. Mas que observação mais imprópria para um médico. Será que lhe iria fazer uma advertência menos subtil? Christian recuperou a compostura.

– É exatamente essa a minha intenção – disse ele, perplexo.

Eu olhei para ele e encolhi os ombros constrangida.

– Enviar-lhe-ei a minha conta – disse ela, incisivamente, ao apertar--lhe a mão.

– Bom dia e boa sorte, Ana. – Sorriu-me e franziu os olhos, ao apertarmos a mão.

Taylor apareceu, vindo não se sabe bem de onde, para a acompanhar ao elevador, através das portas duplas. Como faria ele aquilo? Onde se esconderia?

– Como correu? – perguntou Christian.

– Bem, obrigada. Ela disse que eu teria de me abster de qualquer atividade sexual, durante as próximas quatro semanas.

Christian ficou de boca aberta com o choque e eu não consegui manter uma expressão séria, sorrindo-lhe como uma idiota.

– Apanhei-te!

Ele semicerrou os olhos e eu parei imediatamente de rir. Na verdade, estava com um ar bastante ameaçador. *Oh, merda.* O meu subconsciente encolheu-se a um canto, e eu senti o sangue fugir-me das faces, ao imaginá-lo a deitar-me de novo sobre o seu joelho.

– Apanhei-te! – disse ele, com um sorriso petulante, agarrando-

-me pela cintura e puxando-me contra si. – Você é incorrigível, Miss Steele – murmurou ele. Olhou-me nos olhos e entrelaçou-me os dedos nos cabelos, segurando-me firmemente. Depois beijou-me com força e eu agarrei-me aos seus braços musculosos para me amparar.

– Por muito que eu desejasse possuir-te aqui mesmo, neste momento, tu precisas de comer e eu também. Não quero que desmaies quando estiveres comigo. Mais tarde – murmurou ele contra os meus lábios.

– É só isso que queres de mim, o meu corpo? – sussurrei eu.

– Isso e a tua língua aguçada – respondeu-me.

Voltou a beijar-me apaixonadamente e depois libertou-me abruptamente, deu-me a mão e levou-me para a cozinha. Eu estava hesitante. Num minuto estávamos a brincar e no minuto seguinte... abanei o rosto afogueado com a mão. Primeiro só pensava em sexo e agora queria que eu recuperasse o meu equilíbrio e comesse alguma coisa. A ária de ópera continuava a tocar em música de fundo.

– Que música é esta?

– Villa Lobos, uma ária de *Bachianas Brasileiras*. É boa, não é?

– É – murmurei, totalmente de acordo.

A mesa, ao balcão, estava posta para dois e Christian tirou uma saladeira do frigorífico.

– Salada César de galinha agrada-te?

Oh, graças a Deus, nada demasiado pesado!

– Sim, parece-me bem, obrigada.

Eu fiquei a vê-lo mover-se elegantemente pela cozinha. De certa forma, parecia bastante à vontade com o seu corpo, mas depois não gostava que lhe tocassem ... por isso talvez no seu íntimo não estivesse. Nenhum homem é uma ilha, ponderei eu – a não ser, talvez, Christian Grey.

– Em que estás a pensar? – perguntou ele, arrancando-me das minhas divagações. Eu corei.

– Estava apenas a observar a forma como te moves.

Ele arqueou uma sobrancelha divertido.

– E? – perguntou, secamente.

Eu corei um pouco mais.

– És muito elegante.

– Obrigado, Miss Steele – murmurou, sentando-se a meu lado e erguendo uma garrafa de vinho. – Chablis?

– Por favor.

– Serve-te de salada – disse, num tom de voz brando. – Diz-me, porque método optaste?

Eu fiquei momentaneamente desconcertada com a pergunta, até perceber que ele se estava a referir à visita da Dra. Greene.

– Mini pílula.

Ele franziu o sobrolho.

– E vais lembrar-te de a tomar regularmente, todos os dias, às horas certas?

Raios...claro que vou. Como sabia ele? Corei só de pensar – provavelmente uma ou mais, das quinze.

– Estou certa de que me lembrarás – murmurei, secamente.

Ele olhou-me, com uma expressão divertida e condescendente.

– Vou pôr um alarme no meu calendário – disse, com um sorriso petulante. – Come.

A salada César de galinha estava deliciosa. Para minha surpresa, percebi que estava esfomeada e terminei a minha refeição antes dele, pela primeira vez desde que estávamos juntos. O vinho era fresco, limpo e frutado.

– Ávida como sempre, Miss Steele – disse, sorrindo para o meu prato vazio.

Eu olhei para ele por baixo das pestanas.

– Sim – sussurrei.

Ele conteve a respiração e quando olhou para mim, o ambiente entre nós começou a modificar-se lentamente, a evoluir... a intensificar-se, e o seu olhar, a princípio sombrio, tornou-se ardente, arrastando-me consigo. Ele levantou-se, e aproximou-se mais de mim, arrancando-me do banco e tomando-me nos seus braços.

– Queres fazer isto? – sussurou, olhando-me atentamente.

– Eu não assinei nada.

– Eu sei, mas ultimamente ando a quebrar todas as regras.

– Vais bater-me?

– Sim, mas não será para te magoar. Agora não quero castigar-te. Se me tivesses apanhado ontem à noite, teria sido uma história diferente.

Caramba, ele *queria* magoar-me... como lidar com aquilo? Não conseguia esconder o horror no meu rosto.

– Não permitas que ninguém tente convencer-te do contrário, Anastasia. Uma das razões porque as pessoas gostam que eu faça isto é porque tanto se pode gostar de infligir dor como de a sofrer. É muito simples. Tu não gostas, por isso passei bastante tempo a pensar nisso, ontem.

Ele puxou-me contra si e eu senti a sua ereção contra o meu ventre. Devia fugir mas não conseguia, pois sentia-me atraída por ele a um nível profundo e elementar que nem sequer conseguia entender.

– Chegaste a alguma conclusão? – sussurrei.

– Não e neste momento só me apetece amarrar-te e foder-te como um louco. Estás preparada para isso?

– Sim – sussurrei eu e tudo dentro do meu corpo se retesou ao mesmo tempo... *uau*.

– Ótimo. Anda. – Deu-me a mão e subimos as escadas, deixando todos os pratos por lavar, sobre o balcão da cozinha.

O coração começou a martelar-me o peito. Pronto. Vou mesmo fazer isto. A minha deusa interior rodopiava como uma bailarina mundialmente famosa, fazendo piruetas atrás de piruetas. Ele abriu a porta da sua sala de jogos, recuando para que eu entrasse e eu voltei a dar comigo no Quarto Vermelho da Dor.

Estava na mesma: o mesmo cheiro a couro, a verniz com aroma a limão e a madeira escura. Tudo muito sensual. O meu sangue fervente, carregado de temor, percorria-me velozmente o corpo – adrenalina misturada com luxúria e desejo. Era um *cocktail* potente e inebriante. A postura de Christian modificou-se por completo. Estava ligeiramente alterado, mais duro e mais cruel. Olhou para mim e os seus olhos estavam ardentes, carregados de luxúria... hipnóticos.

– Quando estiveres aqui dentro – sussurrou, proferindo cada palavra num tom pausado e comedido – poderei fazer contigo o que quiser, entendeste?

O seu olhar era tão intenso. Eu acenei com a cabeça, sentindo a boca seca e o coração prestes a saltar-me do peito.

– Tira os sapatos – ordenou, brandamente.

Engoli em seco e tirei os sapatos bastante desajeitadamente. Ele curvou-se e apanhou-os, poisando-os junto da porta.

– Ótimo. Não hesites quando eu te pedir para fazeres alguma coisa. Agora vou-te despir esse vestido, algo que me apetece fazer há alguns dias, se não estou errado. Quero que te sintas confortável com o teu corpo, Anastasia. Tens um belo corpo e eu gosto de olhar para ele. É um prazer contemplá-lo. Na verdade, poderia olhar para ti o dia inteiro e não quero que te sintas embaraçada nem envergonhada com a tua nudez. Entendeste?

– Sim.

– Sim, o quê? – Inclinou-se sobre mim, com um olhar penetrante.

– Sim, Senhor.

– Estás a dizê-lo com sinceridade? – perguntou, bruscamente.

– Sim, Senhor.

– Ótimo. Levanta os braços por cima da cabeça.

Eu obedeci e ele baixou-se, agarrou na bainha do vestido e puxou-o lentamente, ao longo das minhas coxas, ancas, barriga, seios, ombros e cabeça. Recuou para me examinar, dobrando distraidamente o vestido, sem tirar os olhos de mim, e colocou-o sobre a grande cómoda, junto da porta. Aproximou-se de mim e puxou-me pelo queixo. O seu toque era abrasivo.

– Estás a morder o lábio – sussurrou. – Tu sabes o que isso provoca em mim. – acrescentou, num tom sombrio. – Vira-te.

Eu virei-me imediatamente, sem hesitar. Ele abriu-me o fecho do sutiã e depois, agarrando em ambas as alças, fê-lo deslizar ao longo dos meus braços, roçando-me com os dedos e as unhas dos polegares pela pele. O seu toque provocou-me arrepios pela espinha abaixo, despertando todos os meus terminais nervosos. Ele estava de tal forma próximo, atrás de mim, que eu sentia o calor que emanava a aquecer-me, a aquecer-me o corpo todo. Ele puxou-me o cabelo para as costas e agarrou numa madeixa, junto da nuca, inclinando-me a cabeça para o lado. Roçou-me o nariz pelo pescoço nu, cheirando-o de cima abaixo, voltando depois a percorrê-lo até à orelha. Os músculos da minha barriga contraíram-se, carregados de desejo sexual e de carência. Raios, mal me tocara e eu já o desejava.

– Cheiras divinalmente como sempre, Anastasia – sussurrou, beijando-me suavemente por baixo da orelha.

Eu gemi.

– Silêncio – repreendeu-me. – Não quero ouvir um ruído que seja.

Para minha surpresa, puxou-me o cabelo para trás e começou a entrelaçá-lo numa longa trança. Os seus dedos eram rápidos e hábeis. Quando terminou, prendeu-a com um fio de cabelo invisível, e deu-lhe um puxão forçando-me a encostar-me a ele.

– Quero o teu cabelo entrançado, aqui dentro – sussurrou.

Hum... porquê?

Ele soltou-me o cabelo.

– Vira-te – ordenou-me.

Eu obedeci. Estava com uma respiração superficial. Medo e desejo misturados, uma combinação intoxicante.

– Quando eu te disser para vires para aqui, é desta forma que virás vestida: apenas de cuecas, entendeste?

– Sim.

– Sim, o quê? – Olhou-me furioso.

– Sim, Senhor.

Vestígios de um sorriso arrepanharam-lhe o canto do lábio.

– Linda menina. – Os seus olhos concentraram-se nos meus. – Quando eu te disser para vires para aqui, quero que te ajoelhes ali. – Apontou para um sítio, junto da porta. – Fá-lo agora.

Eu pestanejei, assimilando as suas palavras e depois virei-me, ajoelhando-me bastante desajeitadamente, tal como ele dissera para fazer.

– Podes sentar-te sobre os calcanhares.

Eu sentei-me.

– Poisa as mãos e os antebraços sobre as tuas coxas. Ótimo. Agora afasta os joelhos. Mais. Mais. Perfeito. Olha para o chão.

Ele aproximou-se de mim. O meu campo de visão permitia-me ver-lhe os pés e as canelas. Os pés descalços. Se ele queria que eu me lembrasse, eu deveria estar a tomar notas. Ele curvou-se e voltou a agarrar-me na trança, puxando-me a cabeça para trás de forma a encará-lo. Só que era doloroso.

– Vais lembrar-te desta posição, Anastasia?

– Sim, Senhor.

– Ótimo. Fica aqui e não te mexas – disse, abandonando a sala.

Eu estava de joelhos à espera. Para onde teria ele ido? O que iria fazer comigo? O tempo passou. Não faço ideia de quando tempo ali fiquei assim… alguns minutos, talvez uns cinco ou dez. A minha respiração tornou-se mais superficial. A expetativa estava a devorar-me de dentro para fora.

Subitamente ele voltou e eu fiquei imediatamente mais calma e excitada. *Seria possível estar mais excitada?* Conseguia ver os seus pés. Tinha mudado de *jeans*. Aqueles eram mais velhos. Estavam rasgados e macios das repetidas lavagens. Caramba, que *sexy* eram aqueles *jeans*. Ele fechou a porta e pendurou algo nela.

– Linda menina. Ficas linda nessa posição. Bravo. Levanta-te.

Eu levantei-me mas continuei de rosto baixo.

– Podes olhar para mim.

Eu olhei para ele e ele estava a olhar-me atentamente, a avaliar-me, mas os seus olhos estavam mais brandos. Despira a *t-shirt*. Oh meu Deus… queria tocar-lhe. O botão de cima dos *jeans* estava aberto.

– Agora vou acorrentar-te, Anastasia. Dá-me a tua mão direita.

Eu dei-lhe a mão. Ele virou-me a palma da mão para cima e, antes que eu pudesse sequer aperceber-me disso, fustigou-me a palma da mão, ao centro, com uma chibata, que eu não vira que trazia na mão direita. Aconteceu tão depressa, que eu mal consegui sentir surpresa, e o mais surpreendente é que não doeu. Ou melhor, não doeu muito: senti apenas um ardor ligeiramente reverberante.

– Que tal foi? – perguntou.

Eu pisquei-lhe os olhos, confusa.

– Responde-me.

– Bom. – Franzi o sobrolho.

– Não franzas o sobrolho.

Pisquei os olhos, tentando ficar impassível, e acabei por conseguir.

– Doeu?

– Não.

– Isto não vai doer, entendeste?

– Sim – respondi num tom hesitante. *Será que não vai doer mesmo?*

– Estou a falar a sério – disse ele.

Raios, a minha respiração estava tão ofegante. Será que ele sabia o que eu estava a pensar? Ele mostrou-me a chibata. Era de cabedal castanho, entrançado. Eu ergui bruscamente os olhos ao encontro dos dele e estes estavam flamejantes, com uma expressão ligeiramente divertida.

– O nosso lema é agradar, Miss Steele – murmurou – Anda – Agarrou-me pelo cotovelo e levou-me para debaixo da grade. Esticou o braço para cima e puxou umas correntes com algemas de couro negro.

– Esta grade foi concebida para que as correntes deslizem ao longo dela.

Eu olhei para cima. *Com os diabos.* Parecia um mapa do metro.

– Iremos começar aqui, mas eu quero foder-te de pé, por isso acabaremos ali, junto da parede. – Apontou com a chibata para o grande X de madeira, fixo à parede. – Põe as mãos por cima da cabeça.

Eu obedeci imediatamente, sentindo-me como se estivesse a abandonar o meu próprio corpo – como uma espetadora acidental dos acontecimentos que se iam desenrolando em meu redor. Aquilo era mais do que fascinante, mais do que erótico. Era simplesmente o que de mais excitante e assustador fizera na vida. Estava a entregar-me às mãos de um homem lindo que, segundo ele próprio assumira, estava marado da cabeça em cinquenta sombras. Abstraí-me da breve sensação de medo. Kate e Elliot sabiam que eu estava ali.

Ele estava bastante próximo, ao fechar as algemas. Eu estava a olhar para o seu peito. A sua proximidade era divinal. Cheirava a gel de banho e a Christian, uma mistura inebriante e isso trouxe-me de volta ao presente. Apetecia-me roçar o nariz e a língua naquele monte de pelos. Bastaria inclinar-me para a frente.

Ele recuou e olhou para mim, com uma expressão velada, lasciva e carnal. Eu estava indefesa, de mãos amarradas, mas só de olhar para o seu belo rosto e adivinhar nele a necessidade e o desejo que sentia por mim, conseguia sentir a humidade entre as pernas. Ele caminhou devagar em meu redor.

– Fica fantástica amarrada assim, Miss Steele. Sem dar largas a essa língua afiada, por agora. Gosto disso.

Ele parou de novo à minha frente, encaixou os dedos nas minhas cuecas, sem pressas, puxou-mas pelas pernas abaixo, despindo-me a um ritmo penosamente lento, e acabou por ficar de joelhos, à minha frente. Amachucou as cuecas na mão, sem tirar os olhos de mim, e levou-as ao nariz, inspirando profundamente. *Merda! Será que ele fez mesmo isto?* Ele sorriu-me maliciosamente e guardou-as no bolso dos *jeans*.

Endireitando o corpo, ergueu-se preguiçosamente do chão, como um gato selvagem, apontou a extremidade da chibata ao meu umbigo, contornando-o indolentemente – tentando-me. Eu estremeci e arquejei, ao sentir o toque do cabedal. Ele voltou a caminhar em meu redor, arrastando a chibata pelo centro do meu corpo. Ao dar a segunda volta sacudiu subitamente a chibata, golpeando-me por baixo do traseiro... contra o meu sexo. Eu gritei de surpresa, sentindo todos os meus terminais nervosos despertos, e repuxei as algemas. O choque percorreu-me o corpo. E foi a mais estranha e deliciosa das sensações. Puro hedonismo.

– Silêncio – sussurrou ele, voltando a caminhar em meu redor, com a chibata ligeiramente mais acima, perto do centro do meu corpo. Desta vez, quando a sacudiu de novo contra mim, no mesmo sítio, eu já estava a contar com ela e o meu corpo estremeceu convulsivamente com o delicioso ardor do golpe.

Ao contornar-me mais uma vez, voltou a sacudir a chibata, atingindo-me desta vez no mamilo, e eu atirei a cabeça para trás, sentindo todos os meus terminais nervosos vibrar. Depois, golpeou-me no outro... um breve e delicioso castigo. Os meus mamilos enrijeceram e alongaram-se devido à agressão e eu gemi ruidosamente, repuxando as algemas de cabedal.

– Sabe bem? – perguntou-me num murmúrio.

– Sim.

Ele fustigou-me mais uma vez nas nádegas, mas desta vez a chibata provocou-me ardor.

– Sim, o quê?

– Sim, Senhor – sussurrei.

Ele parou... mas eu já não o conseguia ver. Estava de olhos fechados, a tentar absorver a miríade de sensações que me percorriam o corpo. Muito lentamente, fez chover uma série de pequenos golpes penetrantes da chibata, em direção a sul. Eu sabia onde aquilo ia acabar e tentei mentalizar-me para isso, mas gritei alto ao senti-lo atingir--me o clítoris.

– Oh… por favor! – gemi.

– Silêncio – ordenou, voltando a fustigar-me no traseiro.

Eu não esperava que aquilo fosse assim… Sentia-me perdida. Perdida num mar de sensações. Subitamente, começou a arrastar a chibata contra o meu sexo, através dos pelos púbicos, até à entrada da minha vagina.

– Vê como ficaste molhada com isto, Anastasia. Abre os olhos e a boca.

Eu obedeci, totalmente seduzida. Ele introduziu-me a extremidade da chibata na boca, como no meu sonho. *Com os diabos.*

– Sente o teu sabor. Chupa, chupa com força, querida.

A minha boca fechou-se em torno da chibata e os meus olhos fixaram-se nos dele. Senti o sabor intenso do couro e o travo salgado da minha excitação. Os seus olhos estavam flamejantes. Ele estava no seu elemento.

Tirou a extremidade da chibata da minha boca, chegou-se à frente e beijou-me com força, invadindo-me a boca com a língua. Envolveu-me nos seus braços e puxou-me contra si. O seu peito esmagou-se contra o meu. Estava desejosa de lhe tocar mas não podia, com aquelas mãos inúteis, presas por cima da cabeça.

– Oh, Anastasia, sabes terrivelmente bem – sussurrou. – Queres que te faça vir?

– Por favor – implorei.

A chibata atingiu-me nas nádegas. *Au!*

– Por favor, o quê?

– Por favor, Senhor – choraminguei.

Ele sorriu-me, com um ar triunfante.

– Com isto? – Ergueu a chibata para que eu a pudesse ver.

– Sim, Senhor.

– Tens a certeza? – Olhou-me com uma expressão severa.

– Sim, Senhor, por favor.

– Fecha os olhos.

Eu abstraí-me da sala, dele… da chibata e ele voltou a fustigar-

-me a barriga com pequenos golpes da chibata, descendo depois e aplicando-me pequenos golpes suaves contra o clítoris, uma, duas, três vezes, sucessivamente, até que eu não aguentei mais e me vim gloriosamente, ruidosamente, arqueando-me toda. Ele envolveu-me nos seus braços e eu senti as pernas frouxas como geleia, dissolvendo-me no seu abraço, com a cabeça encostada ao seu peito, gemendo e choramingando, à medida que as réplicas do meu orgasmo me consumiam. Ele ergueu-me e começámos subitamente a mover-nos. Eu estava ainda com os braços acorrentados por cima da minha cabeça e senti a madeira fresca da cruz polida nas minhas costas. Ele estava a abrir os botões dos *jeans*. Poisou-me por instantes contra a cruz, enquanto colocava um preservativo, e depois as suas mãos agarraram-me pelas coxas e ele voltou a erguer-me.

– Levanta as pernas e enrola-as à minha volta, querida.

Eu sentia-me bastante fraca, mas fiz o que ele disse, e ele enrolou-me as pernas à volta das suas ancas, posicionando-se debaixo de mim. Penetrou-me de uma só vez e eu voltei a gritar, escutando os seus gemidos abafados junto do meu ouvido. Eu estava com os braços poisados sobre os seus ombros enquanto ele me penetrava. Caramba, era profundo daquela maneira. Ele investiu repetidas vezes contra mim, com o rosto colado ao meu pescoço. Sentia a sua respiração áspera contra a minha garganta. Voltei a sentir o crescendo. Caramba... outra vez, não... Não me parecia que o meu corpo aguentasse outro momento arrasador, mas não tinha alternativa... e com a inevitabilidade que já se estava a tornar familiar, deixei-me ir e voltei a vir-me. Foi delicioso, agonizante e intenso e eu perdi-me por completo de mim. Christian veio-se a seguir, anunciando ruidosamente a sua libertação, de dentes cerrados, e segurando-me com força, contra si, como era seu hábito.

Christian saiu rapidamente de dentro de mim, encostando-se à cruz e apoiando o meu corpo no seu. Abriu as algemas, libertando-me as mãos e ambos deslizámos para o chão. Ele aninhou-me no seu colo e eu encostei a cabeça no peito dele. Tocar-lhe-ia se tivesse forças, mas não tinha. Percebi tarde de mais que ele ainda estava de *jeans*.

– Parabéns, minha querida – murmurou ele. – Doeu?

– Não – sussurrei. Mal conseguia manter-me de olhos abertos. *Porque estou tão cansada?*

– Esperavas que doesse? – sussurrou, abraçando-me e afastando alguns fios de cabelo do meu rosto, com os dedos.

– Sim.

– Vês? Grande parte do teu medo está na tua cabeça, Anastasia. – Fez uma pausa. – Fá-lo-ias outra vez?

Eu ponderei por instantes, sentindo a fadiga embotar-me a mente... *Outra vez?*

– Sim – disse-o num tom de voz muito suave. Ele abraçou-me com força.

– Ótimo. Eu também – murmurou. Depois, inclinou-se e beijou-me suavemente no alto da cabeça.

– Mas ainda não fiz tudo o que queria contigo.

Ainda não fizeste tudo o que querias comigo? Oh, meus Deus! Não tinha forças para fazer mais nada. Estava completamente exausta, a lutar contra um desejo irresistível de dormir. Estava encostada ao peito dele, de olhos fechados e ele estava com os braços e as pernas enrolados à minha volta. Sentia-me... segura e tão confortável, meu Deus. Será que ele me deixaria dormir e por mero acaso sonhar? Os cantos da minha boca reviraram-se, perante essa ideia tonta. Virei o rosto para Christian, inalando o seu odor único, e rocei-lhe com o nariz no peito, mas ele ficou imediatamente hirto... bolas. Abri os olhos e olhei para ele. Estava a olhar para mim.

– Não faças isso – sussurrou-me, em tom de advertência.

Corei e voltei a olhar para o seu peito, desejosa. Apetecia-me passar a língua pelos seus pelos, beijá-lo. Reparei pela primeira vez que ele tinha o peito salpicado de pequenas cicatrizes, indistintas, redondas e aleatórias. *Varicela? Sarampo?*, pensei eu distraidamente.

– Ajoelha-te junto da porta – ordenou-me, ao recostar-se, poisando as mãos sobre os joelhos e soltando-me realmente. Já não estava afetuoso e a temperatura da sua voz baixara alguns graus.

Eu levantei-me desajeitadamente e encaminhei-me apressadamente para a porta, ajoelhando-me como ele mandara. Estava trémula, extremamente cansada e terrivelmente confusa. Quem poderia imaginar que aquele quarto me iria dar tamanha satisfação? Quem poderia imaginar que iria ser tão *extenuante*? Sentia os membros deliciosamente pesados, saciados. A minha deusa interior tinha um letreiro a dizer NÃO INCOMODAR, do lado de fora da porta do seu quarto.

Christian movia-se nos limites da minha visão e os meus olhos estavam a começar a fechar-se.

– Estou a aborrecê-la, Miss Steele?

Eu despertei subitamente. Christian estava de pé, à minha frente, de braços cruzados, a fitar-me com um olhar penetrante. Oh, merda, fui apanhada a passar pelas brasas – isto não vai ser nada bom. Os olhos dele tornaram-se mais brandos, quando eu olhei para ele.

– Levanta-te – ordenou-me.

Eu levantei-me cautelosamente e os cantos da sua boca reviraram-se para cima.

– Estás exausta, não estás?

Eu anuí timidamente, corando.

– Força, Miss Steele – disse, semicerrando os olhos. – Ainda não fiz tudo o que queria consigo. Coloque as mãos à sua frente, erguidas, como se estivesse a rezar.

Eu pestanejei. *A rezar? A rezar para que sejas brando comigo.* Obedeci. Ele pegou numa braçadeira de plástico e prendeu-a à volta dos meus pulsos, apertando o plástico. *Com os diabos.* Eu olhei-o bruscamente nos olhos.

– Lembra-te alguma coisa? – perguntou, incapaz de conter um sorriso.

Caramba, as braçadeiras de plástico. *Aprovisionamento de Stocks no Clayton's.* Tudo ficou claro. Eu olhei-o de boca aberta, sentindo uma nova vaga de adrenalina a percorrer-me o corpo.

– Ok, já me chamaste a atenção, já estou desperta.

– Tenho aqui uma tesoura. – Ergueu-a para que eu a visse. – Posso cortar-te isso num instante.

Eu tentei afastar os pulsos, para experimentar as braçadeiras, mas o plástico trilhou-me a pele, ao fazê-lo. Era doloroso mas se eu descontraísse os pulsos, não me incomodariam, e a braçadeira não me trilharia a pele.

– Anda. – Pegou-me nas mãos e conduziu-me para a cama de dossel. Reparei então, que tinha lençóis vermelhos escuros e uma corrente a cada canto.

Ele curvou-se e segredou-me ao ouvido:

– Eu quero mais, muito mais.

O meu coração voltou a disparar. *Caramba.*

– Mas eu farei com que não demore. Tu estás cansada. Segura-te ao poste – disse ele.

Eu franzi o sobrolho. *Então não é na cama?* Ao agarrar-me ao poste ornamentado de madeira, percebi que conseguia afastar as mãos.

– Mais abaixo – ordenou. – Ótimo. Não o largues. Se o fizeres espanco-te, entendido?

– Sim, Senhor.

– Ótimo.

Colocou-se atrás de mim e agarrou-me nas ancas, erguendo-me depois rapidamente para trás, de forma a eu ficar curvada para a frente, agarrada ao poste.

– Não o largues, Anastasia – advertiu-me. – Vou foder-te com força por trás. Agarra-te ao poste para suportares o teu peso, entendeste?

– Sim.

Ele bateu-me no traseiro com a mão. Au... ardeu-me.

– Sim, Senhor – murmurei, muito depressa.

– Afasta as pernas. – Colocou as suas pernas entre as minhas e segurou-me nas ancas, afastando-me a perna direita para o lado.

– Assim está melhor. Depois disto, deixo-te dormir.

Dormir? Eu estava ofegante. Já não estava a pensar em dormir. Ele esticou uma mão, afagando-me delicadamente as costas.

– Tens uma pele tão bonita, Anastasia – sussurrou, curvando-se e depositando-me beijos delicados e leves como penas, ao longo da coluna. Ao mesmo tempo, deslocou as mãos para a parte da frente do meu corpo, colocando-as nos meus seios. Ao fazê-lo, prendeu-me os mamilos entre os dedos, puxando-os suavemente.

Eu contive o meu gemido, sentindo todo o meu corpo reagir e despertar mais uma vez para ele.

Ele mordeu-me e chupou-me delicadamente na cintura, puxando-me os mamilos e as minhas mãos apertaram o poste requintadamente esculpido. As mãos dele afastaram-se e eu ouvi o ruído já familiar do pacotinho a rasgar-se. Ele sacudiu os *jeans* com os pés.

– Tem um rabo tão cativante, tão sexy, Anastasia Steele. Nem sei o que me apetece fazer-lhe. – Passou-me as mãos por cada uma das nádegas, sentindo-lhes a forma. Depois, os seus dedos deslizaram para baixo e ele introduziu dois dedos dentro de mim.

– Está tão molhada, Miss Steele. Nunca me dececiona – sussurrou e eu senti assombro na sua voz. – Segura-te bem. Isto vai ser rápido, amor.

Agarrou-me nas ancas, posicionando-se e eu preparei-me para a sua investida, mas ele agarrou-me na trança do meu cabelo perto da ponta e enrolou-a à volta do pulso, até à nuca, segurando-me a cabeça. Depois, penetrou-me muito lentamente, puxando-me o cabelo ao mesmo tempo. *Ah o preenchimento.* Saiu de dentro de mim, devagar, agarrou-me na anca com a outra mão, segurando-a firmemente, e depois penetrou-me com força, sacudindo-me bruscamente para a frente.

– Segura-te, Anastasia! – gritou, de dentes cerrados.

Eu agarrei-me ao poste com mais força, pressionando o corpo contra ele, enquanto ele prosseguia o seu impiedoso ataque, investindo repetidamente contra mim, com os dedos enterrados na minha anca. Eu sentia os braços doridos e as pernas vacilantes e o meu couro cabeludo estava a ficar dorido por ele me estar a puxar o cabelo... Sentia algo a crescer-me nas entranhas. Oh, não... pela primeira vez receei o meu orgasmo... Se me viesse... ia desmaiar. Christian continuava a mover-se rudemente contra mim, dentro de mim, gemendo e rosnando, com a respiração áspera. O meu corpo estava a reagir... *como é possível?* Senti uma aceleração mas, subitamente, Christian imobilizou-se, penetrando-me muito profundamente.

– Vá lá Ana, vem-te para mim – rosnou e eu perdi o controlo, ao ouvir os seus lábios proferirem o meu nome, diluindo-me no meu próprio corpo, na espiral, na doce e deliciosa descarga e finalmente na absoluta ausência de razão.

Quando voltei a recuperar a lucidez, estava deitada sobre ele. Ele estava no chão e eu estava deitada em cima dele, de costas sobre a parte da frente do seu corpo, a olhar para o teto, brilhante e exausta, toda eu pós-coito. *Ah... os mosquetões*, pensei eu abstratamente – tinha-me esquecido deles. Christian roçou-me o nariz pela orelha.

– Levanta as mãos – disse ele, brandamente.

Os meus braços pareciam de chumbo mas eu levantei-os. Ele empunhou a tesoura, passando uma das lâminas por baixo do plástico.

– Declaro esta Ana aberta – sussurrou e cortou o plástico.

Eu ri baixinho e esfreguei os pulsos, quando ele mos soltou, sentindo o seu sorriso.

– Esse som é tão agradável – disse, melancolicamente. Depois, sentou-se bruscamente, arrastando-me consigo, e eu voltei a dar comigo no colo dele. – O responsável sou eu – disse, virando-me para poder massajar-me os ombros e os braços, devolvendo-lhes delicadamente alguma vida.

O quê?

Virei a cabeça para trás e olhei-o, tentando perceber o que ele estava a querer dizer.

– Pelo facto de não te rires mais frequentemente.

– Não sou muito de rir – balbuciei, sonolenta.

– Ah, mas quando acontece, Miss Steele, é uma alegria e um assombro digno de se ver.

– Muito poético, Mr. Grey – murmurei, tentando manter os olhos abertos.

O seu olhar tornou-se mais brando e ele sorriu.

– Eu diria que estás completamente fodida e que precisas de dormir.

– Isso não foi nada poético – resmunguei, num tom brincalhão.

Ele sorriu, ergueu-me delicadamente de cima dele e levantou-se, gloriosamente nu e eu desejei por instantes estar mais desperta para poder apreciá-lo realmente. Ele pegou nos *jeans* e voltou a vesti-los, sem roupa interior.

– Por falar nisso, não quero assustar o Taylor, nem a Mrs. Jones.

Hum... eles devem saber que espécie de estupor depravado ele é. A ideia preocupou-me.

Ele curvou-se para me ajudar a levantar e conduziu-me à porta, onde tinha pendurado um roupão turco, cinzento, vestindo-me pacientemente, como se eu fosse uma criança pequena. Eu nem tinha forças para levantar os braços. Depois de eu estar coberta e respeitável, ele inclinou-se e beijou-me delicadamente, arqueando a boca num sorriso.

– Cama – disse ele.

Oh... não...

– Para dormir – disse ele tranquilizadoramente, ao ver a minha expressão.

Subitamente, pegou-me ao colo, aninhando-me contra o seu peito, e levou-me para o quarto, ao fundo do corredor, onde a Dra. Greene me examinara, alguma horas antes, nesse dia. Eu deixei cair a cabeça contra o seu peito. Estava exausta. Creio que nunca me sentira assim tão cansada. Ele puxou o edredão para trás, deitou-me, e o mais surpreendente é que se deitou a meu lado e me abraçou contra si.

– Agora dorme, minha linda menina – sussurrou, beijando-me o cabelo.

Eu adormeci sem conseguir sequer tecer um comentário espirituoso.

CAPÍTULO DEZANOVE

Senti uns lábios macios roçarem-me pela têmpora, deixando atrás de si um rasto de beijos ternos, e uma parte de mim desejou virar-se e reagir, mas o que eu queria mesmo era continuar a dormir, por isso gemi e afundei a cabeça na almofada.

– Acorda, Anastasia. – A voz de Christian era suave e sedutora.

– Não – gemi.

– Temos de sair dentro de meia hora para irmos jantar com os meus pais. – Ele estava divertido.

Eu abri os olhos, relutantemente. Lá fora começava a escurecer. Christian estava debruçado sobre mim, a olhar-me atentamente.

– Vá lá, dorminhoca, levanta-te – Inclinou-se e beijou-me de novo. – Trouxe-te uma bebida. Estou lá em baixo. Se voltares a adormecer, arranjarás problemas – ameaçou, mas o seu tom era brando. Beijou-me rapidamente e saiu, deixando-me a piscar os olhos, sonolenta, no quarto fresco e despido.

Sentia-me revigorada, mas fiquei subitamente nervosa. Caramba, eu ia conhecer os pais dele! Pelo amor de Deus! Ele acabara de me espancar com uma chibata e de me amarrar com uma braçadeira de cabos, que eu própria lhe vendera, e eu ia conhecer os pais dele? Kate também iria encontrar-se com eles pela primeira vez, e pelo menos estaria lá para me apoiar. Girei os ombros. Estavam rígidos. As exigências de Christian em relação ao *personal trainer* já não me pareciam tão descabidas. Na verdade, seria mesmo necessário, para ter alguma hipótese de acompanhar o seu ritmo.

Saí da cama devagar e reparei que o meu vestido estava pendurado fora do roupeiro e que o meu sutiã estava em cima da cadeira. Onde estariam as minhas cuecas? Verifiquei por baixo da cadeira. Nada. Depois lembrei-me: ele guardara-as no bolso dos *jeans* depois de… corei só de me lembrar. Não conseguia sequer pensar no assunto. Ele fora tão... bárbaro. Franzi o sobrolho. *Porque não me devolveu as cuecas?*

Entrei discretamente na casa de banho, desconcertada pelo facto de me faltar roupa interior. Enquanto me enxugava, depois de um duche agradável mas curto, percebi que ele o fizera de propósito. Queria que eu ficasse embaraçada e que lhe pedisse para me devolver as cuecas, para me poder dizer que sim ou que não. A minha deusa interior sorriu para mim. *Raios... esse jogo em particular pode ser jogado por duas pessoas.* Resolvi nesse instante que não iria pedir-lhas. Não lhe daria essa satisfação e iria conhecer os seus pais *sans coulottes. Anastasia Steele!* – repreendeu-me o meu subconsciente, mas eu não lhe queria dar ouvidos, e quase me abracei a mim mesma de gozo, por saber que ia dar com ele em doido.

De regresso ao quarto, coloquei o sutiã, enfiei-me no vestido, calcei os sapatos, desfiz a trança e escovei apressadamente o cabelo, olhando depois para a bebida que ele me deixara. Era cor-de-rosa pálido. O que seria? Sumo de mirtilo. Hum... sabia deliciosamente e matou-me a sede.

Voltei a entrar apressadamente na casa de banho e vi-me ao espelho: estava com os olhos brilhantes, as faces ligeiramente ruborizadas e uma expressão presunçosa devido ao plano das cuecas. Desci as escadas. Quinze minutos. Nada mau, Ana.

Christian estava junto da janela panorâmica, com as calças de flanela cinzentas que eu adorava, aquelas que lhe ficavam incrivelmente sexy nas ancas, e uma camisa de linho branca, é claro. Teria roupa de outra cor? Frank Sinatra cantava suavemente nas colunas.

Christian virou-se e sorriu, ao ver-me entrar, olhando-me expectante.

– Olá – disse eu, brandamente e o meu sorriso de esfinge cruzou-se com o dele.

– Olá – respondeu-me. – Como te sentes? –Os olhos dele brilhavam de divertimento.

– Bem, obrigada, e tu?

– Eu sinto-me otimamente, Miss Steele.

Estava nitidamente à espera que eu lhe dissesse alguma coisa.

– Francamente, nunca imaginei que fosses fã do Sinatra.

Ele arqueou-me as sobrancelhas com um olhar inquisidor.

– Tenho um gosto eclético, Miss Steele – murmurou, caminhando na minha direção, como uma pantera, e parando diante de mim. Estava com um olhar tão intenso que me cortou a respiração.

Frank começou a cantar... "*Whitchcraft*", uma velha canção, uma das favoritas de Ray. Christian passou-me indolentemente a ponta dos dedos pela face e eu senti-o até *lá baixo*.

– Dança comigo – murmurou, com uma voz rouca.

Tirou o controlo remoto do bolso, aumentou o volume e estendeu-me a mão, com um olhar carregado de promessas, desejo e humor. Estava absolutamente encantador e eu senti-me enfeitiçada. Dei-lhe a mão. Ele sorriu-me e puxou-me para os seus braços, envolvendo-me a cintura com o braço.

Eu coloquei a mão livre no seu ombro e sorri-lhe, rendida ao seu estado de espírito contagioso e brincalhão. Ele inclinou-se uma vez e começámos a dançar. E se dançava bem, caramba. Percorremos a sala, desde a janela até à cozinha, e voltámos para trás, rodopiando e virando-nos ao ritmo da música. Era tão fácil acompanhá-lo.

Deslizámos à volta da mesa de jantar, até ao piano, dançando para trás e para diante, em frente da parede de vidro. Seattle cintilava lá fora, como um mural sombrio mágico da nossa dança. Eu não consegui conter uma gargalhada descontraída. Quando a canção terminou ele sorriu:

– Não há bruxa mais bela do que tu – murmurou, beijando-me docemente. – Parece que as suas faces ganharam alguma cor, Miss Steele. Obrigado pela dança. Vamos conhecer os meus pais?

– Não tem de quê. Sim, estou ansiosa por conhecê-los – respondi, sem fôlego.

– Tens tudo o que precisas?

– Ah, sim – respondi, docemente.

– Tens a certeza?

Acenei com a cabeça, tão despreocupadamente quanto possível sob aquele intenso e divertido escrutínio. O seu rosto abriu-se num grande sorriso e ele abanou a cabeça.

– Se quer entrar nesse jogo, muito bem, Miss Steele.

Deu-me a mão, pegou no casaco que estava pendurado num dos bancos do bar e conduziu-me pelo vestíbulo até ao elevador. Ah, os inúmeros rostos de Christian Grey. *Será que alguma vez conseguirei entender este homem volátil?*

Olhei-o no elevador. Parecia intimamente divertido com qualquer coisa, com vestígios de um sorriso naquela boca adorável e eu receei que ele se estivesse a divertir à minha custa. *O que me teria passado pela cabeça?* Ia conhecer os pais dele sem roupa interior? O meu subconsciente olhou-me inutilmente como quem diz "eu avisei-te". Na segurança relativa do seu apartamento parecera-me uma ideia divertida e provocadora. Mas *agora*, estava praticamente na rua sem *cuecas!* Ele olhou para mim. Lá estava a carga elétrica a crescer entre nós. O olhar divertido desapareceu-lhe do rosto e a sua expressão ensombrou-se. Estava com um olhar sombrio. *Oh meu Deus.*

As portas do elevador abriram-se no rés-do-chão. Christian abanou a cabeça como se precisasse de clarear as ideias e fez-me um gesto extremamente cavalheiresco para que eu saísse à sua frente. *Quem pensa ele que está enganar?* Ele não era um cavalheiro. Ele tinha as minhas cuecas.

Taylor apareceu dentro do grande Audi. Christian abriu-me a porta de trás e eu entrei no carro tão elegantemente quanto possível, considerando a minha arbitrária escassez de roupa. Ainda bem que o vestido da Kate era tão justo e me chegava até ao cimo dos joelhos.

Percorremos velozmente a Interstate 5, ambos em silêncio, sem dúvida inibidos pela presença constante de Taylor no banco da frente. O estado de espírito quase tangível de Christian pareceu modificar-se e o seu humor foi-se dissipando lentamente, à medida que viajávamos para norte. Estava pensativo, a olhar para fora da janela e eu percebi que ele me estava a escapar. Em que estaria ele a pensar? Eu não podia perguntar-lhe. O que poderia eu dizer diante de Taylor?

– Onde aprendeste a dançar? – perguntei, hesitantemente. Ele olhou para mim com uns olhos inescrutáveis, sob a luz intermitente dos candeeiros de rua.

– Queres mesmo saber? – respondeu, brandamente.

O meu coração afundou-se e eu já não queria saber porque podia imaginar.

– Sim – murmurei, relutantemente.

– Mrs. Robinson gostava de dançar.

As minhas piores suspeitas confirmaram-se. Ela ensinara-o bem e a ideia deprimiu-me – eu não podia ensinar-lhe nada, pois não tinha aptidões especiais.

– Ela deve ter sido uma boa professora.

– Foi.

Eu senti um formigueiro no couro cabeludo. Teria ela conseguido o melhor dele, antes de ele se tornar tão fechado? Ou será que o tinha conseguido abrir? Ele tinha um lado tão divertido e brincalhão, tão imprevisível – sorri involuntariamente ao recordar o momento em que rodopiara nos seus braços na sua sala de estar. E tinha as minhas cuecas escondidas algures.

Depois havia o Quarto Vermelho da Dor. Esfreguei os pulsos por reflexo – as tiras finas de plástico produziam esse efeito numa rapariga. Fora ela que lhe ensinara também tudo isto ou que o destruíra, consoante o ponto de vista de cada um. Ou talvez ele lá tivesse chegado, de qualquer forma, independentemente dela. Percebi nesse momento que a odiava. Esperava nunca vir a conhecê-la, pois não me responsabilizaria pelas minhas ações se a conhecesse. Acho que nunca na vida sentira algo tão intenso por ninguém, especialmente alguém que eu nunca conhecera. Olhando apaticamente para fora da janela, tentei lidar com a minha raiva e os meus ciúmes irracionais.

Voltei a recordar a tarde. Tendo em conta o que sabia acerca das suas preferências, concluí que ele fora brando comigo. *Se eu o faria de novo?* Não conseguiria sequer fingir que me opunha a isso. Claro que o faria se ele me pedisse, desde que não me magoasse e se essa fosse a única forma de estar com ele.

Essa era a questão fulcral. Eu queria estar com ele. A minha deusa interior suspirou de alívio. Cheguei à conclusão de que ela raramente usava o cérebro para pensar. Fazia-o com outra parte vital da sua anatomia, que estava de momento bastante exposta.

– Não faças isso – murmurou ele.

– Não faço o quê? – Eu não lhe tocara.

– Não penses demasiado nas coisas, Anastasia. – Esticou um braço, pegou-me na mão e levou-a aos lábios, beijando-me delicadamente os nós dos dedos. – Tive uma tarde maravilhosa. Obrigado.

Estava de novo comigo. Pestanejei e sorri-lhe timidamente. Ele era tão confuso. Fiz-lhe uma pergunta que me estava a incomodar:

– Porque usaste uma braçadeira de cabos?

Ele sorriu-me.

– Porque era rápido e fácil e para que tu sentisses e experimentasses algo de diferente. Eu sei que são brutais e gosto disso num instrumento de prisão. – Sorriu ligeiramente. – É uma forma bem eficaz de te manter no teu lugar.

Eu corei e olhei nervosamente para Taylor, que continuava impassível, de olhos postos na estrada. *O que posso eu dizer perante isto?* Christian encolheu os ombros, inocentemente.

– Faz tudo parte do meu mundo, Anastasia. – Apertou-me a mão e largou-a, voltando a olhar para a janela.

Era de facto o seu mundo, e eu queria fazer parte dele, mas teria de o fazer nos seus termos? Não sabia. Ele não falara no maldito contrato e as minhas cogitações não estavam a contribuir em nada para me animar. Olhei para fora da janela e a paisagem mudara. Estávamos a atravessar uma das pontes, rodeados de escuridão negra. A noite sombria refletia o meu estado de espírito introspetivo, apertando-me, sufocando-me.

Olhei brevemente para Christian e ele estava a olhar para mim.

– Dava tudo para saber em que estás a pensar – disse-me.

Eu suspirei e franzi o sobrolho.

– Isso está mau – constatou.

– Quem me dera saber em que é que tu estavas a pensar.

Ele sorriu-me afetadamente.

– Idem aspas, querida – respondeu-me, enquanto Taylor nos conduzia velozmente pela noite, em direção a Bellevue.

Eram quase oito horas quando o Audi virou para o caminho de acesso a uma mansão de estilo colonial. Era impressionante, até mesmo pelas rosas em torno da porta. Digna de um livro de ilustrações.

– Estás preparada para isto? – perguntou Christian, quando Taylor parou diante da impressionante porta da frente. Acenei afirmativamente e ele voltou a apertar-me a mão tranquilizadoramente.

– Para mim também é a primeira vez – sussurrou, sorrindo depois maliciosamente. – Aposto que desejarias ter roupa interior neste momento – disse, num tom provocador.

Eu corei. Já me tinha esquecido que estava sem cuecas. Felizmente Taylor saíra do carro e estava a abrir a minha porta, por isso não ouviu a nossa conversa. Eu franzi o sobrolho a Christian, que me fez um sorriso de orelha a orelha, enquanto eu me virava e saía do carro.

A Dra. Grace Trevelyan-Grey estava nos degraus da porta, à nossa espera. Tinha uma aparência elegante e sofisticada, com um vestido de seda azul claro. Atrás dela estava um homem que eu supunha ser Mr. Grey. Era alto e louro e, à sua maneira, tão atraente como Christian.

– Já conheces a minha mãe, Anastasia. Este é o meu pai, Carrick.

– É um prazer conhecê-lo, Mr. Grey – disse eu, sorrindo e apertando-lhe a mão estendida.

– O prazer é todo meu, Anastasia.

– Por favor, trate-me por Ana.

Os seus olhos azuis eram suaves e meigos.

– Ana, que prazer ver-te de novo – disse Grace, envolvendo-me num abraço caloroso. – Entra, minha querida.

– Ela está cá? – Ouvi um grito no interior da casa e olhei nervosamente para Christian.

– Deve ser a Mia, a minha irmã mais nova – disse ele quase irritado, mas não propriamente aborrecido. Havia indícios subtis de afeição nas suas palavras, no tom brando da sua voz e na forma como franzia os olhos, ao dizer o nome dela. Era óbvio que Christian a adorava. Ela apareceu, atravessando apressadamente o *hall*. Tinha cabelos negros como azeviche e era alta e curvilínea. Tinha mais ou menos a mesma idade que eu.

– Tenho ouvido falar muito de ti, Anastasia – disse ela, abraçando-me com força.

Caramba. Não consegui deixar de sorrir perante aquele entusiasmo sem limites.

– Ana, por favor – murmurei, enquanto ela me arrastava para o grande vestíbulo. Os soalhos eram todos em madeira escura, com tapetes antigos e havia uma ampla escadaria para o segundo andar.

– Ele nunca trouxe nenhuma rapariga cá a casa – disse Mia, com os olhos escuros, cintilantes de entusiasmo.

Vi Christian revirar os olhos e arqueei-lhe uma sobrancelha. Ele semicerrou-me os olhos.

– Acalma-te, Mia – disse-lhe Grace, admoestando-a brandamente. – Olá, querido – disse ela, beijando Christian em ambas as faces. Ele sorriu-lhe ternamente e depois apertou a mão ao pai.

Todos nos virámos e nos dirigimos para a sala de estar. Mia não me largou a mão. A sala era espaçosa e estava elegantemente mobilada em tons de creme, castanho e azul pálido. Era confortável, discreta e muito elegante. Kate e Elliot estavam os dois aninhados num sofá, agarrados a dois cálices de champanhe. Kate levantou-se num salto para me abraçar e Mia largou-me finalmente a mão.

– Olá, Ana – disse ela com um sorriso radioso. – Christian – acenou-lhe cortesmente.

– Kate – Christian foi igualmente formal com ela.

Eu franzi o sobrolho, perante a troca de cumprimentos deles. Elliot agarrou-me, e deu-me um grande abraço. O que era aquilo? A Semana de Abraços a Ana? Eu não estava habituada a tamanhas demonstrações de afeto. Christian ficou a meu lado, com um braço à volta da minha cintura. Depois, colocou-me a mão na anca, abriu os dedos e puxou-me contra si. Todos estavam a olhar para nós. Era enervante.

– Bebidas? – Mr. Grey pareceu recuperar a compostura. – Prosecco?

– Por favor – dissemos Christian e eu em uníssono.

Oh... aquilo era muito esquisito. Mia bateu palmas

– Até dizem as mesmas coisas. Eu vou buscar. – Saiu rapidamente da sala.

Eu fiquei vermelha. Ao ver Kate sentada com Elliot, ocorreu-me subitamente que o único motivo porque Christian me convidara era pelo facto de Kate lá estar. Elliot, provavelmente, pedira a Kate que fosse conhecer os pais com gosto e por sua livre vontade, mas Christian sentira-se encurralado, pois percebeu que eu iria sabê-lo através da Kate. Franzi o sobrolho ao pensar nisso. Ele sentira-se compelido a convidar-me. A constatação era sombria e deprimente. O meu subconsciente anuiu sabiamente, com uma expressão que parecia dizer "finalmente percebeste, minha estúpida".

– O jantar está quase pronto – disse Grace, saindo da sala atrás de Mia.

Christian franziu o sobrolho, ao olhar para mim.

– Senta-te – ordenou ele, apontando para o sofá felpudo e eu assim fiz, cruzando cuidadosamente as pernas. Ele sentou-se a meu lado mas não me tocou.

– Estávamos a falar de férias, Ana – disse Mr. Grey amavelmente. – O Elliot decidiu ir passar uma semana aos Barbados, com a Kate e a família.

Eu olhei de relance para Kate e ela sorriu de olhos muito abertos e brilhantes. Estava encantada. *Katherine Kavanagh, mostra alguma dignidade!*

– Não vais fazer uma pausa, agora que terminaste a tua licenciatura? – perguntou Mr. Grey.

– Estou a pensar ir passar uns dias à Geórgia – respondi.

Christian olhou-me, embasbacado, piscando os olhos várias vezes, com uma expressão inescrutável. *Oh merda.* Eu não lhe tinha falado nisso.

– Geórgia? – murmurou ele.

– A minha mãe vive lá e eu não a vejo há algum tempo.

– Quando estás a pensar ir? – Falava num tom de voz grave.

– Amanhã à noite.

Mia voltou a entrar descontraidamente na sala e deu-nos dois cálices de champanhe cheios de Prosecco rosa claro.

– À vossa saúde! – Mr.Grey ergueu o copo. Era o brinde indicado para o marido de uma médica e fez-me sorrir.

– Durante quanto tempo? – perguntou Christian num tom enganadoramente brando.

Oh diabo... ele estava zangado.

– Ainda não sei, depende da forma como correrem as entrevistas, amanhã.

Ele crispou os maxilares e Kate ficou com aquela expressão intrometida, dirigindo-nos um sorriso demasiado doce.

– A Ana merece uma pausa – disse ela incisivamente, dirigindo-

-se a Christian. Porque seria ela tão antagónica em relação a ele? Qual seria o problema dela?

– Tens entrevistas? – perguntou Mr. Grey.

– Sim, amanhã, para estágios em duas editoras.

– Desejo-te muito boa sorte.

– O jantar está pronto – anunciou Grace.

Todos nos levantámos. Kate e Elliot saíram da sala atrás de Mr. Grey e Mia. Eu ia segui-los, mas Christian agarrou-me pelo cotovelo, detendo-me abruptamente.

– Quando tencionavas dizer-me que te ias embora? – perguntou ele, insistentemente. Falava num tom de voz brando, mas estava a camuflar a sua raiva.

– Eu não me vou embora, vou ver a minha mãe, e estava apenas a pensar ir.

– E o nosso acordo?

– Ainda não temos acordo nenhum.

Ele semicerrou os olhos e depois pareceu lembrar-se. Largou-me a mão e deu-me o braço, conduzindo-me para fora da sala.

– Esta conversa não vai ficar por aqui – sussurrou-me, ameaçadoramente, ao entrarmos na sala de jantar.

Que disparate. Não te irrites tanto... *e devolve-me as minhas cuecas.* Olhei-o incisivamente.

A sala de jantar recordou-me o nosso jantar íntimo no Heathman. Havia um lustre de cristal suspenso sobre a mesa de madeira escura e um enorme espelho entalhado na parede. A mesa estava coberta com uma toalha de linho branco, imaculadamente limpa, com uma jarra com peónias rosa pálido a servir de centro de mesa. Era impressionante.

Ocupámos os nossos lugares. Mr. Grey estava sentado à cabeceira da mesa, eu estava à sua direita e Christian estava ao meu lado. Mr. Grey alcançou a garrafa aberta de vinho tinto e ofereceu um pouco de vinho a Kate. Mia ocupou o lugar ao lado de Christian e agarrou-lhe na mão, apertando-a firmemente. Christian sorriu-lhe afetuosamente.

– Onde conheceste a Ana? – perguntou-lhe Mia.

– Ela entrevistou-me para o jornal de estudantes da WSU.

– Do qual Kate é editora – acrescentei, esperando desviar a conversa de mim.

Mia fez um grande sorriso a Kate, que estava sentada do lado oposto, ao lado de Elliot e começaram a falar acerca do jornal de estudantes.

– Vinho, Ana? – perguntou Mr. Grey.

– Por favor – respondi, sorrindo e Mr. Grey levantou-se para encher o resto dos copos.

Olhei para Christian e ele virou-se para olhar para mim, com a cabeça inclinada para um lado.

– O que foi? – perguntou-me.

– Por favor não fiques zangado comigo – sussurrei.

– Eu não estou zangado contigo.

Eu olhei para ele e ele suspirou.

– Sim, estou zangado contigo – disse, fechando os olhos por breves instantes.

– Zangado ao ponto de sentires um formigueiro na palma da mão? – perguntei, nervosamente.

– O que estão vocês os dois a segredar? – interrompeu Kate.

Eu corei e Christian olhou-a furioso, como quem diz "não te metas nisto, Kavanaugh". Até Kate definhou sob o seu olhar.

– Estávamos só a falar sobre a minha viagem à Geórgia – disse docemente, esperando dissipar aquela hostilidade mútua.

Kate sorriu com um brilho malicioso nos olhos.

– Como estava o José quando foste com ele ao bar, na sexta feira?

Merda, Kate. Arregalei-lhe os olhos. O que estava ela a fazer? Ela arregalou-me também os olhos e eu percebi que ela estava a tentar fazer ciúmes a Christian. *Ela não sabe da missa a metade.* E eu a pensar que me ia safar daquela.

– Estava bem – murmurei.

Christian inclinou-se para mim.

– Sinto um formigueiro na palma das mão – sussurrou. – Especialmente agora. – Falava num tom calmo e mortífero.

Oh, não. Torci-me na cadeira.

Grace reapareceu com duas travessas, seguida de uma jovem bonita com totós louros, elegantemente vestida de azul claro, com uma bandeja de pratos. Os seus olhos cruzaram-se imediatamente com os de Christian. Ela corou e olhou-o por baixo das longas pestanas cobertas de rímel. *O quê?*

O telefone começou a tocar, algures na casa.

– Com licença – disse Mr. Grey, voltando a levantar-se e saindo.

– Obrigada, Gretchen – disse Grace delicadamente, franzindo o sobrolho quando Mr. Grey saiu. – Deixa a bandeja no aparador. – Gretchen anuiu e voltou a saiu, dirigindo mais um olhar furtivo a Christian.

Portanto, os Greys tinham empregadas e as empregadas estavam a olhar para o meu aspirante a Dominador. Será que aquela noite iria ainda piorar? Eu franzi o sobrolho para as mãos, poisadas no colo.

Mr. Grey regressou.

– É uma chamada para ti, querida. É do hospital – disse ele a Grace.

– Por favor comecem a comer – incentivou Grace, sorrindo, passando-me um prato e saindo.

Cheirava deliciosamente – escalopes e chouriço com pimentos vermelhos assados e chalotas polvilhadas com salsa. Embora eu sentisse o estômago às voltas devido às ameaças veladas de Christian, aos olhares sub-reptícios da bela Miss Totós e ao fracasso desastroso em que redundara a falta de roupa interior, estava esfomeada. Corei ao perceber que fora o esforço físico dessa tarde que me abrira tanto o apetite.

Momentos depois, Grace voltou, de testa franzida. Mr. Grey inclinou a cabeça para um lado… como Christian.

– Está tudo bem?

– Mais um caso de sarampo – disse Grace, suspirando.

– Oh, não.

– Sim, uma criança. É o quarto caso este mês. Se ao menos as pessoas vacinassem os filhos. – Abanou a cabeça, tristemente, e depois sorriu. – Estou tão feliz pelo facto de os nossos filhos nunca terem passado por isso. Graças a Deus, nunca apanharam nada pior do que varicela. Pobre Elliot – disse ela, ao sentar-se, sorrindo indulgentemente ao filho. Elliot franziu o sobrolho enquanto mastigava, e remexeu-se, constrangido. – O Christian e a Mia tiveram sorte, pois só apanharam ligeiramente. Quase não tinham marcas.

Mia riu baixinho e Christian revirou os olhos.

– Conseguiste ver o jogo dos Mariners, pai? – perguntou Elliot, claramente ansioso por mudar de conversa.

As entradas estavam deliciosas e eu concentrei a minha atenção na refeição, enquanto Elliot, Mr. Grey e Christian discutiam basebol. Christian parecia descontraído e calmo a falar com a família. Eu tinha a cabeça a cem à hora. Maldita Kate, qual seria o jogo dela? *Será que ele me vai castigar?* Encolhi-me só de pensar. Eu ainda não tinha assinado o contrato. Talvez nem o assinasse. Talvez ficasse na Geórgia onde ele não me pudesse alcançar.

– Que tal te estás a dar no teu novo apartamento, querida? – perguntou Grace, cortesmente.

Eu senti-me grata pela pergunta, pois distraiu-me dos meus pensamentos dissonantes, e falei-lhe da nossa mudança.

Quando terminámos as nossas entradas, Gretchen apareceu e eu desejei pela segunda vez poder tocar livremente em Christian, só para que ela percebesse. Poderia estar marado da cabeça em cinquenta sombras, mas era meu. Ela continuou a levantar a mesa, passando demasiado perto de Christian para o meu gosto. Felizmente ele pareceu ignorá-la, mas a minha deusa interior estava a fumegar e não no bom sentido da palavra.

Kate e Mia estavam a tecer comentários líricos acerca de Paris.

– Já foste a Paris, Ana? – perguntou Mia, inocentemente, distraindo-me dos meus devaneios ciumentos.

– Não, mas adorava ir. – Percebi que era a única pessoa à mesa que nunca saíra dos EUA.

– Nós passámos a nossa lua-de-mel em Paris – disse Grace, sorrindo para Mr. Grey, que lhe retribuiu o sorriso.

Era quase embaraçante testemunhá-lo, mas era óbvio que se amavam profundamente. Interroguei-me por instantes o que seria crescer com ambos os pais *in situ*.

– É uma linda cidade – assentiu Mia. – Apesar dos parisienses. Devias levar a Ana a Paris, Christian – disse Mia, num tom firme.

– Acho que a Anastasia preferia Londres – disse Christian, brandamente.

Oh... ele lembrou-se. Poisou-me a mão no joelho e os seus dedos subiram-me pelas coxas acima. Todo o meu corpo se contraiu.

Não... aí não. Agora não. Eu vacilei e remexi-me, tentando afastar-me dele, mas a sua mão agarrou-me a coxa, imobilizando-me. Peguei no meu copo de vinho, em desespero.

A Miss Europa voltou, com os seus olhares recatados, a bambolear as ancas, com o nosso primeiro prato: bife Wellington, creio eu. Felizmente serviu-nos os pratos e saiu, embora demorasse a servir o de Christian. Ele olhou-me zombeteiramente, ao ver-me observá-la, enquanto fechava a porta da sala de jantar.

– Afinal, o que tinham os parisienses? – perguntou Elliot à irmã. – Não engraçaram com o teu comportamento insinuante?

– *Ugh.* Não, não engraçaram e Monsieur Floubert, o ogre para quem eu trabalhava, era um tirano dominador.

Eu cuspi para dentro do vinho.

– Estás bem, Anastasia? – perguntou Christian, solicitamente, tirando a mão da minha coxa.

O humor regressara à sua voz. *Oh, graças a Deus.* Eu acenei com a cabeça e ele bateu-me ao de leve nas costas, retirando a mão quando percebeu que eu recuperara.

O bife estava delicioso e vinha acompanhado de batata-doce assada, cenouras, cherovias, feijão verde. Pareceu-me ainda mais saboroso pelo facto de Christian ter conseguido manter o seu bom humor durante o resto da refeição. Desconfiava que era por me estar a ver a comer com tanto gosto. A conversa fluía espontaneamente entre os Grey, com ternas e afetuosas provocações mútuas. Durante a sobremesa de *syllabub*[8] de limão, Mia brindou-nos com as suas explorações em Paris, revertendo inadvertidamente para um Francês fluente, a dada altura. Todos nós ficámos a olhar para ela e ela olhou para nós intrigada, até Christian lhe explicar o que fizera, num francês igualmente fluente. Ela teve um ataque de riso bastante contagioso e, pouco depois, todos riamos às gargalhadas. Elliot dissertou longamente acerca do seu último pro-

8. Sobremesa fria feita com natas doces, engrossadas com gelatina, batidas com vinho, aguardente ou sumo de fruta. (N. da T.)

jeto de construção, uma nova comunidade ecológica, a norte de Seattle. Eu olhei de relance para Kate e ela bebia as palavras de Elliot, com os olhos brilhantes de luxúria ou de amor. Não sei ao certo qual das duas hipóteses contemplar. Ele sorriu-lhe e foi como se ambos fizessem uma promessa tácita. *Mais tarde, amor,* estava ele a dizer, e era sexy, terrivelmente sexy. Eu corei só de olhar para eles.

Suspirei e olhei para o Cinquenta Sombras. Poderia olhar para ele eternamente. Tinha a barba por fazer, e os meus dedos estavam desejosos de a coçar e de a sentir no rosto, nos seios... entre as coxas. Corei com a direção dos meus pensamentos. Ele olhou para mim e ergueu uma mão, puxando-me pelo queixo.

– Não mordas o lábio – murmurou, num tom de voz rouco. – Quero ser eu a fazer isso. – Grace e Mia levantaram as nossas taças de sobremesa e dirigiram-se para a cozinha, enquanto Mr. Grey, Kate e Elliot discutiam os méritos dos painéis solares no Estado de Washington. Fingindo-se interessado na conversa, Christian voltou a poisar-me a mão sobre o joelho e os seus dedos começaram a subir-me pela coxa. Eu contive a respiração e apertei as coxas tentando conter os seus avanços. Vi-o sorrir petulantemente.

– Queres que te mostre a propriedade? – perguntou-me muito abertamente.

Eu sabia que deveria dizer que sim, mas não confiava nele. Porém, antes que lhe pudesse responder, já ele estava de pé, de mão estendida para mim. Eu dei-lhe a mão e senti todos os músculos contraírem-se, nas profundezas do meu ventre, reagindo ao seu olhar sombrio e esfomeado.

– Com licença – disse eu a Mr. Grey, saindo da sala de jantar atrás de Christian.

Ele levou-me até à cozinha, por um corredor, onde Mia e Grace estavam a empilhar loiça na máquina de lavar. A Miss Europa não se via em lado nenhum.

– Vou mostrar o pátio das traseiras a Anastasia – disse Christian, inocentemente, à mãe. Ela enxotou-nos com um sorriso e Mia voltou para a sala de jantar.

Nós saímos para um pátio calcetado, iluminado por luzes embutidas na pedra. Havia uns arbustos nuns vasos grandes, de pedra cinzenta, uma elegante mesa de metal e cadeiras dispostas a um canto. Christian passou por elas e subiu uns degraus até um vasto relvado que conduzia à baía... Oh, meu deus, era lindo. Seattle cintilava no horizonte e a lua fresca e brilhante de maio traçava um rasto prateado e luminoso na água, na direção de um molhe, onde estavam dois barcos atracados. Junto do molhe ficava a casa dos barcos. Era tudo tão pitoresco e tranquilo que eu fiquei estarrecida por instantes.

Christian arrastava-me atrás de si e os meus saltos estavam a enterrar-se na relva mole.

– Para, por favor. – Eu ia aos tropeções atrás dele.

Ele parou e olhou para mim, com uma expressão inescrutável.

– Os meus saltos. Tenho de tirar os sapatos.

– Não te incomodes – disse ele, pegando em mim e pendurando-me por cima do ombro. Eu guinchei alto, surpreendida e chocada e ele deu-me uma valente palmada no rabo.

– Não levantes a voz – resmungou.

Oh não... isto não era nada bom. O meu subconsciente estava a tremer de joelhos. Ele estava furioso com qualquer coisa – poderia ser o José, a Geórgia, o facto de eu estar sem cuecas, ou ter mordido o lábio. Caramba, que fácil era irritá-lo.

– Onde vamos? – sussurrei.

– À casa dos barcos – disse, bruscamente.

Eu estava virada ao contrário, por isso agarrei-me às suas coxas, enquanto ele atravessava resolutamente o relvado, à luz do luar.

– Porquê? – Eu parecia estar sem fôlego, aos solavancos no seu ombro.

– Preciso de estar sozinho contigo.

– Para quê?

– Porque vou espancar-te e a seguir foder-te.

– Porquê? – choraminguei, baixinho.

– Tu sabes porquê – respondeu, num tom sibilante.

– Julgava que vivias o momento – ripostei, sem fôlego.

– Este é o momento, Anastasia, acredita.

Merda.

CAPÍTULO VINTE

Christian irrompeu pela porta de madeira da casa dos barcos e parou para ligar alguns interruptores. Os tubos fluorescentes zuniram em sequência e uma luz branca e áspera inundou o grande edifício de madeira. Na minha posição invertida, conseguia ver uma impressionante lancha a flutuar suavemente na água escura da doca, mas apenas consegui ter um vislumbre dela, pois fui de imediato transportada por umas escadas de madeira, até à sala de cima.

Ele parou à entrada da porta e ligou outro interruptor. Desta vez eram lâmpadas de halogéneo, mais suaves, com regulador de intensidade. Estávamos num sótão de tetos inclinados, decorado com motivos náuticos: azuis-escuros e cremes com uns toques de vermelho. Tinha pouca mobília, apenas alguns sofás.

Christian poisou-me sobre o soalho de madeira, mas eu não tinha tempo de examinar o que me rodeava, pois não conseguia desviar os olhos dele. Estava hipnotizada. Vigiava-o como quem vigia um predador perigoso e raro, à espera que este ataque. Ele estava com a respiração áspera, mas também acabara de atravessar um relvado e subir um lance de escadas comigo às costas. Os seus olhos cinzentos flamejavam de raiva, carência e pura e genuína luxúria.

Com os diabos. Eu poderia entrar em combustão espontânea só com o seu olhar.

– Por favor não me batas – sussurrei, a implorar.

Ele franziu a testa e arregalou os olhos, piscando os olhos duas vezes.

– Eu não quero que me espanques. Aqui, não, agora, não. Por favor não o faças.

Ele ficou estarrecido e eu estiquei hesitantemente a mão, num gesto mais que corajoso, passando-lhe os dedos pela face, ao longo da patilha, até à barba do queixo. Era ao mesmo tempo suave e espinhosa, uma combinação curiosa. Ele fechou lentamente os olhos e encostou o rosto aos meus dedos, contendo a respiração. Eu ergui a outra mão e passei-lhe os dedos pelo cabelo. Adorava o cabelo dele. Mal ouvi o gemido suave e quando abriu os olhos, estava com um olhar cauteloso, como se percebesse o que eu estava a fazer.

Eu dei um passo em frente até ficar colada a ele, puxei-lhe delicadamente o cabelo, unindo a sua boca à minha e beijei-o, fazendo pressão com a língua entre os seus lábios e introduzindo-a na sua boca. Ele gemeu e envolveu-me nos seus braços, puxando-me contra si. Mergulhou as mãos no meu cabelo e beijou-me também, com força, possessivamente. As nossas línguas serpentearam e rodopiaram juntas, consumindo-nos mutuamente. Ele sabia divinalmente.

Subitamente, recuou. A respiração ofegante de ambos misturava-se. Eu baixei as mãos para os seus braços e ele olhou-me fixamente.

– O que me estás a fazer? – sussurrou, confuso.

– Estou a beijar-te.

– Tu disseste que não.

– O quê? – *Não a quê?*

– Com as tuas pernas, à mesa do jantar.

Ah... então o motivo era esse.

– Mas estávamos à mesa de jantar dos teus pais. – Eu olhei-o, totalmente perplexa.

– Nunca antes ninguém me disse não. É tão... sexy.

Os seus olhos estavam muito abertos, carregados de assombro e de luxúria. Era uma mistura inebriante. Eu engoli em seco, instintivamente, e ele deslocou a mão para o meu traseiro, puxando-me bruscamente contra ele, contra a sua ereção.

Oh, meu deus...

– Estás zangado e excitado porque eu te disse que não? – perguntei, atónita.

– Estou zangado porque nunca me falaste da ida à Geórgia. Estou zangado porque foste beber com esse tipo que tentou seduzir-te quando estavas embriagada e que te deixou com alguém que mal conhecias quando estavas doente. Que raio de amigo faz isso? Estou zangado e excitado porque me fechaste as tuas pernas. – Os seus olhos cintilavam perigosamente e ele estava a puxar-me lentamente a bainha do vestido para cima.

– Desejo-te e quero-te possuir agora. E se não me deixares espancar-te, como mereces, vou foder-te imediatamente no sofá, à pressa, para meu próprio proveito e não teu.

O vestido já mal me cobria o traseiro nu. Ele fez um movimento súbito e cobriu-me o sexo com a mão, afundando lentamente um dos seus dedos dentro de mim e prendendo-me firmemente pela cintura com o outro braço. Eu contive um gemido.

– Isto é meu – sussurrou, num tom agressivo. – Totalmente meu, entendeste? – O seu dedo deslizou para dentro e para fora e ele olhou-me, de olhos ardentes, avaliando a minha reação.

– Sim, teu – sussurrei, sentindo um desejo quente e intenso percorrer-me a corrente sanguínea, afetando... tudo; terminais nervosos, respiração. O coração parecia querer saltar-me do peito e o sangue latejava-me nos ouvidos.

Ele mexeu-se repentinamente, fazendo várias coisas ao mesmo tempo: tirou os dedos de dentro de mim, deixando-me carente, abriu a braguilha, empurrou-me para o sofá e deitou-se em cima de mim.

– Mãos na cabeça – ordenou-me ele, de dentes cerrados, ajoelhando-se e forçando-me a abrir mais as pernas. Depois meteu a mão no bolso interior do casaco. Tirou uma embalagem de preservativos e olhou-me com uma expressão sombria, antes de sacudir o casaco para o chão, desenrolando o preservativo a todo o comprimento do seu pénis impressionante.

Eu coloquei as mãos sobre a cabeça e percebi que era para não lhe tocar. Estava de tal forma excitada que senti as minhas ancas moverem-se para cima, ao seu encontro – queria tê-lo dentro de mim, assim mesmo, à bruta. Oh... a expetativa.

– Não temos muito tempo. Isto vai ser rápido e é para mim e não para ti, entendeste? Não te venhas senão espanco-te. – Disse ele, de dentes cerrados.

Raios... como me vou conter?

Ele penetrou-me completamente, com um impulso rápido. Eu gemi alto, guturalmente, desfrutando da sensação de preenchimento da sua penetração. Ele colocou as suas mãos em cima das minhas, sobre a minha cabeça, e afastou-me os braços para fora e para baixo, com os cotovelos, prendendo-me com as pernas. Eu estava aprisionada. Ele estava por toda a parte. Era esmagador, quase sufocante mas igualmente divinal. Era esse o meu poder, era isso que eu provocava nele, e a sensação era de triunfo hedonista. Ele movia-se rápida e furiosamente dentro de mim, com a respiração ofegante junto do meu ouvido e o meu corpo reagiu, derretendo-se em torno dele. *Não me posso vir.* Não, não podia, mas ia ao seu encontro a cada investida, num perfeito contraponto. Subitamente e bem mais cedo do que seria de desejar, investiu violentamente contra mim, imobilizou-se e atingiu o orgasmo, deixando escapar o ar por entre os dentes. Descontraiu-se momentaneamente e eu senti o seu delicioso peso sobre mim. Não estava preparada para o largar. O meu corpo ansiava pela descarga, mas ele estava tão pesado que eu não conseguia erguer o corpo contra ele. De repente ele recuou, deixando-me esfomeada e ansiosa por mais.

Ele olhou-me fixamente.

– Não te masturbes. Quero-te frustrada. É isso que provocas em mim quando não falas comigo e me negas o que é meu. – Estava outra vez com um olhar flamejante, furioso.

Eu acenei com a cabeça, ofegante. Ele levantou-se, retirou o preservativo, deu-lhe um nó na ponta e guardou-o no bolso das calças. Eu olhei para ele, ainda com a respiração errática, apertando involuntariamente as pernas, uma contra a outra, tentando aliviar-me de alguma forma. Christian fechou a braguilha e passou as mãos pelo cabelo, ao baixar-se para pegar no casaco. Depois virou-se e olhou para mim, com uma expressão mais branda.

– É melhor voltarmos para casa.

Eu sentei-me, um pouco vacilante e atordoada.

– Toma, podes vestir isto.

Tirou as minhas cuecas do bolso interior. Eu não sorri ao pegar nelas, mas no meu íntimo sabia – fui punida com uma foda, mas as cuecas foram uma pequena vitória. A minha deusa interior anuiu, com um sorriso satisfeito no rosto. *Não tiveste de as pedir.*

– *Christian!* – gritou Mia do andar de baixo.

Ele virou-se e arqueou-me as sobrancelhas.

– Foi mesmo na hora. Meu Deus, ela às vezes é tão irritante.

Eu franzi-lhe o sobrolho, devolvendo apressadamente as cuecas à sua legítima morada, e levantei-me com a maior dignidade possível, tendo em conta que acabara de ser fodida, tentando alisar rapidamente o meu cabelo recém-fodido.

– Estamos cá em cima, Mia – disse ele, em voz alta, lá para baixo. – Bom, Miss Steele, só por isto já me sinto melhor, mas ainda quero espancá-la – disse ele, brandamente.

– Não me parece que o mereça, Mr. Grey, especialmente depois de tolerar o seu ataque gratuito.

– Gratuito? Tu beijaste-me. – Fez os possíveis para parecer magoado.

Eu crispei os lábios.

– Não há melhor forma de defesa do que o ataque.

– Defenderes-te de quê?

– De ti e do formigueiro na palma da tua mão.

Ele inclinou a cabeça para um lado e sorriu-me, enquanto Mia subia ruidosamente as escadas. – Não foi suportável? – respondeu ele, brandamente.

Eu corei.

– Nem por isso – sussurrei, incapaz de conter um sorriso afetado.

– Ah, aí estão vocês – disse ela, com um grande sorriso.

– Estava a mostrar a propriedade à Anastasia. – Christian estendeu--me a mão. Os seus olhos cinzentos estavam com uma expressão intensa.

Eu dei-lhe a mão e ele apertou-a suavemente.

– A Kate e o Elliot estão prestes a sair. Dá para acreditar naqueles dois? Não conseguem tirar as mãos de cima um do outro – disse Mia, fingindo-se desagradada, olhando para Christian e depois para mim.

– O que estiveram aqui a fazer?

Caramba, que direta que ela era. Eu fiquei vermelha.

– A mostrar os meus troféus de remo a Anastasia – disse Christian, sem hesitar um segundo que fosse, com um ar totalmente impassível. – Vamos despedir-nos da Kate e do Elliot.

Troféus de remo? Ele puxou-me delicadamente para a sua frente e quando Mia se virou para sair, deu-me uma palmada no traseiro. Eu arfei, surpreendida.

– Voltarei a fazê-lo, muito em breve, Anastasia – segredou-me ao ouvido em tom de ameaça, puxando-me depois de costas para os seus braços, e beijando-me o cabelo.

Ao regressarmos a casa, Kate e Elliot estavam a despedir-se de Grace e de Mr. Grey. Kate abraçou-me com força.

– Preciso de falar contigo sobre a tua hostilidade em relação ao Christian – disse-lhe eu em surdina, ao ouvido, enquanto ela me abraçava.

– Ele precisa de ser hostilizado, para que tu vejas como ele realmente é. Tem cuidado, Ana, ele é tão controlador – sussurrou ela. – Até logo.

EU SEI COMO É QUE ELE É REALMENTE, TU É QUE NÃO! – gritei-lhe mentalmente. Estava perfeitamente consciente que as ações dela era bem-intencionadas, mas por vezes ela violava certas fronteiras, e desta vez violara-as de tal forma que estava no Estado vizinho. Eu franzi-lhe o sobrolho e ela deitou-me a língua de fora, o que me fez sorrir involuntariamente. A Kate brincalhona era uma novidade para mim; devia ser influência de Elliot. Acenámos-lhes com a mão desde a entrada e Christian virou-se para mim:

– Nós também devíamos ir embora, tens entrevistas amanhã.

Mia abraçou-me ternamente, ao despedirmo-nos.

– Nunca pensámos que ele fosse encontrar alguém! – disse ela impetuosamente.

Eu corei e Christian voltou a revirar os olhos. Eu mordi o lábio. Porque podia ele fazer aquilo e eu não? Apetecia-me revirar-lhe também os olhos, mas não me atrevi. Depois da ameaça que me fizera na casa dos barcos, não.

– Cuida de ti, querida – disse Grace, gentilmente.

Embaraçado ou frustrado com a generosa dose de atenção que eu estava a receber dos outros Grey, Christian agarrou-me na mão e puxou-me para o seu lado.

– É melhor não a assustar nem a estragar com demasiados mimos – resmungou ele.

– Para de implicar, Christian – Grace admoestou-o indulgentemente, com os olhos brilhantes de amor e afeição por ele.

De certa forma eu não achava que ele estivesse a implicar. Observei sub-repticiamente a interação de ambos. Era óbvio que Grace nutria por ele um amor incondicional de mãe. Ele curvou-se e beijou-a rigidamente.

– Mãe – disse ele e eu senti algo na sua voz; reverência, talvez?

– Mr. Grey, adeus e obrigada. – Estendi-lhe a mão, mas ele também me abraçou!

– Por favor trata-me por Carrick. Espero voltar a ver-te muito em breve, Ana.

Terminadas as despedidas, Christian conduziu-me para o carro, onde Taylor estava à nossa espera. *Teria ali estado o tempo todo?* Taylor abriu a minha porta e eu voltei a entrar no Audi.

Senti parte da tensão desaparecer-me dos ombros. Caramba, que dia. Sentia-me física e emocionalmente exausta. Depois de uma breve conversa com Taylor, Christian entrou no carro ao meu lado e virou-se para mim.

– Bom, parece que a minha família também gosta de ti – murmurou ele.

Também? A ideia deprimente acerca do motivo porque fora convidada voltou-me à cabeça de forma espontânea e bastante indesejável. Taylor pôs o carro a trabalhar afastando-se do círculo de luz do caminho de acesso, para a escuridão da estrada. Olhei para Christian e ele estava a olhar para mim.

– O que foi? – perguntou-me, calmamente.

Fiquei por momentos atrapalhada. Não – vou contar-lhe. Ele está sempre a queixar-se de que eu não falo com ele.

– Acho que te sentiste obrigado a trazer-me aqui para conhecer os teus pais. – Falava num tom brando e hesitante. – Se o Elliot não tivesse convidado a Kate, tu nunca me terias convidado. – Eu não conseguia ver o rosto dele na escuridão, mas ele inclinou a cabeça e olhou-me de boca aberta.

– Anastasia, estou muito feliz por teres conhecido os meus pais. Porque tens tão pouca confiança em ti própria? Fico sempre espantado com isso. És uma jovem tão forte e independente, mas tens tantas ideias negativas acerca de ti. Se eu não quisesse que tu os conhecesses tu não estarias aqui. Foi assim que te sentiste durante todo o tempo que lá estiveste?

Oh! Ele queria-me lá – isso era uma revelação. Ele não parecia desconfortável ao responder-me como certamente estaria se estivesse a esconder-me a verdade. Parecia genuinamente satisfeito por eu ali estar. Senti um fulgor quente espalhar-se lentamente pelas minhas veias. Ele abanou a cabeça e pegou-me na mão. Olhei nervosamente para Taylor.

– Não te preocupes com o Taylor. Fala comigo.

Eu encolhi os ombros.

– Sim, eu achava isso. Outra coisa: eu só falei da Geórgia porque a Kate estava a falar dos Barbados. Ainda não decidi se vou.

– Queres ir ver a tua mãe?

– Quero.

Ele olhou-me de forma estranha, como se estivesse a debater-se com alguma coisa interiormente.

– Posso ir contigo? – perguntou, finalmente.

O quê?

– Hum... não me parece que seja boa ideia.

– Porque não?

– Porque tinha esperança de fazer uma pausa de toda esta... intensidade, para tentar pensar nas coisas.

Ele ficou a olhar para mim.

– Sou demasiado intenso?

Eu desatei a rir.

– Isso é uma forma moderada de colocar as coisas!

Vi os seus lábios arquearem-se sob a luz dos candeeiros de rua ao longo da estrada.

– Está a rir-se de mim, Miss Steele?

– Não me atreveria, Mr. Grey – respondi, fingindo-me séria.

– Eu acho que te atreves e acho que te ris de mim frequentemente.

– Tu és bastante engraçado.

– Engraçado?

– Ah, sim.

– Engraçado por ser peculiar ou por ter graça?

– Oh... tens bastante de uma delas e alguma coisa da outra.

– De qual das duas tenho mais?
– Vou deixar que sejas tu a descobri-lo.
– Duvido que consiga descobrir alguma coisa contigo por perto, Anastasia – disse num tom sardónico, prosseguindo depois, serenamente. – Em que é precisas de pensar na Geórgia?
– Em nós – sussurrei eu.
Ele olhou-me com uma expressão impassível.
– Tu disseste que irias experimentar – murmurou.
– Eu sei.
– Estás indecisa?
– Possivelmente.
Ele remexeu-se como se estivesse desconfortável.
– Porquê?
Raios. Como é que aquilo se transformara de repente numa conversa tão intensa e tão cheia de significado? Fora-me subitamente imposta, como um exame para o qual não estava preparada. O que podia eu dizer? "Porque acho que te amo e tu encaras-me apenas como um brinquedo?" "Porque não te posso tocar?" "Porque estou demasiado assustada para mostrar que gosto de ti, com receio que tu vaciles e me abandones ou pior do que isso – me batas?" O que podia eu dizer?

Olhei momentaneamente para fora da janela. O carro estava de novo a atravessar a ponte. Estávamos ambos envoltos na escuridão, a camuflar os nossos pensamentos e os nossos sentimentos, mas não precisávamos da noite para isso.

– Porquê, Anastasia? – insistiu Christian.

Eu encolhi os ombros, sentindo-me encurralada. Eu não queria perdê-lo. Apesar de todas as suas exigências, da sua necessidade de controlo, dos seus vícios assustadores, eu nunca antes me sentira tão viva como agora. Era um prazer estar ali sentada, a seu lado. Ele era tão imprevisível, tão sexy, tão inteligente, tão engraçado. Mas os seus estados de espírito... Ah, pois, e além disso, queria magoar-me. Ele disse que ia ponderar acerca das minhas reservas, mas isso continuava a assustar-me. Fechei os olhos. O que podia eu dizer? No meu íntimo queria apenas mais; mais afeto, mais do Christian brincalhão, mais... amor.

Ele apertou-me a mão.

– Fala comigo, Anastasia. Eu não te quero perder. Esta última semana…

Estávamos a chegar ao fim da ponte e a estrada estava mais uma vez banhada pelas luzes de *néon* dos candeeiros de rua, por isso o seu rosto aparecia e desaparecia intermitentemente na luz e na escuridão. Uma metáfora bastante adequada. Aquele homem que eu em tempos encarara como um herói romântico, um ilustre e corajoso cavaleiro branco – ou um cavaleiro negro, como ele dizia – não era um herói, mas sim um homem com sérias e profundas lacunas emocionais, e estava a arrastar-me para a escuridão. Conseguiria eu guiá-lo para a luz?

– Eu continuo a querer mais – sussurrei.

– Eu sei – disse ele. – Eu vou tentar.

Eu pisquei-lhe os olhos. Ele largou-me a mão e puxou-me pelo queixo, soltando-me o lábio preso.

– Por ti tentarei, Anastasia – Irradiava sinceridade.

Aquela era a minha deixa. Tirei o cinto de segurança, estiquei os braços e trepei para o colo dele, apanhando-o totalmente de surpresa. Depois, abracei-me ao seu pescoço e beijei-o longamente, com força. Ele reagiu em menos de nada.

– Fica comigo esta noite – pediu-me. – Se te fores embora, não te verei durante toda a semana. Por favor.

– Está bem – assenti. – E eu também tentarei. Assinarei o teu contrato. – Era uma decisão impulsiva.

Ele olhou para mim.

– Assina depois de ires à Geórgia. Pensa no assunto. Pensa bem no assunto, querida.

– Está bem. – Ficámos em silêncio durante dois ou três quilómetros.

– Devias usar o cinto de segurança – sussurrou-me Christian desaprovadoramente contra o meu cabelo, mas não fez qualquer gesto para me tirar do seu colo.

Eu rocei-lhe com o nariz no pescoço, de olhos fechados, inalando o seu odor sexy a Christian e gel de banho almiscarado, com a cabeça encostada ao seu ombro. Deixei a minha mente flutuar e fantasiei que ele me amava. Oh, era tão real que parecia quase tangível. Uma pequena parte do meu horrível subconsciente de hárpia agiu de forma totalmente incaracterística, *atrevendo-se mesmo a ter esperança.* Tive o cuidado de não lhe tocar no peito, aconchegando-me simplesmente nos seus braços, enquanto ele me abraçava com força.

Mas depressa fui arrancada à minha fantasia impossível.

– Chegámos a casa – murmurou Christian. A frase era bastante tentadora, carregada de potencial.

Em casa com Christian. Só que o seu apartamento parecia uma galeria de arte e não um lar.

Taylor abriu-nos a porta e eu agradeci-lhe timidamente, consciente de que ele poderia ter ouvido a nossa conversa, mas o seu sorriso amável foi reconfortante e não deixou transparecer nada. Uma vez fora do carro, Christian avaliou-me com um ar crítico. *Oh não... o que fiz eu agora?*

– Porque não tens um casaco? – Franziu o sobrolho e despiu o casaco, colocando-o sobre os meus ombros.

Eu fui percorrida por uma sensação de alívio.

– Está no meu carro novo – respondi, bocejando, sonolenta.

Ele fez-me um sorriso afetado.

– Cansada, Miss Steele?

– Sim, Mr. Grey. – Senti-me embaraçada sob aquele escrutínio provocador, porém, senti que ele me devia uma explicação. – Hoje, fui dominada de formas que nunca julguei possíveis.

– Bom, se estiveres mesmo em maré de azar, é possível que eu te domine um pouco mais – assegurou-me, dando-me a mão e conduzindo-me para o edifício. *Com os diabos... Outra vez?*

Olhei para ele no elevador. Deduzira que ele queria que eu dormisse com ele, mas depois lembrei-me que ele não dormia com ninguém, embora tivesse dormido comigo algumas vezes. Franzi o sobrolho e o seu olhar tornou-se repentinamente sombrio. Ele esticou uma mão e agarrou-me no queixo, libertando-me o lábio dos dentes.

– Um dia destes fodo-te neste elevador, Anastasia, mas neste momento estás cansada, por isso acho que deveríamos cingir-nos a uma cama.

Ele curvou-se, prendeu-me o lábio inferior com os dentes, puxando-o delicadamente. Eu derreti-me contra ele e contive a respiração, ao sentir as entranhas expandirem-se de desejo. Retribuí-lhe, mordendo-lhe o lábio superior com os dentes, para o provocar e ele gemeu. Quando as portas do elevador se abriram, ele agarrou-me na mão, arrastou-me para o vestíbulo, através das portas duplas, e depois para o corredor.

– Precisas de uma bebida ou coisa do género?

– Não.

– Ótimo. Vamos para a cama.

Eu arqueei uma sobrancelha.

– Vais optar pela velha e tradicional baunilha?

Ele inclinou a cabeça para um lado.

– A baunilha não tem nada de velho nem de tradicional, é um sabor bastante intrigante – sussurrou ele.

– Desde quando?

– Desde o último sábado. Porquê? Estavas à espera de algo mais exótico?

A minha deusa interior espreitou por cima do parapeito.

– Ah, não, já tive exotismo que me chegasse por um dia. – A minha deusa interior faz-me beicinho, tentando em vão esconder a sua deceção.

– Tens a certeza? Temos soluções para todos os gostos, aqui, pelo menos trinta e um sabores. – Sorriu-me lascivamente.

– Já reparei – respondi, secamente.

Ele abanou a cabeça.

– Vá lá, Miss Steele, amanhã terá um dia longo. Quanto mais depressa for para a cama, mais depressa eu a fodo, e mais depressa poderá dormir.

– Você é um romântico nato, Mr. Grey.

– E você tem uma língua aguçada, Miss Steele. Vou ter de a dominar de alguma forma. Venha. – Conduziu-me pelo corredor, até ao quarto dele, e fechou a porta.

– Mãos no ar – ordenou ele.

Eu obedeci e ele tirou-me o vestido como um ilusionista, agarrando-o pela bainha e puxando-o por cima da minha cabeça, com um movimento assombrosamente rápido, fluido e suave.

– Ta-da! – disse ele, num tom brincalhão.

Eu ri baixinho e aplaudi educadamente. Ele fez-me uma graciosa vénia, sorrindo. *Como posso eu resistir-lhe quando ele é assim?* Ele colocou o vestido sobre a cadeira que tinha junto da cómoda.

– E qual vai ser o próximo truque? – aventei eu, provocadoramente.

– Oh, minha querida Miss Steele, meta-se na minha cama que eu mostro-lhe – resmungou ele.

– Não acha que me deveria fazer de difícil, por uma vez que fosse? – perguntei, com um ar sedutor.

Ele arregalou os olhos, surpreendido, e eu vi neles indícios de excitação.

– Bom… a porta está fechada, não sei bem como me vais evitar – disse ele, num tom sardónico. – Acho que é um facto consumado.

– Mas eu sou boa negociadora.

– Também eu. – Ele olhou para mim, mas ao fazê-lo a sua expressão modificou-se. A confusão cresceu dentro de si e o ambiente no quarto alterou-se abruptamente. A tensão estava a aumentar. – Não queres foder? – perguntou ele.

– Não – sussurrei eu.

– Ah, bom – exclamou, franzindo o sobrolho.

Ok, agora é que é… respira fundo.

– Quero que faças amor comigo.

Ele ficou imóvel e olhou para mim inexpressivamente. A sua expressão tornou-se mais sombria. Oh, merda, aquilo não parecia nada bom. *Dá-lhe um minuto!* – disse o meu subconsciente, bruscamente.

– Ana, eu… – Passou as mãos pelo cabelo. As duas mãos. Caramba, estava mesmo desorientado – Julgava que já o tínhamos feito – disse ele, finalmente.

– Eu quero tocar-te.

Ele deu involuntariamente um passo atrás, ficando por instantes com uma expressão receosa, mas depois dominou-se.

– Por favor – sussurrei.

Ele recompôs-se.

– Ah, não, Miss Steele, já lhe fiz concessões suficientes esta noite. A minha resposta é não.

– Não?

– Não.

Ah, bom… sendo assim, não há nada a argumentar.

– Escuta, tu estás cansada e eu também. Vamos para a cama – disse ele, observando-me cautelosamente.

– Então tocar-te é um limite intransponível para ti?

– Sim, mas isso não é novidade.

– Por favor diz-me porquê.

– Oh, Anastasia, vá lá. Esquece isso por agora – murmurou ele, exasperado.

– É importante para mim.

Ele voltou a passar ambas as mãos pelo cabelo, praguejando entre dentes. Depois deu meia-volta, foi à cómoda, tirou uma *t-shirt* e atirou--ma. Eu apanhei-a, perplexa.

– Veste isso e mete-te na cama – disse, bruscamente, num tom irritado.

Eu franzi o sobrolho mas decidi fazer-lhe a vontade. Virei-me de costas e tirei rapidamente o sutiã, vestindo a *t-shirt* o mais rapidamente possível, para cobrir a minha nudez. Fiquei de cuecas, pois não as usara durante grande parte da noite.

– Preciso de ir à casa de banho. – A minha voz era um sussurro.

Ele franziu o sobrolho, confuso.

– Agora estás a pedir licença?

– Hum... não.

– Anastasia, tu sabes onde fica a casa de banho. Nesta fase do nosso estranho acordo, não precisas da minha autorização para a utilizares. – Ele não conseguia esconder a sua irritação. Tirou a camisa e eu entrei apressadamente na casa de banho.

Olhei para mim no enorme espelho, surpreendida por ainda estar com a mesma aparência. Depois de tudo o que fizera nesse dia era ainda a mesma rapariga vulgar que me olhava do espelho. *O que esperavas? Que te crescessem cornos e uma pequena cauda pontiaguda?* – disse-me o meu subconsciente, bruscamente. *O que raio estás tu a fazer? Tocar é um limite intransponível para ele. É demasiado cedo, minha idiota. Para correr, primeiro ele tem de aprender a andar.* O meu subconsciente estava furioso, com uma fúria tipo Medusa, de cabelos no ar e mãos crispadas junto do rosto, tipo *Grito* de Edward Munch. Eu ignorei-o mas ele não voltou para dentro da sua caixa. *Estás a enfurecê--lo – pensa em tudo o que ele disse e em todas as concessões que fez.* Franzi o sobrolho ao meu reflexo. Tinha de conseguir mostrar-lhe afeição e depois talvez ele conseguisse também dar-me alguma em troca.

Abanei a cabeça, resignada, e agarrei na escova de dentes de Christian. É claro que o meu subconsciente tinha razão. Eu estava a apressá-lo. Ele não estava preparado e eu também não. O nosso estranho acordo era como um delicado *balancé* que se inclinava e baloiçava entre ambos e nós estávamos vacilantes, equilibrados sobre ele, em extremos opostos. Ambos precisávamos de nos aproximar mais do centro. A minha esperança era que nenhum de nós caísse ao tentar fazê-lo. Tudo aquilo estava a ser demasiado rápido. Talvez eu precisasse de alguma distância. A Geórgia parecia-me mais apelativa que nunca. Quando comecei a escovar os dentes ele bateu à porta.

– Entra – balbuciei, com a boca cheia de pasta de dentes.

Christian estava à porta, com as calças do pijama a descair nas ancas daquela forma capaz de despertar a mais pequena célula do meu corpo, forçando-me a reparar nele. Estava de tronco nu e eu bebi-o com os olhos, como se estivesse doida de sede e ele fosse água fresca de uma nascente da montanha. Ele olhou para mim com uma expressão impassível, sorriu afetadamente, e veio para junto de mim. Os nossos olhos cruzaram-se no espelho. Azul e cinzento. Eu acabei de lavar os dentes com a sua escova, enxaguei-a e dei-lha, sem nunca tirar os olhos dele. Ele tirou-me a escova de dentes, sem dizer uma palavra, e colocou-a na boca. Eu sorri-lhe afetadamente e subitamente, vi o humor saltitar-lhe nos olhos.

– Faça favor de usar a minha escova quando quiser. – Falava num tom delicado e zombeteiro.

– Obrigado, Senhor – disse eu, sorrindo docemente, e saí, voltando para a cama.

Alguns minutos depois, ele reuniu-se a mim.

– Sabes que não foi assim que imaginei que a noite acabaria – murmurou ele, petulantemente.

– Imagina se eu te dissesse que não me podias tocar.

Ele subiu para a cama e sentou-se de pernas cruzadas.

– Anastasia, eu já te expliquei. Cinquenta sombras. Eu tive um início de vida difícil – não ias gostar de ficar a remoer nessa merda. Porque haverias de ficar?

– Porque quero conhecer-te melhor.

– Já me conheces suficientemente bem.

– Como podes dizer isso? – Eu fiz um esforço para me pôr de joelhos, de frente para ele.

Ele revirou-me os olhos, frustrado.

– Estás a revirar os olhos. A última vez que fiz isso acabei deitada sobre o teu joelho.

– Oh, adoraria voltar a deitar-te.

Tive um ataque de inspiração.

– Conta-me o que puderes.

– O quê?

– Tu ouviste o que eu disse.

– Estás a regatear comigo? – Havia perplexidade e descrença na sua voz.

Eu anuí. *Sim… é assim que se faz.*

– A negociar.

– Não é assim que as coisas funcionam, Anastasia.

– Ok, se me contares eu reviro-te os olhos.

Ele deu uma gargalhada e eu tive um raro vislumbre do Christian descontraído. Já não o via há algum tempo. Ele recuperou a compostura.

– Sempre tão ávida por informação. – Ele olhou-me com uma expressão especulativa. Instantes depois, desceu elegantemente da cama. – Não te vás embora – disse ele e saiu do quarto.

Fui percorrida por uma vaga de ansiedade e abracei o meu próprio corpo. O que estaria ele a fazer? Teria algum plano malévolo? *Bolas.* E se ele voltasse com uma vergasta, ou um acessório qualquer depravado? *Com os diabos, o que vou eu fazer nessa altura?* Quando finalmente regressou, trazia algo pequeno nas mãos. Eu não conseguia ver o que era e estava a arder de curiosidade.

– A que horas é a tua primeira entrevista de amanhã? – perguntou ele, brandamente.

– Às duas.

Um sorriso lento e malicioso desenhou-se no seu rosto.

– Ótimo. – Começou a mudar subtilmente, diante dos meus olhos. Estava mais duro, mais irascível… mais sexy. Aquele era Christian, o Dominador.

– Sai da cama e vem para aqui. – Apontou para junto da cama. Eu levantei-me e saltei da cama em dois tempos. Ele olhou-me atentamente, de olhos cintilantes, carregados de promessas. – Confias em mim? – perguntou.

Eu anuí. Ele esticou a mão e eu vi duas bolas brilhantes, prateadas, ligadas por um fio grosso, negro.

– Estas são novas – disse, enfaticamente.

Eu olhei-o interrogativamente.

– Vou pôr isto dentro de ti e depois vou espancar-te, não para te castigar, mas para te dar prazer. A ti e a mim. – Fez uma pausa, para avaliar o meu grau de estupefação.

Dentro de mim? Arquejei e todos os músculos nas profundezas do meu ventre se contraíram. A minha deusa interior estava a fazer a dança dos sete véus.

– Depois vamos foder e se ainda estiveres acordada, eu dar-te-ei alguma informação sobre os meus primeiros anos de vida, de acordo?

Ele estava a pedir a minha permissão. Anuí, ofegante. Estava incapaz de falar.

– Linda menina. Abre a boca.

A boca?

– Mais.

Ele colocou-me as bolas na boca, muito delicadamente.

– Precisam de lubrificação. Chupa – ordenou, num tom de voz brando.

As bolas estavam frias, eram macias, surpreendentemente pesadas e sabiam a metal. A minha boca encheu-se de saliva enquanto a minha língua explorava aqueles objetos estranhos. Christian não desviava os olhos de mim. Oh diabo, aquilo estava-me a excitar. Retorci-me.

– Fica quieta, Anastasia – advertiu-me.

– Para. – Tirou-me as bolas da boca. Dirigiu-se para a cama, puxou o edredão para trás e sentou-se à beira da cama.

– Anda cá.

Eu parei diante dele.

– Agora vira-te, dobra-te e agarra os teus tornozelos.

Eu pisquei-lhe os olhos e a sua expressão tornou-se mais sombria.

– Não hesites – admoestou-me, brandamente, com uma entoação estranha na voz, e meteu as bolas na boca.

Foda-se, isto é mais sexy do que a escova de dentes. Cumpri imediatamente as suas ordens. Raios, conseguiria tocar nos tornozelos? Percebi que o conseguia facilmente. A *t-shirt* escorregou-me pelas costas, expondo-me o traseiro. Graças a Deus ainda estava de cuecas, embora suspeitasse que não iria continuar por muito tempo.

Ele colocou reverentemente a mão no meu traseiro, acariciando-o muito suavemente com a mão toda. De olhos abertos, conseguia ver as suas pernas, através das minhas e nada mais. Fechei os olhos com força, ao senti-lo afastar-me as cuecas para o lado e massajar-me lentamente o sexo, para cima e para baixo, com a ponta do dedo. O meu corpo contraiu-se numa mistura inebriante de expectativa desenfreada e excitação. Ele introduziu um dedo dentro de mim, movendo-o em círculos deliciosamente lentos. Oh sabia tão bem. Eu gemi.

Ele conteve a respiração e eu ouvi-o arquejar, ao repetir o movimento. Depois, retirou o dedo e inseriu os objetos muito devagar, uma deliciosa bola de cada vez.. *Oh meu Deus.* Estavam à temperatura do corpo, aquecidas pelas bocas de ambos. Era uma sensação curiosa. Depois de estarem lá dentro não as sentia propriamente, mas sabia que lá estavam.

Ele endireitou-me as cuecas, inclinou-se para a frente e os seus lábios beijaram-me suavemente o traseiro.

– Levanta-te – ordenou-me ele e eu levantei-me tremulamente.

Oh! Agora conseguia senti-las… mais ou menos. Ele agarrou-me nas ancas, para me amparar, enquanto eu recuperava o equilíbrio.

– Estás bem? – perguntou-me, num tom de voz severo.

– Sim.

– Vira-te. – Eu virei-me para ele.

As bolas deslizaram para baixo e eu contraí-me, involuntariamente, em torno delas. A sensação surpreendeu-me, mas não no mau sentido.

– Qual é a sensação? – perguntou.

– Estranha.

– Estranha. Mas boa ou má?

– Estranha, mas boa – confessei, corando.

– Ótimo. – Vi vestígios de humor nos seus olhos. – Quero um copo com água. Vai buscar-me um, por favor.

Oh.

– E quando voltares, vou deitar-te sobre o meu joelho. Pensa nisso, Anastasia.

Água? Agora quer água. Porquê?

Ao sair do quarto, tornou-se perfeitamente claro porque é que ele queria que eu andasse. Ao fazê-lo as bolas deslizavam dentro de mim, massajando-me internamente. A sensação era bastante estranha mas não era desagradável de todo. Na verdade, senti a respiração mais acelerada, ao esticar-me para tirar um copo do armário da cozinha. Arquejei. *Oh meu Deus...*Talvez tivesse de ficar com aquilo dentro de mim. Faziam-me sentir carente, carente de sexo.

Quando regressei, ele estava a observar-me atentamente.

– Obrigado – disse ele ao pegar no copo.

Bebeu lentamente um golo de água, colocando depois o copo na mesa-de-cabeceira. Tinha a embalagem do preservativo já preparada, tal como eu estava. Percebi que ele estava a fazer aquilo para aumentar a expetativa. A batida do meu coração estava mais acelerada. Ele virou os seus olhos cinzentos-claros para os meus.

– Anda, fica de pé ao meu lado, como da última vez.

Eu aproximei-me lentamente dele, com o sangue a latejar-me pelo corpo, mas desta vez... estava excitada.

– Pede-me – disse ele, brandamente.

Eu franzi o sobrolho. *Peço-lhe o quê?*

– Pede-me. – A sua voz estava ligeiramente mais intensa.

O quê? Perguntar-lhe que tal estava a água? O que queria ele?

– Pede-me, Anastasia, não volto a dizê-lo. – A ameaça implícita nas suas palavras era tal, que eu acabei por perceber. Ele queria que ele lhe pedisse para me espancar.

Com os diabos. Ele estava a olhar para mim, expectante, com uns olhos cada vez mais frios. *Merda.*

– Espanque-me por favor... Senhor – sussurrei.

Ele fechou os olhos por instantes, saboreando as minhas palavras. Ergueu um braço, agarrou-me na mão esquerda e puxou-me para cima dos seus joelhos. Eu caí instantaneamente e ele amparou-me ao cair sobre o seu colo. Eu sentia o coração na boca, enquanto ele me acariciava suavemente o traseiro. Estava dobrada sobre o seu colo, por isso o meu torso estava apoiado sobre a cama, ao lado dele. Desta vez não colocou uma perna sobre as minhas, mas afastou-me o cabelo da cara, prendendo-o atrás da minha orelha. Depois de o fazer agarrou-me o cabelo na nuca para me segurar, puxando-o suavemente e inclinando-me a cabeça para trás.

– Quero ver a tua cara quando te espancar, Anastasia – murmurou, sempre a massajar-me suavemente o traseiro.

A sua mão deslizou por entre as minhas nádegas e pressionou-me o sexo. A sensação de preenchimento era... Gemi. Oh, a sensação era maravilhosa.

– Isto é para nos dar prazer, Anastasia, a mim e a ti – sussurrou ele.

Levantou a mão e baixou-a dando-me uma ruidosa palmada entre a junção das minhas coxas, o meu traseiro e o meu sexo, empurrando as bolas mais para dentro. Eu perdi-me num pântano de sensações: o ardor no traseiro, a sensação de preenchimento das bolas, dentro de mim, e o facto de ele me estar a segurar. Eu franzi o rosto, tentando absorver todas aquelas sensações estranhas. Algures no meu cérebro apercebi-me que ele não me batera com tanta força como da última vez. Ele voltou a acariciar-me o traseiro, passando a palma da mão sobre a minha pele e por cima da roupa interior.

Porque não me tirou as cuecas? Depois deixei de sentir a palma da sua mão e ele voltou a bater-me. Eu gemi, à medida que a sensação se expandia. Ele criou um padrão: da esquerda para a direita e depois em baixo. As palmadas em baixo eram as melhores. Tudo dentro de mim se movia para a frente... Ele acariciava-me e apertava-me a carne entre cada palmada, por isso estava a ser massajada por dentro e por fora. Era uma sensação incrivelmente erótica e estimulante. Por qualquer razão, e também pelo facto daquilo estar a acontecer de acordo com os meus termos, a dor não me incomodava. Não era doloroso, ou melhor era, mas não era insuportável. De certa forma era razoável, até mesmo... agradável. Gemi. *Sim, eu consigo fazer isto.*

Ele fez uma pausa, puxando-me lentamente as cuecas pelas pernas. Eu contorci-me sobre as suas pernas, não porque quisesse escapar-me às palmadas, mas porque queria mais do que isso… uma descarga, algo mais. O seu toque contra a minha pele sensível era como um formigueiro sensual. Era arrasador. Ele recomeçou com algumas palmadas ligeiras, aumentando depois de intensidade: à esquerda, à direita e em baixo. Oh, as palmadas em baixo. Gemi.

– Linda menina – gemeu. Estava ofegante.

Espancou-me mais duas vezes e depois puxou os pequenos cordões presos às bolas, removendo-as subitamente de dentro de mim. Eu quase atingi o orgasmo – a sensação era extraordinária. Movendo-se rapidamente, virou-me com delicadeza. Eu não vi mas ouvi-o rasgar a embalagem. Depois deitou-se a meu lado, agarrou-me nas mãos, erguendo-as sobre a minha cabeça, e penetrou-me, deslizando lentamente para dentro de mim, e preenchendo o espaço anteriormente ocupado pelas esferas prateadas. Eu gemi alto.

– Oh, amor – sussurrou, movendo-se para trás e para a frente, a um ritmo lento e sensual, saboreando-me, sentindo-me.

Nunca antes fora tão delicado e eu depressa perdi o controlo, mergulhando em espiral num orgasmo delicioso, violento e esgotante. Ao contrair-me em torno dele, desencadeei a sua própria descarga e ele deslizou para dentro de mim, imobilizando-se, e balbuciando o meu nome, desesperado, assombrado.

– *Ana!*

Estava silencioso e ofegante, em cima de mim, ainda com as mãos entrelaçadas nas minhas, por cima da minha cabeça. Finalmente deitou-se de costas e olhou para mim.

– Gostei disto – sussurrou, beijando-me docemente.

Mas não ficou para me dar mais beijos doces. Levantou-se e tapou-me com o edredão, desaparecendo no interior da casa de banho. Quando voltou, trazia um frasco com uma loção branca. Sentou-se junto de mim, na cama.

– Vira-te – ordenou e eu virei-me para cima, relutantemente.

Sinceramente, depois de toda aquela excitação, sentia-me extremamente sonolenta.

– O teu rabo está com uma cor soberba – disse, aprovadoramente, massajando-me o traseiro rosado com a loção refrescante.

– Toca a falar, Grey – disse eu, bocejando.

– Você sabe estragar o momento, Miss Steele.

– Tínhamos um acordo.

– Como te sentes?

– Defraudada.

Ele suspirou, deslizou para o meu lado e puxou-me para os seus braços, abraçando-me, com cuidado, para não me tocar no traseiro dorido, e eu voltei a aninhar-me contra o corpo dele, de costas viradas para o seu peito. Ele beijou-me muito suavemente ao lado da orelha.

– A mulher que me trouxe a este mundo era uma prostituta viciada em *crack*, Anastasia. Dorme.

Foda-se… o que queria aquilo dizer?

– Era?

– Morreu.

– Há quanto tempo?

Ele suspirou.

– Morreu quando eu tinha quatro anos. Não me lembro dela. Carrick deu-me alguns detalhes. Só me lembro de certas coisas. Por favor, dorme.

– Boa noite, Christian.

– Boa noite, Ana.

E eu mergulhei num sono aturdido, exaurido, e sonhei com um rapazinho de quatro anos, de olhos cinzentos, num local miserável, sombrio e assustador.

CAPÍTULO VINTE E UM

Havia luz por toda a parte, uma luz clara, quente e penetrante e eu tentei mantê-la à distância, durante mais alguns preciosos minutos. Queria esconder-me só por mais um instante, mas a claridade era demasiado intensa e eu rendi-me finalmente ao despertar. Fui acolhida por uma maravilhosa manhã de Seattle. O sol derramava-se através das janelas altas, inundando o quarto de uma luz demasiado clara. Porque não teríamos fechado os estores na noite anterior? Eu estava na grande cama de Christian Grey, sem Christian Grey.

Fiquei por momentos deitada de costas a contemplar a grandiosa linha do horizonte de Seattle, através das janelas. A vida nas nuvens parecia de facto irreal. Uma fantasia – um castelo no ar, a flutuar acima do solo, a salvo das realidades da vida – longe da negligência, da fome e das mães prostitutas, viciadas em *crack*. Estremeci ao pensar no que ele teria passado em criança e percebi porque vivia ali, isolado, rodeado de belas e preciosas obras de arte – tão longe do local onde iniciara a sua vida... sem dúvida uma declaração de objetivos. Franzi o sobrolho porque isso continuava a não explicar o motivo porque não lhe podia tocar.

Ironicamente, eu sentia o mesmo ali em cima, na sua imponente torre. Longe da realidade. Estava naquele apartamento imaginário a praticar sexo imaginário, com o meu namorado imaginário, quando a triste realidade era que ele queria um acordo especial, embora dissesse que iria tentar mais do que isso. O que significaria aquilo, realmente? Era isso que eu precisava de esclarecer entre nós, para perceber se ainda estávamos em extremos opostos do *balancé*, ou se já estávamos mais próximos um do outro.

Saí da cama. Sentia-me rígida e bem usada, à falta de melhor expressão. *Sim, agora não haveria mais sexo.* O meu subconsciente crispou os lábios, desaprovadoramente, e eu revirei-lhe os olhos, grata pelo facto de um certo controlador, com formigueiro na palma das mãos, não estar no quarto. Decidi perguntar-lhe acerca do *personal trainer.* Isto é, se assinasse o contrato. A minha deusa interior olhou-me fixamente, em desespero. *É claro que vais assinar.* Eu ignorei-os a ambos e depois de uma rápida excursão à casa de banho, fui à procura de Christian.

Ele não estava na galeria de arte, mas encontrei uma mulher elegante, de meia-idade a limpar a cozinha. Parei abruptamente, ao vê-la. Tinha cabelo curto, louro, e olhos azuis-claros. Usava uma camisa branca, de corte simples, e uma saia travada, azul-escura. Fez-me um grande sorriso ao ver-me.

– Bom dia, Miss Steele. Deseja tomar o pequeno-almoço? – Falava num tom caloroso mas profissional. Eu estava atordoada. Quem seria aquela loura atraente na cozinha de Christian? Eu estava apenas com a *t-shirt* de Christian vestida e senti-me inibida e embaraçada devido à escassez de roupa.

– Receio bem estar em desvantagem – Falei num tom de voz baixo, incapaz de esconder a ansiedade na voz.

– Oh, peço imensa desculpa. Sou Mrs. Jones, a empregada de Mr. Grey.

Ah, bom.

– Como está? – consegui eu dizer.

– Deseja tomar o pequeno-almoço, minha senhora?

Minha senhora?

– Um pouco de chá seria ótimo, obrigada. Sabe onde está Mr. Grey?

– Está no escritório.

– Obrigada.

Dirigi-me apressadamente para o escritório. Sentia-me mortificada. Porque seria que o Christian só tinha louras atraentes a trabalhar para ele? Ocorreu-me involuntariamente um pensamento indecente. *Seriam todas ex-submissas?* Recusei-me a contemplar essa ideia hedionda e espreitei timidamente pela porta. Ele estava ao telefone, de frente para a janela, com umas calças pretas e uma camisa branca, ainda com o cabelo molhado do duche, e eu abstraí-me por completo dos meus pensamentos negativos.

– Não estou interessado, a menos que os resultados dessa empresa melhorem. Não queremos carregar pesos mortos... Não quero mais desculpas esfarrapadas. Peça a Marco que me contacte, é altura de tomar decisões... Sim, diga ao Barney que o protótipo parece bom, embora o interface me levante dúvidas... Não, acho que falta ali qualquer coisa... Quero reunir-me com ele esta tarde para discutir o assunto... Na verdade, gostaria de me reunir com ele e com a sua equipa, para pensarmos em conjunto... Ok. Volte a passar-me a chamada a Andrea... – Ficou à espera, de olhos postos na janela, dono e senhor do seu universo, a olhar de cima para as pessoas minúsculas lá em baixo, daquele castelo flutuante. – Andrea...

Olhou de relance para cima e reparou em mim à porta. Um sorriso lento e sexy espalhou-se pelo seu belo rosto e eu fiquei sem palavras, sentindo as entranhas derreter. Ele era, sem dúvida, o homem mais bonito do planeta. Demasiado bonito para as pessoas minúsculas, lá em baixo, demasiado bonito para mim. *Não*, disse-me a minha deusa interior, de sobrolho franzido, não era demasiado bonito para mim. Por agora, *era mais ou menos meu*. Uma vaga de excitação percorreu-me o sangue, ao pensar nisso, erradicando a minha falta de confiança irracional.

Ele prosseguiu a sua conversa, sem nunca desviar os seus olhos dos meus.

– Cancele a minha agenda desta manhã, mas peça ao Bill que me telefone. Estarei no escritório às duas. Preciso de falar com o Marco esta tarde, e vou precisar de pelo menos meia hora para isso... Agende uma reunião com o Barney e a equipa dele depois do Marco, ou talvez para amanhã e reserve-me algum tempo para estar com Claude todos os dias, durante esta semana... Diga-lhe que espere... Oh...não, não quero publicidade para Darfur... Diga a Sam que trate do assunto... Não... Que evento? Isso é no próximo sábado?... Espere.

– Quando regressas da Geórgia? – perguntou-me ele.

– Sexta-feira.

Ele retomou a conversa ao telefone.

– Vou precisar de mais um bilhete porque vou acompanhado... Sim, Andrea, foi isso que eu disse, acompanhado, Miss Anastasia Steele irá comigo... É tudo. – Desligou. – Bom dia, Miss Steele.

– Mr. Grey – disse eu, sorrindo timidamente.

Ele contornou a secretária, com a sua habitual elegância e parou diante de mim, afagando-me delicadamente a face como as costas dos dedos.

– Não quis acordar-te. Parecias tão tranquila. Dormiste bem?

– Estou muito repousada, obrigada. Só vim aqui dizer olá antes de ir tomar duche.

Olhei-o, absorvendo-o. Ele inclinou-se e beijou-me delicadamente e eu não consegui conter-me. Atirei-me ao pescoço dele e os meus dedos torceram-lhe o cabelo ainda húmido. Colei o meu corpo ao seu e beijei-o também. Desejava-o. O meu ataque apanhou-o de surpresa, mas uma fração de segundo depois reagiu, com um gemido grave, vindo do fundo da garganta. As suas mãos mergulharam nos meus cabelos e desceram-me pelas costas envolvendo-me o traseiro nu, enquanto a sua língua me explorava a boca. Depois afastou-se, de olhos semicerrados.

– Bom, parece que o sono te faz bem – murmurou. – Sugiro que vás tomar o teu duche, ou preferes que te deite em cima da minha secretária, agora?

– Prefiro a secretária – sussurrei temerariamente, sentindo o desejo inundar-me o organismo como uma vaga de adrenalina, despertando tudo no seu caminho.

Ele olhou-me perplexo durante um milionésimo de segundo.

– Tem mesmo um fraquinho por isto, não tem Miss Steele? Está a tornar-se insaciável – murmurou.

– Eu só tenho um fraquinho por si – sussurrei.

Ele arregalou os olhos, com um olhar mais sombrio, e as suas mãos apertaram-me o traseiro nu.

– Pode ter a certeza, só mesmo por mim – rosnou. Com um único movimento fluido, varreu subitamente todos os planos e papéis da secretária, espalhando-os pelo chão, e pegou-me ao colo, deitando-me à largura da secretária. A minha cabeça estava praticamente pendurada.

– Se é isso que queres, é isso que terás, meu amor – murmurou, tirando uma embalagem do bolso das calças, enquanto abria a braguilha. *Oh, meu escuteiro.* Desenrolou o preservativo sobre a sua ereção e olhou-me. – Espero bem que estejas pronta – sussurrou, com um sorriso libertino no rosto. Um instante depois estava dentro de mim, segurando-me firmemente os pulsos ao lado do corpo e penetrando-me profundamente.

Eu gemi… *oh sim.*

– Meu Deus, Ana estás mais do que pronta – sussurrou em tom de veneração.

Eu enrolei as pernas à volta da cintura dele, agarrando-me a ele da única forma que podia e ele continuou de pé, a olhar para mim, com uns olhos cinzentos brilhantes, apaixonados e possessivos. Depois, começou a mexer, a mexer-se a sério. Aquilo não era fazer amor era foder – e eu estava a adorar. Gemi. Era tão cru, tão carnal e fazia-me sentir tão lasciva. Adorava sentir-me possuída por ele e o seu desejo saciava o meu. Ele movia-se com facilidade, deleitando-se dentro de mim, desfrutando de mim, de lábios ligeiramente entreabertos, e a sua respiração aumentou de ritmo. Torceu as ancas de lado a lado e a sensação foi maravilhosa.

Fechei os olhos, sentindo o crescendo – aquele crescendo delicioso, lento e gradual, a elevar-me cada vez mais, rumo ao castelo nas nuvens. Oh, sim... as suas investidas iam aumentado gradualmente. Eu gemi alto, abandonando-me por completo às sensações... e a ele, desfrutando de cada investida, de cada movimento com que me preenchia. Começou a aumentar de ritmo, penetrando-me mais depressa... com mais força... e todo o meu corpo se movia ao seu ritmo. Senti as pernas retesarem-se, as entranhas estremecerem, cada vez mais estimuladas.

– Vamos, amor, dá-mo – incitou-me, de dentes cerrados, e a necessidade fervente na sua voz fez-me perder o controlo.

Eu gritei uma súplica apaixonada, sem palavras, ao tocar no sol e arder, precipitando-me em torno dele, precipitando-me de novo, para um pico sufocante e brilhante na Terra. Ele embateu contra mim e parou abruptamente, ao atingir o orgasmo, puxando-me pelos pulsos e afundando-se graciosa e silenciosamente sobre mim.

Uau... isto foi inesperado. Voltei a materializar-me lentamente na Terra.

– O que raio me estás a fazer? – sussurrou, roçando-me com o nariz no pescoço. – Seduziste-me completamente, Ana. A tua magia é poderosa.

Soltou-me os pulsos e eu passei os dedos pelos seus cabelos, descendo das alturas e apertando as pernas contra ele.

– A seduzida sou eu – murmurei.

Ele olhou para mim. Estava com uma expressão dispersa, alarmada até. Colocou-me as mãos de ambos os lados do rosto e segurou-me a cabeça.

– Tu. És. Minha – disse ele, enfatizando cada palavra em *staccato*. – Percebeste?

Ele era tão sincero, tão fervoroso, tão intenso. A veemência da sua afirmação foi tão inesperada e desarmante que eu perguntei a mim mesma por que razão ele estaria a sentir-se assim.

– Sim, sou tua – sussurrei, desorientada com o seu fervor.

– Tens a certeza de que precisas de ir à Geórgia?

Acenei lentamente com a cabeça e, nesse breve instante, vi a sua expressão modificar-se e as persianas fecharem-se. Ele saiu abruptamente de dentro de mim, e eu contraí-me.

– Estás dorida? – perguntou, debruçando-se sobre mim.

– Um pouco – confessei.

– Eu gosto que fiques dorida – disse com um olhar ardente. – Serve para te relembrar onde só eu estive.

Agarrou-me no queixo e beijou-me rudemente, erguendo-se e estendendo-me a mão para me ajudar a levantar. Eu olhei de relance para a embalagem do preservativo, junto de mim.

– Sempre preparado – murmurei.

Ele olhou-me confuso e fechou a braguilha. Eu ergui a embalagem vazia.

– Um homem pode ter esperança, Anastasia, até mesmo sonhar, e por vezes os sonhos concretizam-se.

Falou de forma tão estranha, com um olhar tão ardente, que eu não consegui entendê-lo. O meu brilho pós-coito estava a extinguir-se rapidamente. *Qual era o problema dele?*

– Então fazê-lo em cima da tua secretária era um sonho? – perguntei, secamente, tentando aligeirar o ambiente entre nós, pela via do humor.

Ele fez-me um sorriso enigmático que não lhe chegava aos olhos e eu percebi imediatamente que aquela não era a primeira vez que praticava sexo em cima da secretária. Foi um pensamento desagradável. Retorci-me, constrangida, ao sentir o meu brilho pós-coito evaporar-se.

– É melhor ir tomar um duche – disse, levantando-me e passando por ele.

Ele franziu o sobrolho e passou uma mão pelo cabelo.

– Tenho de fazer mais algumas chamadas. Tomarei o pequeno-almoço contigo logo que saias do duche. Acho que Mrs.Jones lavou a roupa que trazias ontem. Está no armário.

O *quê?* Quando raio teria ela feito isso? Caramba, será que nos tinha ouvido? Corei.

– Obrigada – mumurei.

– Não tens de agradecer – respondeu automaticamente, mas havia uma certa dureza na sua voz.

Eu não estou a agradecer-te por me teres fodido. Embora fosse bastante...

– O que é? – perguntou e eu apercebi-me de que estava a franzir o sobrolho.

– O que se passa? – perguntei, brandamente.

– O que queres dizer com isso?

– Bom... é que estás mais estranho do que é hábito.

– Achas-me estranho? – Tentou conter um sorriso.

– Às vezes.

Ele olhou-me por instantes, com um olhar especulativo.

– Como sempre, estou surpreendido consigo, Miss Steele.

– Surpreendido como?

– Digamos que este foi um prazer inesperado.

– O nosso lema é agradar, Mr.Grey. – Inclinei a cabeça para o lado como ele me fazia frequentemente e respondi-lhe com as suas próprias palavras.

– E agrada mesmo – disse, com um ar constrangido. – Julgava que ias tomar um duche.

Está a correr comigo.

– Sim... hum, até já. – Saí apressadamente do escritório, completamente estupefacta.

Ele parecia confuso Porquê? Tenho de admitir que fora bastante gratificante, como experiência física, mas em termos emocionais... bom, sentia-me aturdida com a sua reação e o enriquecimento emocional daí resultante era equiparável ao valor nutritivo do algodão doce.

Mrs. Jones ainda estava na cozinha.

– Gostaria de tomar o seu chá agora, Miss Steele?

– Vou tomar um duche primeiro, obrigada – murmurei, desaparecendo rapidamente com o meu rosto afogueado.

No duche tentei perceber o que se passava com Christian. Ele era a pessoa mais complicada que eu conhecia e não conseguia entender os seus estados de espírito voláteis. Parecia estar bem quando eu entrara no escritório. Tivemos relações sexuais... e depois já não estava. Não, não percebia. Olhei para o meu subconsciente e ele estava a assobiar, de mãos atrás das costas, evitando a todo o custo olhar para mim. Ele não percebia patavina e a minha deusa interior ainda estava a desfrutar dos resquícios do brilho pós-coito. Não, nenhuma de nós percebia nada.

Sequei o cabelo com uma toalha, penteei-o com o único acessório para o cabelo de Christian e prendi o cabelo num carrapito. O vestido cor de ameixa de Kate estava pendurado no roupeiro, lavado e passado a ferro, junto com o sutiã e as cuecas lavadas. Mrs. Jones era uma maravilha. Calcei os sapatos de Kate, endireitei o vestido e voltei para a sala de estar.

Ainda não havia sinais de Christian e Mrs. Jones estava a verificar o conteúdo da dispensa.

– Quer o chá agora, Miss Steele? – perguntou.

– Sim, por favor – respondi-lhe, com um sorriso. Sentia-me ligeiramente mais confiante, agora que estava vestida.

– Deseja comer alguma coisa?

– Não, obrigada.

– É claro que vais comer alguma coisa – disse Christian bruscamente, com um olhar furioso. – Ela gosta de panquecas, bacon e ovos, Mrs. Jones.

– Sim, Mr. Grey. E o senhor o que deseja?

– Uma omeleta, por favor, e um pouco de fruta. – Não tirava os olhos de mim e estava com uma expressão inescrutável. – Senta-te – ordenou, apontando para um dos bancos ao balcão.

Eu obedeci e ele sentou-se a meu lado, enquanto Mrs. Jones se ocupava do pequeno-almoço. Bolas, era irritante ter alguém a ouvir a nossa conversa.

– Já compraste o teu bilhete de avião?

– Não, vou comprá-lo pela Internet, quando chegar a casa.

Ele apoiou-se no cotovelo e esfregou o queixo.

– Tens dinheiro para isso?

Oh não.

– Sim – disse, fingindo-me paciente, como se estivesse a falar com uma criança pequena.

Ele arqueou-me uma sobrancelha, criticamente. *Merda.*

– Tenho, sim, obrigada – corrigi-me, rapidamente.

– Tenho um jato sem serviço programado para os próximos três dias. Está à tua disposição.

Olhei-o, embasbacada. É claro que tinha um jato e eu tive de resistir à minha tendência natural para lhe revirar os olhos. Apetecia-me rir mas não o fiz pois não conseguia avaliar o seu estado de espírito.

– Já abusámos bastante da frota aérea da tua empresa. Eu não gostaria de o voltar a fazer.

– A empresa é minha e o jato é meu. – Parecia quase magoado. *Os rapazes e os seus brinquedos!*

– Obrigada pela oferta, mas eu ficarei mais satisfeita se apanhar um voo marcado.

Ele estava com ar de quem queria argumentar mais, mas decidiu não o fazer.

– Como queiras – disse ele, suspirando. – As entrevistas exigem muita preparação?

– Não.

– Ótimo. Ainda não me queres dizer que editoras são?

– Não

Ele revirou os lábios e sorriu relutantemente. – Sou um homem de recursos, Miss Steele.

– Estou perfeitamente consciente disso, Mr. Grey. Vais rastrear o meu telefone? – perguntei, inocentemente.

– Na verdade, irei estar bastante ocupado esta tarde, por isso terei de pedir a outra pessoa que o faça. – disse, com um sorriso afetado.

Estará a brincar?

– Se tens quem te faça isso é óbvio que tens pessoal a mais.

– Enviarei um e-mail à diretora de recursos humanos e mandá-la-ei dar uma vista de olhos ao número de efetivos. – Os seus lábios estremeceram tentando conter um sorriso.

Ah, graças a Deus, ele recuperou o sentido de humor.

Mrs. Jones serviu-nos o pequeno-almoço e nós comemos em silêncio durante alguns momentos. Depois de lavar as frigideiras, Mrs. Jones teve o bom senso de sair para a sala de estar. Olhei para ele.

– O que foi, Anastasia?

– Sabes, é que nunca me disseste porque é que não gostas que te toquem.

Ele empalideceu e a sua reação fez-me sentir culpada por ter perguntado.

– Já te contei mais do que a qualquer outra pessoa. – Falava num tom de voz sereno e olhou-me com uma expressão impassível.

Para mim era claro que ele nunca confiara em ninguém. Não teria amigos chegados? Talvez tivesse contado a Mrs. Robinson. Apetecia-me perguntar-lhe mas não o podia fazer – não podia meter o nariz naquele assunto de forma invasiva. Abanei a cabeça perante essa evidência. Ele era realmente uma ilha.

– Vais pensar no nosso acordo enquanto estiveres fora? – perguntou.

– Sim.

– Vais sentir a minha falta?

Eu olhei para ele, surpreendida com a pergunta.

– Sim – respondi, com sinceridade.

Como podia ele significar tanto para mim ao fim de tão pouco tempo? Mexera comigo… literalmente. Ele sorriu e os seus olhos iluminaram-se.

– Eu também vou sentir a tua falta. Mais do que possas imaginar – sussurrou.

As suas palavras aqueceram-me o coração. Estava mesmo a esforçar-se.

Ele acariciou-me delicadamente a face, curvou-se e beijou-me suavemente.

A tarde chegava ao fim e eu estava sentada no vestíbulo, nervosa e agitada, à espera de Mr. J. Hyde da Seattle Independent Publishing

(SIP). Era a minha segunda entrevista nesse dia, e aquela em relação à qual estava mais ansiosa. A primeira entrevista tinha corrido bem, mas era para um grupo maior, com escritórios por toda a parte nos Estados Unidos e eu iria ser uma das muitas assistentes editoriais que lá havia. Conseguia imaginar-me a ser engolida e cuspida muito rapidamente, numa máquina corporativa daquelas. A SIP era onde eu queria trabalhar. Era pequena e pouco convencional, promovia autores locais e tinha uma carteira de clientes interessante e peculiar.

A decoração em meu redor era escassa mas creio que era mais uma afirmação de design do que propriamente uma questão de frugalidade. Estava sentada num de dois sofás verdes escuros, de cabedal, um pouco semelhantes ao sofá que Christian tinha na sua sala de jogos. Passei a mão pelo cabedal, de forma apreciadora, imaginando ociosamente o que Christian faria naquele sofá. Comecei a divagar ao pensar nas possibilidades... *Não, não posso pensar nisso agora.* Corei com os meus pensamentos perversos e impróprios. A rececionista era uma jovem afro-americana com grandes brincos de prata e longos cabelos desfrisados. Tinha qualquer coisa de boémio e era o tipo de mulher com quem eu conseguiria estabelecer um relacionamento amigável. A ideia era reconfortante. De vez em quando ela desviava os olhos do computador e olhava para mim, sorrindo tranquilizadoramente, e eu retribuía-lhe hesitantemente o sorriso.

O meu voo já estava reservado e a minha mãe estava no sétimo céu pelo facto de eu a ir visitar. Já tinha as malas feitas e Kate tinha concordado em levar-me de carro ao aeroporto. Christian ordenara-me que levasse comigo o BlackBerry e o Mac. Revirei os olhos ao lembrar-me do seu insuportável autoritarismo, mas já entendera que essa era apenas a sua forma de ser. Ele gostava de controlar tudo, inclusive a mim, mas também era imprevisível e desarmantemente agradável. Conseguia ser terno, bem-humorado, até mesmo afetuoso e quando o era, isso parecia-me perfeitamente atípico e inesperado. Insistira em acompanhar-me até ao carro, estacionado na garagem. Caramba, iria estar ausente apenas durante alguns dias, mas ele estava a agir como se eu fosse estar longe durante semanas. Estava sempre a apanhar-me de surpresa.

– Ana Steele? – Uma mulher de cabelo comprido negro, pré--Rafaelista[9], que estava junto do balcão da receção distraiu-me da minha introspeção. Tinha a mesma aparência boémia e animada que a rececionista. Devia ter trinta e muitos anos, ou talvez até quarenta. Isso era tão difícil de perceber nas mulheres mais velhas.

– Sim – respondi, levantando-me desajeitadamente.

Ela sorriu-me educadamente, avaliando-me com os seus olhos frios, cor de avelã. Eu vestira um dos vestidos da Kate, um bibe preto por cima de uma camisa branca e sapatos de salto alto pretos. Roupa própria para entrevistas, na minha opinião. Tinha o cabelo firmemente preso num carrapito e, por uma vez na vida, as farripas soltas estavam a portar-se bem. Ela estendeu-me a mão.

– Olá, Ana, o meu nome é Elizabeth Morgan e sou a diretora de recursos humanos da SIP.

– Como está? – disse eu, apertando-lhe a mão Tinha uma aparência bastante descontraída para diretora de RH.

– Siga-me, por favor.

Atravessámos as portas duplas, atrás da receção, e entrámos para um grande escritório em *open space*, decorado de forma alegre, e daí passámos para uma pequena sala de reuniões. As paredes eram verde--claras e estavam cobertas de fotografias de capas de livros. Sentada à cabeceira da mesa de madeira, estava um jovem de cabelo ruivo preso num rabo de cavalo. Pequenas argolas de prata brilhavam-lhe em ambas as orelhas. Usava uma camisa azul clara, sem gravata e calças de algodão pré-lavadas. Quando me aproximei, ele levantou-se e olhou-me com um par de olhos azuis-escuros, inescrutáveis.

– Ana Stelle, sou Jack Hyde, o editor da SIP. Muito prazer em conhecê-la.

Apertámos a mão. A sua expressão sombria era ilegível, embora amigável, creio eu.

– Viajou de muito longe? – perguntou, num tom agradável.

– Não, mudei-me recentemente para a zona de Pike Street Market.

9. Alusão à Irmandade pré-Rafaelista, grupo artístico fundado em Inglaterra em 1848 por Dante Gabriel Rossetti, William Holman Hunt e John Everett Millais e dedicado principalmente à pintura. (N. da T.)

– Ah, nesse caso, veio de muito perto. Sente-se, por favor.

Sentei-me e Elizabeth ocupou um lugar a meu lado.

– O que a leva a querer fazer um estágio connosco aqui na SIP, Ana? – perguntou. Disse o meu nome brandamente e inclinou a cabeça para um lado, como alguém que eu conhecia – era enervante. Fazendo os possíveis para ignorar a cautela irracional que ele me inspirava, lancei-me num discurso cuidadosamente preparado, consciente de que as minhas faces estavam a ficar ligeiramente ruborizadas. Olhei para ambos lembrando-me da palestra de Katherine Kavanaugh sobre a Técnica para Uma Entrevista Bem Sucedida. *Mantém o contacto visual, Ana.* Caramba, aquela mulher às vezes também conseguia ser bastante autoritária. Jack e Elizabeth escutavam-me atentamente.

– Tem uma média bastante impressionante. A que atividades extracurriculares se entregou na WSU?

Entregar? Eu pisquei-lhe os olhos. Mas que estanha escolha de palavras. Descrevi-lhes os detalhes da minha atividade como bibliotecária, na biblioteca central do campus e a minha única experiência a entrevistar um déspota escandalosamente rico, para o jornal de estudantes. Omiti o facto de que não fora eu a escrever o artigo. Falei nas duas sociedades literárias a que pertencia, terminando com o emprego no Clayton's e todos os conhecimentos inúteis que agora possuía sobre ferramentas e *bricolage*. Ambos se riram, que era a reação que eu esperava que tivessem. Lentamente, fui-me descontraindo e comecei a desfrutar do momento.

Jack Hyde fazia perguntas sagazes e inteligentes mas eu não me deixei impressionar e consegui acompanhá-lo, e quando discutimos as minhas preferências literárias e os meus livros favoritos, creio que me aguentei bem. Jack, por outro lado, parecia apenas gostar de literatura americana, posterior aos anos cinquenta, e mais nada. Nada de clássicos – nem mesmo Henry James, Upton Sinclair ou F. Scott Fitzgerald. Elizabeth não dizia nada, limitando-se a acenar com a cabeça, de vez em quando, e a tomar notas. Jack, embora fosse argumentativo, era encantador à sua maneira, e a minha cautela inicial foi-se dissipando, à medida que íamos falando.

– Onde se imagina daqui a cinco anos? – perguntou ele.

Com Christian Grey. A ideia ocorreu-me inadvertidamente e a minha mente errante fez-me franzir o sobrolho.

– Como revisora ou agente literária, não sei bem. Estou aberta a oportunidades.

Ele sorriu.

– Muito bem, Ana. Não tenho mais perguntas para lhe fazer. Você tem? – A pergunta era dirigida a mim?

– Quando gostariam que a pessoa em questão começasse? – perguntei.

– O mais depressa possível.

– Estarei disponível a partir da próxima semana.

– É bom sabê-lo – disse Jack.

– Se já disseram o que tinham a dizer – Elizabeth olhou de relance para nós os dois –, creio que a entrevista está concluída – disse ela, sorrindo amavelmente.

– Foi um prazer conhecê-la, Ana – disse Jack, brandamente, ao apertar-me a mão. Apertou-a suavemente para eu olhar para ele, ao despedir-me.

Sentia-me inquieta, ao dirigir-me para o carro, embora não soubesse ao certo porquê. Achava que a entrevista tinha corrido bem, mas era tão difícil perceber. As entrevistas pareciam ser situações tão artificiais. Toda a gente se portava o melhor possível, tentando desesperadamente esconder-se atrás de uma fachada profissional. Será que tinha o perfil adequado? Teria de esperar para ver.

Entrei no meu Audi A3 e voltei para o apartamento, sem pressas. Partia no voo da noite, com escala em Atlanta, mas o meu avião só saía às 22h25, por isso tinha bastante tempo.

Kate estava a desembalar caixotes na cozinha quando eu voltei.

– Como correu? – perguntou, excitada. Só mesmo Kate podia parecer deslumbrante com uma *t-shirt* enorme, *jeans* esfarrapados e uma fita azul escura.

– Bem obrigado, Kate. Não sei bem se esta indumentária era a indicada para a segunda entrevista.

– Ah sim?

– *Boho chic*[10] era capaz de ser o ideal.

Kate arqueou uma sobrancelha.

– Tu e o *boho chic* – disse ela, inclinando a cabeça para um lado. Livra! Porque é que toda a gente me estava a fazer lembrar o meu Cinquenta Sombras preferido?

– Por acaso tu és uma das poucas pessoas que poderia realmente conseguir esse visual.

Sorri.

– Gostei bastante do segundo local. Acho que me conseguiria encaixar lá. Mas o tipo que me entrevistou era enervante... – Calei-me. Merda. Estava a falar com o Megafone Kavanagh. *Cala-te, Ana!*

– Ah sim? – O radar de mexericos interessantes de Katherine Kavanagh entrou em ação, mexericos esses que só voltariam a vir à superfície num momento inoportuno e embaraçante, o que me lembrou outra coisa.

– A propósito, não te importas de parar de irritar o Christian? O teu comentário sobre o José, ontem à noite ao jantar, foi inconveniente. Ele é um tipo ciumento. Não adianta nada fazer isso, sabes?

– Olha, se ele não fosse irmão do Elliot eu teria dito muito pior. Ele é um verdadeiro controlador. Não sei como suportas isso. Eu estava a tentar fazer-lhe ciúmes, estava a dar uma pequena ajuda para os problemas que tem em assumir compromissos. – Ergueu a mão na defensiva. – Mas se não queres que eu interfira, eu não interfiro – disse ela precipitadamente, ao ver-me franzir o sobrolho.

– Ótimo. A vida com o Christian já é suficientemente complicada, acredita.

Caramba, pareço ele a falar.

– Ana – disse ela, fazendo uma pausa e olhando para mim –, estás bem, não estás? Não vais a correr para junto da tua mãe para fugires?

Eu corei.

– Não, Kate, foste tu que disseste que eu precisava de fazer uma pausa.

10. Estilo de moda feminina com influências *hippies* e boémias que atingiu o seu auge em 2004/2005 especialmente associado à atriz Sienna Miller e à modelo Kate Moss (N. da T).

Ela aproximou-se mais de mim e pegou-me nas mãos – algo muito pouco próprio dela. *Oh não...* lágrimas iminentes.

– É que tu estás tão... diferente, sei lá. Espero que estejas bem. Sejam quais forem os problemas que estejas a ter com o ricaço, podes falar comigo e eu tentarei não o irritar. Ainda que ele tenha um pavio bastante curto, para falar com franqueza. Olha, Ana, podes contar-me se se estiver a passar alguma coisa de errada. Eu não te vou julgar. Tentarei entender.

Eu pisquei os olhos para conter as lágrimas.

– Oh, Kate – abracei-a. – Acho que me apaixonei mesmo por ele.

– Qualquer pessoa vê isso, Ana, e ele apaixonou-se por ti. Ele é louco por ti. Não tira os olhos de ti.

Eu ri-me hesitantemente.

– Achas que sim?

– Ele não te disse?

– Não com tantas palavras.

– Tu disseste-lhe?

– Não com tantas palavras. – Encolhi os ombros como quem pede desculpa.

– Ana! Alguém tem de dar o primeiro passo, de contrário nunca chegarão a lado nenhum.

O quê... dizer-lhe o que sinto?

– Tenho medo de o afugentar.

– E como sabes se ele não está a sentir o mesmo?

– O Christian com medo? Não consigo imaginá-lo com medo de nada. – Mas ao dizer aquelas palavras imaginei-o como uma criança pequena. Talvez medo fosse a única coisa que conhecesse na altura. A mágoa cingiu-me o coração e apertou-o, só de pensar nisso.

Kate olhou para mim de lábios crispados e olhos semicerrados, muito à semelhança do meu subconsciente. Só lhe faltavam os óculos em forma de meia-lua.

– Vocês os dois precisam de se sentar e de falar um com o outro.

– Não temos conversado muito, ultimamente. – Corei. Fazíamos outras coisas. Comunicação não-verbal e isso era bom. Melhor que bom.

Ela sorriu.

– Deve ser do sexo! Se isso está a correr bem, é meio caminho andado, Ana. Vou buscar comida chinesa. Estás pronta?

– Estarei. Só temos de sair daqui a umas horas.

– Não... vemo-nos daqui a vinte minutos. – Agarrou no casaco e saiu, esquecendo-se de fechar a porta. Eu fui fechá-la e regressei para o meu quarto a matutar nas suas palavras.

Teria Christian receio dos seus sentimentos por mim? Teria sequer alguns sentimentos por mim? Parecia realmente interessado e dizia-me que eu era sua – mas certamente que isso era apenas parte da sua faceta de controlador, do seu ego de Dominador, da sua necessidade de possuir e controlar tudo na hora. Apercebi-me que enquanto estivesse ausente teria de rever todas as nossas conversas e ver se conseguia apanhar sinais reveladores.

Eu também vou sentir a tua falta. Mais do que possas imaginar.

Seduziste-me completamente...

Abanei a cabeça. Não queria pensar naquilo agora. Tinha deixado o BlackBerry a carregar a bateria por isso não o tivera comigo durante toda a tarde. Aproximei-me cautelosamente dele e fiquei desapontada ao ver que não tinha mensagens. Liguei a máquina cruel e também lá não tinha mensagens. *O endereço de e-mail é o mesmo, Ana,* disse-me o meu subconsciente, revirando-me os olhos, e eu percebi pela primeira vez por que razão Christian queria espancar-me quando eu fazia aquilo.

Ok. Vou escrever-lhe um e-mail.

De: Anastasia Steele

Assunto: Entrevistas

Data: 30 de maio de 2011 18:49

Para: Christian Grey

Caro Senhor,

As minhas entrevistas hoje correram bem.

Achei que lhe poderia interessar.

Como correu o seu dia?

Ana

Sentei-me e olhei fixamente para o ecrã. Habitualmente, as respostas de Christian eram instantâneas. Esperei... esperei e, finalmente, ouvi o tinido de boas vindas na minha caixa de entrada.

De: Christian Grey
Assunto: O Meu Dia
Data: 30 de maio de 2011 19:03
Para: Anastasia Steele

Cara Miss Steele,
Tudo o que faz me interessa. É a mulher mais fascinante que conheço.

Fico feliz por saber que as entrevistas correram bem.

A minha manhã ultrapassou largamente as minhas expetativas.

A minha tarde foi bastante enfadonha em comparação com a manhã.

Christian Grey
CEO, Grey Enterprises Holdings. Inc.

De: Anastasia Steele
Assunto: Bela Manhã
Data: 30 de maio de 2011 19:05
Para: Christian Grey

Caro Senhor,
A manhã também foi exemplar para mim, apesar de ter abizarrado comigo depois do impecável sexo na secretária. Não pense que não reparei.

Obrigada pelo pequeno-almoço, ou agradeça a Mrs. Jones.

Gostaria de lhe fazer algumas perguntas acerca dela – sem que volte a abizarrar comigo.

Ana

———

O meu dedo ficou a pairar sobre o botão "enviar" e eu senti-me reconfortada pelo facto de saber que no dia seguinte, àquela hora, estaria do outro lado do continente.

———

De: Christian Grey
Assunto: Tu na Indústria Editorial?
Data: 30 de maio de 2011 19:10
Para: Anastasia Steele

Anastasia,
"Abizarrar " não é um verbo e não deveria ser utilizado por alguém que pretende entrar no meio editorial. Impecável? Comparado com quê, importas-te de me dizer? E o que é que precisas de me perguntar acerca de Mrs. Jones? Estou intrigado.

Christian Grey
CEO, Grey Enterprises Holdings, Inc.

De: Anastasia Steele
Assunto: Você e Mrs. Jones
Data: 30 de maio de 2011 19:17
Para: Christian Grey

Caro Senhor,
A linguagem evolui e avança. É uma coisa orgânica. Não está aprisionada numa torre de marfim, decorada com dispendiosas obras de arte, com vista para grande parte da cidade de Seattle, com um heliporto encravado no telhado.

Impecável – comparada com as outras vezes em que... qual é a palavra que utiliza?... Ah, sim... fodemos. Na minha humilde opinião a foda foi impecável e ponto final. Mas como sabe, a minha experiência é muito limitada.

Mrs. Jones já foi sua submissa antes?

Ana

O meu dedo ficou mais uma vez a pairar sobre o botão "enviar" e eu carreguei nele.

De: Christian Grey
Assunto: Linguagem. Vê Como Falas!
Data: 30 de maio de 2011 19:22
Para: Anastasia Steele

Anastasia,
Mrs. Jones é uma empregada que prezo. Nunca tive qualquer relacionamento com ela para além do profissional. Não emprego ninguém com quem tenha tido qualquer tipo de relação sexual. Fico chocado por teres pensado isso. A única pessoa para quem abriria uma exceção a esta regra serias tu, porque és uma jovem inteligente, com notáveis aptidões negociais. Porém, se continuares a usar essa linguagem, talvez tenha de reconsiderar a possibilidade de te possuir aqui. Ainda bem que a tua experiência é limitada. A tua experiência continuará a ser limitada exclusivamente a mim. Entenderei o impecável como um elogio, ainda que contigo eu nunca tenha a certeza se era isso que querias dizer ou se foi a tua ironia que levou a melhor – como sempre.

Christian Grey
CEO, Grey Enterprises Holdings, Inc., da Sua Torre de Marfim

De: Anastasia Steele
Assunto: Nem por Todo o Chá da China
Data: 30 de maio de 2011 19:27
Para: Christian Grey

Caro Mr. Grey,
Acho que já lhe expressei as minhas reservas sobre a possibilidade de trabalhar para a sua empresa. O meu ponto de vista a esse respeito não mudou, não está a mudar, e jamais mudará. Agora tenho de o deixar porque a Kate voltou com a comida. A minha ironia e eu desejamos-lhe uma boa noite.

Contactá-lo-ei logo que estiver na Geórgia.

Ana

De: Christian Grey

Assunto: Nem Mesmo o Chá Inglês do Pequeno Almoço Inglês Twinings?

Data: 30 de maio de 2011 19:29

Para: Anastasia Steele

Boa noite, Anastasia

Espero que tu e a tua ironia façam uma boa viagem.

Christian Grey

CEO, Grey Enterprises Holdings, Inc.

Kate e eu estacionámos no exterior da área de passageiros, no terminal de partidas do Aeroporto de Sea-Tac. Ela inclinou-se para mim e abraçou-me.

– Diverte-te nos Barbados, Kate. Desejo-te umas excelentes férias.

– Vemo-nos quando voltares. Não permitas que velhos ricaços te moam o juízo.

– Está bem.

Voltámos a abraçar-nos e depois eu fiquei sozinha. Encaminhei-me para o *check-in* e aguardei na fila, com a minha bagagem de mão. Não me dei ao trabalho de levar mala, apenas uma elegante mochila que Ray me dera no meu último aniversário.

– O seu bilhete, por favor? – O jovem entediado que estava atrás do balcão ergueu a mão, sem olhar para mim.

Eu dei-lhe o bilhete e a minha carta de condução como documento de identificação, com um ar igualmente entediado. Esperava conseguir um lugar à janela se isso fosse possível.

– Ok, Miss Steele. Fizeram-lhe o *upgrade* para primeira classe.

– O quê?

– Se não se importa de ir para a sala de embarque da primeira classe e esperar pelo seu voo lá... – Ele parecia ter acordado e estava com um sorriso de orelha a orelha, como se eu fosse o Pai Natal e o Coelhinho da Páscoa juntos.

– Deve haver algum engano.

– Não, não. – Voltou a verificar o ecrã do computador. – Anastasia Steele, *upgrade* – disse ele, com um sorriso afetado.

Ugh. Semicerrei os olhos. Ele entregou-me o cartão de embarque e eu dirigi-me para a sala de embarque da primeira classe, murmurando entre dentes: Maldito Christian Grey, controlador intrometido – não consegue simplesmente viver bem sozinho.

CAPÍTULO VINTE E DOIS

Arranjei as unhas, fiz uma massagem e bebi dois copos de champanhe. A sala de embarque da primeira classe tinha inúmeras qualidades compensadoras e de cada vez que bebia um golo de Moet, sentia-me ligeiramente mais inclinada a perdoar a intervenção de Christian. Abri o meu MacBook, esperando poder testar a teoria de que funcionava em qualquer parte do planeta.

De: Anastasia Steele
Assunto: Gestos Demasiado Extravagantes
Data: 30 de maio de 2011 21:53
Para: Christian Grey

Caro Mr. Grey,
O que me alarmou realmente foi saber em que voo eu estava.

A sua perseguição não tem limites. Esperemos que o Dr. Flynn tenha regressado de férias.

Tratei das unhas, fizeram-me uma massagem nas costas e bebi dois cálices de champanhe – um excelente início de férias.

Obrigada.

Ana

De: Christian Gry
Assunto: Não Tem de Agradecer
Data: 30 de maio de 2011 21:59
Para: Anastasia Steele

Cara Miss Steele,
O Dr. Flynn regressou e eu tenho uma consulta esta semana.

Quem lhe massajou as costas?

Christian Grey
CEO com amigos nos sítios certos.
Grey Enterprises Holdings, Inc.

Aha! Chegara a hora da vingança. O nosso voo fora anunciado, por isso eu iria enviar-lhe o e-mail do avião. Era mais seguro. Por pouco não inchava de regozijo malicioso.

Havia muito espaço na primeira classe. Instalei-me no sumptuoso assento de cabedal à janela, de copo de champanhe na mão, enquanto a cabine se ia enchendo lentamente. Telefonei a Ray para lhe dizer onde estava – um telefonema misericordiosamente breve, pois já era demasiado tarde para ele.

– Adoro-te, pai – murmurei.

– Eu também, Annie. Dá cumprimentos à tua mãe. Boa noite.

– Boa noite – despedi-me e desliguei.

Ray estava em boa forma. Olhei para o meu Mac e abri o portátil e o meu e-mail com o mesmo regozijo infantil a crescer dentro de mim.

———

De: Anastasia Steele
Assunto: Mãos Fortes e Capazes
Data: 30 de maio de 2011 22:22
Para: Christian Grey

Estimado Senhor,
Foi um jovem muito agradável que me massajou as costas. Mesmo muito agradável. Nunca teria encontrado Jean-Paul na sala de embarque normal – por isso agradeço-lhe mais uma vez esse mimo. Não tenho a certeza se é permitido enviar e-mails depois de descolarmos e eu preciso do meu sono de beleza, visto que não ando a dormir muito bem, ultimamente.

Bons sonhos, Mr. Grey... estou a pensar em si.

Ana

———

Ah, ele vai flipar e estarei no ar, longe do seu alcance. É bem-feito. Se estivesse na sala de embarque normal, Jean-Paul não me teria posto as mãos em cima. Era um jovem muito simpático, um daqueles louros com um bronzeado permanente. Francamente. Mas alguém andava bronzeado em Seattle? Era tão descabido que eu achei que ele era *gay* – mas guardaria esse detalhe para mim. Olhei para o meu e-mail. Kate tinha razão. Ele tinha um pavio bastante curto. O meu subconsciente olhou-me com a boca horrivelmente torcida. *Queres mesmo irritá-lo? O que ele fez foi amoroso, sabes? Ele preocupa-se contigo e quer que viajes em grande estilo.* Sim, mas podia ter-me perguntado, ou ter-me avisado, para eu não fazer figura de desastrada no *check-in*. Carreguei na tecla "enviar" e esperei, sentindo-me uma rapariga muito mal comportada.

– Miss Steele, terá de guardar o seu portátil durante a descolagem – disse-me cortesmente a hospedeira excessivamente maquilhada, provocando-me um sobressalto. Era a minha consciência pesada a dar sinal.

– Oh, desculpe.

Raios. Agora ia ter de esperar para saber se ele tinha respondido. Ela deu-me um cobertor macio e uma almofada, mostrando-me os seus dentes perfeitos, e eu cobri os joelhos com o cobertor. Às vezes sabe bem ser apaparicado.

A primeira classe estava cheia, à exceção do lugar ao meu lado, que ainda estava desocupado. *Oh não...* ocorreu-me um pensamento perturbador. *Talvez o lugar fosse de Christian.* Oh, merda... não... ele não faria isso. Ou será que faria? Eu dissera-lhe que não queria que ele viesse comigo. Olhei ansiosamente para o meu relógio e depois a voz desencarnada da cabine de voo anunciou:

– Tripulação da cabine: acionar comando automático de portas e verificar procedimento.

O que significaria aquilo? Vão fechar as portas? Eu senti um formigueiro no couro cabeludo, ali sentada, em expetativa palpitante. O lugar ao meu lado era o único que não estava ocupado, numa cabine de sessenta lugares. O avião deu um solavanco ao afastar-se do portão de embarque e eu suspirei de alívio, mas fiquei também ligeiramente desapontada... nada de Christian durante quatro dias. Olhei furtivamente para o meu BlackBerry.

De: Christian Grey
Assunto: Divirta-se Enquanto Pode
Data: 30 de maio de 2011 22:25
Para: Anastasia Steele

Cara Miss Steele,
Eu sei o que está a tentar fazer e conseguiu-o, afianço-lhe. Da próxima vez viajará amarrada e amordaçada dentro de um caixote, no porão de carga. Acredite quando lhe digo que cuidar de si nesse estado me dará muito mais prazer do que limitar-me a fazer o *upgrade* do seu bilhete.

Estou ansioso pelo seu regresso.

Christian Grey

Com Formigueiro na Palma das Mãos, CEO

Grey Enterprises Holdings, Inc.

Com os diabos. O problema com o humor de Christian era esse – eu nunca sabia ao certo se ele estava a brincar ou se estava mesmo furioso, mas desconfiava que ele estava seriamente furioso, naquele momento. Escrevi uma resposta sub-reptícia, debaixo do cobertor, para a hospedeira não ver.

De: Anastasia Steele

Assunto: Está a Brincar?

Data: 30 de maio de 2011 22:30

Para: Christian Grey

Não faço a menor ideia se está a brincar, sabe? Se não está acho que vou ficar na Geórgia. Caixotes são um limite intransponível para mim. Desculpe se o irritei. Diga-me que me perdoa.

A

De: Christian Grey

Assunto: A Brincar

Data: 30 de maio de 2011 33:31

Para: Anastasia Steele

Como é possível que estejas a enviar e-mails? Não estarás a pôr em risco a vida de toda a gente a bordo, incluindo a tua própria vida, ao usares o

BlackBerry? Creio que isso vai contra uma das regras.

Christian Grey

Com Formigueiro em Ambas as Palmas das Mãos, CEO

Grey Enterprises Holdings, Inc.

Em ambas as palmas das mãos? Guardei o meu BlackBerry e recostei-me no assento, enquanto o avião deslizava para a pista, tirando o meu exemplar esfarrapado de *Tess* – um pouco de literatura *light* para a viagem. Assim que descolámos, inclinei o assento para trás e depressa adormeci.

A hospedeira acordou-me ao iniciarmos a descida para Atlanta. Hora local: 5h45 da manhã, mas eu só dormira para aí umas quatro horas... sentia-me atordoada mas grata pelo sumo de laranja que ela me deu. Olhei nervosamente para o meu BlackBerry. Não tinha mais e-mails de Christian. Bom, eram quase três da manhã em Seattle. Talvez ele quisesse desencorajar-me de interferir com o sistema de aviação, ou fosse lá o que fosse que impedia os aviões de descolar se houvesse telemóveis ligados.

A espera em Atlanta foi apenas de uma hora e eu voltei a desfrutar da sala de embarque da primeira classe. Senti-me tentada a ir dormir enroscada para um dos sofás macios e convidativos que se afundavam sob o meu peso, mas não havia tempo suficiente para isso, por isso iniciei um e-mail destinado ao Christian, com um longo fluxo de pensamentos conscienciosos, no meu portátil.

De: Anastasia Steele

Assunto: Gostas de me assustar?

Data: 31 de maio de 2011 06:52 EST

Para: Christian Grey

Tu sabes como eu detesto que gastes dinheiro comigo. Sim, tu és muito rico mas mesmo assim isso deixa-me desconfortável, como se estivesses a pagar-me por sexo. Ainda assim, gosto de viajar em primeira classe, pois é muito mais civilizada do que a classe turística, por isso obrigada. Estou a falar a sério e gostei realmente da massagem do Jean-Paul. Ele era muito *gay*. Omiti essa parte no e-mail que te enviei para te irritar, porque estava aborrecida contigo e peço desculpa por isso.

Como sempre reagiste exageradamente. Não podes escrever-me coisas dessas. Amarrada e amordaçada num caixote? (Estavas a falar a sério ou a brincar?) Isso assusta-me... tu assustas-me... Estou completamente enfeitiçada por ti, a pensar num estilo de vida que nem sequer sabia que existia há uma semana atrás, mas depois escreves coisas dessas e a minha vontade é de fugir aos gritos para as colinas. É claro que não o farei, pois iria sentir a tua falta. Iria sentir realmente a tua falta. Quero que as coisas entre nós resultem, mas estou apavorada com a profundidade dos meus sentimentos por ti, e o caminho obscuro por onde me estás a levar. O que me estás a oferecer é erótico e sexy e eu estou curiosa, mas também receio que me magoes física e emocionalmente. Daqui a três meses podes abandonar-me. E em que situação é que eu fico, se o fizeres? Por outro lado, suponho que esse risco está presente em qualquer relacionamento. Este não é de todo o tipo de relacionamento que imaginei ter, especialmente por ser o primeiro. É um enorme salto no escuro para mim.

Tu tinhas razão quando disseste que eu não tinha costela de submissa... e agora concordo contigo. Posto isto, reafirmo que o que eu quero é estar contigo e que se é isso que tenho de fazer, gostaria de tentar, embora ache que não conseguirei satisfazer-te e que acabarei por levar uma grande sova, o que não me apraz nada.

Estou muito feliz por teres dito que te ias esforçar mais, mas preciso de pensar no que significa "mais" para mim e essa é uma das razões por que quis alguma distância. Tu deslumbras-me de tal forma que tenho muita dificuldade em pensar claramente quando estamos juntos.

Estão a anunciar o meu voo. Tenho de ir.

Escrevo mais tarde.

A tua Ana

Carreguei no "enviar" e encaminhei-me sonolenta para o portão das partidas, para embarcar num avião diferente. Este tinha apenas seis lugares em primeira classe e assim que descolámos, eu enrosquei-me debaixo do meu cobertor macio e adormeci.

Depressa fui acordada pela hospedeira que me ofereceu mais sumo de laranja, ao iniciarmos a descida para o Aeroporto Internacional de Savannah. Estava completamente exausta e bebi lentamente o sumo, dando-me até a liberdade de sentir uma ligeira excitação. Ia ver a minha mãe pela primeira vez em seis meses. Voltei a olhar furtivamente para o BlackBerry. Lembrava-me vagamente de ter enviado um e-mail longo e desconexo ao Christian – mas não recebera qualquer resposta. Eram cinco da manhã em Seattle. Tomara que ele ainda estivesse a dormir e não a tocar coisas tristes e melancólicas ao piano.

A vantagem das mochilas é podermos sair facilmente do aeroporto sem termos de ficar interminavelmente à espera da bagagem no tapete rolante, e a vantagem de viajar em primeira classe é deixarem-nos sair do avião primeiro.

A minha mãe estava com Bob à minha espera e era ótimo vê-los. Não sei se foi por causa da exaustão, da longa viagem, ou da situação com o Christian, mas assim que me senti nos braços da minha mãe, desatei a chorar.

– Oh, querida, deves estar tão cansada – disse ela e olhou ansiosamente para Bob.

– Não é isso, Mãe... estou tão contente por te ver. – Abracei-a com força.

Ela transmitia-me uma sensação tão boa e acolhedora que era como estar em casa. Larguei-a relutantemente e Bob deu-me um abraço desajeitado só com um braço. Parecia vacilante e eu lembrei-me que ele se tinha magoado numa perna.

– Bem-vinda de volta, Ana. Porque estás a chorar? – perguntou.

– Oh, Bob, estou apenas feliz por te ver também a ti. – Olhei para o seu rosto atraente, de queixo quadrado, e para os seus olhos azuis cintilantes que me olhavam ternamente. Gosto deste teu marido, Mãe. Podes ficar com ele. Bob pegou na minha mochila.

– Credo, Ana, o que trazes aqui dentro?

Devia ser o Mac. Eles abraçaram-me os dois pela cintura, ao dirigirmo-nos para o parque de estacionamento.

Eu esquecia-me sempre que o calor em Savannah era insuportável. Abandonámos as instalações frescas e climatizadas do terminal de chegadas e mergulhámos no calor da Geórgia como se o vestíssemos. *Eh lá!* Parecia secar tudo. Tive de lutar para me libertar dos braços da minha mãe e de Bob, para poder despir a minha *sweatshirt* com capuz. Ainda bem que trouxera calções. Às vezes tinha saudades do calor de Las Vegas, onde vivera com a mãe e o Bob quando tinha dezassete anos, mas era necessário algum tempo até nos habituarmos a este calor húmido, mesmo às 8h30 da manhã. Quando cheguei ao banco traseiro do SUV Tahoe negro, fantasticamente climatizado, sentia-me mole e o meu cabelo iniciara um protesto frisado contra o calor. Apressei-me a enviar mensagens de texto a Ray, Kate e Christian, no banco traseiro do SUV:

Cheguei bem a Savannah. A :)

Pensei brevemente no José, ao carregar no "enviar" e lembrei-me que a sua exposição era na semana seguinte, apesar da confusão da fadiga. Deveria convidar o Christian, sabendo o que ele sentia em relação ao José? Será que ele ainda me queria ver depois daquele e-mail? Estremeci só de pensar, mas depois abstraí-me disso. Lidaria com o assunto mais tarde. Agora ia desfrutar da companhia da minha mãe.

– Deves estar cansada, querida. Queres ir dormir quando chegarmos a casa?

– Não, mãe. Gostava de ir à praia.

Estava numa espreguiçadeira com o meu *tankini* azul, de prender ao pescoço, a beberricar uma Coca-cola Light, de frente para o Oceano Atlântico. E pensar que ainda no dia anterior estava a olhar para o Sound, do lado do Pacífico. A minha mãe estava deitada a meu lado, também a beber uma Coca-cola , com um chapéu-de-sol mole, ridiculamente grande e uns óculos de sol à Jacky O. Estávamos na praia de Tybee Island, apenas a três quarteirões de casa. Ela estava de mão dada comigo. A minha fadiga atenuara-se e eu senti-me confortável, segura e quente, ao absorver o sol. Pela primeira vez desde há uma eternidade, estava a começar a descontrair-me.

– Então, Ana, fala-me desse homem que te está a dar a volta ao miolo.

Dar a volta ao miolo? Como sabe ela? O que dizer? Não podia dar grandes detalhes acerca de Christian por causa do Acordo de Confidencialidade, mas será que iria falar nisso à minha mãe, mesmo que assim não fosse? Empalideci só de pensar.

– Então? – incitou-me ela, apertando-me a mão.

– O nome dele é Christian e é uma brasa. É rico... demasiado rico e é um tipo muito complicado e volátil.

Sim, estava imensamente satisfeita com a minha descrição, concisa e rigorosa. Virei-me de lado para a encarar, ao mesmo tempo que ela. A minha mãe olhou-me com os seus olhos azuis-claros.

– Complicado e volátil são as duas informações em que pretendo concentrar-me, Ana.

Oh não...

– Oh, mãe, as oscilações de humor dele deixam-me tonta. Ele teve uma infância muito dura, por isso é muito fechado e difícil de avaliar.

– Gostas dele?

– Mais do que isso.

– A sério? – Olhou-me estarrecida.

– Sim, mãe.

– Os homens não são propriamente complicados, querida. São criaturas muito simples e literais. Normalmente falam a sério e nós passamos horas a tentar analisar o que eles disseram, quando a coisa é mais do que óbvia. Se fosse a ti, levava-o à letra. É capaz de ajudar.

Eu olhei-a de queixo caído. Parecia um bom conselho. Levar Christian à letra. Ocorreram-me imediatamente algumas coisas que ele dissera.

Eu não quero perder-te…

Enfeitiçaste-me…

Seduziste-me completamente…

Vou sentir a tua falta… mais do que possas imaginar.

Olhei para a minha mãe. Ela ia no quarto casamento. Afinal, talvez ela soubesse mesmo alguma coisa acerca dos homens.

– A maior parte dos homens são mal-humorados, querida, uns mais do que outros. Olha o teu pai, por exemplo… – Os seus olhos tornavam-se mais brandos e tristes, sempre que pensava no meu pai. O meu verdadeiro pai, esse homem mítico que eu nunca conhecera, que nos fora tão cruelmente arrebatado num acidente durante um treino de combate, quando estava na marinha. Parte de mim achava que a minha mãe andara à procura de alguém como o meu pai durante todo este tempo… e que talvez tivesse encontrado finalmente o que pretendia em Bob. Era uma pena que não o tivesse encontrado em Ray.

– Eu achava que o teu pai era mal-humorado, mas agora quando olho para trás acho apenas que ele estava demasiado absorvido no seu trabalho e que estava a tentar construir uma vida para nós. – Suspirou. – Ele era tão jovem. Éramos ambos tão jovens. Talvez o problema fosse esse.

Hum… Christian não era propriamente velho. Sorri-lhe ternamente. Podia ficar bastante emotiva ao pensar no meu pai, mas tenho a certeza de que ele não tinha nada a ver com os estados de espírito de Christian.

– O Bob quer levar-nos a jantar ao seu clube de golfe, hoje à noite.

– Oh, não! O Bob começou a jogar golfe? – Trocei eu, incrédula.

– A quem o dizes – resmungou a minha mãe, revirando os olhos.

Depois de um almoço leve, em casa, comecei a desfazer as malas. Iria abandonar-me ao prazer de uma sesta. A minha mãe desaparecera para enformar umas velas, ou o que quer que fosse que fazia com elas e Bob estava no trabalho, por isso eu tinha tempo para pôr o sono em dia. Abri o Mac e liguei-o. Eram duas da tarde na Geórgia e onze da manhã em Seattle. Perguntei a mim mesma se teria alguma resposta do Christian e abri nervosamente o meu e-mail.

De: Christian Grey
Assunto: Finalmente!
Data: 31 de maio de 2011 07:30
Para: Anastasia Steele

Anastasia,
Irrita-me que comuniques aberta e honestamente comigo assim que te distancias um pouco de mim. Porque não consegues fazer isso quando estamos juntos?

Sim, sou rico. Habitua-te a isso. Porque não hei de gastar dinheiro contigo? Por amor de Deus, nós dissemos ao teu pai que eu era o teu namorado. Não é isso que os namorados fazem? Como teu Dom, esperaria que aceitasses o que quer que seja que eu gastasse contigo sem discussões e, já agora, que contasses também à tua mãe.

Não sei como te responder quando dizes que te sentes como uma prostituta. Eu sei que não foi isso que tu escreveste, mas era o que estavas a querer dizer. Não sei o que dizer nem o que fazer para erradicar esses sentimentos. Gostaria de te proporcionar o melhor em todos os sentidos. Trabalho muito portanto posso gastar o meu dinheiro como muito bem entender. Poderia comprar o teu maior desejo, Anastasia e quero fazê-lo. Chama-lhe redistribuição da riqueza, se quiseres. Ou entende simplesmente que eu jamais pensaria nem poderia pensar em ti da forma como te descreveste e irrita-me que seja essa a ideia que tens de ti própria. Para uma jovem tão inteligente e bonita como tu, pareces ter graves problemas de auto-estima e estou quase decidido a marcar-te uma consulta com o Dr. Flynn.

Peço desculpa por te ter assustado. Acho aberrante a ideia de te instilar medo. Achas mesmo que eu permitiria que viajasses no porão? Por amor de Deus, eu disponibilizei-te o meu jato privado. Sim, foi uma brincadeira, uma brincadeira pouco feliz, está mais do que visto. Contudo, a ideia de te ver amarrada e amordaçada excita-me (isto não é brincadeira – é verdade). Posso dispensar o caixote – os caixotes não me dizem nada. Sei que tens problemas em ser amordaçada – já falámos sobre isso – e se alguma vez eu te amordaçar, discutiremos o assunto. O que eu acho que ainda não percebeste é que num relacionamento Dominador/Submissa é a submissa que tem todo o poder. És tu – repito – és tu que tens todo o poder, e não eu. Na casa dos barcos disseste não e eu não posso tocar-te se tu disseres não. É por isso que temos um contrato sobre o que estás disposta a fazer ou não. Se experimentarmos coisas que tu não gostes, poderemos rever o acordo. É contigo e não comigo. Se não quiseres ser amarrada e amordaçada num caixote, isso não irá acontecer.

Eu quero partilhar o meu estilo de vida contigo. Nunca na minha vida desejei tanto alguma coisa. Estou francamente deslumbrado contigo. Que alguém tão inocente como tu esteja disposta a experimentar. Isso diz-me mais do que do que jamais poderás imaginar. Não consegues ver que eu também estou enfeitiçado por ti, embora eu já te tenha dito isso inúmeras vezes? Não te quero perder e estou nervoso pelo facto de teres viajado cinco mil quilómetros para te afastares de mim durante uns dias, pelo facto de não conseguires pensar claramente perto de mim.. Passa-se o mesmo comigo, Anastasia. A minha lucidez desaparece quando estamos juntos – é essa a profundidade dos meus sentimentos por ti.

Entendo a tua ansiedade. Eu tentei de facto ficar longe de ti: eu sabia que tu eras inexperiente, embora nunca te tivesse tentado conquistar se soubesse exatamente até que ponto eras inocente. Ainda assim, tu consegues desarmar-me por completo de uma forma que nunca ninguém antes conseguiu. O teu e-mail, por exemplo: Li-o e reli-o vezes sem conta, tentando perceber o teu ponto de vista. Três meses é um período de tempo arbitrário. Poderíamos pensar em seis meses, ou num ano. Quanto tempo queres que dure? O que te faria sentir mais confortável? Diz-me.

Eu entendo que isto é um grande salto no escuro para ti. Tenho de conquistar a tua confiança, do mesmo modo que tu tens de comunicar comigo quando eu estiver a falhar. Pareces tão forte e tão independente, mas ao ler o que aqui escreveste, vejo outro lado de ti. Temos de nos guiar um ao outro, Anastasia, e só tu me podes dar a deixa. Tens de ser honesta comigo e ambos temos que descobrir uma forma de fazer com que este acordo resulte.

Estás preocupada com o facto de não estares a ser submissa. Bom, talvez isso seja verdade. Posto isto, creio que a única altura em que assumes a postura correta de uma submissa é na sala de jogos. Parece-me ser o único local onde me deixas exercer controlo sobre ti e o único local onde me obedeces. "Exemplar" é o termo que me ocorre. Eu jamais te espancaria a ponto de ficares negra. O meu propósito é deixar-te rosada. Eu gosto que me desafies fora da sala de jogos. É uma experiência extremamente inovadora e revigorante e eu não gostaria de mudar isso. Por isso diz-me o que é para ti "mais". Eu farei um esforço para manter uma mente aberta e tentarei dar-te o espaço de que necessitas, ficando longe de ti enquanto estiveres na Geórgia. Fico na expetativa do teu próximo e-mail.

Entretanto, diverte-te, mas não demasiado.

Christian Grey
CEO, Grey Entrerprises Holdings, Inc.

Raios, escrevera uma redação como se estivéssemos de novo na escola *e grande parte dela era boa.* Sentia o coração na boca, ao reler a sua epístola e aninhei-me na cama, praticamente abraçada ao meu Mac. Firmar o nosso contrato por um ano? *Eu é que mando?* Raios, ia ter de pensar no assunto. *Levá-lo à letra*, era o que a minha mãe dizia. Ele não me queria perder. Dissera-o duas vezes! Ele também queria que aquilo resultasse. *Oh, Christian, também eu!* Ia tentar ficar longe! Quereria isso dizer que poderia não conseguir ficar longe? Subitamente, desejei que não conseguisse. Queria vê-lo. Estávamos separados há menos de vinte e quatro horas. Ao pensar que não o iria poder ver durante quatro dias, apercebi-me até que ponto sentia a sua falta, até que ponto o amava.

– Ana, querida. – A voz era suave e afetuosa, carregada de amor e de memórias doces de tempos passados.

Uma mão delicada passou-me pelo rosto. A minha mãe acordou-me e eu estava abraçada ao portátil, a apertá-lo contra mim.

– Ana, querida – prosseguiu na sua voz suave e musical enquanto eu ia despertando, piscando os olhos para a luz pálida e rosada do crepúsculo.

– Olá, mãe. – Espreguicei-me e sorri.

– Vamos sair para jantar dentro de meia hora. Sempre queres vir? – perguntou, gentilmente.

– Claro que sim, mãe. – Tentei a custo conter um bocejo, mas não consegui.

– Mas que tecnologia impressionante. – Apontou para o meu portátil.

Porra.

– Ah, isto? – disse, esforçando-me por parecer descontraída, desinteressadamente surpreendida.

Será que a mãe vai reparar? Parecia estar a ficar mais astuta desde que eu arranjara um "namorado".

– O Christian emprestou-me. Acho que poderia pilotar o vaivém espacial com ele, mas apenas o uso para os e-mails e acesso à Internet. *A sério, não é nada de especial.* Ela olhou-me desconfiada e sentou-se na cama, prendendo-me uma madeixa de cabelo solta, atrás da orelha.

– Ele enviou-te um e-mail?

Duas vezes porra.

– Sim. – A minha indiferença estava a esgotar-se e eu corei.

– Talvez ele sinta a tua falta, não?

– Espero que sim, Mãe.

– O que diz ele?

Três vezes porra. Pensei nervosamente em algo aceitável naquele e-mail que pudesse contar à minha mãe. Tinha a certeza de que ela não queria ouvir falar de Dominadores, *bondage* e mordaças, mas eu também não podia revelar-lhe nada por causa do Acordo de Confidencialidade.

– Disse-me para eu me divertir mas não demasiado.

– Parece-me razoável. Vou deixar-te arranjar, querida. – Inclinou-se e beijou-me a testa. – Estou tão contente por estares aqui, Ana. É muito bom ver-te. – E retirou-se, com essa afirmação de carinho.

*Hum, Christian e razoabilidade...*dois conceitos que eu achava que se excluíam mutuamente, mas depois do seu e-mail talvez tudo fosse possível. Sacudi a cabeça. Precisaria de tempo para digerir as suas palavras. Talvez depois do jantar. Poderia responder-lhe nessa altura. Saí da cama e despi rapidamente a *t-shirt* e os calções, encaminhando-me para o duche.

Trouxera o vestido cinzento de prender ao pescoço de Kate, que usara na formatura. Era a única peça de roupa elegante que tinha. Uma das vantagens do calor era o facto de os vincos desaparecerem, por isso creio que serviria muito bem para o clube de golfe. Abri o portátil enquanto me vestia. Não havia nada de novo de Christian e eu senti uma pontinha de deceção. Escrevi-lhe muito rapidamente um e-mail.

De: Anastasia Steele

Assunto: Loquaz?

Data: 31 de maio de 2011 19:08 EST

Para: Christian Grey

O senhor é um escritor extremamente loquaz. Tenho de ir jantar ao clube de golf de Bob e gostaria apenas que soubesse que estou a revirar os olhos só de pensar. Mas o senhor e a palma da sua mão nervosa estão muito longe de mim e o meu traseiro está em segurança, por agora.

Adorei o seu e-mail e responderei quando puder. Já sinto a sua falta. Desfrute da sua tarde.

A sua Ana

De: Christian Grey
Assunto: O Seu Traseiro
Data: 31 de maio de 2011 16:10
Para: Anastasia Steele

Cara Miss Steele,
O título deste e-mail desconcentrou-me. Escusado será dizer que está a salvo – por agora.

Bom jantar. Eu também sinto a sua falta, especialmente do seu traseiro e da sua língua afiada.

A minha tarde será enfadonha, animada apenas pela memória de si e do seu revirar de olhos. Creio que foi você que muito judiciosamente me referiu que eu também sofro desse péssimo hábito.

Christian Grey
CEO & Revira Olhos.
Grey Enterprises Holdings, Inc.

De: Anastasia Steele
Assunto: Revirar os Olhos
Data: 31 de maio de 2011 19:14 EST
Para: Christian Grey

Caro Mr. Grey,
Pare de me enviar e-mails. Estou a tentar arranjar-me para ir jantar. Você é bastante perturbador mesmo estando do outro lado do continente. É verdade – quem o espanca a si quando revira os olhos?

A sua Ana

Carreguei no "enviar" e a imagem da bruxa maléfica, Mrs. Robinson, veio-me imediatamente à cabeça. Não conseguia imaginar Christian a ser espancado por alguém com a idade da minha mãe. Era tão descabido. Voltei a pensar que estragos teria ela feito e a minha boca cerrou-se numa linha dura e sombria. Precisava de um boneco onde pudesse espetar uns alfinetes e talvez dessa forma conseguisse descarregar parte da raiva que sentia por essa desconhecida.

De: Christian Grey
Assunto: O Seu Traseiro
Data: 31 de maio de 2011 16:18
Para: Anastasia Steele

Cara Miss Steele,
Continuo a preferir o meu título ao seu, em inúmeros aspetos. É uma sorte que eu seja dono do meu próprio destino e ninguém me castigue a não ser a minha mãe, de vez em quando, o Dr. Flynn, claro, e você.

Christian Grey
CEO, Grey Enterprises Holdings, Inc.

De: Anastasia Steele
Assunto: Está a... castigar-me?
Data: 31 de maio de 2011 19:22 EST
Para: Christian Grey

Caro Senhor,

Desde quando é que eu me atrevo a castigá-lo, Mr. Grey? Acho que me está a confundir com outra pessoa... o que é bastante preocupante. Tenho mesmo de me arranjar.

A sua Ana

De: Christian Grey
Assunto: O Seu Traseiro
Data: 31 de maio de 2011 16:25
Para: Anastasia Steele

Cara Miss Steele,

Passa a vida a fazê-lo quando escreve. Posso fechar-lhe o fecho do vestido?

Christian Grey
CEO, Grey Enterprises Holdings, Inc.

Por alguma razão desconhecida as suas palavras saltaram do ecrã e eu arquejei. Oh... ele quer brincadeira.

De: Anastasia Steele
Assunto: M18
Data: 31 de maio de 2011 19:28 EST
Para: Christian Grey

Preferia que o abrisse.

De: Christian Grey
Assunto: Cuidado com o que pede...
Data: 31 de maio de 2011 16:31
Para: Anastasia Steele

TAMBÉM EU.

Christian Grey
CEO, Grey Enterprises Holdings, Inc.

De: Anastasia Steele
Assunto: Ofegante
Data: 31 de maio de 2011 19:33 EST
Para: Christian Grey

Lentamente...

De: Chrstian Grey
Assunto: A Gemer

Data: 31 de maio de 2011 16:35
Para: Anastasia Steele

Quem me dera estar aí.

Christian Grey
CEO, Grey Enterprises Holdings, Inc.

———

De: Anastasia Steele
Assunto: A Gemer
Data: 31 de maio de 2011 19:37 EST
Para: Christian Grey

TAMBÉM EU.

———

– Ana! – A minha mãe chamou-me e eu dei um salto. *Merda.* Porque me sentiria tão culpada?

– Vou já, mãe.

———

De: Anastasia Steele
Assunto: A Gemer
Data: 31 de maio de 2011 19:39 EST
Para: Christian Grey

Tenho de ir.

Até logo, amor.

———

Corri para o *hall* onde Bob e a minha mãe me esperavam e a minha mãe franziu o sobrolho.

– Querida, sentes-te bem? Pareces um pouco afogueada.

– Estou bem, mãe.

– Estás linda, querida.

– Este vestido é da Kate. Gostas?

Ela franziu mais o sobrolho.

– Porque estás com o vestido da Kate?

Oh... não.

– Bom, é que eu gosto dele e ela não – improvisei, rapidamente.

Ela olhou-me com uma expressão sagaz. Bob vertia impaciência por todos os poros, com uma expressão abatida e esfomeada.

– Amanhã levo-te às compras – disse ela.

– Oh, mãe, não precisas de fazer isso, eu tenho montes de roupa.

– Será que não posso fazer nada pela minha própria filha? Anda, o Bob está esfomeado.

– Bem podes dizê-lo – gemeu Bob, massajando o estômago e fazendo uma expressão sofrida.

Eu ri baixinho, ao vê-lo revirar os olhos e saímos.

Mais tarde, enquanto arrefecia no duche, debaixo da água morna, pensei no quanto a minha a mãe mudara. Ao jantar dir-se-ia estar no seu elemento: divertida e coquete rodeada de amigos no clube de golfe. Bob era afetuoso e atencioso... pareciam estar bem um para o outro e eu sentia-me realmente feliz por ela. Queria isso dizer que poderia parar de me preocupar com ela, de tentar prever as suas decisões, e que ambas poderíamos esquecer os dias negros do Marido Número Três? Bob era um bom marido e ela estava a dar-me ótimos conselhos. *Quando começara isso a acontecer?* Desde que eu conhecera Christian. *Porque seria?*

Quando terminei o duche, sequei-me rapidamente, desejosa de voltar para junto de Christian. Tinha um e-mail à minha espera, enviado logo depois de eu sair para jantar, algumas horas antes.

______

De: Christian Grey
Assunto: Plágio
Data: 31 de maio de 2011 16:41
Para: Anastasia Steele

Roubaste-me a frase e deixaste-me pendurado.

Bom jantar.

Christian Grey
CEO, Grey Enterprises Holdings, Inc.

______

De: Anastasia Steele
Assunto: Quem és tu para me chamares ladra?
Data: 31 de maio de 2011 22:18 EST
Para: Christian Grey

Senhor, creio que chegará à conclusão que a frase era originalmente do Elliot.

Pendurado como?

A sua Ana

______

De: Christian Grey
Assunto: Assuntos Pendentes
Data: 31 de maio de 2011 19:22
Para: Anastasia Steele

Miss Steele,
Está de volta. Saiu tão de repente – justamente quando as coisas estavam a ficar interessantes.

O Elliot não é muito original. Deve ter roubado essa frase a alguém.

Que tal foi o jantar?
Christian Grey
CEO, Grey Enterprises Holdings, Inc.

———

De: Anastasia Steele
Assunto: Assuntos Pendentes?
Data: 31 de maio de 2011 22:26 EST
Para: Christian Grey

O jantar foi abundante – vai ficar bastante satisfeito em saber que comi demasiado.

As coisas estavam a ficar interessantes? Como assim?

———

De: Christian Grey
Assunto: Assuntos Pendentes – Sem Dúvida.
Data: 31 de maio de 2011 19:30
Para: Anastasia Steele

Está a ser propositadamente obtusa? Acho que acabou de me pedir que lhe abrisse o fecho do vestido.

E eu estava ansioso por fazê-lo. Também fico satisfeito por saber que está a comer.

Christian Grey
CEO, Grey Enterprises Holdings, Inc.

De: Anastasia Steele
Assunto: Bom... Temos Sempre o Fim de Semana
Data: 31 de maio de 2011 22:36 EST
Para: Christian Grey

É claro que como... É apenas a incerteza que sinto perto de si que me tira o apetite.

Jamais seria inadvertidamente obtusa, Mr. Grey.

A estas horas, certamente que já percebeu isso :)

De: Christian Grey
Assunto: Mal Posso Esperar
Data: 31 de maio de 2011 19:40
Para: Anastasia Steele

Não me esquecerei disso, Miss Steele, e sem dúvida que usarei essa informação em meu proveito.

Lamento saber que lhe tiro o apetite. Julguei que produzisse um efeito mais concupiscente em si. Essa tem sido a minha experiência, o que tem sido deveras agradável.

Estou ansioso pelo nosso próximo encontro.

Christian Grey
CEO, Grey Enterprises Holdings, Inc.

De: Anastasia Steele
Assunto: Linguagem Ginasticada
Data: 31 de maio de 2011 22:36 EST
Para: Christian Grey

Esteve outra vez a brincar com o dicionário?

De: Christian Grey
Assunto: Resmunguei
Data: 31 de maio de 2011 19:40
Para: Anastasia Steele

Conhece-me bem demais, Miss Steele.

Vou agora jantar com uma velha amizade, por isso vou conduzir.

Até logo, amor©

Christian Grey
CEO, Grey Enterprises Holdings, Inc.

Que velha amizade? Julguei que Christian não tivesse velhos amigos, a não ser... ela. Franzi o sobrolho para o ecrã. Porque é que ele ainda tinha de a ver? Um ciúme, ardente, verde e bilioso percorreu-me inesperadamente. Apetecia-me bater nalguma coisa, de preferência em Mrs. Robinson. Fechei o portátil com um ataque de fúria e saltei para a cama.

Devia realmente responder ao seu longo e-mail dessa manhã, mas de repente sentia-me demasiado zangada para isso. Porque é que não reconhecia o que ela era – uma violadora de crianças? Apaguei a luz, a ferver de raiva, e olhei para a escuridão. Como se atrevera ela? Como se atrevera a meter-se com um adolescente vulnerável? Será que ainda o fazia? Porque teriam eles parado? Diferentes cenários me ocorreram: Se já não queria nada com ela, por que razão ainda era amigo dela? Idem aspas para ela. Seria casada? Divorciada? Raios. Teria filhos? *Teria filhos de Christian?* O meu subconsciente empinou a sua horrível cabeça, com um olhar malicioso. Sentia-me chocada e nauseada só de pensar. O dr. Flynn saberia da existência dela?

Saí bruscamente da cama e voltei a ligar a máquina cruel. Tinha uma missão. Tamborilei impacientemente com os dedos, à espera que o ecrã azul aparecesse. Depois cliquei nas imagens do Google e digitei "Christian Grey" no motor de busca. O ecrã ficou subitamente coberto de imagens de Christian de *smoking*, de fato...raios! As fotos que José lhe tirara no Heathman, de camisa branca e as calças de flanela. Como teriam ido parar à Internet? Uau, estava lindo.

Avancei rapidamente: algumas fotos com parceiros de negócios e depois carradas e carradas de fotos maravilhosas do homem mais fotogénico que eu conhecia intimamente. *Intimamente? Será que eu conhecia Christian intimamente?* Conhecia-o sexualmente e calculava que houvesse muito mais para descobrir ali. Sabia que ele era mal-humorado, divertido, frio, caloroso... caramba, o homem era um poço de contradições. Cliquei na página seguinte. Continuava sozinho em todas aquelas fotografias e eu lembrei-me de ouvir Kate dizer que não conseguira encontrar nenhuma fotografia dele acompanhado, o que levantou a questão dele ser *gay*. Depois, na terceira página havia uma fotografia minha, com ele, na minha formatura. A única fotografia dele com uma mulher era comigo.

Caramba! Estou no Google! Olhei para ambos, juntos. Eu parecia surpreendida pela câmara, nervosa, vacilante. Aquilo fora mesmo antes de eu concordar em experimentar. Christian, por sua vez, estava incrivelmente atraente, calmo e controlado. E estava com *aquela gravata.* Olhei para ele. Que rosto tão belo. Um rosto que poderia estar naquele preciso momento a olhar para a Maldita Mrs. Robinson. Salvei a fotografia nos meus favoritos e cliquei nas restantes dezoito páginas de resultados de busca... e nada. Não encontraria Mrs. Robinson no Google, mas tinha de saber se ele estava com ela. Escrevi um e-mail rápido a Christian:

De: Anastasia Steele
Assunto: Companheiros de Jantar Adequados
Data: 31 de maio de 2011 23:58 EST
Para: Christian Grey

Espero que tu e a tua amizade tenham tido um jantar agradável.

Ana

P.S. Era a Mrs. Robinson?

Carreguei no "enviar" e voltei a subir para a cama, desanimada, decidindo que iria questionar Christian sobre o seu relacionamento com aquela mulher. Uma parte de mim estava desesperada para saber mais e a outra parte desejava esquecer que ele me falara no assunto. O meu período tinha começado, por isso teria de me lembrar de tomar a pílula de manhã. Programei rapidamente um alarme no calendário do meu BlackBerry. Poisei-o na mesa-de-cabeceira, deitei-me e acabei por cair num sono agitado, desejando que estivéssemos na mesma cidade e não a quatro mil quilómetros de distância um do outro.

Depois de uma manhã de compras e uma tarde na praia, a minha mãe decretou que devíamos passar a noite num bar. Deixámos o Bob a ver televisão, e demos connosco no bar de luxo do hotel mais elitista de Savannah. Eu ia no meu segundo Cosmopolitan[11] e a minha mãe no

11. Cocktail de vodka, *cointreau*, mirtilos, sumo de lima e gelo (N, da T.).

terceiro e estava a transmitir-me mais algumas ideias sobre o frágil ego masculino. Era muito desconcertante.

– Sabes, Ana, os homens acham que tudo o que saia da boca de uma mulher é um problema a resolver e não uma vaga ideia que nos apeteceu colocar e discutir durante algum tempo para a esquecer a seguir. Os homens preferem a ação.

– Mãe, porque me estás a dizer isso? – perguntei, incapaz de esconder o meu desespero. Passara o dia inteiro naquilo.

– Querida, pareces tão perdida. Nunca trouxeste nenhum rapaz a nossa casa. Nunca tiveste um namorado, nem sequer quando estávamos em Las Vegas. Julguei que as coisas evoluíssem com aquele tipo que conheceste na universidade, o José.

– Mãe, o José é apenas um amigo.

– Eu sei, querida. Mas algo se está a passar e não me parece que me estejas a contar tudo. – Olhou para mim com o rosto vincado de preocupação maternal.

– Eu precisava apenas de me distanciar um pouco do Christian, para pôr as ideias em ordem... só isso. Ele tem tendência a oprimir-me.

– Oprimir-te?

– Sim, mas mesmo assim sinto a falta dele – disse, franzindo o sobrolho.

Não soubera nada do Christian durante o dia inteiro. Nem e-mails, nem nada e estava tentada a telefonar-lhe para ver se ele estava bem. O meu maior receio era que ele tivesse tido um acidente de automóvel e o meu segundo maior receio era que Mrs. Robinson tivesse voltado a apanhá-lo nas suas garras maléficas. Sabia que era irracional, mas eu parecia ter perdido por completo o sentido de perspetiva, em tudo o que tinha a ver com ele

– Querida, tenho de ir à casa de banho.

A breve ausência da minha mãe deu-me uma oportunidade para verificar de novo o BlackBerry. Tentara ver sub-repticiamente o meu e-mail ao longo de todo o dia. Finalmente – uma resposta do Christian!

De: Christian Grey
Assunto: Companheiros de Jantar
Data: 1 de Julho de 2011 21:49 EST
Para: Anastasia Steele

Sim, jantei com Mrs. Robinson. Ela é apenas uma velha amiga, Anastasia.

Estou ansioso por te voltar a ver. Sinto a tua falta.

Christian Grey
CEO, Grey Enterprises Holdings, Inc.

Ele tinha jantado com ela. Senti um formigueiro no couro cabeludo e fui percorrida por uma vaga de adrenalina e de fúria. Os meus piores receios tinham-se concretizado. *Como podia ele fazer aquilo?* Ausentara--me durante dois dias e ele fora a correr ter com aquela cabra maléfica.

De: Anastasia Steele
Assunto: VELHOS Companheiros de Jantar
Data: 1 de junho de 2011 21:42 EST
Para: Christian Grey

Ela não é apenas uma velha amiga.

Já arranjou outro adolescente onde cravar os dentes?

Tornaste-te demasiado velho para ela?

Foi por isso que a vossa relação terminou?

Carreguei no "enviar" quando a minha mãe voltou.

– Ana, estás tão pálida. O que aconteceu?

Eu abanei a cabeça.

– Nada. Vamos tomar outra bebida – murmurei, teimosamente.

Ela franziu a testa, mas levantou os olhos e chamou a atenção de um dos empregados de mesa, apontando para os nossos copos. Ele acenou com a cabeça, pois entendia esse gesto universal: "mais uma rodada por favor". Quando ela o fez, eu olhei rapidamente para o meu BlackBerry.

De: Christian Grey
Assunto: Cuidado...
Data: 1 de Julho de 2011 21:45 EST
Para: Anastasia Steele

Isso não é assunto para discutir por e-mail.
Quantos Cosmopolitans vais beber?

Christian Grey
CEO, Grey Enterprises Holdings, Inc.

Merda, ele está cá.

CAPÍTULO VINTE E TRÊS

Eu olhei nervosamente à minha volta, mas não consegui vê-lo.

– Ana, o que foi? Parece que viste um fantasma.

– É o Christian. Ele está cá.

– O quê? A sério? – A minha mãe olhou também em redor.

Eu não falara à minha mãe das tendências de perseguidor do Christian.

Vi-o. O meu coração deu um salto e disparou numa batida surda e nervosa, enquanto ele caminhava na nossa direção. *Ele está realmente aqui por minha causa.* A minha deusa interior deu um pulo, aplaudindo da sua *chaise longue*. Ele movia-se suavemente, por entre a multidão, e o seu cabelo cintilava em tons de cobre polido e vermelho, sob as luzes indiretas de halogéneo. Os seus olhos cinzentos-claros cintilavam...Seria raiva? Tensão? Tinha os maxilares crispados e a boca cerrada numa linha sombria. *Com os diabos...não!* Agora que eu me sentia furiosa com ele e... ali estava ele. Como poderia continuar furibunda com ele diante da minha mãe?

Ele chegou à nossa mesa e olhou-me cautelosamente. Estava com a sua habitual camisa de linho branca e *jeans*.

– Olá – disse eu, com voz de passarinho, incapaz de esconder a minha surpresa e o meu assombro, pelo facto de o ver ali em carne e osso.

– Olá – respondeu ele. Depois curvou-se e beijou-me a face, apanhando-me de surpresa.

– Christian, esta é a minha mãe, Carla. – Os hábitos de conduta enraizados em mim falaram mais alto.

Ele virou-se para cumprimentar a minha mãe.

– Mrs. Adams, é um prazer conhecê-la.

Como é que ele sabe o nome dela? Ele dirigiu-lhe um sorriso deslumbrante, rasgado e implacável, com a patente de Christian Gray, e ela não teve qualquer hipótese. O seu maxilar inferior bateu praticamente na mesa. *Raios, mãe, controla-te.* Ele estendeu-lhe a mão e ela apertou-a, mas não lhe respondeu. Talvez a perplexidade muda fosse uma condição genética – não faço ideia.

– Christian – disse ela finalmente, sem fôlego.

Ele sorriu-lhe com um ar sabido, de olhos cinzentos cintilantes e eu semicerrei os olhos a ambos.

– O que estás aqui a fazer? – A pergunta saiu-me num tom mais brusco do que eu pretendia e o sorriso desapareceu-lhe do rosto. Agora estava com uma expressão cautelosa. Eu estava encantada por ele ali estar, mas fora totalmente apanhada de surpresa, e a raiva em relação a Mrs. Robinson ainda me fervia nas veias. Não sabia se me apetecia gritar com ele ou atirar-me para os seus braços, mas não creio que nenhuma das hipóteses lhe agradasse, e eu queria saber há quanto tempo ele estava a observar-nos. Além disso estava um pouco ansiosa por causa do e-mail que acabara de lhe enviar.

– Vim para te ver, é claro – Olhou-me com uma expressão impassível. *O que estará ele a pensar?* – Vou ficar hospedado neste hotel.

– Vais ficar aqui? – Eu parecia uma aluna do segundo ano sob o efeito de afetaminas, com a voz demasiado aguda, mesmo para os meus próprios ouvidos.

– Ontem disseste que desejavas que eu aqui estivesse. – Fez uma pausa, tentando avaliar a minha reação. – O nosso lema é agradar, Miss Steele. – A sua voz era serena, sem sombra de humor.

Bolas, estará zangado? Seria dos comentários acerca de Mrs. Robinson? Ou pelo facto de eu já ter bebido três e estar prestes a beber o meu quarto Cosmo? A minha mãe olhava nervosamente para ambos.

– Não quer tomar uma bebida connosco, Christian? – Fez sinal ao empregado que apareceu junto dela de imediato.

– Quero um gin tónico – disse Christian. – Hendriks se tiver, ou Bombay Sapphire. Pepino com o Hendricks e lima com o Bombay.

Com os diabos, só mesmo Christian se perderia em tantos detalhes para pedir uma bebida.

– E mais dois Cosmos, por favor – acrescentei eu, olhando ansiosamente para Christian. Eu estava a beber com a minha mãe, ele não podia de forma alguma ficar zangado por isso.

– Por favor, puxe uma cadeira, Christian.

– Obrigado, Mrs. Adams.

Christian puxou uma cadeira que estava ali perto e sentou-se elegantemente a meu lado.

– Então calhou ficares hospedado no hotel onde nós estávamos a beber? – perguntei, esforçando-me por manter um tom de voz descontraído.

– Ou então calhou vocês virem beber ao hotel onde eu estou hospedado – replicou Christian. – Acabei de jantar, entrei aqui e vi-te. Estava distraído a pensar no teu último e-mail, levantei os olhos, e aqui estavas tu. Mas que coincidência, não é? – Inclinou a cabeça para um lado e eu vi vestígios de um sorriso. *Graças a Deus* – talvez conseguíssemos salvar a noite.

– A minha mãe e eu estivemos a fazer compras esta manhã, fomos à praia à tarde e decidimos beber uns *cocktails* à noite – murmurei, sentido que lhe devia uma explicação qualquer.

– Compraste esse top? – Acenou com a cabeça para a minha nova blusa de seda verde. – A cor fica-te bem e já apanhaste algum sol. Estás linda.

Eu corei e fiquei sem palavras, perante os seus elogios.

– Bom, eu ia-te fazer uma visita amanhã, mas aqui estás tu.

Pegou-me na mão, apertou-a delicadamente, afagando-me os nós dos dedos com o polegar… e eu senti o formigueiro habitual. Uma corrente elétrica a zunir-me debaixo da pele, sob a pressão delicada do seu polegar, a penetrar-me na corrente sanguínea e pulsar-me pelo corpo todo, aquecendo tudo no seu caminho. Há mais de dois dias que não o via. *Oh, meu Deus…* desejava-o. Contive a respiração e pisquei-lhe os olhos, sorrindo-lhe timidamente e vi um sorriso desenhar-se nos seus lábios.

– Pensei em fazer-te uma surpresa, Anastasia, mas como sempre, foste tu que me surpreendeste, por aqui estares.

Eu olhei brevemente para a minha mãe que estava de olhos pregados em Christian… Sim, de olhos pregados nele! *Para com isso, mãe.* Como se ele fosse uma criatura exótica nunca antes vista. Bem sei que nunca tivera um namorado e que Christian só se poderia classificar como tal para facilitar as coisas, mas seria assim tão inacreditável que eu conseguisse atrair um homem? *Aquele homem? Francamente – olha para ele!*, disse o meu subconsciente, bruscamente. *Cala a boca! Quem te convidou para a festa?* Eu franzi o sobrolho para a minha mãe, mas ela pareceu não reparar.

– Não quero interromper o convívio com a tua mãe. Tomarei uma bebida rápida e retirar-me-ei, pois tenho trabalho para fazer – argumentou ele com sinceridade.

– Christian é um prazer poder finalmente conhecê-lo – atalhou a minha mãe, recuperando finalmente a voz. – A Ana falou muito afetuosamente de si.

Ele sorriu-lhe.

– A sério? – Arqueou-me uma sobrancelha, com uma expressão divertida, e eu voltei a corar.

O empregado chegou com as nossas bebidas.

– Hendricks, senhor – disse ele, com um floreado triunfante.

– Obrigado – murmurou Christian.

Eu bebi nervosamente um golo do meu Cosmo mais recente.

– Quanto tempo vai ficar na Geórgia, Christian? – perguntou a minha mãe.

– Até sexta-feira, Mrs. Adams.

– Gostaria de jantar connosco amanhã à noite? E por favor, trate-me por Carla.

– Será um prazer, Carla.

– Excelente. Agora, se não se importam, tenho de ir à casa de banho.

Mãe... acabaste de lá ir. Olhei para ela, desesperada, ao vê-la levantar-se e afastar-se, deixando-nos sozinhos.

– Então, estás furiosa comigo por eu ter ido jantar com uma velha amiga – Christian dirigiu-me um olhar ardente e cauteloso, levando a minha mão aos lábios, e beijou-me delicadamente os nós dos dedos.

Raios, será que quer ter esta conversa agora?

– Sim – murmurei, sentindo o sangue quente percorrer-me o corpo.

– Há muito que o nosso relacionamento sexual terminou, Anastasia – sussurrou. – Eu só te quero a ti. Ainda não percebeste isso?

Eu pestanejei.

– Eu encaro-a como uma violadora de crianças, Christian. – Contive a respiração, à espera da reação dele.

Christian empalideceu.

– Isso é demasiado crítico. Não foi assim – sussurrou, chocado, largando-me a mão.

Crítico?

– Ah, então como foi? – perguntei. Os Cosmos estavam a dar-me coragem.

Ele franziu-me o sobrolho, perplexo, e eu prossegui:

– Ela aproveitou-se de um miúdo vulnerável de quinze anos. Se tu fosses uma rapariga de quinze anos e Mrs. Robinson fosse um Mr. Robinson a tentar persuadir-te a adotar um estilo de vida BDSM, já estaria certo? E se a rapariga fosse a Mia, por exemplo?

Ele arquejou e franziu-me o sobrolho.

– Ana, não foi assim.

Eu olhei-o, furiosa.

– Ok, eu não o senti dessa forma – prosseguiu ele calmamente. – Ela era bem-intencionada. Era isso que eu precisava

– Não entendo. – Foi a minha vez de parecer perplexa.

– Anastasia, a tua mãe voltará para aqui, não tarda nada. Não me sinto confortável a falar disto, agora. Talvez mais tarde. Se não me queres aqui, eu tenho um avião à disposição em Hilton Head. Posso ir-me embora.

Oh, não... ele está zangado comigo.

– Não... não vás. Por favor. Estou feliz por cá estares. Estou apenas a tentar fazer-te entender. Estou zangada pelo facto de teres ido jantar com ela, assim que eu parti. Pensa como ficas quando eu me aproximo do José. E o José é apenas um bom amigo e eu nunca tive nenhum relacionamento sexual com ele, ao passo que tu e ela... – Calei-me. Não queria alimentar mais aquela ideia.

– Estás com ciúmes? – Olhou para mim, perplexo, e o seu olhar tornou-se ligeiramente mais brando e afetuoso.

– Sim e estou furiosa com o que ela te fez.

– Anastasia, ela ajudou-me. É tudo o que tenho a dizer a esse respeito. Quanto aos teus ciúmes, põe-te no meu lugar. Há sete anos que não tenho de justificar as minhas ações a ninguém. Nem a uma única pessoa. Faço o que me apetece, Anastasia, e gosto da minha autonomia. Eu não fui visitar Mrs. Robinson para te irritar, fui porque jantamos de vez em quando. Ela é uma amiga e uma parceira de negócios.

Parceira de negócios? Raios. Isso é uma novidade.

Ele olhou para mim, avaliando a minha expressão.

– Sim, somos parceiros de negócios. O sexo entre nós acabou. Há anos que acabou.

– Porque é que a vossa relação terminou?

Ele comprimiu a boca e os seus olhos cintilaram.

– Porque o marido dela descobriu.

Com os diabos!

– Não poderemos falar disto noutra altura... num ambiente mais íntimo? – resmungou ele.

– Creio que nunca conseguirás convencer-me que ela não é uma espécie de pedófila.

– Eu não a encaro dessa forma. Nunca encarei. Agora chega! – disse ele, num tom brusco.

– Amava-la?

– Como se estão a dar os dois? – A minha mãe voltara, sem que nenhum de nós se apercebesse.

Christian e eu recostámo-nos apressadamente... com um ar culpado, e eu fiz um sorriso fingido. Ela olhou para mim.

– Bem, mãe.

Christian deu um golo na bebida, observando-me atentamente, com uma expressão cautelosa. O que estaria ele a pensar? Será que a amava? Acho que perderia por completo a cabeça se ele me dissesse que sim.

– Bom, minhas senhoras, vou deixá-las aproveitarem a noite...

Não... não... ele não pode deixar-me assim pendurada.

– Por favor, ponham estas bebidas na minha conta, quarto 612. Ligo-te amanhã de manhã, Anastasia. Até amanhã, Carla.

– Ah, é tão agradável ouvir alguém dizer o teu nome completo.

– Um lindo nome para uma linda rapariga – murmurou Christian, apertando-lhe a mão esticada. E não é que ela lhe fez um sorriso tonto?

Oh, Mãe... até tu, Brutus? Eu levantei-me e olhei para ele, implorando--lhe que respondesse à minha pergunta, mas ele beijou-me castamente a face.

– Mais tarde, amor – segredou-me ele ao ouvido e foi-se embora.

Maldito estupor controlador. A minha raiva regressou em força e eu deixei-me cair na cadeira, virando o rosto para a minha mãe.

– Belisca-me para ver se estou acordada, Ana, ele é uma brasa. Não sei o que se passa entre vocês os dois, mas acho que precisam ambos de conversar. Ufa... o que para aí vai de tensão sexual não resolvida! É insuportável. – Abanou-se teatralmente com a mão.

– MÃE!

– Vai falar com ele.

– Não posso. Eu vim cá para te ver.

– Ana, tu vieste cá porque estavas confusa em relação àquele rapaz. É óbvio que são ambos doidos um pelo outro. Tens de ir falar com ele. Por amor de Deus, ele acabou de viajar quase cinco mil quilómetros de avião para te ver. E tu sabes como é horrível andar de avião.

Eu corei. Não lhe contara acerca do jato privado.

– O que foi? – perguntou ela, bruscamente.

– Ele tem o seu próprio avião – murmurei, embaraçada – e são apenas quatro mil quilómetros, Mãe.

Porque estou embaraçada?

Ela arqueou subitamente as sobrancelhas.

– Uau – murmurou ela. – Passa-se algo de errado entre vocês os dois, Ana. Tenho estado a imaginar o que possa ser desde que cá chegaste, mas a única forma de resolveres o problema é falando com ele acerca disso. Podes pensar tanto quanto quiseres, mas enquanto não falares, não vais chegar a lado nenhum.

Eu franzi o sobrolho à minha mãe.

– Querida, tu sempre tiveste tendência para analisares demasiado tudo. Segue os teus instintos. O que te dizem eles, querida?

Eu olhei para os dedos.

– Acho que estou apaixonada por ele – murmurei.

– Eu sei, querida, e ele por ti.

– Não!

– Está sim, Ana. Raios! O que mais queres tu? Um *néon* a acender e a apagar na testa dele?

Eu olhei-a estarrecida e as lágrimas arderam-me nos cantos dos olhos.

– Querida, não chores.

– Não me parece que ele me ame.

– Pouco importa a fortuna. Ninguém larga tudo e atravessa um continente inteiro no seu jato privado só para tomar chá! Vai ter com ele! Este sítio é muito bonito, muito romântico. Além disso é território neutro.

Eu torci-me sob o seu olhar. Queria ir mas ao mesmo tempo não queria.

– Querida, não te sintas na obrigação de regressares comigo. Eu quero-te feliz e, neste momento, acho que a chave da tua felicidade está lá em cima, no quarto 612. Se precisares de ir para casa mais tarde, a chave está debaixo da planta, no alpendre da frente. Se ficares. Bom… já és crescidinha. Só te peço que te protejas.

Eu fiquei de todas as cores. *Caramba, Mãe.*

– Primeiro vamos acabar os nossos Cosmos.

– Linda menina – disse ela, sorrindo.

Bati timidamente à porta do quarto 612 e esperei. Christian abriu a porta. Estava a falar ao telemóvel. Pestanejou, totalmente surpreendido por me ver e segurou a porta, fazendo-me sinal para entrar.

– Já concluíram todas as indemnizações?... E o custo? – Christian assobiou entre os dentes. – Xi… foi um erro dispendioso… E o Lucas?

Olhei em redor. Ele estava numa suíte, como a do Heathman. O mobiliário ali era ultramoderno e muito atual. Tudo em tons escuros e discretos de púrpura e dourado, com estrelas estilizadas em bronze nas paredes. Christian dirigiu-se para um móvel de madeira escura e abriu uma porta, revelando um minibar. Fez-me sinal para que eu me servisse e depois foi para o quarto, certamente para que eu não ouvisse a sua conversa. Encolhi os ombros. Desta vez não interrompera a chamada como quando eu entrara no seu escritório, da outra vez. Ouvi água a correr… estava a encher a banheira. Servi-me de sumo de laranja e ele voltou calmamente para a sala.

– Pede à Andrea que me mande o diagrama. O Barney disse-me que tinha descoberto o problema... – Christian riu-se. – Não, sexta-feira... há aqui um terreno em que estou interessado... Sim, diz ao Bill que me telefone... Não, amanhã... quero ver o que a Geórgia tem para nos oferecer se nos mudarmos para aqui. – Christian não tirava os olhos de mim. Deu-me um copo e apontou para o balde de gelo.

– Se os incentivos deles forem suficientemente apelativos... penso que deveríamos ponderar essa hipótese, embora este maldito calor não me convença. Concordo, Detroit tem as suas vantagens e também é mais fresco. – O seu rosto ensombrou-se momentaneamente. *Porquê?* – Diz ao Bill que me telefone. Amanhã... não muito cedo. – Desligou e olhou para mim, com uma expressão inescrutável e o silêncio prolongou-se entre nós.

Ok... era a minha vez de falar.

– Não respondeste à minha pergunta – murmurei.

– Não – disse ele, calmamente, com uns olhos cinzentos muito abertos e cautelosos.

– Não, não respondeste à minha pergunta, ou não, não a amavas?

Ele cruzou os braços e encostou-se à parede, com um ligeiro sorriso nos lábios.

– O que estás aqui a fazer, Anastasia?

– Acabei de te dizer.

Ele respirou fundo.

– Não, não a amava. – Franziu-me o sobrolho, divertido e intrigado, ao mesmo tempo.

Mal podia acreditar que estava a conter a respiração. Ao expelir o ar, curvei-me sobre mim mesma, como um velho saco de pano. *Graças a Deus.* Como me sentiria se ele tivesse realmente amado aquela bruxa?

– És uma deusa muito ciumenta. Quem iria imaginar?

– Está a fazer pouco de mim, Mr. Grey?

– Não me atreveria. – Abanou a cabeça com ar solene, mas tinha um brilho malicioso nos olhos.

– Eu acho sim e acho que o fazes... frequentemente.

Ele fez-me um sorriso afetado, ao ouvir-me repetir-lhe as palavras que ele me dissera antes e o seu olhar tornou-se mais sombrio.

– Por favor, para de morder o lábio. Estás no meu quarto, eu não te ponho a vista em cima há quase três dias e fiz uma longa viagem de avião para te ver. – O seu tom de voz mudara e era agora suave e sensual.

O BlackBerry dele zuniu, distraindo-nos a ambos, e ele desligou-o, sem olhar para ver quem era. Contive a respiração. Eu sabia onde aquilo ia acabar... *mas nós devíamos falar.* Ele deu um passo na minha direção, com o seu olhar sexy de predador.

– Desejo-te, Anastasia. Agora. E tu desejas-me a mim. É por isso que aqui estás.

– Eu queria mesmo saber – sussurrei, à defesa.

– Bom, agora que já sabes, estás de chegada ou de partida?

Ele parou diante de mim e eu corei

– De chegada[12] – murmurei, olhando-o ansiosamente.

– Assim o espero. – Olhou para mim. – Estavas tão zangada comigo – sussurrou.

– Pois estava.

– Não me lembro de ver ninguém assim tão zangado comigo a não ser a minha família.

Ele passou-me as pontas dos dedos pela cara. *Oh meu Deus,* aquela proximidade, aquele cheiro delicioso a Christian. Devíamos estar a conversar mas o coração martelava-me no peito, o sangue zunia-me pelo corpo e o desejo acumulava-se e crescia... invadindo tudo. Christian curvou-se e roçou-me o nariz pelo ombro, até à base da orelha, mergulhando os dedos nos meus cabelos.

– Devíamos falar – sussurrei.

– Mais tarde.

– Tenho tanta coisa para dizer.

– Eu também.

Beijou-me suavemente o lóbulo da orelha. Puxou-me a cabeça para trás expondo-me a garganta. Os seus dentes roçaram-me pelo queixo e ele beijou-me o pescoço.

– Desejo-te – sussurrou ele.

Eu gemi e agarrei-me aos seus braços.

12. No original: "coming" (=vir) trocadilho associado ao orgasmo. (N. da T)

– Estás a sangrar? – perguntou, continuando a beijar-me.

Merda. Será que nada lhe escapava?

– Estou – sussurei, embaraçada.

– Tens dores?

– Não.

Corei. Ele deteve-se e olhou para mim.

– Tomaste a pílula?

– Sim. – Que mortificante que aquilo era.

– Vamos tomar um banho.

Ah sim?

Pegou-me na mão e conduziu-me para o quarto dominado por uma enorme cama de casal, com uma elaborada colcha. Mas não parámos aí. Levou-me para a casa de banho, que era composta por duas divisões, ambas em tons de água-marinha e calcário branco. Era enorme. Na segunda divisão, uma banheira embutida na pedra, com espaço para quatro pessoas, e degraus de pedra para o interior estava a encher-se lentamente de água. A espuma libertava nuvens suaves de vapor e eu reparei que havia um banco de pedra em torno da banheira. De um dos lados ardiam velas. Uau. Fizera tudo aquilo enquanto estava ao telefone?

– Tens alguma coisa para prender o cabelo?

Pestanejei, procurei no bolso dos *jeans* e tirei um elástico de cabelo.

– Puxa o cabelo para cima – ordenou-me, brandamente, e eu assim fiz.

O ar estava quente e abafado, junto da banheira, e a minha blusa começou a colar-se ao corpo. Ele inclinou-se, fechou a torneira e voltou a conduzir-me à primeira divisão da casa de banho, parando atrás de mim. Estávamos ambos de frente para o espelho a todo o comprimento da parede, por cima dos dois lavatórios de vidro.

– Tira as sandálias – murmurou e eu assim fiz, atirando-as rapidamente para o chão de calcário.

– Levanta os braços – sussurrou. Eu obedeci e ele despiu-me a blusa pela cabeça e eu fiquei em topless diante dele. Sem desviar os seus olhos dos meus, contornou-me o corpo com os braços, desapertou-me o botão de cima dos *jeans*, e abriu-me o fecho.

– Vou possuir-te na casa de banho, Anastasia.

Baixou-se e beijou-me o pescoço. Eu movi a cabeça para o lado para lhe facilitar o acesso. Encaixando os polegares nos meus *jeans*, puxou-os lentamente ao longo das minhas pernas, baixando-se atrás de mim, à medida que me puxava os *jeans* e as cuecas para o chão.

– Sai de dentro dos *jeans*.

Eu agarrei-me à beira do lavatório e fiz isso mesmo. Estava agora nua, a olhar para o meu corpo. Ele estava ajoelhado atrás de mim. Beijou-me o rabo, mordendo-o suavemente e eu arquejei. Depois levantou-se e olhou-me mais uma vez através do espelho. Eu tentei ficar imóvel, ignorando a minha inclinação natural para me cobrir. Ele colocou uma mão aberta sobre a barriga. A amplitude da sua mão era tal que quase me alcançava ambas as ancas.

– Olha para ti. És tão bonita – murmurou. – Sente-te a ti mesma. – Agarrou-me em ambas as mãos, com as palmas das mãos dele encostadas às costas das minhas mãos, e os dedos entrelaçados nos meus, de forma a abrir-me os dedos e encostou-me as mãos à barriga. – Vê como a tua pele é macia. – Falava num tom de voz baixo e brando. Moveu-me as mãos, lentamente, em círculo, puxando-as depois em direção aos meus seios. – Vê como são cheios os teus seios. – Segurou-me as mãos e aninhou os meus seios nelas, acariciando-me repetidamente os mamilos com os polegares.

Eu gemi, de lábios entreabertos, e arqueei as costas, preenchendo as palmas das minhas mãos com os meus seios. Ele apertou-me os mamilos entre os polegares de ambos, puxando-os suavemente de forma a alongá-los mais. Eu observei, fascinada, a criatura lasciva que se contorcia diante de mim. *Oh, isto sabe bem.* Gemi e fechei os olhos. Já não queria ver aquela mulher libidinosa no espelho, a derreter-se sob as suas próprias mãos... sob as mãos dele... sentir a minha pele como ele a sentiria e experimentar quão excitante isso era – desejava apenas o seu toque e as suas ordens serenas e brandas.

– É isso mesmo, querida – murmurou.

Guiou-me as mãos, por ambos os lados do corpo, fazendo-as deslizar da cintura até às ancas e depois ao longo dos pelos púbicos. Colocou uma perna entre as minhas, afastando-me mais os pés, e alargando a distância entre as minhas pernas e fez-me passar as mãos pelo meu próprio sexo, uma de cada vez, imprimindo-lhes ritmo. Era tão erótico. Eu era, na verdade, a marioneta e ele o mestre.

– Olha para o teu brilho, Anastasia – sussurrou, deixando-me um rasto de beijos e dentadas suaves ao longo do ombro. Eu gemi e ele largou-me, subitamente.

– Continua – ordenou e recuou, observando-me.

Esfreguei o meu corpo. *Não.* Eu queria que fosse ele a fazê-lo. Não era a mesma coisa. Sentia-me perdida sem ele. Ele despiu a *t-shirt* pela cabeça, tirando rapidamente os *jeans.*

– Preferes que eu faça isso? – Os seus olhos cinzentos pareciam queimar os meus no espelho.

– Oh, sim, por favor – sussurrei.

Voltou a envolver-me nos seus braços e pegou-me de novo nas mãos, continuando a acariciar-me sensualmente o sexo e o clítoris. Os pelos do seu peito arranhavam-me e eu sentia a sua ereção contra mim. *Oh... não demores... por favor.* Ele mordeu-me o pescoço por trás e eu fechei os olhos, apreciando uma miríade de sensações, no pescoço, nas virilhas... a sua ereção atrás de mim. Ele parou abruptamente e virou-me, agarrando-me nos pulsos com uma mão e prendeu-me as mãos atrás das costas, puxando-me pelo rabo de cavalo com a outra. Eu estava encostada ao seu corpo. Ele beijou-me desenfreadamente, devastando-me a boca com a sua e imobilizando-me.

A sua respiração era ofegante, tal como a minha.

– Quando começou o teu período, Anastasia? – perguntou-me inesperadamente, olhando para mim.

– Hum... ontem – balbuciei, naquele estado de excitação extrema.

– Ótimo – disse ele, largando-me e virando-me.

– Agarra-te ao lavatório – ordenou, voltando a puxar-me as ancas para trás, como fizera na sala de jogos. Agora eu estava curvada.

Ele alcançou o cordel azul entre as minhas pernas e puxou-o – *O quê?* – retirando-me suavemente o tampão e atirando-o para a sanita. *Foda-se,* mãe do céu... Depois penetrou-me... ah! Pele contra pele. A princípio, movia-se lentamente e com facilidade...testando-me, estimulando-me... *oh meu Deus.* Eu agarrei-me ao lavatório, ofegante, pressionando o meu corpo contra o dele e sentindo-o dentro de mim. Oh, doce agonia... depois as suas mãos agarraram-me pelas ancas e ele entrou num ritmo punitivo – dentro e fora, dentro e fora – procurando-me o clítoris com as mãos e massajando-me... caramba. Eu sentia a minha excitação a aumentar.

– É isso mesmo, querida – disse ele, num tom de voz rouco, arremetendo contra mim e inclinando as ancas. O suficiente para me fazer voar bem alto.

Eh lá... vim-me ruidosamente, agarrando-me desesperadamente ao lavatório, viajando pela espiral do meu próprio orgasmo, sentindo tudo a girar e a contrair-se em simultâneo. A seguir foi ele. Agarrou-se firmemente a mim, com a parte da frente do corpo colada às minhas costas e atingiu o orgasmo, gritando pelo meu nome como se de uma litania ou oração se tratasse.

– *Oh, Ana!* – Eu sentia a sua respiração áspera contra o meu ouvido, em perfeita sintonia com a minha. – Oh amor, será que alguma vez terei o suficiente de ti? – sussurrou.

Deixámo-nos cair lentamente para o chão e ele envolveu-me nos seus braços, aprisionando-me. Será que iria ser sempre assim? Tão arrasador, tão intenso, tão desconcertante e sedutor. Eu queria falar mas estava exausta e atordoada pela sua forma de fazer amor, interrogando-me se alguma vez teria o suficiente *dele*.

Aninhei-me no seu colo e encostei a cabeça ao seu peito, enquanto ambos nos acalmávamos, inalando subtilmente o delicioso e intoxicante odor a Christian. *Não posso roçar-lhe com o nariz, não posso roçar-lhe com o nariz,* repetia eu mentalmente, como um mantra, embora me sentisse terrivelmente tentada a fazê-lo. Apetecia-me erguer a mão e fazer-lhe desenhos no peito com a ponta dos dedos... mas contive-me, pois sabia que ele iria detestar se eu o fizesse. Estávamos ambos em silêncio, perdidos noss nossos pensamentos. Eu estava perdida nele... perdida por ele.

Lembrei-me que estava com o período.

– Estou a sangrar – murmurei.

– Não me incomoda – sussurrou.

– Eu reparei. – Não consegui esconder a secura na voz.

Ele ficou tenso.

– Incomoda-te? – perguntou, brandamente.

Se me incomodava? Deveria incomodar... ou será que não? Mas não, não me incomodava. Recostei-me, olhei para ele, e ele olhou para mim, com uns olhos cinzentos suaves e nebulosos.

– Não, não me incomoda nada.

Ele sorriu afetadamente.

– Ótimo. Vamos tomar um banho.

Largou-me e endireitou-se, poisando-me no chão, enquanto se levantava, e eu voltei a reparar nas pequenas cicatrizes redondas e esbranquiçadas, no seu peito. Não eram de varicela, pensei eu, distraidamente. Grace dissera que a doença mal o afetara. *Com os diabos...* deviam ser queimaduras, mas queimaduras de quê? Empalideci ante essa evidência e fui percorrida por uma vaga de choque e de repugnância. Cigarros? Quem lhe teria feito aquilo? Mrs. Robinson? A sua mãe biológica? Talvez houvesse qualquer explicação razoável e eu estivesse a reagir exageradamente. Uma esperança desenfreada cresceu-me no peito. A esperança de que estivesse enganada.

– O que foi? – Christian estava alarmado, de olhos muito abertos.

– As tuas cicatrizes não são de varicela – sussurrei.

Vi-o fechar-se numa fração de segundos. A calma e o relaxamento deram lugar a uma postura defensiva – quase irritada. Ele franziu o sobrolho, com uma expressão sombria, cerrando os lábios numa linha fina e dura.

– Não, não são – retorquiu bruscamente, mas não explicou mais nada. Levantou-se, estendeu-me as mãos e ajudou-me a pôr de pé.

– Não olhes para mim assim. – Estava com uma voz mais fria e repreensiva ao largar-me a mão.

Corei, acabrunhada e olhei para os dedos. Eu sabia, eu sabia que alguém apagara cigarros no Christian. Senti-me nauseada.

– Foi ela que fez isso? – sussurrei, incapaz de me conter.

Ele não respondeu, por isso eu fui obrigada a olhar para ele. Estava a olhar para mim, furioso.

– Ela? Mrs. Robinson? Ela não é um animal, Anastasia. Claro que não foi ela. Não entendo essa tua necessidade de a demonizares.

Estava ali de pé, nu, maravilhosamente nu, sujo do meu sangue... e estávamos finalmente a ter aquela conversa. Eu também estava nua –

nenhum de nós tinha onde se esconder a não ser, talvez, na banheira. Eu respirei fundo e passei por ele, entrando dento de água. Estava deliciosamente morna, calmante e profunda. Eu derreti-me na espuma perfumada e olhei para ele, escondendo-me por entre as bolhas de sabão.

– Pergunto a mim mesma como serias tu se não a tivesses conhecido. Se ela não tivesse iniciado no teu... estilo de vida.

Ele suspirou, entrando para o lado oposto da banheira, com os maxilares crispados de tensão e os olhos gelados. Teve o cuidado de não me tocar, ao mergulhar elegantemente o corpo na água. *Caramba... será que o enfureci assim tanto?*

Ele fitou-me com um olhar impassível, com uma expressão inescrutável, sem dizer nada. O silêncio voltou a prolongar-se entre nós, mas eu fiquei na minha.

– É a tua vez, Grey. – Desta vez, não me deixaria abater. O meu subconsciente roía freneticamente as unhas, nervoso – aquilo poderia evoluir nos dois sentidos. Olhámos um para o outro, mas eu não estava disposta a ceder. Finalmente, aparentemente uma eternidade depois, ele abanou a cabeça e sorriu afetadamente.

– Se não fosse a Mrs. Robinson, provavelmente teria seguido o mesmo caminho que a minha mãe biológica.

Ah! Pestanejei. Viciado em *crack* ou prostituto? Possivelmente ambas as coisas.

– Ela amava-me de uma forma que eu achei... aceitável – acrescentou, encolhendo os ombros.

O que raio queria aquilo dizer?

– Aceitável? – sussurrei.

– Sim – disse, olhando-me atentamente. – Ela desviou-me do caminho destrutivo que eu estava a seguir. É muito difícil crescer no seio de uma família perfeita quando não somos perfeitos.

Oh não. Senti a boca seca, ao digerir as suas palavras. Ele olhou-me com uma expressão inescrutável. Não ia revelar-me mais nada. Que frustração. Interiormente, eu estava hesitante – ele parecia sentir tanto ódio por si mesmo. Mrs. Robinson amava-o. *Com os diabos...* será que ainda amava? Era como se me tivessem dado um murro no estômago.

– Ela ainda te ama?

– Acho que não. Dessa forma, não. – Franziu o sobrolho como se não tivesse pensado no assunto. – Estou farto de te dizer que foi há muito tempo atrás. Faz parte do passado Não o poderia modificar mesmo que quisesse, o que não é o caso. Ela salvou-me de mim próprio. – Estava exasperado. Passou uma mão molhada pelo cabelo. – Eu nunca conversei acerca disto com ninguém. – Fez uma pausa. – A não ser com o Dr. Flynn, é claro. E só estou a falar acerca disto contigo porque quero que confies em mim.

– Eu confio em ti, mas quero conhecer-te melhor e sempre que tento falar contigo tu afastas-me. Há tanta coisa que eu quero saber.

– Por amor de Deus, Anastasia. O que queres saber? O que tenho eu de fazer? – Estava com um olhar flamejante e, embora não estivesse a levantar a voz, eu percebi que ele estava a tentar dominar-se. Olhei para as minhas mãos claramente visíveis, debaixo de água, agora que a espuma começara a dispersar-se.

– Estou apenas a tentar entender; tu és um verdadeiro enigma, nunca conheci ninguém assim. Fico feliz por me estares a dizer o que eu quero saber.

Raios. Talvez os Cosmopolitans me estivessem a dar coragem, mas subitamente, senti que não conseguia suportar a distância entre nós. Movi-me para o seu lado, através da água, e encostei-me a ele. Pele com pele. Ele ficou hirto e olhou-me cautelosamente, como se eu mordesse. *Bem, mas que grande reviravolta.* A minha deusa interior olhou-o, surpreendida, tecendo as suas conjeturas em silêncio.

– Por favor não fiques zangado comigo – sussurrei.

– Eu não estou zangado contigo, Anastasia, só que não estou habituado a este tipo de conversas – este género de sondagens – só as tenho com o Dr. Flynn e com… – Calou-se e franziu o sobrolho.

– Com a Mrs. Robinson. Falas com ela? – adivinhei, tentando também dominar-me.

– Sim, falo.

– Sobre quê?

Ele mudou de posição na banheira de forma a ficar de frente para mim e a água saltou pela borda, salpicando o chão. Colocou-me um braço à volta dos ombros e apoiou-o sobre o rebordo da banheira.

– Que persistente que tu és – murmurou com uma ligeira irritação na voz. – Sobre a vida, sobre o universo... negócios. Mrs. Robinson e eu conhecemo-nos há muito tempo, Anastasia. Podemos conversar acerca de tudo.

– Acerca de mim? – perguntei.

– Sim – Os seus olhos cinzentos olharam-me cautelosamente.

Eu mordi o lábio inferior, tentando conter o súbito ataque de raiva que emergiu em mim.

– Porque falam sobre mim? – Fiz um esforço para não parecer choramingas nem petulante mas não consegui. Sabia que devia parar. Estava a pressioná-lo demasiado. O meu subconsciente estava outra vez com a cara do *Grito* de Munch.

– Nunca conheci ninguém como tu, Anastasia.

– O que quer isso dizer? Ninguém que não assinasse imediatamente a tua papelada sem fazer perguntas?

Ele abanou a cabeça.

– Preciso de me aconselhar.

– E aceitas conselhos da Pedófila? – perguntei, bruscamente. O meu autodomínio estava mais instável do que eu pensava.

– Basta, Anastasia – disse-me cortante, num tom severo, semicerrando os olhos.

Eu estava a pisar terreno instável e a avançar direita ao perigo.

– Ou deito-te em cima do joelho. Eu não tenho qualquer interesse nela, em termos sexuais ou românticos. Ela é uma amiga querida que muito prezo e uma parceira de negócios, nada mais. Temos um passado, uma história em comum, que foi extremamente benéfica para mim, embora destruísse o casamento dela, mas essa parte do nosso relacionamento terminou.

Raios, outra coisa que não conseguia entender. Ela também era casada. Como teriam conseguido aguentar tanto tempo sem serem descobertos?

– E os teus pais nunca descobriram?

– Não – rosnou ele. – Já te disse isso.

Percebi que tínhamos de ficar por ali. Não lhe podia fazer mais perguntas sobre ela porque ele ia perder a cabeça comigo.

– Já acabaste? – perguntou, bruscamente.

– Por agora.

Respirou fundo e descontraiu-se visivelmente, diante de mim, como se lhe tivessem tirado um grande peso dos ombros, ou coisa do género.

– Certo, agora é a minha vez – murmurou ele e o seu olhar tornou-se duro como aço, carregado de conjeturas. – Não respondeste ao meu e-mail.

Corei. Eu detestava ser o alvo das atenções e quando conversávamos parecia-me sempre que ele ia ficar zangado. Abanei a cabeça. Talvez se sentisse assim com as minhas perguntas por não estar habituado a ser desafiado. A ideia era reveladora, dispersante e irritante.

– Ia responder, mas tu agora estás aqui.

– Preferias que eu não estivesse? – sussurrou, de novo com uma expressão impassível.

– Não, estou contente – murmurei.

– Ótimo – Fez-me um sorriso genuíno, aliviado. – Também estou contente por aqui estar, apesar do teu interrogatório. Embora para ti seja aceitável matares-me com perguntas, achas que podes reclamar algum tipo de imunidade diplomática pelo facto de eu ter feito uma viagem destas de avião para te ver? Não vou na conversa, Miss Steele. Quero saber como te sentes.

Oh não...

– Já te disse. Estou feliz por aqui estares. Obrigada por teres feito uma viagem tão grande – disse debilmente.

– O prazer é todo meu. – Os seus olhos brilharam e ele inclinou-se, beijando-me delicadamente. Eu reagi automaticamente. A água estava parada e a casa de banho ainda estava cheia de vapor. Ele deteve-se e recuou, olhando para mim.

– Não, acho que quero mais algumas respostas antes de fazermos mais alguma coisa.

Mais? Lá estava aquela palavra outra vez. E ele queria respostas... respostas acerca de quê? Eu não tinha um passado secreto, nem tivera uma infância atormentada. O que poderia ele querer saber acerca de mim, que não soubesse já?

Suspirei, resignada.

– O que queres saber?

– Como te sentes acerca do nosso pretenso acordo, para começar.

Pestanejei. Verdade ou consequência? – o meu subconsciente e a minha deusa interior olharam nervosamente uma para a outra. *Oh diabo, vamos apostar na verdade.*

– Não me parece que o possa fazer durante um prolongado período de tempo. Passar o fim de semana inteiro a fingir ser alguém que não sou. – Corei e olhei para as mãos.

Ele ergueu-me o queixo. Estava com um sorriso afetado, divertido.

– Sim, também não me parece que possas.

Uma parte de mim sentiu-se afrontada e desafiada.

– Estás a gozar com a minha cara?

– Sim, mas no bom sentido – disse, com um ligeiro sorriso.

Inclinou-se e beijou-me brevemente, com delicadeza.

– Não és grande coisa como submissa – sussurrou, segurando-me o queixo com os olhos saltitantes de humor.

Olhei para ele, chocada, mas depois desatei a rir às gargalhadas e ele reuniu-se a mim.

– Talvez não tenha um bom professor.

Ele conteve uma gargalhada.

– É possível. Provavelmente deveria ser mais severo contigo. – Inclinou a cabeça para um lado, com um sorriso astuto.

Engoli em seco. Raios, não. Ao mesmo tempo os meus músculos contraíram-se deliciosamente nas minhas entranhas. Era a sua forma de mostrar que gostava de mim. Talvez só conseguisse mostrar que gostava de mim assim – concluí eu. Ele estava a olhar para mim. A avaliar a minha reação.

– Foi assim tão mau da primeira vez que te espanquei?

Eu olhei para ele e pestanejei. *Foi assim tão mau?* Lembrava-me de me sentir confusa com a minha reação. Doera mas olhando para trás, não doera assim tanto. Ele dissera-me vezes sem conta que o problema estava mais na minha cabeça. E da segunda vez? Dessa vez foi bom... sexy.

– Não, nem por isso – sussurrei.

– Não é mais a ideia em si? – aventou ele.

– Creio que sim. A ideia de sentirmos prazer quando não deveríamos senti-lo.

– Eu lembro-me de sentir o mesmo. Leva algum tempo a ultrapassar mentalmente a coisa.

Com os diabos. Aquilo era em miúdo.

– Podes sempre utilizar a palavra de segurança, Anastasia. Não te esqueças disso. Desde que sigas as regras que satisfazem a minha profunda necessidade de te controlar e de te proteger, talvez consigamos chegar a algum lado.

– Porque precisas de me controlar?

– Porque satisfaz uma necessidade que não preenchi na infância.

– Então é uma forma de terapia?

– Nunca pensei nisso dessa forma, mas sim, suponho que é.

Aquilo conseguia entender. Aquilo poderia ajudar.

– O problema é que num momento dizes: "não me desafies" e no momento seguinte dizes que gostas de ser desafiado. É uma linha demasiado ténue para se seguir.

Ele olhou-me por instantes e depois franziu o sobrolho.

– Bem sei, mas tu pareces estar a sair-te bem, até agora.

– Mas a que preço? Sinto-me toda baralhada.

– Eu gosto de ti baralhada[13] – disse ele, com um sorriso matreiro.

– Não era isso que eu queria dizer! – Salpiquei-o, exasperada.

Ele olhou-me, arqueando uma sobrancelha.

– Por acaso acabaste de me salpicar?

– Sim. – *Com os diabos... aquele olhar.*

– Oh, Miss Steele. – Agarrou-me e puxou-me para o seu colo, salpicando água por toda a parte. – Acho que já falámos o suficiente por agora.

Agarrou-me a cabeça de ambos os lados e beijou-me. Profundamente. Possuindo-me a boca, inclinando-me a cabeça... controlando-me. Eu gemi contra os seus lábios. Era daquilo que ele gostava. Era naquilo que ele era bom. Tudo se incendiou dentro de mim. Eu mergulhei os dedos no seu cabelo e segurei-o contra mim, beijando-o e transmitindo-lhe

13. Trocadilho com a expressão "tied up in knots" (= amarrada) mas que significa de facto baralhada, confusa. (N. da T.)

que também o desejava da única forma que sabia. Ele gemeu e fez-me mudar de posição, de forma a eu ficar sentada em cima dele, e eu senti a sua ereção por baixo de mim. Depois recuou e olhou para mim, de olhos semicerrados, cintilantes, carregados de luxúria. Eu larguei-o para me agarrar à borda da banheira mas ele agarrou-me em ambos os pulsos, puxando-me as mãos para trás das costas e segurando-as só com uma mão.

– Agora vou possuir-te – sussurrou. Ergueu-me e eu fiquei a pairar por cima dele. – Estás pronta? – perguntou.

– Sim – sussurrei e ele baixou-me devagar sobre si, incrivelmente devagar... preenchendo-me... e observando-me enquanto me possuía.

Gemi e fechei os olhos, desfrutando da sensação de preenchimento e estiramento. Ele fletiu as ancas e eu arquejei, inclinando-me para a frente e encostando a minha testa à sua.

– Por favor, solta-me as mãos – sussurrei.

– Não me toques – implorou-me, largando-me os pulsos e agarrando-se às minhas ancas.

Eu agarrei-me à borda da banheira, movendo-me lentamente para cima e para baixo. Abri os olhos para olhar para ele. Ele estava a observar-me de boca aberta, com a respiração entrecortada e ofegante e a língua entre os dentes. Estava tão... sexy. Estávamos molhados e escorregadios e movíamo-nos um contra o outro. Eu inclinei-me e beijei-o. Ele fechou os olhos. Eu levei hesitantemente as mãos à sua cabeça, passando-lhe os dedos pelo cabelo, sem descolar os lábios da sua boca. Aquilo era permitido. Ele gostava daquilo e eu também. Movíamo-nos juntos. Eu puxei-lhe o cabelo, inclinando-lhe a cabeça para trás e beijei-o mais profundamente, montando-o, acelerando o ritmo. Gemi contra a sua boca e ele começou a erguer-me mais depressa, cada vez mais depressa... segurando-me nas ancas e beijando-me também. Éramos duas bocas e duas línguas húmidas, cabelos enredados e ancas em movimento...tudo eram sensações. De novo aquela intensidade arrasadora. Eu estava perto... estava a começar a reconhecer a deliciosa sensação de aperto... de excitação. E a água... rodopiava em torno de nós, como um vortex em movimento, à medida que os nossos movimentos se iam tornando mais frenéticos, salpicando tudo, refletindo o que se estava a passar dentro de mim... e eu não queria saber.

Adorava aquele homem, adorava a sua paixão, o efeito que produzia nele e o facto de ter viajado de tão longe de avião para me ver. Adorava que ele gostasse de mim… e ele gostava mesmo. Era tão inesperado, tão gratificante. Ele era meu e eu era dele.

– É isso mesmo, querida – sussurrou.

E eu vim-me, sentindo o orgasmo a dilacerar-me por completo, um apogeu turbulento e apaixonado, que me devorou por inteiro. Subitamente, Christian esmagou-me contra si… envolvendo-me as costas com os braços e atingiu o orgasmo.

– Ana, amor – gritou. Uma invocação selvagem e perturbadora que me tocou no fundo da alma.

Estávamos deitados na grande cama de casal, nus, a olhar um para o outro abraçados às nossas almofadas, sem nos tocarmos. Apenas a olhar e a admirar, cobertos pelo lençol. Olhos cinzentos, olhos azuis, face a face.

– Queres dormir? – perguntou Christian, num tom de voz brando, carregado de preocupação.

– Não. Não estou cansada. – Sentia-me estranhamente enérgica. Tinha sido tão bom falar que não me apetecia parar.

– O que queres fazer? – perguntou.

– Falar.

Ele sorriu.

– De quê?

– De coisas.

– De que coisas?

– De ti.

– O que queres saber de mim?

– Qual é o teu filme preferido?

Ele sorriu.

– Hoje é *O Piano*.

O sorriso dele era contagioso.

– Claro, estupidez a minha. Uma melodia triste e excitante que de certeza sabes tocar. Tantas proezas, Mr. Grey.

– E a maior delas és tu.

– Então sou a décima sétima.

Ele franziu-me o sobrolho sem perceber.

– A décima sétima?

– O número de mulheres com quem… com quem tiveste relações sexuais.

Ele arqueou os lábios, incrédulo, de olhos cintilantes.

– Não propriamente.

– Tu falaste em quinze. – O meu estado de confusão era óbvio.

– Estava a referir-me ao número de mulheres que entraram no meu quarto de jogos. Julgava que era isso que querias saber. Não me perguntaste com quantas mulheres tive relações sexuais.

– Oh! – *Com os diabos*… havia mais… Quantas seriam? Olhei para ele de boca aberta. – Baunilha?

– Não, tu és a minha única conquista baunilha. – Abanou a cabeça, ainda a sorrir para mim.

Porque acharia graça àquilo? E porque estaria eu a sorrir para ele, como uma idiota?

– Não sei quantas foram. Não as assinalei nos postes da cama nem nada do género.

– De quantas estamos a falar? Dezenas, centenas… milhares? – Eu ia arregalando os olhos à medida que o número ia subindo.

– Dezenas. – Por amor de Deus, ainda vamos nas dezenas.

– Todas submissas?

– Sim.

– Para de sorrir para mim – disse, repreendendo-o brandamente, tentando em vão ficar séria.

– Não consigo. Tu és engraçada.

– Engraçada por ser peculiar, ou por ter graça?

– Por ambas as razões, julgo eu. – Ele estava a reproduzir as minhas palavras.

– Isso é bastante descarado, vindo de ti.

Ele inclinou-se para a frente e beijou-me o nariz

– Isto vai chocar-te, Anastasia. Preparada?

Eu anuí, de olhos muito abertos, ainda com aquele sorriso imbecil.

– Arranjei todas as submissas nos treinos, na altura em que treinava.

Há locais em Seattle onde se pode ir treinar, aprender a fazer o que eu faço – explicou-me.

O quê?

– Ah, bom – disse, piscando-lhe os olhos.

– Pois, eu paguei para ter relações sexuais.

– Isso não é nenhum motivo de orgulho – murmurei, desdenhosamente. – Tens razão... Estou profundamente chocada. Perante isso, creio que não conseguirei chocar-te.

– Usaste a minha roupa interior.

– Isso chocou-te?

– Sim.

A minha deusa interior executou um salto à vara sobre uma fasquia de quatro metros e meio.

– Foste conhecer os meus pais sem cuecas.

– Isso chocou-te?

– Sim.

Raios, a fasquia elevou-se para cinco metros.

– Parece que só te consigo chocar na secção de roupa interior.

– Tu disseste-me que eras virgem. Esse foi o maior choque da minha vida.

– Sim, a tua cara dava uma bela fotografia. Foi um momento Kodak. – Ri baixinho.

– Deixaste-me espancar-te com uma chibata.

– Isso chocou-te?

– Sim.

Eu sorri.

– Bom, talvez te deixe fazê-lo de novo.

– Espero bem que sim, Mrs. Steele. Este fim de semana?

– Ok – anuí, timidamente.

– Ok?

– Sim, irei de novo para o Quarto Vermelho da Dor.

– Dizes o meu nome.

– Isso choca-te?

– O facto de eu gostar, choca-me.

– Christian.

Ele sorriu.

– Quero fazer uma coisa, amanhã. – Os seus olhos brilharam de excitação.

– O quê?

– É uma surpresa. Para ti. – Falava num tom grave e brando.

Eu arqueei as sobrancelhas, contendo em simultâneo um bocejo.

– Estou a aborrecê-la, Miss Steele? – O seu tom era sardónico.

– Nunca.

Ele inclinou-se para a frente e beijou-me delicadamente nos lábios.

– Dorme – ordenou-me, apagando depois a luz.

Ao fechar os olhos, exausta e saciada, nesse momento tranquilo, pensei que estava no centro da tempestade. Apesar de tudo o que ele dissera e não dissera, acho que nunca antes me sentira tão feliz.

CAPÍTULO VINTE E QUATRO

Christian estava numa jaula com grades, com os seus *jeans* macios e esfarrapados, deliciosamente descalço e em tronco nu, a olhar para mim com o sorriso de piada íntima estampado no seu rosto magnífico. Os seus olhos cinzentos pareciam derretidos. Tinha uma taça de morangos nas mãos. Aproximou-se da parte da frente da jaula, com uma elegância atlética, olhando-me atentamente. Ergueu um morango cheio e maduro e esticou a mão através das grades.

– Come – disse ele, acariciando a parte da frente do palato com a língua, ao dizê-lo.

Eu tentei mover-me na direção dele, mas estava amarrada pela cintura, presa por uma força invisível. *Solta-me.*

– Anda comer – disse-me, com um delicioso sorriso enviesado.

Eu puxei, puxei... *Solta-me!* Queria gritar mas não emitia qualquer som. Estava muda. Ele esticou-se um pouco mais e eu vi o morango junto dos meus lábios.

– Come, Anastasia. – A sua boca proferiu o meu nome, demorando-se sensualmente em cada sílaba.

Eu abri a boca e mordi. A jaula desapareceu e eu libertei as mãos. Ergui a mão para lhe tocar e roçar os dedos nos pelos do seu peito.

– Anastasia.

Não, gemi eu.

– Vá lá, amor.

Não, eu quero tocar-te.

– Acorda.

Não, por favor. Os meus olhos estremeceram, abrindo-se involuntariamente por uma fração de segundo. Estava na cama e alguém me estava a roçar com o nariz na orelha.

– Acorda, amor – sussurrou e o efeito da sua voz doce espalhou-se pelas minhas veias como caramelo quente, derretido.

Era Christian. Raios, ainda estava escuro e a imagem desconcertante e tentadora dele no meu sonho não me saía da cabeça.

– Oh... não – gemi. Queria voltar a sentir o seu peito no meu sonho. Porque me estava ele a acordar? Estávamos a meio de noite ou pelo menos era o que parecia. *Com os diabos.* Será que queria sexo?

– São horas de levantar, querida. Vou acender a luz ao lado da cama. – Falava num tom de voz sereno.

– Não – gemi.

– Quero perseguir o amanhecer contigo – disse-me, beijando-me o rosto, as pálpebras, a ponta do nariz e a boca. Eu abri os olhos. A luz junto da cama estava acesa.

– Bom dia, minha linda – murmurou ele.

Eu gemi e ele sorriu.

– Não és do tipo madrugador – disse.

Eu franzi os olhos e vi Christian debruçado sobre mim, através da névoa de luz. Estava divertido, divertido comigo. Vestido de negro!

– Julgava que querias sexo – resmunguei.

– Anastasia, contigo eu quero sempre sexo. É reconfortante saber que sentes o mesmo – disse ele, secamente.

Quando os meus olhos se adaptaram à luz, olhei para ele e ele continuava com um ar divertido... graças a Deus.

– É claro que sinto, mas não quando é tão tarde.

– Não é tarde, é cedo. Anda, toca a levantar. Vamos sair. Aceito adiar o sexo para mais tarde.

– Estava a ter um sonho tão bom – choraminguei.

– Estavas a sonhar com quê? – perguntou, pacientemente.

– Contigo – disse eu, corando.

– O que estava eu a fazer, desta vez?

– A tentar dar-me morangos.

Um ligeiro sorriso estremeceu-lhe nos lábios.

– O Dr.Flynn teria um dia em cheio à conta disso. Levanta-te e veste-te. Não vale a pena tomares duche. Poderemos fazer isso mais tarde.

Nós?

Sentei-me e o lençol caiu-me sobre a cintura, descobrindo-me o corpo. Ele levantou-se para me dar espaço, com um olhar sombrio.

– Que horas são?

– Cinco e meia da manhã.

– Parecem três da manhã.

– Não temos muito tempo. Eu deixei-te dormir o mais possível. Anda.

– Não posso tomar um duche?

Ele suspirou.

– Se tomares um duche eu vou querer tomar duche contigo e ambos sabemos o que vai acontecer a seguir – acabaremos por perder o dia. Anda.

Ele estava entusiasmado, irradiava expetativa e excitação, como um miúdo pequeno e isso fez-me sorrir.

– O que vamos fazer?

– Já te disse que é surpresa.

Eu não consegui conter um sorriso.

– Ok. – Saltei da cama e procurei as minhas roupas. É claro que estavam muito bem dobradas sobre a cadeira, ao lado da cama. Ele juntara também um dos seus pares de boxers justos, de malha de algodão. – Ralph Lauren, nada mais, nada menos. Vesti-os e ele sorriu para mim. Hum, mais uma peça de roupa interior de Christian Grey – mais um troféu para a minha coleção – à semelhança do carro, do Blackberry, do Mac, do seu casaco preto e de uma coleção de livros raros. Abanei a cabeça de lado a lado e franzi o sobrolho, ao recordar-me de uma cena de *Tess*: a cena dos morangos. Lembrava o meu sonho. O Dr. Flynn que fosse para o diabo; Freud teria um dia em cheio e era possível que morresse antes de conseguir lidar com o Cinquenta Sombras.

– Vou dar-te algum espaço, agora que te levantaste. – Christian saiu para a sala de estar e eu encaminhei-me para a casa de banho. Tinha algumas necessidades a satisfazer e queria lavar-me rapidamente. Sete minutos depois, estava na sala de estar, lavada, penteada, de *jeans*, blusa e a roupa interior de Christian Grey. Christian levantou os olhos da pequena mesa de jantar, onde estava a tomar o pequeno-almoço. Pequeno-almoço àquelas horas, caramba!

– Come – disse ele.

Raios... o meu sonho. Olhei para ele estarrecida, ao lembrar-me da sua língua no palato. *Hum, a sua língua experiente.*

– Anastasia – disse ele arrancando-me dos meus devaneios.

Era de facto bastante cedo para mim. Como lidar com a situação?

– Vou beber um pouco de chá. Posso levar um croissant para comer mais tarde?

Ele olhou-me desconfiado e eu sorri-lhe muito docemente.

– Não me estragues a festa, Anastasia – advertiu-me, brandamente.

– Comerei mais tarde, quando o meu estômago acordar. Aí às sete e meia da manhã... ok?

– Ok – anuiu, olhando para mim.

Francamente. Tive de me concentrar para não lhe fazer uma careta.

– Apetece-me revirar-te os olhos.

– Fica à vontade. Ganharei o dia à tua conta – disse num tom severo.

Eu olhei para o teto.

– Bom, um espancamento iria acordar-me, julgo eu. – Crispei os lábios em contemplação silenciosa.

Christian ficou de boca aberta.

– Por outro lado, não quero que fiques para aí todo exaltado; o ambiente aqui já está suficientemente quente – Encolhi os ombros, desinteressadamente.

Christian fechou a boca, tentando em vão fingir-se desagradado, mas eu vi humor no fundo dos seus olhos.

– Desafiadora como sempre, Miss Steele. Beba o seu chá.

Reparei no rótulo Twinings e o meu coração cantou de alegria, dentro de mim. *Vês? Ele preocupa-se,* disse-me o meu subconsciente, em silêncio. Sentei-me de frente para ele a absorver a sua beleza. Será que alguma vez teria o suficiente daquele homem?

Quando saímos da sala Christian atirou-me uma *sweatshirt*.

– Vais precisar disto.

Olhei para ele, intrigada.

– Confia em mim. – Sorriu, inclinou-se e beijou-me rapidamente nos lábios. Depois deu-me a mão e saímos.

Lá fora, na relativa frescura da penumbra antes do amanhecer, o arrumador entregou a Christian um conjunto de chaves de um espampanante *cabriolet* desportivo. Eu arqueei uma sobrancelha, e Christian sorriu-me afetadamente.

– Às vezes é ótimo ser quem sou, sabes? – disse, com um sorriso conspirativo, mas convencido, que eu não pude deixar de retribuir. Era tão adorável quando era brincalhão e descontraído. Abriu a porta do meu lado com uma vénia exagerada e eu entrei. Estava tão bem disposto.

– Onde vamos?

– Verás – disse ele sorrindo, engatando a primeira, e saímos na direção de Savannah Parkway. Programou o GPS e carregou num interruptor no volante. Uma peça orquestral de música clássica inundou o carro.

– O que é isto? – perguntei, ao sermos surpreendidos pelas deliciosas notas de uma centena de cordas de violino.

– *La Traviata*, uma ópera de Verdi.

Oh, meu Deus… era lindo.

– *La Traviata*? Ouvi falar dessa peça, mas não me lembro onde. O que significa?

Christian olhou-me de relance e fez-me um sorriso afetado.

– Traduzido à letra quer dizer "a mulher perdida", e é baseada num livro de Alexandre Dumas, *A Dama das Camélias*.

– Ah, eu li-o.

– Já calculava.

– A cortesã condenada. – Retorci-me desconfortavelmente no assento de cabedal macio. *Estará a tentar dizer-me alguma coisa?* Hum, é uma história deprimente – murmurei.

– Demasiado deprimente? Queres escolher alguma música? Isto está no meu iPod. – Estava de novo com aquele sorriso misterioso.

Eu não via o iPod dele em lado nenhum. Bateu ao de leve no ecrã da consola, entre nós e – pasme-se – apareceu uma lista de música.

– Escolhe tu. – Um sorriso estremeceu-lhe nos lábios e eu percebi que era um desafio.

O iPod de Christian Grey. Aquilo ia ser interessante. Fiz deslizar o ecrã tátil, descobri a canção perfeita e carreguei no *play*. Não o imaginava fã de Britney Spears. Fomos ambos surpreendidos pela batida do mix de techno e Christian baixou o volume. Talvez fosse cedo demais para aquilo: Britney num dos seus momentos mais ardentes.

– *Toxic*, hem? – disse Christian, sorrindo.

– Não sei o que queres dizer com isso – disse, fingindo-me inocente.

Ele baixou um pouco mais a música e eu abracei-me interiormente. A minha deusa interior aguardava a sua medalha de ouro em cima do pódio. Ele baixou a música. Vitória!

– Não fui eu que pus essa música no iPod – disse ele, descontraidamente, carregando de tal forma no acelerador que eu fui projetada para trás no meu assento e o carro disparou velozmente pela autoestrada.

O quê? O estupor sabia o que estava a fazer. *Então quem foi?* Britney não parava de cantar e eu fui obrigada a ouvi-la. *Quem foi... quem?*

A canção terminou e o iPod começou a tocar um tema lamentoso de Damien Rice. *Quem foi...Quem?* Olhei para fora da janela com o estômago às voltas. Quem?

– Foi a Leila – disse ele, respondendo aos meus pensamentos por expressar. *Como é que ele faz isto?*

– Leila?

– Uma ex. Foi ela que pôs a música no iPod.

A voz de Damien continuava a cantar em fundo. Eu estava atordoada. Uma ex... uma ex-submissa? Uma ex...

– Uma das quinze? – perguntei eu.

– Sim.

– O que lhe aconteceu?

– Acabámos.

– Porquê?

Credo, era cedo demais para aquele tipo de conversa. Mas ele parecia descontraído, até mesmo feliz, e mais ainda: estava comunicativo.

– Ela queria mais. – Falava num tom de voz baixo, até mesmo introspetivo, e deixou a frase a pairar entre nós, terminando-a de novo com aquela pequena e poderosa palavra.

– E tu não querias? – perguntei, antes que conseguisse aplicar o filtro entre o cérebro e a boca. Merda, será que queria saber?

Ele abanou a cabeça.

– Eu nunca quis mais até te conhecer.

Eu arquejei, vacilante. Não era isso que eu queria? Ele queria mais, ele *também* queria mais! A minha deusa anterior saltara do pódio com um mortal de costas e estava a fazer rodas pelo estádio. Afinal, não era só eu.

– O que aconteceu às outras catorze? – perguntei.

Bolas, ele está a falar – tira proveito disso.

– Queres uma lista? Divórcios, decapitações e mortes?

– Tu não és o Henrique VIII.

– Ok. Eu só tive relações prolongadas com quatro mulheres, para além da Elena, sem nenhuma ordem em particular.

– Elena?

– Mrs. Robinson, para ti. – Dirigiu-me o seu misterioso sorriso de piada íntima.

Elena! Merda. A maligna tinha nome e parecia estrangeiro. Veio-me à cabeça a imagem de uma magnífica *vamp* de pele branca, cabelo negro azeviche e lábios cor de rubi e eu percebi que ela era linda. *Não posso matutar nisto. Não posso matutar nisto.*

– O que aconteceu às outras quatro? – perguntei para me distrair .

– Mas que inquisidora, que ávida para obter informação, Miss Steele – ralhou, num tom brincalhão.

– Ah sim, ó Quando Contas ter o Período?

– Anastasia, um homem precisa de saber essas coisas.

– Será que precisa?

– Eu preciso.

– Porquê?

– Porque não quero que fiques grávida.

– Nem eu! Pelo menos nos próximos anos.

Christian pestanejou sobressaltado, mas depois descontraiu-se visivelmente. Ok, Christian não queria ter filhos. Agora ou nunca? Eu fiquei vacilante com aquele súbito ataque de sinceridade sem precedentes. Seria por ser de manhã cedo? Seria da água ou do ar da Geórgia? O que mais queria eu saber? *Carpe Diem.*

– Então e as outras quatro? O que lhes aconteceu? – perguntei.

– Uma delas conheceu outra pessoa e as outras três queriam... mais. Eu não estava a fim de mais, na altura.

– E as outras? – insisti.

Ele olhou-me brevemente de relance e abanou a cabeça.

– Não resultou.

Uau, um balde de informação para processar. Olhei para o espelho lateral do carro e reparei no tom suave rosa e água marinha a espalhar-se pelo horizonte. A alvorada perseguia-nos.

– Onde vamos? – perguntei, perplexa, olhando para a Interstate 95. Tudo o que sabia era que estávamos a dirigir-nos para sul.

– A um aeródromo.

– Não vamos regressar a Seattle, pois não? – perguntei, alarmada. Não me tinha despedido da minha mãe e ela estava à nossa espera para jantar, bolas.

Ele riu-se.

– Não, Anastasia, vamos desfrutar do meu segundo passatempo favorito.

– Segundo? – disse, franzindo-lhe o sobrolho.

– Sim. Eu disse-te qual era o meu passatempo favorito, esta manhã.

Olhei de relance para o seu magnífico perfil e franzi o sobrolho, matando a cabeça a pensar.

– Desfrutar de si, Miss Steele de todas as maneiras possíveis. Isso deve estar no topo da lista.

Uau.

– Ah, mas essa é também uma das minhas primeiras prioridades em termos de diversão e deboche – murmurei, corando.

– Fico feliz por sabê-lo – respondeu, secamente.

– Então, vamos a um aeródromo?

Ele sorriu para mim.

– Voo à vela.

O termo não me era estranho. Ele já o utilizara antes.

– Vamos perseguir o nascer do sol, Anastasia. – Virou-se e sorriu-me, ao mesmo tempo que o GPS o incitava a virar à direita, para algo semelhante a um complexo industrial. Parou à frente de um grande edifício com uma placa onde se lia: ASSOCIAÇÃO DE VOO À VELA DE BRUNSWICK.

Planar! Vamos planar?

Ele desligou o motor.

– Estás disposta a isto?

– És tu que vais pilotar?

– Sim.

– Sim, por favor! – Nem hesitei. Ele sorriu, inclinou-se para a frente e beijou-me.

– Mais uma estreia, Miss Steele – disse, ao sair do carro.

Estreia? Que tipo de estreia? Ia estrear-se a pilotar um planador? Merda! Não... ele dissera que já o tinha feito antes. Descontraí-me. Ele contornou o carro e abriu-me a porta. O céu estava agora em tons subtis de laranja, tremeluzindo e cintilando suavemente por trás das nuvens infantis esporádicas. O sol estava prestes a nascer.

Christian deu-me a mão e conduziu-me à volta do edifício, até uma enorme extensão de asfalto onde estavam estacionados vários aviões. Ao lado deles estava um homem de cabeça rapada, com um olhar selvagem, à nossa espera, na companhia de Taylor.

Taylor! Será que Christian ia para algum lado sem aquele homem? Eu dirigi-lhe um sorriso radioso e ele sorriu-me amavelmente.

– Mr. Grey, este é o seu piloto de reboque, Mr. Mark Benson – disse Taylor. Christian e Benson apertaram a mão e iniciaram uma conversa aparentemente muito técnica acerca da velocidade do vento, direções e coisas do género.

– Olá Taylor – murmurei timidamente.

– Miss Steele – disse ele, saudando-me com um aceno de cabeça. – Ana – corrigiu-se ele depois. – Ele tem andado desvairado nos últimos dias. Ainda bem que aqui estamos – disse ele com um ar conspirador.

Ah, mas isto é uma novidade. Porquê? Por minha causa certamente que não é! Quinta-feira das revelações. A água de Savannah devia ter qualquer coisa que os soltava um pouco.

– Anastasia – disse Christian, chamando-me – anda. – Estendeu-me a mão.

– Até logo – disse a Taylor, sorrindo, e ele fez-me uma breve continência, dirigindo-se de novo para o parque de estacionamento.

– Mr. Benson, esta é a minha namorada, Anastasia Steele.

– Prazer em conhecê-lo – murmurei, apertando-lhe a mão.

Benson dirigiu-me um sorriso deslumbrante.

– Igualmente – respondeu-me e eu percebi que ele era inglês pelo sotaque.

Sentia uma excitação crescente nas entranhas, ao dar a mão a Christian. *Uau... andar de planador.* Seguimos Mark Benson ao longo do asfalto, em direção à pista. Ele e Christian continuavam a conversar. Eu apanhei o essencial. Iríamos voar num Blanik L23, que era aparentemente melhor do que o L-13, embora isso fosse discutível. Benson ia pilotar um Piper Pawnee. Pilotava reboques de cauda há cerca de cinco anos. Nada daquilo tinha qualquer significado para mim, mas ao olhar de relance para Christian vi-o tão animado, tão integrado no seu elemento, que dava gosto olhar para ele.

O avião em si mesmo era comprido e luzidio, branco, com riscas laranja. Tinha um pequeno *cockpit* de dois lugares, um à frente do outro, e estava preso por um cabo a um pequeno monomotor convencional. Benson abriu a enorme cúpula transparente de Perspex, que emoldurava o *cockpit*, para nós subirmos.

– Primeiro temos de lhe pôr o paraquedas.

Paraquedas?

– Eu faço isso – atalhou Christian, tirando o arnês a Benson, que lhe sorriu agradavelmente.

– Eu vou buscar um pouco de lastro – disse Benson, encaminhando-se para o avião.

– Tu gostas de me amarrar a coisas – comentei, secamente.

– Nem faz ideia, Miss Steele. Toma, mete os pés dentro das correias.

Obedeci, apoiando um braço no ombro dele. Christian ficou ligeiramente hirto, mas não se mexeu. Logo que pus os pés dentro das alças, ele puxou o paraquedas para cima e eu passei os braços através das correias dos ombros.

– Pronto, estás despachada – disse, brandamente. Os seus olhos estavam cintilantes. – Tens o elástico do cabelo de ontem?

Eu anuí.

– Queres que eu apanhe o cabelo em cima?

– Sim.

Obedeci prontamente.

– Toca a entrar – ordenou Christian. Continuava tão autoritário. Eu ia subir para o lugar de trás.

– Não, à frente. O piloto senta-se atrás.

– Mas vais conseguir ver?

– Verei o suficiente – respondeu-me, com um sorriso.

Acho que nunca o vira assim tão feliz – autoritário mas feliz. Subi para o planador e instalei-me no assento de cabedal. Era surpreendentemente confortável. Christian inclinou-se para a frente, puxou-me o arnês para cima dos ombros e alcançou a correia inferior entre as minhas pernas, encaixando-a no fecho encostado à minha barriga. Depois apertou-me as restantes correias.

– Hum, duas vezes numa manhã; sou um homem de sorte – sussurrou, beijando-me rapidamente. – Isto não vai demorar muito, uns vinte ou trinta minutos, no máximo. As correntes de ar quente não são grande coisa a esta hora da manhã, mas é impressionante lá em cima, a esta hora. Espero que não estejas nervosa.

– Excitada – disse com um grande sorriso.

De onde viera aquele sorriso ridículo? Na verdade, uma parte de mim estava aterrorizada. A minha deusa interior estava atrás do sofá, debaixo de um cobertor.

– Ótimo – respondeu, retribuindo-me o sorriso e afagando-me o rosto. Depois deixei de o ver.

Ouvia e sentia os seus movimentos, ao subir para trás de mim. É claro que me apertara tanto as correias, que eu não podia virar-me para o ver... típico! Estávamos muito perto do chão do planador. À minha frente havia um painel de mostradores e alavancas e um manípulo grande, mas não mexi em nada.

Mark Benson apareceu com um sorriso bem-disposto e verificou as minhas correias, debruçando-se para o interior para verificar o chão do *cockpit*. Creio que era o lastro

– Sim, estão bem presas. É a primeira vez? – Perguntou-me ele.

– Sim.

– Vai adorar.

– Obrigada, Mr. Benson.

– Trate-me por Mark – Virou-se para Christian. – Tudo bem?

– Sim, vamos.

Ainda bem que não tinha comido nada, pois estava extraordinariamente excitada. Não creio que o meu estômago aguentasse a comida, a excitação e a descolagem. Mais uma vez estava a entregar-me às mãos experientes daquele belo homem. Mark fechou a cobertura do *cockpit*, dirigiu-se para o avião à nossa frente e subiu.

O propulsor único do Piper arrancou e o meu estômago nervoso mudou-se para a minha garganta. *Bolas... estou mesmo a fazer isto.* Mark deslocou-se lentamente pela pista e, assim que o cabo se esticou, fomos subitamente sacudidos para a frente e arrancámos. Ouvia conversas no rádio, instalado atrás de mim. Creio que Mark estava a falar com a torre de controlo, mas não consegui perceber o que estavam a dizer. O Piper ia ganhando velocidade e nós também. O planador dava muitos solavancos e o monomotor, à nossa frente, ainda estava no solo. Bolas, será que iríamos chegar a descolar? Subitamente o meu estômago desapareceu-me da garganta, precipitando-se para o chão em queda livre, ao longo do meu corpo – estávamos no ar.

– Cá vamos nós, amor! – gritou Christian atrás de mim. Estávamos os dois sozinhos na nossa própria bolha. Tudo o que ouvia era o ruído do vento a fustigar-nos e o zunido distante do motor do Piper.

Eu agarrara-me com tanta força à borda do assento, com ambas as mãos, que tinha os nós dos dedos brancos. Dirigimo-nos para o interior, para oeste, na direção oposta ao nascer do sol, e ganhámos altitude. Atravessámos campos, bosques, casas e a Interstate 95.

Oh, meu Deus. Era espantoso. Por cima de nós havia apenas o céu. A luz estava extraordinária, difusa e quente, em matizes, e eu lembrei-me das divagações de José acerca da "hora mágica", uma hora do dia que os fotógrafos adoravam – era àquela hora... logo a seguir ao nascer do sol, e eu estava lá com Christian.

De repente, lembrei-me da exposição de José. Tinha de falar nisso ao Christian. Interroguei-me brevemente sobre qual seria a sua reação. Mas não iria preocupar-me com isso – não agora – pois estava a apreciar o voo. Os meus ouvidos estalaram, ao ganharmos altitude, e o solo estava cada vez mais distante de nós. Era tão tranquilo. Percebia perfeitamente por que razão ele gostava de estar ali em cima, longe do seu Blackberry e de toda a pressão do seu trabalho.

O rádio crepitou e Mark falou em novecentos metros de altitude. Caramba, parecia alto. Olhei para o solo e já não conseguia distinguir claramente nada lá em baixo.

– Solta-nos – disse Christian através do rádio. Subitamente, deixámos de ver o Piper e a sensação de estarmos a ser rebocados pelo pequeno avião desapareceu. Estávamos a flutuar, a flutuar sobre a Geórgia.

Bolas, era excitante. O avião começou a inclinar-se e a virar-se, à medida que a asa se afundava e começámos a mover-nos em espiral em direção ao sol. *Ícaro. Agora é que é.* Estava a voar perto do sol, mas ele estava comigo, a guiar-me. Arfei ao compenetrar-me disso. Continuámos a mover-nos em espiral. A vista sob a luz da manhã era espetacular.

– Agarra-te bem! – gritou e voltámos a afundar-nos, só que desta vez ele não parou. Subitamente, dei comigo de pernas para o ar, a olhar para o solo através da cobertura do *cockpit.*

Guinchei alto e estiquei automaticamente os braços, colocando as mãos abertas contra o Perspex, para não cair. Conseguia ouvi-lo rir. *Estupor!* Mas a sua alegria era contagiosa e eu desatei também a rir, enquanto ele endireitava o avião.

– Ainda bem que não tomei o pequeno-almoço! – gritei-lhe.

– Sim, olhando para trás, ainda bem que não, porque vou fazer aquilo outra vez.

Voltou a afundar o avião até ficarmos virados ao contrário, mas desta vez eu estava preparada e agarrei-me ao arnês, ainda que isso me fizesse sorrir e dar gargalhadas tontas. Ele voltou a nivelar o avião.

– É lindo, não é? – disse em voz alta.

– É.

Mergulhámos majestosamente pelo ar, escutando o vento e o silêncio, sob a luz da manhã. O que poderíamos desejar mais?

– Vês esse *joystick* à tua frente? – gritou de novo.

Eu olhei para o manípulo, aos solavancos entre as minhas pernas. *Oh não,* onde estava ele a querer chegar?

– Agarra nele.

Oh, merda. Ia obrigar-me a pilotar o avião. *Não!*

– Vá lá, Anastasia, agarra-o – incitou-me, num tom mais veemente.

Eu agarrei nele, hesitantemente, e senti a inclinação e a guinada, dos lemes e das pás ou o que quer que fosse que mantinha aquela coisa no ar.

– Agarra-o bem… mantêm-no firme. Vês o mostrador do meio, à frente? Mantém a agulha em ponto morto.

Eu sentia o coração na boca. *Com os diabos.* Estava a pilotar um planador… estava a voar à vela.

– Linda menina. – Christian parecia deliciado.

– Estou impressionada por me deixares assumir o controlo – gritei.

– Ficaria espantada se soubesse o que eu a deixaria fazer, Miss Steele. Agora, passa-me os comandos.

Senti o *joystick* mover-se subitamente e larguei-o, ao mergulharmos alguns metros em espiral. Os meus ouvidos voltaram a estalar. O solo estava mais próximo e parecia que íamos embater contra ele a qualquer momento. Livra, era assustador.

– BMA, aqui BG N Papa Três Alfa, a entrar pela esquerda, na pista sete, com vento de feição, BMA. – Christian falava no seu tom autoritário de sempre. A torre respondeu-lhe através do rádio, mas eu não percebi o que eles disseram. Voltámos a planar, descrevendo um círculo amplo, e mergulhámos lentamente em direção ao solo. Eu conseguia ver o aeroporto e as pistas de aterragem. Voltámos a passar sobre a Interstate 95.

– Segura-te, querida. Isto pode dar uns solavancos.

Depois de descrevermos mais um círculo, afundámo-nos, e de repente aterrámos, com um pequeno solavanco, percorrendo velozmente a pista de relva – *com os diabos.* Os meus dentes tremiam, ao percorrermos o solo aos abanões, a uma velocidade alarmante, até que acabámos por parar. O avião baloiçou e afundou-se para a direita. Respirei fundo. Christian inclinou-se e abriu a cobertura do *cockpit,* saltando para fora do planador e espreguiçando-se.

– Que tal foi? – perguntou-me. Os seus olhos estavam brilhantes, com um tom cinzento prateado deslumbrante. Ele debruçou-se para me abrir os cintos.

– Foi extraordinário. Obrigada – sussurrei.

– Foi mais do que esperavas? – perguntou, num tom ligeiramente esperançoso.

– Muito mais – respondi e ele sorriu.

– Anda – Esticou-me uma mão e eu desci do *cockpit*.

Assim que eu saí, ele agarrou-me e puxou-me contra o seu corpo. Subitamente, agarrou-me no cabelo com uma mão e puxou-o, inclinando-me a cabeça para trás, e a outra mão deslizou até à base da minha coluna. Beijou-me longamente, com força, apaixonadamente, mergulhando a língua na minha boca. Estava a ficar com a respiração acelerada. O seu ardor... a sua ereção... Caramba, estávamos num aeródromo, mas eu não queria saber. Eu arrepanhei-lhe o cabelo com as mãos, prendendo-o contra mim. Queria tê-lo, ali mesmo, naquele momento, no chão. Ele afastou-se e olhou para mim, sob a luz da manhã, agora com um olhar sombrio e luminoso, carregado de sensualidade crua e arrogante. Uau. Fiquei sem fôlego.

– Pequeno-almoço – sussurrou ele, num tom deliciosamente erótico.

Como conseguia ele falar de bacon e ovos como se fossem frutos proibidos? Era um dom extraordinário. Ele virou-se, agarrou-me na mão e dirigimo-nos de novo para o carro.

– E o planador?

– Alguém tratará disso – afirmou, num tom displicente. – Agora vamos comer. – O seu tom de voz era inequívoco.

Comida! Está a falar-me de comida quando tudo o que eu desejava era comê-lo a ele.

– Anda – disse, sorrindo.

Eu nunca o vira assim e era um prazer olhar para ele. Dei comigo a caminhar a seu lado, de mão dada, com um sorriso estúpido e apatetado estampado no rosto. Lembrava-me um dia que passara na Disneylândia com Ray, quando tinha dez anos. Fora um dia perfeito e aquele estava a parecer igualmente prometedor.

De regresso ao carro, enquanto percorremos a Interstate 95, em direção a Savannah, o alarme do meu telefone disparou. Ah, sim... a minha pílula.

– O que é isso? – perguntou Christian, curioso, olhando-me de relance.

Eu remexi na minha bolsa à procura da embalagem.

– É o alarme para tomar a pílula – murmurei, de faces afogueadas.

Ele retorceu os lábios para cima

– Ótimo. Ainda bem. Detesto preservativos.

Eu corei um pouco mais. Estava paternalista como de costume.

– Gostei que me apresentasses ao Mark como sendo a tua namorada – murmurei.

– Não é isso que és? – perguntou, arqueando uma sobrancelha.

– Sou? Julgava que querias uma submissa.

– Também eu, Anastasia, e quero, mas já te disse que também quero mais do que isso.

Oh meu Deus. Ele estava a mudar de ideias. Fui percorrida por uma vaga de esperança e senti-me sem fôlego.

– Fico feliz por saber que queres mais – sussurrei.

– O nosso lema é agradar, Miss Steele – respondeu, sorrindo afetadamente, ao entrarmos na International House of Pancakes (Casa Internacional de Panquecas).

– IHOP – disse eu, retribuindo o sorriso. Mal podia acreditar. Quem iria imaginar...? Christian Grey na IHOP.

Eram 8h00 da manhã mas o restaurante estava sossegado. Cheirava a doces, comida frita e desinfetante. *Hum...não é um aroma muito apelativo.* Christian conduziu-me até um compartimento.

– Jamais te imaginaria aqui – disse, ao sentarmo-nos.

– O meu pai costumava trazer-nos a um destes restaurantes, sempre que a minha mãe se ausentava para uma conferência de medicina. Era o nosso segredo. – Sorriu-me com os olhos a brilhar e pegou num menu, passando uma mão pelos cabelos rebeldes.

Oh, apetecia-me passar as mãos por aquele cabelo. Peguei num menu, examinei-o e apercebi-me de que estava esfomeada.

– Eu sei o que quero – sussurrou ele, num tom de voz grave e rouco.

Eu olhei-o de relance e ele estava a olhar para mim, com uns olhos sombrios e ardentes, e aquela expressão que me provocava contrações nos músculos do ventre e me deixava sem fôlego. *Com os diabos.* Olhei-o com o sangue a zunir nas veias, reagindo ao seu chamamento.

– Eu quero o mesmo que tu – sussurrei.

Ele inspirou bruscamente.

– Aqui? – perguntou num tom sugestivo, arqueando uma sobrancelha, e sorrindo maliciosamente, prendendo a ponta da língua com os dentes.

Oh meu Deus... sexo na IHOP. A sua expressão alterou-se e tornou-se mais sombria.

– Não mordas o lábio – ordenou-me. – Não aqui, não agora. – Os seus olhos endureceram momentaneamente e ele pareceu-me deliciosamente perigoso, por instantes. – Se não posso possuir-te aqui, não me tentes.

– Olá, o meu nome é Leandra. O que vão... desejar... hoje? – Tropeçou nas palavras e acabou por emudecer, de olhos pregados no Pedaço de Homem sentado à minha frente. Depois, ficou vermelha e eu senti uma ligeira empatia por ela borbulhar algures dentro de mim, pois ele ainda provocava o mesmo em mim. A sua presença permitiu-me escapar por instantes ao olhar sensual e penetrante de Christian.

– Anastasia? – incitou-me ele, ignorando-a. Ninguém conseguiria injetar tanta lascívia no meu nome como ele, naquele momento.

Eu engoli em seco, rezando para não ficar da mesma cor que a pobre Leandra.

– Já te disse que quero o mesmo que tu. – Mantive um tom de voz brando e baixo e ele olhou-me furioso. *Raios.* A minha deusa interior desfaleceu. *Conseguiria entrar naquele jogo?*

Leandra desviou os olhos de mim para ele e de novo para mim. Estava praticamente da cor do seu cabelo ruivo, brilhante.

– Querem que vos dê mais um minuto para decidirem?

– Não, nós sabemos o que queremos. – A boca de Christian estremeceu ligeiramente com um sorriso sexy.

– Queremos duas doses de panquecas originais de nata, com xarope de acer e bacon à parte, dois sumos de laranja, um café com leite magro, e um chá de pequeno almoço inglês, se tiverem – disse Christian, sem tirar os olhos de mim.

– Obrigada. É tudo? – perguntou Leandra, evitando a todo o custo olhar para nós. Nós olhámos ambos para ela e ela voltou a corar, afastando-se apressadamente.

– Isto não é justo, sabes? – olhei para o tampo da mesa e tracei um desenho com o indicador, tentando parecer descontraída.

– O que é que não é justo?

– A forma como desarmas as pessoas. As mulheres. A mim própria.

– Eu desarmo-te?

Eu contive uma gargalhada.

– A toda a hora.

– São apenas aparências, Anastasia – disse, brandamente.

– Não, Christian, é muito mais do que isso.

Ele franziu a testa.

– Você desarma-me totalmente, Miss Steele. A sua inocência desmonta qualquer um.

– Foi por isso que mudaste de ideias?

– Mudei de ideias?

– Sim... acerca de... nós.

Ele coçou o queixo, pensativo, com os seus longos dedos experientes.

– Não me parece que tenha mudado de ideia, por assim dizer. Temos apenas que redefinir os nossos parâmetros, redesenhar a nossa estratégia de combate, se quiseres. Tenho a certeza de que conseguiremos fazer com que isto resulte. Eu quero que sejas submissa na minha sala de jogos e castigar-te-ei se quebrares as regras. Tirando isso... creio que tudo é discutível. Estas são as minhas exigências, Miss Steele. O que tem a dizer acerca disso?

– Então vou poder dormir contigo na tua cama?

– É isso que queres?

– É

– Nesse caso, concordo. Além disso, durmo muito bem quando estás na minha cama. Não fazia ideia. – Calou-se e franziu a testa.

– Tinha receio de que me abandonasses se eu não concordasse com tudo – sussurrei.

– Não vou a lado nenhum, Anastasia. Além disso... – Calou-se. Depois de ponderar um pouco, acrescentou – Estamos a seguir o teu conselho, a tua definição: compromisso. Tu enviaste-a por e-mail e até agora, está a resultar para mim.

– Agrada-me que queiras mais – murmurei, timidamente.

– Eu sei.

– Como sabes?

– Acredita que sei. – Sorriu-me afetadamente. Ele estava a esconder alguma coisa. O *quê?*

Nesse momento, Leandra chegou com o pequeno-almoço e nós interrompemos a conversa. O meu estômago roncou, lembrando-me quão esfomeada estava. Christian observava-me, com um ar irritantemente aprovador, enquanto eu devorava tudo o que tinha no prato.

– Posso dar-te um mimo? – perguntei a Christian.

– Dar-me um mimo, como?

– Pagar a refeição.

Christian conteve uma gargalhada.

– Não me parece – disse ele, num tom trocista.

– Por favor. Eu quero pagar.

Ele franziu-me o sobrolho.

– Estás a tentar castrar-me por completo?

– Este deve ser o único sítio onde eu posso pagar.

– Anastasia, agradeço a intenção, a sério. Mas não.

Eu crispei os lábios.

– Não franzas o sobrolho – disse ele, num tom ameaçador, com um brilho sinistro nos olhos.

É claro que não me pediu a morada da minha mãe, pois já a sabia, como bom perseguidor que era, mas eu não disse nada quando estacionou em frente da casa. Para quê?

– Queres entrar? – perguntei, timidamente.

– Preciso de trabalhar, Anastasia, mas voltarei esta noite. A que horas é o jantar?

Ignorei a indesejável pontada de deceção. Porque desejaria eu passar todos os minutos da minha vida com aquele deus do sexo, controlador? Ah, pois, apaixonara-me por ele e ele sabia pilotar aviões.

– Obrigada… pelo "mais".

– O prazer foi todo meu, Anastasia. – Beijou-me, e eu inalei o seu odor sexy a Christian.

– Vemo-nos mais tarde.

– Tenta impedir-me – sussurrou.

Eu acenei-lhe e ele afastou-se, mergulhando no sol da Geórgia. Estava ainda com a *sweatshirt* e com a roupa interior dele vestida e sentia-me demasiado quente.

A minha mãe estava na cozinha, numa agitação pegada. Não era todos os dias que recebia um multimilionário e isso estava a deixá-la stressada.

– Como estás, querida? – perguntou-me e eu corei, porque devia calcular o que eu tinha estado a fazer na noite anterior.

– Estou bem. O Christian levou-me a voar à vela esta manhã. – Tinha esperança de que essa novidade a distraísse do resto.

– Voar à vela? Num pequeno avião sem motor? Esse tipo de voo?

Eu anuí.

– Uau.

Estava sem palavras. Um novo conceito para a minha mãe. Olhou-me estarrecida mas acabou por se recompor, retomando a linha de interrogatório inicial.

– Como correu a noite de ontem? Falaram?

Bolas. O meu rosto ficou vermelho vivo.

– Falámos. Ontem à noite e hoje. As coisas estão a melhorar.

– Ótimo. – Voltou a desviar a atenção para os quatro livros de receitas que tinha abertos, em cima da mesa da cozinha.

– Mãe... se quiseres eu cozinho hoje à noite.

– Oh, querida, isso é muito amável da tua parte, mas quero ser eu a fazê-lo.

– Ok – disse eu, torcendo o nariz, pois sabia perfeitamente que a minha mãe era bastante desorganizada na cozinha. Talvez tivesse melhorado desde que se mudara para Savannah com Bob. Houve alturas em que não sujeitaria ninguém aos seus cozinhados... nem mesmo – quem odiava eu? Ah, sim – nem mesmo Mrs. Robinson – Elena. Bom, ela talvez. *Será que alguma vez vou conhecer essa maldita mulher?*

Decidi enviar uma breve mensagem de agradecimento ao Christian.

De: Anastasia Steele
Assunto: Planar e Não Penar
Data: 2 de junho de 2011 10:20 EST
Para: Christian Grey

Às vezes, sabes muito bem como proporcionar bons momentos a uma rapariga.

Obrigada.

Ana x

De: Christian Grey
Assunto: Planar vs Penar
Data: 2 de junho de 2011 10:24 EST
Para: Anastasia Steele

Qualquer uma delas é preferível a ouvir-te ressonar. Eu também passei bons momentos.

Mas quando estou contigo, passo sempre.

Christian Grey
CEO, Grey Enterprises Holdings, Inc.

De: Anastasia Steele
Assunto: RESSONAR
Data: 2 de junho de 2011 10:26 EST
Para: Christian Grey

EU NÃO RESSONO e se ressono não é nada cortês da sua parte referi-lo.

Não é um cavalheiro, Mr. Grey! Lembre-se que está no Sudeste dos Estados Unidos!

Ana

De: Christian Grey
Assunto: Falar a Dormir
Data: 2 de junho de 2011 10:38 EST
Para: Anastasia Steele

Eu nunca disse que era um cavalheiro, Anastasia, e creio que te demonstrei isso em numerosas ocasiões. Os teus GRITOS em maiúsculas não me intimidam, mas admito uma pequena mentira piedosa: tu não ressonas mas falas, e é fascinante.

O que aconteceu ao meu beijo?

Christian Grey
Grosseiro & CEO, Grey Enterprises Holdings, Inc.

Com os diabos. Eu sabia que falava a dormir. Kate dissera-mo várias vezes. O que raio teria eu dito? *Oh, não.*

De: Anastasia Steele
Assunto: Toca a Falar
Data: 2 de junho de 2011 10:32 EST
Para: Christian Grey

És um grosseiro e um canalha – sem dúvida que não és um cavalheiro.

Afinal, o que disse eu? Não há cá beijos enquanto não falares!

De: Christian Grey
Assunto: Bela Adormecida Palradora
Data: 2 de junho de 2011 10:35 EST
Para: Anastasia Steele

Seria muito pouco cortês da minha parte dizê-lo e já fui castigado por isso, mas se te portares bem, sou capaz de te dizer hoje à noite. Agora tenho mesmo de ir para uma reunião.

Até logo, amor.

Christian Grey
CEO, Grosseiro & Canalha, Grey Enterprises Holdings, Inc.

Pois sim! Vou manter o silêncio nas comunicações até logo à noite. Estava a fumegar de raiva. *Raios.* E se eu tivesse dito que o odiava enquanto dormia, ou pior do que isso, que o amava? Tomara que não. Não estava preparada para lho dizer e tinha a certeza de que ele também não estava preparado para o ouvir, se é que desejaria sequer ouvir. Franzi o sobrolho para o meu computador e decidi que iria fazer pão para aliviar a frustração enquanto tendia a massa, independentemente do que a mãe cozinhasse.

A minha mãe decidiu-se pelo gaspacho e um *barbecue* de bifes marinados em azeite, alho e limão. Christian gostava de carne e era simples de fazer. Bob ofereceu-se para tratar do grelhador. *Que fascínio teriam os homens pelo fogo?*, pensei, seguindo a minha mãe pelo supermercado com o carrinho das compras.

Enquanto examinávamos o expositor da carne fresca, o meu telefone tocou. Peguei nele atrapalhadamente, pensando que fosse Christian, mas não reconheci o número.

– Estou? – respondi sem fôlego.

– Anastasia Steele?

– Sim

– Fala Elisabeth Morgan da SIP

– Ah, olá.

– Estou a ligar-lhe para lhe oferecer o lugar de assistente de Mr. Hyde. Gostaríamos que começasse na segunda-feira.

– Uau, isso é ótimo. Obrigada!

– Conhece os detalhes do salário?

– Sim, sim... isso é... quer dizer, eu aceito a vossa oferta. Adoraria ir trabalhar convosco.

– Excelente. Vemo-nos na segunda-feira, às 08h30?

– Até lá, então. Adeus e obrigada.

Fiz um sorriso radioso à minha mãe.

– Conseguiste emprego?

Eu anuí radiante e ela deu um guincho e abraçou-me em pleno supermercado Publix.

– Parabéns, querida! Temos de comprar champanhe! – Estava a bater palmas, aos saltinhos. *Teria quarenta e dois ou doze anos?*

Olhei de relance para o telefone e franzi o sobrolho; havia uma chamada perdida de Christian. Ele nunca me telefonava. Liguei-lhe de imediato.

– Anastasia – Atendeu imediatamente.

– Olá – murmurei, timidamente.

– Tenho de voltar para Seattle. Surgiu um imprevisto. Estou a caminho de Hilton Head neste momento. Por favor apresenta as minhas desculpas à tua mãe, mas não vou poder ir jantar. – Falava num tom muito profissional.

– Nada de grave, espero.

– Há uma situação que tenho de resolver. Vemo-nos amanhã. Mandarei o Taylor ir buscar-te ao aeroporto, se eu não puder ir pessoalmente. – Parecia frio, até mesmo zangado. Mas pela primeira vez na vida, não pensei imediatamente que fosse por minha causa.

– Ok, espero que resolvas a tua "situação". Desejo-te boa viagem.

– Igualmente, meu amor – sussurrou e eu senti o meu Christian de volta, ao ouvir essas palavras. Depois desligou.

Oh não. A última "situação" que surgira fora a minha virgindade. *Raios, espero que não seja nada desse tipo.* Olhei para a minha mãe. O seu anterior regozijo convertera-se em preocupação.

– Era o Christian. Teve de voltar para Seattle e pede desculpa.

– Oh querida, que pena. Mas poderemos fazer o nosso *barbecue* à mesma e agora temos algo que celebrar – o teu novo emprego! Tens de me contar tudo acerca dele.

Era fim de tarde e eu e a minha mãe estávamos deitadas junto da piscina. A minha mãe descontraíra-se de tal forma, pelo facto de o ricaço já não vir jantar, que se deitara literalmente na horizontal. Enquanto estava deitada ao sol, a esforçar-me para erradicar a palidez, pensei na noite anterior, no pequeno-almoço dessa manhã e em Christian e o meu sorriso ridículo recusava-se a desaparecer. Continuava a alastrar-se espontânea e desconcertantemente pelo rosto, ao recordar as nossas conversas e o que tínhamos feito... ou melhor, o que ele tinha feito.

A atitude de Christian parecia estar a mudar progressivamente. Ele negava-o, mas admitia que estava a tentar fazer mais. O que poderia ter mudado? O que se teria modificado desde que me enviara aquele longo e-mail e eu o encontrara no dia anterior? O que teria ele feito? Sentei-me subitamente e quase entornei o meu refrigerante. Ele jantara com... ela. Elena.

Merda!

Senti um formigueiro no couro cabeludo ao compenetrar-me disso. Será que ela lhe tinha dito alguma coisa? Ah... quem me dera ser mosca durante o jantar deles. Poderia ter-lhe aterrado na sopa ou no copo de vinho e sufocá-la.

– O que se passa, querida? – perguntou a minha mãe, despertando do seu torpor, em sobressalto.

– Estava só aqui a pensar numa coisa. Que horas são?

– São umas seis e meia da tarde, querida.

Hum, ele ainda não deve ter aterrado. Será que lhe podia perguntar? Será que lhe devia perguntar? Talvez ela não tivesse nada a ver com isso. Esperava do fundo do coração que não. O que teria eu dito enquanto dormia? *Raios...* algo imprudente enquanto sonhava com ele, aposto. Fosse lá o que fosse, esperava que aquela maré de mudança viesse de dentro dele e não por causa dela.

Estava a sufocar naquela maldito calor. Precisava de dar outro mergulho na piscina.

Ao preparar-me para me deitar, liguei o computador. Não tivera quaisquer notícias do Christian. Nem sequer uma palavra a dizer-me que chegara bem.

De: Anastasia Steele
Assunto: Chegou Bem?
Data: 2 de junho de 2011 22.32 EST
Para: Christian Grey

Caro Senhor,

Por favor informe-me se chegou bem. Estou a começar a ficar preocupada. Estou a pensar em si.

A sua Ana x

Três minutos depois, ouvi o tinido da minha caixa de entrada.

De: Christian Grey
Assunto: Desculpe
Data: 2 de junho de 2011 19:36
Para: Anastasia Steele

Cara Miss Steele,
Cheguei bem e peço desculpa por não a ter informado. Não quero causar-lhe qualquer preocupação. É reconfortante saber que se preocupa comigo. Eu também estou a pensar em si e, como sempre, ansioso por vê-la amanhã.

Christian Grey
CEO, Grey Enterprises Holdings, Inc.

Eu suspirei. Christian regressara à formalidade.

De: Anastasia Steele
Assunto: A Situação
Data: 2 de junho de 2012 22:40 EST
Para: Christian Grey

Julgo que é bastante evidente que me preocupo profundamente contigo. Como podes duvidar disso?

Espero que a tua "situação" esteja sob controlo.

A tua Ana x

PS: Vais-me contar o que eu disse enquanto dormia?

—

De: Christian Grey
Assunto: Invocando a Quinta Emenda
Data: 2 de junho de 2011 19:45
Para: Anastasia Steele

Cara Miss Steele,
Agrada-me muito que se preocupe comigo. A "situação" ainda não está resolvida aqui.

No que se refere ao seu P.S. a resposta é não.

Christian Grey
CEO, Grey Enterprises Holdings, Inc.

—

De: Anastasia Steele
Assunto: Alegando Insanidade
Data: 2 de junho de 2011 22:48 EST
Para: Christian Grey

Espero que tenha sido divertido, mas já devia saber que eu não posso assumir qualquer responsabilidade pelo que sai da minha boca quando estou inconsciente. Na verdade, é bem possível que me tenha ouvido mal.

Um homem com uma idade avançada como a sua é certamente um pouco surdo.

—

De: Christian Grey
Assunto: Declarando-se Culpado

Data: 2 de junho de 2011 19:52
Para: Anastasia Steele

Cara Miss Steele,
Desculpe, poderia falar mais alto? Não consigo ouvi-la.

Christian Grey
CEO, Grey Enterprises Holdings Inc.

———

De: Anastasia Steele
Assunto: Alegando Insanidade Mais uma Vez
Data: 2 de junho de 2011 22:54 EST
Para: Christian Grey

Estás a dar comigo em doida.

———

De: Christian Grey
Assunto: Espero que Sim...
Data: 2 de junho de 2011 19:59
Para: Anastasia Steele

Cara Miss Steele

É exatamente isso que tenciono fazer na sexta-feira à noite. Estou ansioso por isso.

;)

Christian Grey
CEO, Grey Enterprises Holdings, Inc.

De: Anastasia Steele
Assunto: Grrrrr
Data: 2 de junho de 2011 23:02 EST
Para: Christian Grey

Estou oficialmente furiosa consigo.

Boa noite.

Miss A.R. Steele

De: Christian Grey
Assunto: Gato Selvagem
Data: 2 de junho de 2011 20_05
Para: Anastasia Steele

Está a rosnar-me, Miss Steele?

Tenho o meu próprio gato para gente que rosna.

Christian Grey
CEO, Grey Enterprises Holdings, Inc.

O seu próprio gato? Eu nunca vira nenhum gato no seu apartamento. Não, não ia responder-lhe. Às vezes era tão exasperante. Exasperante em cinquenta sombras. Subi para a cama e deitei-me a olhar para o teto, enquanto os meus olhos se adaptavam à escuridão. Ouvi outro tinido no computador. Não ia olhar. Nem pensar nisso. Não ia olhar. Bolas! Tonta como era, não consegui resistir ao engodo das palavras de Christian Grey.

De: Christian Grey
Assunto: O que Disseste a Dormir
Data: 2 de junho de 2011 20:20
Para: Anastasia Steele

Anastasia,
Preferia ouvir as palavras que disseste, enquanto dormias, quando estivesses consciente, é por isso que não te quero dizer. Vai dormir. Terás de estar repousada para o que tenho em mente fazer contigo amanhã.

Christian Grey
CEO, Grey Enterprises Holdings, Inc.

CAPÍTULO VINTE E CINCO

A minha mãe abraçou-me com força.

– Escuta o teu coração, querida, e por favor, por favor, tenta não pensar demasiado nas coisas. Descontrai-te e diverte-te. És tão jovem, querida. Tens ainda tanto que experimentar na vida. Deixa as coisas correrem. Tu mereces o melhor em todos os sentidos. – Sussurrou-me ao ouvido. As suas palavras sentidas eram reconfortantes. Beijou-me o cabelo.

– Oh, mãe – Lágrimas quentes e inoportunas arderam-me nos olhos, ao abraçá-la.

– Querida, como se costuma dizer tens de beijar muitos sapos, antes de encontrares o teu príncipe.

Fiz-lhe um sorriso enviesado, amargo.

– Eu acho que beijei um príncipe, mãe. Só espero que não se transforme em sapo.

Ela dirigiu-me o mais enternecedor dos sorrisos de amor materno e incondicional e eu fiquei deslumbrada com o amor que sentia por aquela mulher, ao abraçá-la de novo.

– Ana, estão a anunciar o teu voo – disse Bob, num tom ansioso.

– Vens visitar-me, mãe?

– Claro, querida, muito em breve. Adoro-te.

– Eu também te adoro.

Quando me largou, estava com os olhos vermelhos de lágrimas contidas. Detestava separar-me dela. Abracei Bob, dei meia volta e encaminhei-me para o portão de embarque – hoje não tinha tempo para a sala de embarque da primeira classe. Tentei não olhar para trás, mas olhei... Bob estava abraçado à mãe. Ela estava lavada em lágrimas e eu não consegui conter mais as minhas. Baixei a cabeça e continuei a andar em direção ao portão de embarque, de olhos postos no chão branco, brilhante e desfocado pelas minhas lágrimas húmidas.

Depois de embarcar na luxuosa cabine da primeira classe, enrosquei-me no meu lugar e tentei recuperar a compostura. Era sempre doloroso afastar-me da minha mãe… ela era despistada e desorganizada, mas estava muito mais perspicaz e amava-me. Amor incondicional – o que todos os filhos mereciam receber dos pais. Franzi o sobrolho perante os meus pensamentos indomáveis e tirei o BlackBerry, olhando para ele com tristeza.

O que sabia Christian do amor? Parecia não ter recebido o amor incondicional a que tinha direito nos seus primeiros anos. Senti o coração apertado e as palavras da minha mãe flutuaram-me pela mente como um zéfiro. *Sim, Ana. Raios, o que mais queres tu? Um néon a acender e a apagar na testa dele?* Ela achava que Christian me amava, mas era a minha mãe; é claro que iria achar que sim. Ela achava que eu merecia o melhor em todos os sentidos. Franzi o sobrolho. Era verdade e num momento de surpreendente clareza, percebi-o. Era simples: Eu queria o seu amor, *precisava* que Christian Grey me amasse. Por isso estava tão reticente em relação ao nosso relacionamento – porque a um nível básico e elementar reconhecia em mim uma compulsão profundamente enraizada para ser amada e estimada.

E estava a conter-me por causa das suas cinquenta sombras. A BDSM era uma distração do problema real. O sexo era assombroso, ele era rico e bonito, mas tudo isso deixaria de ter significado sem o seu amor e o meu verdadeiro constrangimento era não saber se ele era capaz de amar. Ele nem sequer se amava a si mesmo. Lembrei-me do desprezo que demonstrara por si próprio, ao dizer que o amor *dela* era a única forma de amor que considerava *aceitável*. Ser castigado, chicoteado, espancado, ou o que quer que fosse que o relacionamento deles envolvesse. Ele sentia que não merecia ser amado. Porque se sentiria assim? Como poderia sentir-se assim? As suas palavras assombravam-me: *É muito difícil crescer numa família perfeita quando não somos perfeitos.*

Fechei os olhos, imaginando a sua dor, e não conseguia sequer compreendê-la. Estremeci ao lembrar-me que poderia ter-lhe revelado demasiado. O que teria eu confessado a Christian enquanto dormia? Que segredos lhe teria eu contado?

Olhei para o BlackBerry com uma vaga esperança que este me desse algumas respostas, mas como seria de esperar, este não estava muito comunicativo. Como ainda não tínhamos descolado, decidi enviar um e-mail ao meu Cinquenta Sombras.

De: Anastasia Steele
Assunto: De Regresso a Casa
Data: 3 de junho de 2011 12:53 EST
Para: Christian Grey

Caro Mr. Grey,
Estou mais uma vez confortavelmente instalada em primeira classe, o que lhe agradeço. Estou a contar os minutos para o ver esta noite e talvez torturá-lo até lhe arrancar a verdade acerca das minhas confissões noturnas.

A sua Ana x

De: Christian Grey
Assunto: De Regresso a Casa
Data: 3 de junho de 2011 09:58
Para: Anastasia Steele

Anastasia, estou ansioso por te ver.

Christian Grey
CEO, Grey Enterprises Holdings, Inc.

Fiquei de sobrolho franzido com a sua resposta. Parecia abreviada e formal e não no seu estilo habitual inteligente e incisivo.

———

De: Anastasia Steele
Assunto: De Regresso a Casa
Data: 3 de junho de 2011 13:01 EST
Para: Christian Grey

Estimado Mr. Grey,
Espero que esteja tudo bem no que diz respeito "à situação". O tom do seu e-mail é preocupante.

Ana x

———

De: Christian Grey
Assunto: De Regresso a Casa
Data: 3 de junho de 2011 10:04
Para: Anastasia Steele

Anastasia,

A situação podia estar melhor. Já descolaste? Em caso afirmativo, não deverias estar a enviar e-mails. Estás a colocar-te em perigo e a infringir diretamente a regra referente à tua segurança pessoal. Eu estava a falar a sério em relação aos castigos.

Christian Grey
CEO, Grey Enterprises Holdings, Inc.

———

Bolas. Ok. Raios. O que o estaria a consumir? Talvez a "situação". Talvez Taylor tivesse tirado uma licença sem vencimento, ou tivesse esbanjado uns milhões na bolsa, por qualquer razão.

De: Anastasia Steele
Assunto: Reação exagerada
Data: 3 de junho de 2011 13:06 EST
Para: Christian Grey

Caro Rezingão,
As portas do avião ainda estão abertas. Estamos com atraso, ainda que apenas de dez minutos. O meu bem-estar e o dos passageiros em meu redor está assegurado. Pode sossegar a palma da mão inquieta, por agora.

Miss Steele

De: Christian Grey
Assunto: As Minhas Desculpas – Palma da Mão Quieta
Data: 3 de Junho de 2011 10:08
Para: Anastasia Steele

Tenho saudades suas e da sua língua aguçada, Miss Steele.

Quero que chegue a casa em segurança.

Christian Grey
CEO, Grey Enterprises Holdings, Inc.

De: Anastasia Steele
Assunto: Pedido de Desculpas Aceite
Data: 3 de Junho de 2011 13:10 EST
Para: Christian Grey

Estão a fechar as portas. Não ouvirá nem mais um tinido meu, principalmente devido à sua surdez.

Até logo

Ana x

Desliguei o BlackBerry, incapaz de me libertar da minha ansiedade. Algo de errado se passava com Christian. Talvez a "situação" estivesse fora de controlo. Recostei-me no assento, olhando para cima, para a bagageira onde tinha a minha bagagem guardada. Conseguira comprar um pequeno presente a Christian, nessa manhã, com a ajuda da minha mãe, para lhe agradecer o bilhete de primeira classe e o voo de planador. Sorri ao lembrar-me do voo picado – qualquer coisa de extraordinário. Ainda não sabia se lhe iria dar o meu presente pateta. Ele poderia achá-lo infantil. E se ele estivesse num estado de espírito estranho? Talvez não. Estava ansiosa por voltar e ao mesmo tempo apreensiva com o que me esperaria no final da viagem, enquanto revia mentalmente todos os possíveis cenários da "situação". Apercebi-me mais uma vez que o único assento vago era o lugar a meu lado. Abanei a cabeça pois ocorreu-me que Christian tivesse comprado o lugar adjacente para que eu não pudesse falar com ninguém, mas achei a ideia ridícula e pu-la de parte – ninguém poderia ser tão controlador e ciumento. Fechei os olhos enquanto o avião se dirigia para a pista.

Entrei no terminal de chegadas do Sea-Tac oito horas mais tarde e encontrei Taylor à minha espera com um letreiro onde se lia MISS A. STEELE. *Francamente!*

Ainda assim era bom vê-lo.

– Olá, Taylor.

– Miss Steele – Saudou-me formalmente mas eu vi vestígios de um sorriso nos seus olhos castanhos, penetrantes. Estava imaculado, como sempre, com um elegante fato cinzento-escuro, uma camisa branca e uma gravata cinzenta-escura.

– Eu consigo reconhecê-lo, Taylor, não precisa de um letreiro, e gostaria realmente que me tratasse por Ana.

– Ana, não se importa que eu leve a sua bagagem?

– Não, eu posso levá-la, obrigada.

Os seus lábios contraíram-se visivelmente.

– M-mas se for menos constrangedor para si levá-las… – gaguejei eu.

– Obrigado – Agarrou na minha mochila e na minha mala de rodinhas recém-adquirida, para a roupa que a minha mãe me comprara. – Por aqui, minha senhora.

Suspirei. Era tão educado. Depois lembrei-me que aquele homem me comprara roupa interior, ainda que desejasse muito esquecer esse episódio. Na verdade fora o único homem que me comprara roupa interior – e essa ideia perturbava-me. Nem mesmo Ray tivera de passar por essa adversidade. Caminhámos em silêncio até ao SUV negro da Audi, que estava no parque de estacionamento no exterior do aeroporto e ele abriu-me a porta. Eu entrei, perguntando a mim mesma se teria sido boa ideia vestir uma saia tão curta para regressar a Seattle. Na Geórgia parecia-me fresca e agradável, mas ali fazia-me sentir exposta. Assim que Taylor guardou a minha bagagem na mala do carro, partimos para o Escala.

A viagem foi lenta, pois ficámos presos no trânsito da hora de ponta. Taylor ia de olhos postos na estrada, diante de si. Taciturno não seria o suficiente para o descrever.

Eu já não conseguia suportar o silêncio.

– Como está o Christian, Taylor?

– Mr. Grey está preocupado, Miss Steele.

Aquilo devia ter a ver com a "situação". Estava a explorar um filão de ouro.

– Preocupado?

– Sim, minha senhora.

Franzi o sobrolho a Taylor. Ele olhou-me através do retrovisor e os nossos olhos cruzaram-se. Não ia dizer mais nada. Caramba, conseguia ser mais fechado do que o controlador.

– Ele está bem?

– Suponho que sim, minha senhora.

– Sente-se mais confortável tratando-me por Miss Steele?

– Sim, minha senhora.

– Ah, ok.

A conversa acabou ali e continuámos em silêncio. Estava a começar a achar que o recente deslize de Taylor, ao dizer-me que Christian andava desvairado, fora uma irregularidade. Talvez ele estivesse embaraçado com isso, receando ter sido desleal. O silêncio era sufocante.

– Poderia pôr um pouco de música, por favor?

– Com certeza, minha senhora, o que gostaria de ouvir?

– Algo relaxante.

Os nossos olhos cruzaram-se brevemente no retrovisor e eu vi um sorriso desenhar-se nos lábios de Taylor.

– Sim, minha senhora.

Carregou numa série de botões no volante e os delicados acordes do Canon de Pachelbel preencheram o espaço entre nós. *Oh, sim...*era daquilo que eu precisava.

– Obrigada. – Recostei-me no assento e percorremos a Interstate 5, em direção a Seattle, a baixa velocidade, ainda que a um ritmo constante.

Vinte e cinco minutos depois, Taylor deixou-me em frente à impressionante fachada da entrada do Escala.

– Faça favor de entrar, minha senhora – disse-me, segurando-me a porta aberta. – Eu levarei a sua bagagem para cima. – A sua expressão era branda e calorosa, até mesmo avuncular.

Tio Taylor, que raio de ideia a minha, *caramba.*

– Obrigada por me ir buscar.

– Foi um prazer, Miss Steele – disse-me, sorrindo. Eu entrei no edifício e o porteiro baixou ligeiramente a cabeça e acenou-me.

Um milhar de borboletas abriram as suas asas esvoaçando erraticamente pelo meu estômago, ao subir até ao décimo terceiro andar.

Porque estou tão nervosa? Percebi que era pelo facto de não saber em que estado de espírito iria encontrar Christian quando chegasse. A minha deusa interior tinha esperança de que ele estivesse numa certa disposição, mas eu e o meu subconsciente estávamos com os nervos à flor da pele.

As portas do elevador abriram-se e eu dei comigo no vestíbulo. Era tão estranho não ser recebida por Taylor. Claro que não, ele estava a estacionar o carro. Christian estava agarrado ao BlackBerry na sala grande, a falar em voz baixa, de olhos postos no horizonte crepuscular de Seattle, do outro lado das portas de vidro. Vestia um fato cinzento, com o casaco desabotoado, e estava a passar a mão pelo cabelo. Parecia agitado, até mesmo tenso. *Oh, não… o que se passa?* Agitado ou não, continuava a ser uma visão deslumbrante. Como conseguia estar com uma aparência tão… atraente?

– Não deixou rasto… Ok… Sim. – Virou-se, viu-me e todo o seu comportamento se alterou. A tensão deu lugar ao alívio e a algo mais: um olhar que apelava diretamente à minha deusa interior, um olhar escaldante, de sensualidade carnal.

Eu senti a boca seca e o desejo floresceu dentro de mim… *eh lá.*

– Mantenha-me informado – disse ele, bruscamente, desligando o telefone e caminhando resolutamente na minha direção. Fiquei paralisada, ao vê-lo aproximar-se de mim com um olhar devorador. *Com os diabos…* Algo de errado se passava – a tensão nos maxilares, a ansiedade no olhar… Ao aproximar-se de mim, sacudiu o casaco dos ombros e tirou a gravata, atirando-os a ambos para cima do sofá. Depois envolveu-me nos seus braços e puxou-me com força contra si, agarrando-me no rabo de cavalo, para me inclinar a cabeça para trás, beijando-me como se a sua vida dependesse disso. *O que raio?* Puxou-me o elástico do cabelo, à bruta, mas eu não quis saber. O seu beijo tinha qualquer coisa de desesperado e primitivo. Fosse porque motivo fosse, precisava de mim, naquele preciso instante e eu nunca me sentira tão desejada e cobiçada. Era obscuro, sensual e alarmante, ao mesmo tempo. Eu devolvi-lhe o beijo com igual fervor, arrepanhando-lhe os cabelos, de dedos e punhos cerrados. As nossas línguas entrelaçaram-se e a paixão e o ardor explodiu entre nós. Ele sabia divinalmente, estava atraente, sexy e o seu odor – aquele misto de gel de banho e Christian – era inebriante. Ele afastou a sua boca da minha e olhou para mim, possuído por uma emoção qualquer sem nome.

– O que se passa? – sussurrei.

– Estou tão feliz por teres voltado. Toma um duche comigo… agora.

Eu não percebi se aquilo era um pedido ou uma ordem.

– Sim – disse ele e agarrou-me na mão, conduzindo-me para fora da sala grande, até ao quarto, e depois até à casa de banho.

Assim que lá chegámos, largou-me e ligou a água do enorme chuveiro. Depois virou-se lentamente e olhou-me, de olhos semicerrados.

– Gosto da tua saia. É muito curta – disse ele, num tom de voz baixo. – Tens umas belas pernas.

Descalçou os sapatos e esticou um braço para tirar as meias, sem nunca tirar os olhos de mim. Fiquei sem palavras ao ver o seu olhar esfomeado. *Uau...* ser assim tão desejada por aquele deus grego. Eu imitei os seus gestos e descalcei as minhas sabrinas pretas. Subitamente, ele encostou-me à parede, beijando-me o rosto, a garganta, os lábios... e passando-me as mãos pelo cabelo. Eu senti a parede de azulejos macia e fresca nas minhas costas quando ele se encostou a mim, espremendo-me entre o calor do seu corpo e a frescura da cerâmica. Agarrei-me hesitantemente aos seus braços e ele gemeu ao sentir-me apertá-los firmemente.

– Quero possuir-te agora. Aqui mesmo... rapidamente, com força – sussurrou ele, levando as mãos às minhas coxas e puxando-me a saia para cima. – Ainda estás a sangrar?

– Não – respondi, corando.

– Ótimo.

Colocou os polegares nas minhas cuecas de algodão, ajoelhando-se abruptamente e tirando-as. A minha saia estava agora puxada para cima e eu estava nua da cintura para baixo, ofegante e carente. Ele agarrou-me nas ancas e voltou a empurrar-me contra a parede, beijando-me no cimo da coxas. Depois agarrou-me pela parte de cima das coxas, forçando-me a abrir as pernas. Eu gemi alto, sentindo a sua língua a circundar-me o clítoris. *Oh meu deus...*Inclinei involuntariamente a cabeça para trás e mergulhei os dedos no seu cabelo.

A sua língua era implacável, poderosa e insistente, lambendo-me e movendo-se incessantemente em círculos. A sensação era maravilhosamente intensa, quase dolorosa. O meu corpo começou a excitar-se e ele largou-me. *O quê? Não!* A minha respiração estava áspera, ao olhá-lo, ofegante, em deliciosa expetativa. Ele agarrou-me no rosto com ambas as mãos, segurando-me firmemente, e beijou-me com força, introduzindo-me a língua na boca para que eu sentisse a minha própria excitação. Depois abriu a braguilha e libertou-se, agarrando-me na parte de trás das coxas e erguendo-me.

– Enrola as pernas à minha volta, querida – ordenou-me, num tom de voz insistente e tenso.

Eu obedeci, abraçando-me ao seu pescoço e ele moveu-se com rapidez, penetrando-me bruscamente. *Ah!* Ele arquejou e eu gemi. Segurando-me no traseiro, enterrou-me os dedos na carne e começou a mover-se, a princípio lentamente, numa cadência constante… mas à medida que ia contolando o seu ritmo, começou a acelerar, movendo-se cada vez mais depressa. *Ahhhh!* Inclinei a cabeça para trás, concentrando-me naquela sensação invasiva, punitiva, divinal … que me estimulava e me projetava para diante… elevando-me cada vez mais … e quando senti que não aguentava mais, explodi em torno dele, mergulhando em espiral num orgasmo intenso e arrasador. Ele deixou-se ir com um rugido gutural, enterrando a cabeça no meu pescoço, enterrando-se dentro de mim, gemendo alto e incoerentemente ao atingir o orgasmo.

Estava com uma respiração errática, mas beijou-me ternamente, sem se mover, ainda dentro de mim e eu pisquei os olhos, sem ver, mergulhando-os nos seus. Ao recuperar a concentração, saiu delicadamente de dentro de mim, segurando-me firmemente enquanto eu poisava os pés no chão. A casa de banho estava agora quente…carregada de vapor. Eu sentia-me com roupa a mais.

– Pareces feliz por me ver – murmurei com um sorriso acanhado.

Os seus lábios arquearam-se num sorriso.

– Sim, Miss Steele, acho que o meu prazer é bastante evidente. Venha, deixe-me levá-la para o duche.

Ele desabotoou três botões da camisa, retirou os botões de punho e despiu-a pela cabeça, atirando-a para o chão. Tirou as calças do fato e os boxers justos, sacudindo-os com os pés para um lado. Depois, começou a desabotoar-me os botões da blusa. Eu observava-o, desejosa de lhe afagar o peito, mas contive-me.

– Como correu a tua viagem? – perguntou, brandamente. Parecia muito mais calmo, agora. A sua apreensão desaparecera, diluída na união sexual.

– Bem, obrigada. – murmurei, ainda sem fôlego. – Agradeço mais uma vez o bilhete em primeira classe. É de facto uma forma muito mais agradável de se viajar. – Sorri-lhe timidamente. – Tenho algumas novidades – acrescentei, nervosamente.

– Ah sim? – Ao desabotoar-me o último botão, olhou para mim, puxando-me a blusa pelos braços e atirando-a para cima da roupa que despira.

– Tenho um emprego.

Ele ficou imóvel e depois sorriu para mim, com um olhar terno e brando.

– Parabéns, Miss Steele. Agora já me pode dizer onde? – perguntou, num tom provocador.

– Não sabes?

Ele abanou a cabeça, franzindo o sobrolho.

– Porque haveria de saber?

– Com as tuas aptidões de perseguidor, pensei que tivesses... – Calei-me ao ver a sua expressão desanimada.

– Anastasia, jamais me passaria pela cabeça interferir com a tua carreira, a menos que tu me pedisses para o fazer, é claro. – Parecia magoado.

– Então, não fazes ideia que empresa é?

– Não. Sei que há quatro editoras em Seattle, portanto presumo que seja uma delas.

– A SIP.

– Ah, a mais pequena, ótimo. Parabéns. – Inclinou-se para a frente e beijou-me a testa. – Rapariga inteligente. Quando começas?

– Segunda-feira.

– Está para breve, então. O melhor será tirar proveito de ti enquanto ainda posso. Vira-te.

Fiquei confusa com a sua ordem descontraída, mas obedeci e ele desapertou-me o sutiã e abriu-me o fecho da saia. Puxou-me a saia para baixo, agarrou-me no traseiro com era seu hábito e beijou-me o ombro. Depois encostou-se a mim, roçou-me o nariz pelo cabelo e inspirou profundamente, apertando-me as nádegas.

– Você intoxica-me e acalma-me, Miss Steele. Que combinação inebriante. – Beijou-me o cabelo e agarrou-me na mão, puxando-me para o duche.

– Au – guinchei. A água estava praticamente a escaldar. Christian sorriu, com água a escorrer-lhe em cascatas pelo corpo.

– É apenas um pouco de água quente.

Por acaso tinha razão. Sabia divinalmente expurgar o corpo da manhã pegajosa na Geórgia e das viscosidades do sexo.

– Vira-te – ordenou e eu obedeci, virando-me para a parede. – Quero lavar-te – murmurou, alcançando o gel de banho e esguichando um pouco para a mão.

– Tenho mais uma coisa para te contar – murmurei, ao senti-lo ensaboar-me os ombros.

– Ah sim? – disse ele, brandamente.

Respirei fundo para ganhar coragem. – A inauguração da exposição de fotografia do meu amigo José é na quinta-feira, em Portland.

Ele ficou imóvel, com as mãos a pairar sobre os meus seios. Eu enfatizara a palavra "amigo".

– Sim, e o que tem a exposição? – perguntou, asperamente.

– Eu disse que ia. Queres vir comigo?

Uma eternidade depois, recomeçou lentamente a lavar-me.

– A que horas?

– A abertura é às sete e meia da tarde.

Ele beijou-me a orelha.

– Ok.

O meu subconsciente descontraiu-se e desmaiou dentro de mim, deixando-se cair numa velha cadeira de braços.

– Estavas com receio de me perguntar?

– Sim, como sabias?

– Todo o teu corpo se descontraiu, Anastasia – disse, secamente.

– Bom, é que tu pareces ser... do tipo ciumento.

– Pois sou – respondeu, num tom sombrio. – E é bom que não te esqueças disso, mas obrigado por me convidares. Levaremos o Charlie Tango.

Ah, claro, o helicóptero, que estupidez a minha. Voar outra vez... fixe! Sorri.

– Posso lavar-te? – perguntei?

– Não me parece – murmurou, beijando-me delicadamente no pescoço, para aligeirar a dor da sua recusa. Eu fiz beicinho para a parede enquanto ele me acariciava as costas com sabão.

– Alguma vez me deixarás tocar-te? – perguntei, audaciosamente.

Ele voltou a ficar imóvel com a mão no meu traseiro.

– Põe as mãos na parede, Anastasia. Vou possuir-te de novo – murmurou-me ao ouvido, agarrando-me nas ancas e eu percebi que a discussão tinha terminado.

Mais tarde comemos a excelente *pasta alle vongole* de Mrs. Jones, sentados ao balcão da cozinha, em roupão de banho.

– Mais vinho? – perguntou Christian, de olhos brilhantes.

– Um copo pequeno, por favor. – O Sancerre estava fresco e delicioso. Christian encheu o seu copo e o meu.

– Como está ... a "situação" que te trouxe a Seattle? – perguntei hesitantemente.

Ele franziu o sobrolho.

– Descontrolada – murmurou amargamente. – Mas não é nada com que tenhas de te preocupar, Anastasia. Tenho planos para ti esta noite.

– Ah sim?

– Sim. Quero-te pronta, à espera na minha sala de jogos, dentro de quinze minutos. – Levantou-se e olhou para mim.

– Podes arranjar-te no teu quarto. A propósito, o quarto de vestir está agora cheio de roupas para ti. Não quero discussões acerca delas. – Semicerrou os olhos, desafiando-me a dizer alguma coisa. Ao ver que eu não dizia nada, encaminhou-se para o escritório.

Eu discutir contigo, Cinquenta Sombras? O meu traseiro vale mais do que isso. Sentei-me no banco do balcão, momentaneamente estupidificada, tentando assimilar aquela pequena migalha de informação. Ele comprara-me roupas. Revirei exageradamente os olhos, perfeitamente consciente de que ele não me podia ver. Carro, telefone, computador... roupas. A seguir seria um maldito apartamento e eu tornar-me-ia de facto sua amante.

Eh! O meu subconsciente estava de novo com uma expressão irritada, mas eu ignorei-a e subi as escadas, em direção ao *meu* quarto. *Afinal, ainda era meu...* porquê? Julgava que ele tinha concordado em deixar-me dormir com ele. Certamente que não estava habituado a partilhar o seu espaço pessoal, mas eu também não. Consolei-me com o facto de ter, pelo menos, um sítio onde me refugiar dele.

Ao examinar a porta descobri que tinha uma fechadura, mas não tinha chave. Interroguei-me por breves instantes se Mrs. Jones teria uma chave extra. Iria perguntar-lhe. Abri a porta da sala de vestir e voltei a fechá-la rapidamente. *Com os diabos – ele gastou uma fortuna.* Parecia o quarto de Kate – carradas de roupas ordenadamente penduradas no varão. No meu íntimo sabia que todas me serviam, mas não tinha tempo para pensar nisso. Esta noite, teria de me ajoelhar no Quarto Vermelho da Dor... ou do Prazer, com um pouco de sorte.

Estava ajoelhada junto da porta, apenas de cuecas, com o coração na boca. Caramba. Julguei que já tivesse chegado depois do episódio da casa de banho. O homem era insaciável. Ou talvez todos os homens fossem como ele. Não fazia a mínima ideia pois não tinha ninguém com quem o pudesse comparar. Fechei os olhos e tentei acalmar-me, para estabelecer contacto com a submissa em mim. Ela devia lá estar algures, escondida atrás da minha deusa interior.

A expetativa borbulhava-me nas veias como um refrigerante. O que iria ele fazer? Respirei fundo para me acalmar, mas não podia negá-lo. Sentia-me estimulada, excitada e já estava até um pouco molhada. Aquilo era tão... ocorreu-me a palavra *anormal*, mas de certa forma não era. Para Christian estava certo. Era isto que ele queria e depois dos últimos dias... depois de tudo o que ele fizera, eu teria de me mentalizar para aceitar o que quer que fosse que ele decidisse que queria, ou que achasse que precisava.

A memória do seu olhar quando eu entrara, nessa tarde, do desejo estampado no seu rosto, do seu andar resoluto na minha direção, como se eu fosse um oásis no deserto.... Faria praticamente tudo para ver de novo esse olhar. Apertei as coxas, uma contra a outra, ao recordar essa deliciosa imagem, o que me lembrou que tinha de afastar os joelhos, por isso afastei-os. Quanto tempo iria ele fazer-me esperar? A espera estava a paralisar-me com um desejo sombrio e irresistível. Olhei rapidamente em redor do quarto discretamente iluminado: a cruz, a mesa, o sofá, o banco... aquela cama. A cama era enorme e tinha lençóis de cetim vermelhos. Que tipo de instrumento iria utilizar?

A porta abriu-se e Christian entrou tranquilamente, ignorando-me por completo. Eu baixei rapidamente a cabeça, olhando para as minhas mãos, cuidadosamente poisadas sobre as minhas coxas afastadas. Ele pôs algo em cima da grande cómoda junto da porta, caminhando descontraidamente em direção à cama. Eu abandonei-me ao prazer de o obervar brevemente e o meu coração quase parou. Estava apenas com aqueles *jeans* macios e esfarrapados, com o botão de cima desapertado. *Caramba, está tão sexy.* O meu subconsciente abanava-se freneticamente com a mão e a minha deusa interior baloiçava-se e contorcia-se, a um ritmo primitivo e carnal. Estava mais do que pronta. Eu lambi instintivamente os lábios. Sentia o sangue a pulsar-me pelo corpo, carregado de uma fome lasciva. *O que irá ele fazer-me?*

Virando-se descontraidamente, ele voltou para junto da cómoda, abriu uma das gavetas e começou a tirar objetos e a colocá-los sobre esta. Estava a arder de curiosidade, mas resisti à terrível tentação de dar uma olhadela rápida. Quando acabou de fazer o que estava a fazer, veio pôr-se à minha frente. Conseguia ver os seus pés descalços e apetecia-me cobri-los de beijos... passar-lhe a língua pelo peito do pé e chupar-lhe os dedos. *Caramba.*

– Estás linda – sussurrou.

Eu mantive-me de cabeça baixa, consciente de que ele estava a olhar para mim e que estava praticamente nua. Senti o rubor a alastrar-me lentamente pelo rosto. Ele curvou-se e aninhou-me o queixo na mão, forçando-me a levantar o rosto e a olhá-lo.

– És uma mulher linda, Anastasia, e és totalmente minha – murmurou. – Levanta-te. – Ordenou-o num tom brando, carregado de promessas sensuais.

Eu levantei-me tremulamente.

– Olha para mim – sussurrou e eu fitei o seu olhar ardente. Era o seu olhar de Dominador – frio, duro e sexy como o raio; sete sombras de pecado num olhar sedutor. Eu senti a boca seca e percebi que faria tudo o que ele me pedisse. Um sorriso quase cruel desenhou-se nos seus lábios.

– Não temos um contrato assinado, Anastasia, mas discutimos limites, e eu quero reiterar que dispomos de palavras de segurança, ok?

Merda... o que teria ele planeado para eu precisar de palavras de segurança?

– Quais são as palavras? – perguntou-me, num tom autoritário.

Franzi ligeiramente o sobrolho, ao ouvir a pergunta, e a sua expressão endureceu visivelmente.

– Quais são as palavras de segurança, Anastasia? – disse ele num tom deliberadamente pausado.

– Amarelo – murmurei.

– E? – incitou-me, cerrando a boca numa linha dura.

– Vermelho – sussurrei.

– Não te esqueças delas.

Foi mais forte do que eu... arqueei uma sobrancelha e estava prestes a lembrar-lhe a minha média de licenciatura, mas o súbito brilho gelado nos seus olhos cinzentos e frios deteve-me.

– Não comece com as suas observações espirituosas aqui, Miss Steele, de contrário fodo-a de joelhos, entendeu?

Eu engoli em seco, instintivamente. *Ok.* Pisquei os olhos rapidamente, sentindo-me acabrunhada. Na verdade, foi o seu tom de voz e não a ameaça em si que me intimidou.

– Então?

– Sim, Senhor – murmurei, apressadamente.

– Linda menina. – Fez uma pausa e olhou para mim. – A minha intenção não é que uses a palavra de segurança por estares a sentir dor. O que eu penso fazer-te será intenso, muito intenso, e tu terás de me guiar, entendeste?

Não propriamente. Intenso? Uau.

– Isto tem a ver com o toque, Anastasia. Não conseguirás ver-me nem ouvir-me, mas conseguirás sentir-me.

Eu franzi o sobrolho – *não o ouvir?* Como iria aquilo funcionar? Ele virou-se e eu vi uma caixa preta polida e baça. Ele acenou com a mão diante dela e a caixa abriu-se ao meio: duas portas deslizaram para o lado, revelando um leitor de CDs e uma carrada de botões. Christian carregou sequencialmente em alguns desses botões. Nada aconteceu, mas ele parecia satisfeito. Eu estava intrigada. Quando se virou de novo para mim, estava com o seu sorrisinho misterioso.

– Vou amarrar-te àquela cama, Anastasia, mas primeiro vou vendar-te – mostrou-me o iPod na mão – e tu não conseguirás ouvir-me. Ouvirás apenas a música que vou pôr para ti.

Ok. Um interlúdio musical. Não era isso que eu estava à espera. Será que alguma vez faria o que eu esperava? *Raios. Espero que não seja rap.*

– Anda – Deu-me a mão e conduziu-me para a cama de dossel, antiga. Havia uma corrente presa a cada canto, belas correntes de metal, com algemas de cabedal, a cintilarem contra o cetim vermelho.

Oh, meu Deus, o coração parecia querer saltar-me do peito e eu sentia-me a derreter de dentro para fora, percorrida pelo desejo. Poderia estar mais excitada?

– Vem para aqui.

Eu estava de frente para a cama. Ele inclinou-se para mim e segredou-me ao ouvido.

– Espera aqui e não desvies os olhos da cama. Imagina-te aqui deitada, presa, e totalmente à minha mercê.

Oh meu Deus.

Afastou-se por instantes. Conseguia ouvi-lo junto da porta à procura de algo. Todos os meus sentidos estavam hiper-alerta e a minha audição parecia mais apurada. Ele tirou algo da prateleira dos chicotes e das palmatórias, junto da porta. *Caramba. O que vai ele fazer?*

Senti-o atrás de mim. Ele pegou-me no cabelo, puxou-o para trás num rabo de cavalo e começou a entrançá-lo.

– Embora goste dos teus totós, agora estou ansioso por te possuir, Anastasia. Por isso bastará um único. – Falava num tom de voz grave e brando.

Os seus dedos ágeis roçavam-me de vez em quando pelas costas, enquanto me estava a entrançar o cabelo e cada toque acidental era como um delicioso choque elétrico, na minha pele. Ele prendeu a extremidade com um elástico e depois puxou delicadamente a trança, para que eu fosse forçada a recuar e a encostar-me a ele. Desviou-se de novo para o lado, forçando-me a inclinar a cabeça, para lhe dar mais fácil acesso ao meu pescoço. Depois inclinou-se e roçou-me o nariz pelo pescoço, percorrendo-o com os dentes e a língua, desde a base da orelha até ao ombro. Ao fazê-lo, gemeu suavemente e o som ressoou-me pelo corpo, até lá baixo… até lá baixo *àquele sítio.* Eu gemi baixinho, sem querer.

– Agora, silêncio – sussurrou contra a minha pele. Ergueu as mãos à minha frente e os seus braços tocaram nos meus. Tinha um açoite na mão direita. Lembrava-me do nome da primeira vez que visitara aquela sala.

– Toca-lhe – sussurrou. Parecia o diabo em pessoa. O meu corpo incendiou-se em resposta. Estiquei hesitantemente a mão, roçando-a pelas longas tiras. Tinha muitas tiras longas, todas elas de camurça macia, com pequenas contas nas extremidades.

– Vou usar isto. Não vai doer mas fará com que o sangue te aflore à superfície da pele, tornando-te muito sensível.

Ah, ele dizia que não ia doer.

– Quais são as palavras de segurança, Anastasia?

– Hum… "amarelo" e "vermelho", Senhor – sussurrei.

– Linda menina. Lembra-te que grande parte do teu medo está na tua cabeça.

Largou o açoite em cima da cama e colocou-me as mãos na cintura.

– Não vais precisar disto – murmurou, encaixando os dedos nas minhas cuecas e puxando-mas pelas pernas abaixo. Eu saí de dentro delas, vacilante, apoiando-me no poste ornamentado da cama.

– Fica quieta – ordenou ele, beijando-me o traseiro e beliscando--mo depois duas vezes, delicadamente, fazendo-me retesar o corpo. – Agora deita-te. De rosto para cima – acrescentou, batendo-me com força no traseiro e fazendo-me saltar.

Eu gatinhei apressadamente para cima do colchão duro e rígido e deitei-me, a olhar para ele. Sentia o lençol de cetim macio e fresco contra a minha pele, por baixo de mim. Ele estava com um rosto impassível. Só os seus olhos brilhavam, carregados de uma excitação que mal conseguia conter.

– Mãos por cima da cabeça – ordenou-me e eu assim fiz.

Bolas, o meu corpo estava faminto dele. Já o desejava.

Ele virou-se. Pelo canto do olho, vi-o caminhar pausadamente até à cómoda e voltar com o iPod e algo semelhante a uma máscara de olhos, parecida com a que eu usara no meu voo para Atlanta. A ideia deu-me vontade de sorrir, mas os meus lábios não estavam muito cooperantes. Estava demasiado consumida pela expetativa. O meu rosto estava totalmente imóvel e eu estava de olhos muito abertos a olhar para ele. Era tudo o que sabia.

Ele sentou-se na cama e mostrou-me o iPod. Tinha uma estranha antena e uns auriculares. Que estranho. Franzi o sobrolho, tentando perceber aquilo.

– Isto transmite o que está a tocar no iPod para o sistema de som da sala – disse Christian, respondendo à minha pergunta por expressar, batendo ao de leve na pequena antena. – Eu consigo ouvir o que tu estás a ouvir e tenho uma unidade de controlo remoto para o aparelho. – Dirigiu-me o seu sorriso de piada íntima e ergueu um pequeno aparelho chato, semelhante a uma calculadora de bolso. Debruçou-se sobre mim, inserindo-me delicadamente os auriculares nos ouvidos, poisando o iPod algures na cama, acima da minha cabeça.

– Levanta a cabeça – ordenou e eu fi-lo imediatamente.

Colocou-me lentamente a máscara, puxando o elástico para trás da minha cabeça, e eu deixei de ver. O elástico da máscara segurava os auriculares. Ainda o conseguia ouvir, embora o som fosse abafado, ao levantar-se da cama. A minha própria respiração estava a deixar-me surda. Estava superficial e errática, refletindo a minha excitação. Christian pegou-me no braço esquerdo e esticou-o delicadamente para o canto esquerdo, prendendo a algema de cabedal ao meu pulso. Assim que terminou, acariciou-me o braço, a todo o comprimento, com os seus longos dedos. *Oh!* O seu toque provocou-me um delicioso arrepio, semelhante a cócegas. Ouvi-o contornar lentamente a cama para o outro lado. Agarrou-me no braço direito e algemou-o, voltando a percorrer-me demoradamente o braço com os seus longos dedos. *Oh meu Deus...* Eu estava já a ponto de a explodir. Porque seria aquilo tão erótico?

Deslocou-se para os pés da cama e agarrou-me em ambos os tornozelos.

– Volta a levantar a cabeça – ordenou-me.

Eu obedeci e ele arrastou-me pela cama de forma a ficar com os braços esticados, quase a repuxarem as algemas. *Com os diabos,* não conseguia mexer os braços. Um frémito de ansiedade, misturado com um irresistível júbilo, percorreu-me o corpo molhando-me ainda mais. Eu gemi. Ele afastou-me as pernas, algemando-me primeiro o tornozelo direito e depois o esquerdo, de forma a eu ficar presa aos postes, de pernas e braços esticados, totalmente à sua mercê. Era tão enervante não o poder ver. Escutei com atenção... o que estaria ele a fazer? Tudo o que ouvia era a minha respiração, o bater do meu coração, e o sangue a pulsar-me furiosamente nos tímpanos.

Subitamente, os zunidos e estalidos silenciosos do iPod ganharam vida. No interior da minha cabeça uma voz angélica e solitária entoou uma nota longa e doce, sem acompanhamento. A essa voz reuniu-se, quase imediatamente, uma segunda voz e depois outras vozes. *Com os diabos*, tinha um coro celestial a cantar à *capella* dentro da minha cabeça, um hino antiquíssimo. *O que raio vem a ser isto?* Nunca na vida ouvira nada assim. Algo quase insuportavelmente macio roçou-me pelo pescoço, e percorreu-me languidamente a garganta, descendo-me lentamente pelo peito, até os seios, acariciando-me... puxando-me pelos mamilos, e roçando-me ao de leve por baixo destes. Era tão suave, tão *inesperado. Seria pelo? Uma luva de pelo?*

A mão de Christian desceu até à minha barriga, sem pressas, ponderadamente descrevendo um círculo em torno do meu umbigo e deslizando depois, cuidadosamente, de uma anca à outra. Eu tentei prever onde ele iria a seguir... mas a música na minha cabeça... transportava-me... A luva deslizou ao longo dos meus pelos púbicos... por entre as minhas pernas, ao longo das minhas coxas, descendo por uma perna... e subindo por outra... quase me fazia cócegas... mas não era bem isso... Outras vozes se reuniram ao coro celestial... as suas vozes entoavam diferentes partes da música, combinando-se alegre e docemente numa melodia harmónica que ia muito além de tudo o que eu ouvira até então. Apanhei uma palavra, "deus", e percebi que estavam a cantar em Latim. A luva continuava a mover-se ao longo dos meus braços, em torno da minha cintura... voltando para cima, percorrendo-me os seios. Os meus mamilos endureceram sob o seu toque suave... Eu estava ofegante... tentando adivinhar onde a sua mão iria a seguir. Subitamente, deixei de a sentir e as tiras do açoite deslizarem-me pela pele, percorrendo o mesmo caminho que a luva. Era tão difícil concentrar-me com a música na cabeça – era como se uma centena de vozes me tecessem uma tapeçaria etérea e sedosa, de ouro e prata fina dentro da minha cabeça, e isso se misturasse com a sensação da camurça macia contra a minha pele, a deslizar-me pelo corpo... oh, meu Deus...De repente deixei de a sentir e depois senti-a fustigar-me bruscamente a barriga.

– *Argghh!* – gritei. O golpe apanhou-me de surpresa, mas provocou-me um formigueiro e não propriamente dor. Ele bateu-me de novo, com mais força.

– Ahhh!

Apetecia-me mexer-me, contorcer-me... esquivar-me ou acolher de bom grado cada golpe... não sei. Era arrasador... Não podia puxar os braços... as minhas pernas estavam imobilizadas ... estava firmemente presa... Ele voltou a fustigar-me nos seios... e eu gritei. Era uma agonia deliciosa – suportável... aprazível. Não. Não imediatamente, mas quando comecei a sentir a minha pele vibrar, a cada golpe, em perfeito contraponto com a música na minha cabeça, fui arrastada para uma parte imensamente sombria da minha psique que se rendeu àquela sensação incrivelmente erótica. *Sim, eu entendia aquilo.* Ele atingiu-me na anca, aplicando-me depois golpes rápidos sobre os pelos púbicos, nas coxas e na parte interior das coxas... voltando a percorrer-me o corpo... e as ancas. Continuou a fustigar-me. A música atingiu um clímax e depois parou subitamente, tal como ele. A seguir os cânticos recomeçaram... em crescendo e ele começou a fustigar-me repetidamente... eu gemia e contorcia-me. A música parou mais uma vez e tudo ficou em silêncio... Tudo o que se ouvia era o som da minha respiração descontrolada... do meu desejo descontrolado. O que se estava a passar? O que iria ele fazer-me agora? A minha excitação era quase insuportável. Mergulhara num universo muito obscuro e carnal.

A cama mexeu-se e eu senti-o subir para cima de mim e a música recomeçou. Tinha-a programado em modo de repetição... Desta vez foi o seu nariz e os seus lábios que substituíram a luva de pelo... percorrendo-me o pescoço e a garganta, beijando-me, sugando-me... descendo até aos meus seios... Ah! Estava a estimular-me cada um dos meus mamilos à vez... girando a língua em torno de um deles... e estimulando impiedosamente o outro com os dedos. Eu gemi alto, julgo eu, embora não me pudesse ouvir. Estava perdida. Perdida nele… perdida nas vozes astrais e seráficas… perdida em todas as sensações a que não podia escapar… totalmente à mercê do seu toque experiente.

Ele deslizou até à minha barriga – circundando-me o umbigo com a língua – seguindo o caminho do açoite e da luva de pelo… Eu gemi. Ele beijou-me, sugou-me, e mordeu-me… em direção a sul… e, subitamente, a sua língua estava *lá,* na junção entre as minhas coxas. Eu atirei a cabeça para trás e gritei, quase explodindo num orgasmo… estava à beira do clímax… e ele parou.

Não! Senti a cama mover-se e ele ajoelhou-se entre as minhas pernas. Inclinou-se em direção ao poste da cama e a algema do meu tornozelo desapareceu subitamente. Eu puxei a perna para o meio da cama… encostando-a a ele. Ele inclinou-se para o poste do lado oposto e libertou-me a outra perna. As suas mãos percorreram rapidamente as minhas pernas, apertando-as e massajando-as, instilando-lhes de novo vida. Depois, agarrou-me nas ancas e ergueu-me, elevando-me as costas da cama. Eu estava com o corpo em arco, apoiada sobre os ombros. O *quê?* Ele estava ajoelhado entre as minhas pernas… e penetrou-me, arremetendo contra mim com um movimento rápido… *oh, foda-se…*voltei a gritar. Os estremecimentos do meu orgasmo iminente começaram. Ele imobilizou-se e os estremecimentos cessaram… *oh não…* ele ia continuar a torturar-me.

– Por favor – choraminguei.

Ele agarrou-me com mais força… seria uma advertência? Não sabia. Os seus dedos enterraram-se na carne do meu traseiro. Eu estava deitada, ofegante… por isso imobilizei-me propositadamente. Muito lentamente, ele começou de novo a mexer-se… para dentro e para fora… a um ritmo aflitivamente lento. *Foda-se, por favor!* – gritava eu interiormente… À medida que o número de vozes aumentava na peça coral, ele ia aumentando também a sua cadência, a um ritmo infinitesimal. Estava tão controlado… tão sincronizado com a música. Eu já não conseguia suportar aquilo.

– Por favor – implorei e ele voltou a baixar-me sobre a cama, com um movimento rápido. Estava em cima de mim, com as mãos na cama, ao lado dos meus seios, a suportar o seu peso e voltou a penetrar-me com força. Quando a música atingiu o clímax eu precipitei-me … em queda livre… no orgasmo mais intenso e agonizante que jamais sentira e Christian seguiu-me… penetrando-me com força mais três vezes… imobilizando-se finalmente, e caindo sobre mim.

Ao recuperar a minha consciência vinda não se sabe bem de onde, Christian saiu de dentro de mim. A música tinha parado e eu senti-o esticar-se sobre mim, soltando-me a algema do pulso direito. Eu gemi ao sentir a mão livre e ele libertou-me rapidamente a outra mão, puxando-me delicadamente a máscara dos olhos e removendo-me os auriculares. Eu pisquei os olhos sob a luz suave, fitando os seus olhos cinzentos e intensos.

– Olá – murmurou ele.

– Olá – sussurrei timidamente, em resposta. Os seus lábios arquearam-se num sorriso e ele inclinou-se, beijando-me suavemente.

– Bravo – sussurrou. – Vira-te.

Bolas – o que iria ele fazer agora? Os seus olhos tornaram-se mais brandos.

– Vou apenas massajar-te os ombros.

– Ah… ok.

Virei-me rigidamente de barriga para baixo. Estava tão cansada. Christian sentou-se em cima de mim e começou a massajar-me os ombros. Eu gemi alto. Tinha uns dedos tão fortes e experientes. Ele inclinou-se e beijou-me a cabeça.

– Que música era aquela? – murmurei quase desarticuladamente.

– Chama-se *Spem un Alium*. É um motete em quarenta partes de Thomas Tallis.

– Era… arrasador.

– Sempre desejei foder ao som dele.

– Mais uma estreia, Mr. Grey?

– É verdade, Miss Steele.

Voltei a gemer, ao sentir os seus dedos a fazerem magia nos meus ombros.

– Bom, também é a primeira vez que fodo ao som dele – murmurei, sonolenta.

– Hum… tu e eu estamos a proporcionar muitas estreias um ao outro. – Disse-o num tom prosaico.

– O que te disse enquanto dormia, Chris... Senhor?
As suas mãos pararam por instantes de me massajar.
– Disseste montes de coisas, Anastasia. Falaste de jaulas e de morangos... disseste que querias mais... e que sentias a minha falta.
Ah, graças a Deus.
– Só isso? – O alívio na minha voz era evidente.
Christian interrompeu a sua massagem divinal e mudou de posição, de forma a ficar a meu lado com a cabeça apoiada no cotovelo. Estava de sobrolho franzido.
– O que pensavas tu que tinhas dito?
Oh raios.
– Que te achava horrível, convencido, e que eras um caso perdido na cama.
O vinco na sua testa acentuou-se.
– Bom, evidentemente que sou todas essas coisas e agora deixaste-me realmente intrigado. O que me está a esconder, Miss Steele?
Eu pisquei-lhe os olhos, com um ar inocente.
– Não estou a esconder nada.
– Mentes pessimamente.
– Julgava que me ias fazer rir depois do sexo. Isto não está a ajudar nada.
Os seus lábios arquearam-se num sorriso.
– Eu não sei dizer piadas.
– Mr. Grey! Uma lacuna? – disse-lhe, sorrindo e ele sorriu também.
– Não, um péssimo comediante – parecia tão orgulhoso de si mesmo que eu comecei a rir-me.
– Eu também sou uma péssima comediante.
– Esse som é tão agradável – murmurou, inclinando-se para a frente e beijando-me. – E tu estás a esconder-me alguma coisa, Anastasia. Talvez tenha de te torturar para te arrancar a verdade.

CAPÍTULO VINTE E SEIS

Acordei sobressaltada. Tinha a sensação de ter acabado de cair de umas escadas num sonho e sentei-me subitamente, momentaneamente desorientada. Estava escuro e eu estava na cama de Christian, sozinha. Algo me acordara. Um pensamento qualquer perturbante. Olhei de relance para o despertador junto da cabeceira da cama. Eram cinco da manhã, mas eu sentia-me repousada. Porque seria? Ah pois, era a diferença horária. Na Geórgia eram oito da manhã. *Raios... preciso de tomar a minha pílula.* Saltei da cama, agradecida pelo facto de algo me ter acordado – fosse lá o que fosse. Conseguia ouvir notas indistintas de piano. Christian estava a tocar. Isso eu não podia perder. Adorava vê-lo tocar. Agarrei no meu roupão de banho, nua, e percorri silenciosamente o corredor, vestindo o roupão e escutando as notas mágicas daquela elegia melódica na sala grande.

Christian estava envolto pela escuridão, sentado numa bolha de luz, a tocar, e o seu cabelo brilhava com *nuances* lustrosas, acobreadas. Parecia estar nu, embora eu soubesse que tinha as calças de pijama vestidas. Estava concentrado, a tocar maravilhosamente, perdido na melancolia da música. Hesitei, observando-o nas sombras, sem querer interrompê-lo. Apetecia-me abraçá-lo. Parecia perdido, até mesmo triste – dolorosamente só. Ou talvez fosse apenas daquela melodia comovente, carregada de mágoa. Ele terminou a peça, fez uma pausa de uma fração de segundo e recomeçou a tocar. Eu aproximei-me cautelosamente dele, como uma traça atraída pelo fogo... e a ideia fez-me sorrir. Ele olhou de relance para mim e franziu o sobrolho antes de voltar a olhar para as mãos.

Bolas, será que estava irritado por eu estar a perturbá-lo?

– Devias estar a dormir – disse-me, admoestando-me brandamente.

Percebi que ele estava preocupado com qualquer coisa.

– Tu também – retorqui, num tom um pouco menos moderado.

Ele levantou os olhos e os seus lábios estremeceram, com um ligeiro sorriso.

– Está a repreender-me, Miss Steele?

– Estou sim, Mr. Grey.

– Bom, é que eu não consigo dormir. – Franziu o sobrolho e eu voltei a ver vestígios de raiva e de irritação no seu rosto. Comigo, seguramente que não.

Ignorei a sua expressão facial e sentei-me muito corajosamente a seu lado, no banco do piano, encostando a cabeça ao seu ombro nu, para ver os seus dedos destros e ágeis acariciarem as teclas. Ele fez uma pausa durante uma fração de segundo e prosseguiu até ao fim da peça.

– O que era isso? – perguntei, suavemente.

– Chopin. Prelúdio opus vinte e oito, número quatro em Mi menor, se isso te interessa – murmurou.

– Estou sempre interessada no que tu fazes.

Ele virou-se e colou suavemente os lábios ao meu cabelo.

– Não era minha intenção acordar-te.

– Não acordaste. Toca a outra.

– A outra?

– A peça de Bach que tocaste na primeira noite em que cá fiquei.

– Ah, o Marcello.

Começou a tocar baixo, pausadamente. Encostada a ele, eu conseguia sentir o movimento das suas mãos nos seus ombros. Fechei os olhos. As notas tristes e comoventes rodopiavam lenta e melancolicamente à nossa volta, ecoando nas paredes. Era uma peça de uma beleza perturbante. Era ainda mais triste do que Chopin e eu abandonei-me à beleza daquela melodia que mais parecia um lamento. Até certo ponto refletia a forma como eu me sentia. O desejo profundo e pungente que tinha de conhecer melhor aquele homem extraordinário, para tentar entender a *sua* tristeza. A peça terminou depressa demais.

– Porque é que só tocas músicas tão tristes?

Endireitei-me no banco e olhei para ele. Christian encolheu os ombros em resposta à minha pergunta, com uma expressão cautelosa

– Então tinhas apenas seis anos quando começaste a tocar? – perguntei, incitando-o a falar.

Ele anuiu e o seu olhar tornou-se ainda mais cauteloso. Momentos depois, disse:

– Decidi aprender a tocar piano para agradar à minha nova mãe.

– Para te ajustares à família perfeita?

– Sim, por assim dizer – disse ele, evasivamente. – Porque estás acordada? Não precisas de recuperar dos esforços de ontem?

– Para mim são oito da manhã e eu preciso de tomar a minha pílula.

Ele arqueou as sobrancelhas surpreendido.

– Bem lembrado – murmurou e eu percebi que ele estava impressionado. – Só tu poderias iniciar um ciclo de pílulas contracetivas com horas específicas de toma, num fuso horário diferente. Talvez fosse boa ideia esperares meia hora hoje e mais meia hora amanhã de manhã, para que possas acabar por tomá-las a uma hora razoável.

– Boa ideia – sussurrei. – Então o que vamos fazer durante a próxima meia hora? – perguntei, piscando-lhe os olhos, com um ar inocente.

– Ocorrem-me uma série de coisas – respondeu, sorrindo lascivamente. Eu olhei-o impassível, sentindo as entranhas contraírem-se e derreterem sob o seu olhar sabido.

– Por outro lado, poderíamos conversar – sugeri, calmamente.

Ele franziu a testa.

– Prefiro o que tenho em mente – disse, puxando-me para o seu colo.

– Para ti o sexo é sempre preferível à conversa – retorqui, a rir, agarrando-me aos seus braços para me equilibrar.

– É verdade, especialmente contigo. – Roçou-me o nariz pelo cabelo, deixando-me um rasto de beijos desde a base da orelha até ao pescoço. – Talvez em cima do meu piano – sussurrou ele.

Oh meu Deus. Todo o meu corpo se contraiu só de pensar. *Em cima do piano. Uau*

– Quero clarificar uma coisa – sussurrei, sentindo a pulsação acelerar. A minha deusa interior fechou os olhos, desfrutando da sensação dos seus lábios colados aos meus.

Ele fez uma pausa momentânea antes de prosseguir com o seu ataque sensual.

– Sempre tão ávida de informação, Miss Steele. O que precisa de clarificar? – sussurrou contra a pele da base do meu pescoço, continuando a beijar-me delicadamente.

– Algo acerca de nós

– Hum. O que precisa de clarificar acerca de nós? – Interrompeu o rasto de beijos no meu ombro.

– O contrato.

Ele levantou a cabeça para olhar para mim, com um olhar ligeiramente divertido e suspirou, acariciando-me a face com a ponta dos dedos.

– Bom, eu acho que o contrato é irrelevante, não achas? – Falava num tom de voz grave e rouco, com um olhar brando.

– Irrelevante?

– Irrelevante – disse ele, sorrindo. Eu olhei-o de boca aberta, com uma expressão zombeteira.

– Mas estavas tão entusiasmado.

– Bom, isso era antes. Seja como for, as Regras não são irrelevantes e mantêm-se. – A sua expressão endureceu ligeiramente.

– Antes? Antes de quê?

– Antes... – Fez uma pausa e voltou a ficar com uma expressão cautelosa. – Do "mais" – respondeu-me, encolhendo os ombros.

– Ah, bom.

– Além disso, estivemos na sala de jogos duas vezes e tu não fugiste para as colinas aos gritos.

– Esperavas que eu o fizesse?

– Nada do que tu fazes é previsível, Anastasia – disse, secamente.

– Deixa-me lá ver se percebi. Tu queres apenas que eu siga em permanência as Regras elementares do contrato, mas não o resto do contrato?

– Exceto na sala de jogos. Na sala de jogos, quero que sigas o contrato, na sua essência, e quero que sigas as Regras em permanência, sim. Assim saberei que estás em segurança e poderei ter-te sempre que quiser.

– E se eu quebrar uma das Regras?

– Eu castigar-te-ei.

– Mas não precisas da minha permissão?

– Sim, preciso.

– E se eu disser que não?

Ele olhou-me por instantes, com uma expressão confusa.

– Se disseres que não, paciência. Terei de arranjar maneira de te persuadir.

Eu afastei-me dele e levantei-me. Precisava de alguma distância. Ele franziu o sobrolho, quando eu olhei para ele. Parecia de novo intrigado e cauteloso.

– Então, o fator da punição mantém-se.

– Só se quebrares as Regras.

– Terei de as reler – disse, tentando recordar os detalhes.

– Eu vou buscá-las. – O seu tom tornou-se subitamente profissional.

Eh lá, a conversa dera para o sério num abrir e fechar de olhos. Ele levantou-se do piano e encaminhou-se tranquilamente para o escritório. Eu sentia um formigueiro no couro cabeludo. Raios. Precisava de um chá. O futuro do nosso pretenso relacionamento estava a ser discutido às 5h45 da manhã, numa altura em que ele andava preocupado com outra coisa – seria isso sensato? Encaminhei-me para a cozinha, ainda mergulhada na escuridão. Onde estariam os interruptores para acender a luz? Encontrei-os, liguei-os e enchi a chaleira de água. *A minha pílula!* Remexi na bolsa que deixara em cima do balcão do pequeno-almoço e encontrei-as rapidamente. Bastaria engolir uma e pronto. Quando terminei, Christian regressara e estava sentado num dos bancos, a observar-me atentamente.

– Aqui tens. – Empurrou um molho de papéis impressos na minha direção e eu reparei que ele tinha cortado algumas partes.

REGRAS

Obediência:

A Submissa obedecerá a quaisquer instruções dadas pelo Dominador imediatamente, sem hesitação nem reserva e de forma expedita. A Submissa concordará com qualquer atividade sexual considerada adequada e prazerosa pelo Dominador, excetuando as atividades expostas nos limites intransponíveis (Apêndice 2). Fá-lo-á prontamente e sem hesitação.

Sono:

A Submissa certificar-se-á de que dorme um mínimo de ~~oito~~ sete horas por noite quando não estiver com o Dominador.

Comida:

~~A Submissa comerá com regularidade para conservar a saúde e bem-estar de uma lista predeterminada de comida (Apêndice 4). A Submissa não comerá no intervalo das refeições, à exceção de fruta.~~

Roupa:

Na presença do Dominador, a Submissa usará apenas roupa aprovada pelo Dominador. O Dominador atribuirá à Submissa um orçamento para roupa, que ela deve utilizar. O Dominador acompanhará a Submissa na compra de roupa quando necessário.

Exercício:

O Dominador atribuirá à Submissa um *personal trainer* ~~quatro~~ três vezes por semana, em sessões de uma hora, em horário a ser mutuamente combinado entre o *personal trainer* e a Submissa. O *personal trainer* reportará ao Dominador os progressos da Submissa.

Higiene Pessoal/Beleza:

A Submissa será responsável por se apresentar sempre limpa e depilada. A Submissa visitará um salão de beleza à escolha do Dominador em alturas a ser decididas por este, e sujeitar-se-á a quaisquer tratamentos que o Dominador considere apropriados.

Segurança Pessoal:

A Submissa não beberá em excesso, não fumará, não tomará drogas recreativas nem se colocará em perigo desnecessário.

Qualidades Pessoais:

A Submissa não terá relações sexuais com mais ninguém além do Dominador. A Submissa terá um comportamento respeitável e recatado em todas as ocasiões. É obrigatório que reconheça que o seu comportamento se refletirá diretamente no Dominador. Será responsabilizada por quaisquer transgressões, delitos e maus comportamentos cometidos quando não estiver na presença do Dominador.

O incumprimento de quaisquer dos parâmetros supracitados será seguido de castigo imediato, cuja natureza será determinada pelo Dominador.

– Então a questão da obediência ainda se mantém?

– Ah, pois – disse ele, com um sorriso.

Abanei a cabeça, divertida e, antes que me apercebesse, revirei-lhe os olhos.

– Não terás acabado de me revirar os olhos, Anastasia? – sussurrou.

Merda.

– Possivelmente, depende da reação que tiveres.

– A mesma de sempre – disse, abanando a cabeça, com os olhos brilhantes de excitação.

Engoli em seco, instintivamente, e fui percorrida por um estremecimento de júbilo.

– Então... – *Raios, o que vou eu fazer?*

– Sim? – Lambeu o lábio inferior.

– Queres espancar-me agora.

– Sim, e é o que vou fazer.

– A sério, Mr. Grey? – perguntei, num tom desafiador, sorrindo para ele. Podemos entrar os dois nesse jogo.

– Vais impedir-me?

– Vais ter de me apanhar primeiro.

Ele arregalou um pouco os olhos, levantando-se lentamente.

– A sério, Miss Steele?

O balcão do pequeno-almoço estava entre nós e nunca como naquele momento me senti tão grata pela sua existência.

– E tu estás a morder o lábio – sussurrou ele, movendo-se lentamente para a sua esquerda, ao mesmo tempo que eu me movia para o lado.

– Não serias capaz – disse, provocadoramente. – Afinal de contas, tu também reviras os olhos – constatei, tentando argumentar com ele, mas ele continuou a mover-se para a sua esquerda, tal como eu.

– Sim, mas tu acabaste de elevar a fasquia de excitação, com este jogo. – Uma expetativa desenfreada emanava dele. Os seus olhos estavam flamejantes.

– Eu sou bastante rápida, sabes? – perguntei, apostando na descontração.

– Também eu.

Ele estava a perseguir-me na sua própria cozinha.

– Virás a bem? – perguntou.

– Certamente que sim.

– O que quer dizer com isso, Miss Steele? – perguntou com um sorriso afetado. – Será pior se eu tiver de a ir buscar.

– Isso é só se me apanhares, Christian, e neste momento não faço tenções de deixar que me apanhes.

– Anastasia, podes cair e magoar-te, o que representará uma infração direta da regra número sete, agora número seis.

– Estou em perigo desde que o conheço, Mr. Grey, com regras ou sem elas.

– Pois estás. – Fez uma pausa e franziu a testa.

Subitamente ele saltou na minha direção e eu guinchei, correndo para junto da mesa de jantar. Consegui escapar-me, colocando a mesa entre nós. O coração martelava-me no peito e a adrenalina inundara-me o corpo... caramba... aquilo era excitante. Regressara à infância, ainda que isso fosse descabido. Observei-o atentamente, vendo-o avançar cautelosamente na minha direção e afastei-me um pouco.

– Sabes bem como distrair um homem, Anastasia.

– O nosso lema é agradar, Mr. Grey. Distraí-lo de quê?

– Da vida, do universo. – Fez um gesto vago com uma mão.

– Parecias bastante preocupado enquanto tocavas.

Ele parou e cruzou os braços, com uma expressão divertida.

– Podemos passar o dia todo nisto, amor, mas eu vou apanhar-te e será pior para ti quando te apanhar.

– Não vais, não. – Não podia mostrar-me demasiado confiante. Repeti-o para comigo mesma, como um mantra. O meu subconsciente encontrara os seus Nikes e estava na linha de partida.

– Qualquer pessoa pensaria que tu não queres que eu te apanhe.

– E não quero, a questão é essa. Sinto o mesmo em relação ao castigo que tu sentes em relação à possibilidade de eu te tocar.

Todo o seu comportamento se modificou num instante. O Christian brincalhão desapareceu e ele ficou a olhar para mim como se eu o tivesse esbofeteado. Estava cinzento.

– É isso que sentes? – sussurrou.

Oh não. Aquelas quatro palavras e a forma como as proferiu eram bastante reveladoras. Estavam a mostrar-me muito mais acerca dele e da forma como se sentia, acerca do seu medo e do seu ódio. Não, eu não me sentia *tão* mal assim. Nem pensar. Ou será que sentia?

– Não, não me afeta tanto como isso, mas dá-te uma ideia – murmurei, olhando ansiosamente para ele.

– Ah, bom – disse ele.

Raios. Ele parecia completamente perdido, como se eu lhe tivesse tirado o tapete debaixo dos pés.

Respirei fundo e contornei a mesa, até ficar diante dele, de olhos postos no seu olhar apreensivo.

– Repugna-te assim tanto? – perguntou-me, com o horror estampado nos olhos.

– Bom... não, propriamente – disse eu, para o tranquilizar. – *Bolas, é isso que ele sente quando as pessoas lhe tocam?* – Não, sinto-me ambivalente em relação a isso. Não gosto, mas também não odeio.

– Mas ontem à noite, na sala de jogos tu...

– Faço-o por ti, Christian, porque tu precisas disso. Eu não preciso. Ontem à noite não me magoaste. O contexto era diferente. Não consigo racionalizar isso internamente e confio em ti, mas quando queres castigar-me eu tenho receio que me magoes.

Os seus olhos escureceram como uma tempestade turbulenta. O tempo foi passando, expandindo-se e escapando-se de nós até que ele respondeu brandamente:

– Eu quero magoar-te, mas nunca mais do que te seja possível suportar.

Merda!

– Porquê?

Ele passou a mão pelo cabelo e encolheu os ombros.

– Porque preciso disso. – Fez uma pausa e olhou-me angustiado, fechando os olhos e abanando a cabeça. – Não te posso dizer – sussurrou.

– Não podes ou não queres?

– Não quero.

– Então sabes porquê.

– Sim.

– Mas não me queres dizer.

– Se eu te disser tu vais fugir desta sala aos gritos e nunca mais vais querer voltar. – Olhou-me cautelosamente. – Não posso correr esse risco, Anastasia.

– Tu queres que eu fique.

– Mais do que possas imaginar. Não suportaria perder-te.

Oh meu Deus.

Olhou para mim e puxou-me subitamente para os seus braços, beijando-me apaixonadamente. Apanhou-me totalmente de surpresa e eu senti o pânico e a necessidade desesperada naquele beijo.

– Não me abandones. Tu disseste que não me abandonarias e suplicaste-me que não te abandonasse, enquanto dormias – murmurou, contra os meus lábios.

Oh... as minhas confissões noturnas.

– Eu não me quero ir embora. – O meu coração contraiu-se e virou-se do avesso.

Aquilo era um homem carente. O seu medo era evidente e claro, mas ele estava perdido... algures na sua própria escuridão. Estava com um olhar esgazeado, sombrio e torturado. Eu podia acalmá-lo, reunir-me brevemente a ele, na escuridão, e trazê-lo para a luz.

– Mostra-me – sussurrei.

– Mostro-te?

– Mostra-me até que ponto pode ser mau.

– O quê?

– Castiga-me. Eu quero saber até que ponto pode ser mau.

Christian recuou, completamente confuso.

– Estarias disposta a experimentar?

– Sim, eu disse que sim. – Mas eu tinha um motivo ulterior. Se eu fizesse aquilo por ele, talvez ele me deixasse tocar-lhe.

Ele piscou os olhos.

– Ana, tu és tão confusa.

– Eu também estou confusa. Estou a tentar perceber isto. Tu e eu ficaremos a perceber de uma vez por todas se eu consigo fazer isto, se consigo lidar com isto, e depois talvez tu... – As palavras morreram-me na boca e ele voltou a arregalar os olhos. Ele sabia que eu me estava a referir à questão de lhe tocar. Por instantes parecia destroçado, mas depois surgiu-lhe no rosto uma determinação inabalável e ele semicerrou os olhos, olhando-me especulativamente como se estivesse a ponderar nas alternativas.

Agarrou-me repentinamente num braço, com firmeza, e virou-se, conduzindo-me para fora da enorme sala, subindo as escadas e levando-me para o quarto de jogos. Dor e prazer, castigo e recompensa – as palavras que proferira há tanto tempo atrás ecoavam-me na cabeça.

– Eu mostro-te até que ponto pode ser mau e tu tomarás as tuas próprias decisões. – Fez uma pausa junto da porta. – Estás preparada para isto?

Eu anuí, pois já tomara a minha decisão. Todo o sangue me pareceu fugir do rosto e eu senti-me ligeiramente atordoada e fraca.

Ele abriu a porta e, ainda a agarrar-me no braço, tirou algo semelhante a um cinto da prateleira junto à porta, e conduziu-me para o meu banco de couro, do lado oposto da sala.

– Curva-te sobre o banco – murmurou brandamente.

Ok, eu ia conseguir. Curvei-me sobre o couro macio. Ele deixara-me ficar com o roupão de banho. Algures num recanto silencioso do meu cérebro, estava ligeiramente surpreendida pelo facto de ele não mo obrigar a tirar. *Merda, isto vai doer... eu sei que vai.*

– Estamos aqui porque tu acedeste e fugiste de mim, Anastasia. Vou bater-te seis vezes e tu vais contá-las comigo.

Porque raio não se limitava a tratar do assunto? Perdia-se sempre em tantos detalhes nos meus castigos. Revirei os olhos, perfeitamente consciente de que ele não me podia ver.

Ergueu-me a bainha do roupão de banho e, por qualquer razão, isso pareceu-me mais intimista do que estar nua. Acariciou-me delicadamente o traseiro, passando a mão quente por ambas as nádegas, até ao cimo das minhas coxas.

– Estou a fazer isto para que te lembres que não podes fugir de mim. Não quero que voltes a fugir de mim, por muito excitante que isso seja – sussurrou.

A ironia não me passou despercebida. Eu fugira para evitar aquilo. Se ele me abrisse os braços, correria para ele e não para longe dele.

– Além disso, reviraste-me os olhos. Tu sabes o que eu penso acerca disso. – Subitamente, a agitação nervosa do medo desaparecera-lhe da voz. Christian estava de volta. Percebi-o pelo seu tom de voz e pela forma como colocou os dedos nas minhas costas e me prendeu. O ambiente na sala alterou-se.

Eu fechei os olhos preparando-me para o golpe. Fustigou-me com força eu senti-o estalar-me ao longo do traseiro. A dor do cinto era exatamente como eu receava. Gritei involuntariamente, engolindo uma grande golfada de ar.

– Conta, Anastasia! – ordenou-me.

– Um! – gritei-lhe, como se estivesse a dizer um impropério.

Ele bateu-me de novo e a dor pulsou e ecoou, ao longo da linha marcada pelo cinto. *Com os diabos... isto dói.*

– Dois! – voltei a gritar. Que bem que sabia gritar.

Ele estava com uma respiração ofegante e áspera. A minha, pelo contrário, era quase inexistente e eu esgravatava desesperadamente na minha psique tentando reunir alguma força interior. O cinto voltou a morder-me a carne.

– Três! – Lágrimas indesejáveis afloraram-me os olhos. Raios – aquilo era mais duro do que eu pensava – muito mais duro do que o espancamento. Ele não está a conter-se minimamente.

– Quatro! – gritei, quando o cinto me voltou a bater. Agora as lágrimas escorriam-me pela cara abaixo. Eu não queria chorar. Enraivecia-me o facto de estar a chorar. Ele bateu-me de novo.

– Cinco. – A minha voz mais parecia um soluço estrangulado e nesse momento achei que o odiava. Mais uma, conseguiria suportar mais uma. Sentia o traseiro a arder.

– Seis – sussurrei, sentido aquela dor abrasadora a dilacerar-me. Ouvi-o largar o cinto atrás de mim. Ele puxou-me para os seus braços, ofegante e compadecido... e eu senti que não queria que ele se aproximasse.

– Larga-me... não... – Dei comigo a debater-me para me libertar dele, empurrando-o, lutando com ele.

– Não me toques! – disse-lhe, num tom sibilante, endireitando-me e olhando para ele. Ele estava a olhar para mim como se eu pudesse fugir de repente, de olhos arregalados, perplexo. Limpei furiosamente as lágrimas dos olhos com as costas da mão, olhando-o incisivamente.

– É disto que gostas realmente? De me ver assim? – Limpei o nariz com a manga do roupão de banho.

Ele olhou-me cautelosamente.

– És um filho da puta chanfrado.

– Ana – suplicou, chocado.

– Não há cá Ana, nem meio Ana! Precisas de resolver os teus problemas, Grey. – Dito isto, virei-me rigidamente e saí da sala de jogos, fechando suavemente a porta atrás de mim.

Agarrei no puxador atrás de mim e encostei-me à porta por breves instantes. Para onde ir? Deveria fugir? Deveria ficar? Estava tão furiosa. Lágrimas escaldantes escorriam-me pela cara abaixo e eu limpei-as furiosamente. Só me apetecia enroscar-me. Enroscar-me e recuperar de alguma forma. Curar a minha fé estilhaçada. Como podia ter sido tão estúpida? É claro que doía.

Esfreguei hesitantemente o traseiro. Aah! Estava dorido. Para onde ir? Para o quarto dele não. Para o meu quarto, ou para o quarto que iria ser meu ...que *era* meu... que *fora* meu. Era por isso que ele queria que eu ficasse com ele. Ele sabia que eu iria precisar de me distanciar dele. Comecei a caminhar pesadamente nessa direção, consciente de que Christian me poderia seguir. Ainda estava escuro dentro do quarto e o amanhecer resumia-se a um murmúrio na linha do horizonte. Subi para a cama desajeitadamente, evitando sentar-me sobre o traseiro dorido e sensível. Fiquei com o roupão de banho vestido, enrolei-me nele, enrosquei-me na cama e deixei-me ir, chorando a bom chorar, com a cabeça enterrada na almofada.

Onde tinha eu a cabeça? Porque o deixara fazer-me aquilo? Eu queria explorar a escuridão, saber até que ponto poderia ser mau – mas era demasiado obscuro para mim. Eu não conseguia fazer aquilo. Porém, era aquilo que ele fazia, era assim que tinha prazer.

Mas que abanão monumental. Teria de lhe fazer justiça, pois ele avisara-me vezes sem conta. Ele não era normal e tinha necessidades que eu não podia satisfazer. Agora percebia isso. Não queria que ele me voltasse a bater daquela forma. Pensei nas diversas vezes que ele me batera e quão brando fora comigo em comparação com aquilo. Seria isso o suficiente para ele? Chorei ainda mais, de cabeça enterrada na almofada. Ia perdê-lo. Ele não iria querer estar comigo se eu não lhe pudesse dar aquilo. Porque teria de me apaixonar pelo Cinquenta Sombras? Porquê, porquê? Porque não conseguiria amar o José, ou o Paul Clayton, ou alguém como eu?

E a expressão consternada dele quando eu saí? Eu fui tão cruel, fiquei tão chocada com aquela selvageria... Será que ele iria perdoar-me? Os meus pensamentos misturavam-se desordenadamente, ecoando e ricocheteando dentro do meu cérebro. O meu subconsciente abanava a cabeça tristemente e a minha deusa interior não se via em parte alguma. Oh, meu Deus, aquele era um despertar sombrio da minha alma. Sentia-me tão só. Queria a minha mãe. Recordei as suas palavras de despedida no aeroporto:

Escuta o teu coração, querida, e por favor, por favor tenta não pensar demasiado nas coisas. Descontrai-te e diverte-te. És tão jovem, querida. Tens ainda tanto que experimentar na vida. Deixa as coisas correrem. Tu mereces o melhor em todos os sentidos.

Eu escutara o meu coração e tinha o rabo dorido e o espírito destroçado e angustiado, à conta disso. Tinha de me ir embora. Era isso mesmo... tinha de partir. Ele não servia para mim e eu não servia para ele. Como iríamos conseguir que aquilo resultasse? A ideia de não o voltar a ver quase me sufocou... as minhas Cinquenta Sombras.

Ouvi a porta a abrir-se. *Oh não – ele está aqui.* Ele pousou qualquer coisa na mesa-de-cabeceira e a cama moveu-se sob o seu peso, ao subir para trás de mim.

– Silêncio – sussurrou. Apeteceu-me afastar-me dele, deslocar-me para o outro lado da cama, mas estava paralisada. Não conseguia mexer-me e fiquei hirta, sem ceder um milímetro que fosse. – Não lutes contra mim, Ana, por favor – pediu. Puxou-me delicadamente para os seus braços e enterrou-me o nariz no cabelo, beijando-me o pescoço.

– Não me odeies – sussurrou, brandamente, contra a minha pele, com uma voz dolorosamente triste. O meu coração voltou a contrair-se, libertando uma nova vaga de soluços silenciosos. Ele continuou a beijar-me suavemente, com ternura, mas eu mantive-me distante e cautelosa.

Ficámos assim deitados, sem dizer nada, durante uma eternidade. Ele limitou-se a abraçar-me e eu fui-me descontraindo e parando de chorar aos poucos. O amanhecer ia e vinha e a luz suave foi-se tornando mais clara, à medida que a manhã avançava, ainda assim, continuávamos deitados, em silêncio.

– Trouxe-te Ben-u-ron e um pouco de creme de arnica – disse, ao fim de bastante tempo.

Eu virei-me muito devagar nos seus braços de forma a ficar de frente para ele. Tinha a cabeça pousada no seu braço. O olhar dele era reservado e cinzento escuro.

Olhei para o seu belo rosto. Ele não deixava transparecer nada, mas estava de olhos postos nos meus, quase sem pestanejar. Ele era tão assombrosamente atraente e tornara-se tão querido para mim em tão pouco tempo. Estiquei a mão e acariciei-lhe a face, passando-lhe as pontas dos dedos pela barba por fazer. Ele fechou os olhos e suspirou.

– Desculpa – sussurrei.

Ele abriu os olhos e olhou para mim intrigado.

– Desculpa porquê?

– Pelo que eu te disse.

– Tu não me disseste nada que eu já não soubesse – O alívio suavizou-lhe o olhar. – Desculpa ter-te magoado.

Eu encolhi os ombros.

– Eu pedi que o fizesses. – Agora sabia. Engoli em seco. Cá vai. Precisava de dizer o que pensava. – Não me parece que consiga ser tudo o que tu queres que eu seja. – disse-lhe. Ele arregalou os olhos e pestanejou e a sua expressão amedrontada voltou.

– Tu és tudo o que eu quero que tu sejas.

O quê?

– Não entendo. Eu não sou obediente e podes ter a certeza de que não vou permitir que me faças *aquilo* outra vez. Mas aquilo é o que tu precisas, foste tu que o disseste.

Ele voltou a fechar os olhos e eu vi uma miríade de emoções perpassar-lhe o rosto. Quando os voltou a abrir, estava com uma expressão sombria.

Oh, não.

– Tens razão, eu devia deixar-te ir embora. Eu não sirvo para ti.

Eu senti um formigueiro no couro cabeludo e todos os folículos do meu cabelo se arrepiaram. Senti o mundo fugir-me debaixo dos pés, deixando, no seu lugar, um gigantesco abismo, prestes a engolir-me. *Oh, não.*

– Eu não me quero ir embora – sussurrei. Merda. Acabou-se. Era mais que certo. Os meus olhos voltaram a encher-se de lágrimas.

– Eu também não quero que vás – disse, num tom de voz rouco. Ergueu uma mão e afagou-me delicadamente a face, limpando-me uma lágrima com o polegar. – Eu voltei a viver desde que te conheci. – Percorreu-me o contorno do lábio inferior com o polegar.

– Eu também – sussurrei. – Eu amo-te, Christian.

Ele voltou a arregalar os olhos, mas desta vez de puro medo.

– Não – disse ele, como se eu lhe tivesse roubado o ar dos pulmões.

Oh, não.

– Tu não me podes amar, Ana... não está certo. – Estava horrorizado.

– Não está certo? Porque é que não está certo?

– Olha para ti. Eu não te posso fazer feliz. – Estava com uma voz angustiada.

– Mas tu fazes-me feliz – repliquei, franzindo o sobrolho.

– Não neste momento, não fazendo o que eu quero que tu faças.

Merda. É mesmo o fim. Isto é o equivalente a incompatibilidade – e todas as pobres submissas me vieram à cabeça.

– Nunca conseguiremos ultrapassar isso, pois não? – sussurrei, com um formigueiro de pavor no couro cabeludo.

Ele abanou a cabeça tristemente. Eu fechei os olhos. Não conseguia olhar para ele.

– Bom... nesse caso, é melhor ir-me embora – murmurei, retraindo-me ao sentar-me.

– Não, não vás. – Parecia apavorado.

– Não faz sentido eu ficar. – Subitamente, senti-me cansada, terrivelmente cansada e apeteceu-me ir embora. Saí da cama e Christian levantou-se também.

– Vou vestir-me. Gostaria de ter alguma privacidade – disse eu, num tom de voz monocórdico e vazio, deixando-o sozinho, de pé, no meio do quarto.

Ao descer as escadas, olhei para a sala grande, pensando que apenas há algumas horas apoiara a cabeça no seu ombro, enquanto ele tocava piano. Acontecera tanta coisa, entretanto. Abrira os olhos e apercebera-me da dimensão da sua depravação e agora sabia que ele não era capaz de amar – de dar ou receber amor. Os meus piores receios tinham-se concretizado e, por estranho que parecesse, era libertador.

A dor era tamanha que eu me recusava a reconhecê-la. Sentia-me dormente. Conseguira de alguma forma escapar-me do meu corpo e agora era uma espetadora acidental da tragédia que se desenrolava diante de mim. Tomei um duche rápido e metódico, pensando apenas no segundo imediato. Espremer o frasco do gel de banho, voltar a colocá-lo na prateleira. Esfregar o pano na cara, nos ombros, e por aí adiante, tudo gestos simples e mecânicos, que exigiam pensamentos simples e mecânicos.

Terminei o meu duche e como não lavara a cabeça pude enxugar-me rapidamente. Vesti-me na casa de banho, tirando os *jeans* e a *t-shirt* da minha pequena mala. Os *jeans* arranharam-me o traseiro mas, para dizer a verdade, foi uma dor bem-vinda, pois distraía-me do que estava a acontecer ao meu coração estilhaçado.

Baixei-me para fechar a mala e reparei no saco que continha o presente de Christian, um *kit* de um planador Blanik L23. Uma coisa para ele montar. As lágrimas estavam iminentes. *Oh, não...*tempos mais felizes em que esperávamos mais. Tirei-o da caixa, sabendo que lho tinha de dar. Rasguei rapidamente um pedaço de papel do meu bloco de notas, rabiscando um bilhete para ele, à pressa, e deixei-o em cima da caixa.

Isto recordou-me um momento feliz.
Obrigada

Ana

Olhei-me no espelho e vi um fantasma pálido e assombrado a observar-me. Prendi o cabelo num carrapito, fazendo por ignorar que tinha as pálpebras inchadas de chorar. O meu subconsciente acenou aprovadoramente. Até ele percebeu que não podia ser irascível naquele momento. Não podia acreditar que o meu mundo se estivesse a desmoronar à minha volta, como uma pilha estéril de cinzas. Todas as minhas esperanças e sonhos tinham sido cruelmente destruídos. Não, não, não penses nisso. Agora não, por enquanto não. Respirei fundo, peguei na mala e encaminhei-me para a sala grande, depois de deixar o *kit* do planador e o meu bilhete em cima da almofada dele.

Christian estava ao telefone. Vestira uns *jeans* pretos e uma *t-shirt*. Estava descalço.

– Ele disse o quê? – gritou, sobressaltando-me. – Bem nos podia ter dito a verdade. Qual é o número dele? Tenho de lhe telefonar... Welch, isto é uma grande trapalhada. – Olhou para cima e os seus olhos sombrios e pensativos fixaram-se em mim. – Encontrem-na – disse, bruscamente, carregando no botão de desligar.

Eu encaminhei-me para o sofá e recolhi a minha mochila, fazendo os possíveis por ignorá-lo. Tirei o Mac da mochila e fui de novo à cozinha, poisando-o cuidadosamente sobre o balcão do pequeno-almoço, juntamente com o BlackBerry e as chaves do carro. Quando me virei para o encarar, ele estava com uma expressão estupidificada de horror.

– Preciso do dinheiro que o Taylor conseguiu pelo meu Carocha. – A minha voz era clara e calma, despojada de emoções... *extraordinário.*

– Ana, não quero essas coisas. São tuas – disse, incrédulo. – Leva-as.

– Não, Christian, só as aceitei por uma questão de resignação, já não as quero.

– Ana, sê razoável. – Até agora me repreendia.

– Não quero nada que me lembre de ti. Preciso apenas do dinheiro que o Taylor conseguiu pelo meu carro. – A minha voz estava bastante monocórdica.

Ele arquejou.

– Estás mesmo a tentar magoar-me?

– Não, não estou – respondi, franzindo o sobrolho e olhando para ele. Claro que não... eu amo-te. – Estou a tentar proteger-me – sussurrei. Porque tu não me queres da mesma forma que eu te quero.

– Por favor, Ana, leva essas coisas.

– Christian, não quero discutir, preciso apenas do dinheiro.

Ele semicerrou os olhos, mas eu já não me sentia intimidada por ele. Bom, apenas um pouco. Olhei-o impassível, sem pestanejar e sem ceder um milímetro.

– Aceitas um cheque? – perguntou num tom ácido.

– Sim, acho que és de confiança, nesse aspeto.

Ele não sorriu, limitou-se a dar meia volta e encaminhou-se para o escritório. Olhei uma última vez para o apartamento – para os quadros nas paredes, todos eles abstratos, serenos, calmos... gelados, até. *Adequados*, pensei eu, distraidamente. Desviei os olhos para o piano. Raios, se tivesse ficado de bico calado, teríamos feito amor em cima do piano. Ou melhor, fodido; teríamos fodido em cima do piano. Bom, eu teria feito amor. A ideia pesava-me tristemente sobre a cabeça e o que restava do meu coração. Ele nunca fizera amor comigo, pois não? Para ele sempre fora foder.

Christian voltou e entregou-me um envelope.

– Taylor conseguiu um bom preço. Era um clássico. Podes perguntar--lhe. Ele leva-te a casa. – Acenou com a cabeça na minha direção, por cima do meu ombro. Eu virei-me e Taylor estava à entrada, de fato, impecável como sempre.

– Não tem importância, eu posso ir para casa sozinha, obrigada.

Virei-me para olhar para Christian e ele mal conseguia conter a fúria nos olhos.

– Será que me vais desafiar sempre?

– Porquê mudar hábitos de uma vida? – disse com um pequeno encolher de ombros apologético.

Ele fechou os olhos frustrado e passou a mão pelo cabelo.

– Por favor, Ana, deixa que o Taylor te leve a casa.

– Eu vou buscar o carro, Miss Steele – anunciou Taylor, autoritariamente. Christian acenou-lhe com a cabeça e quando olhei para trás, Taylor tinha desaparecido.

Virei-me para Christian. Estávamos a um metro e meio um do outro. Ele avançou e eu recuei instintivamente. Ele parou. A angústia no seu rosto era palpável e os seus olhos cinzentos estavam ardentes.

– Eu não quero que vás – murmurou, com uma voz carregada de nostalgia.

– Eu não posso ficar. Eu sei o que quero e tu não mo podes dar. E também não te posso dar o que tu queres.

Ele deu mais um passo em frente e eu ergui as mãos.

– Não, por favor – disse eu, recuando. Era-me impossível tolerar o seu toque naquele momento. Iria matar-me. – Eu não posso fazer isto.

Agarrei na mala e na mochila e encaminhei-me para o vestíbulo. Ele seguiu-me, mantendo-se cuidadosamente à distância. Carregou no botão do elevador, as portas abriram-se e eu entrei.

– Adeus, Christian – murmurei.

– Adeus, Ana – disse ele, brandamente. Parecia absolutamente desfeito, um homem numa dor agonizante, que refletia o que eu sentia por dentro. Desviei os olhos dele antes que mudasse de ideias e tentasse consolá-lo.

As portas do elevador fecharam-se e este levou-me rapidamente até às entranhas da cave, até ao meu inferno pessoal.

Taylor segurou-me na porta e eu entrei para o banco de trás do carro, evitando qualquer contacto visual. Fui varrida por uma sensação de embaraço e vergonha. Eu era um absoluto fracasso. Esperara conseguir trazer as minhas Cinquenta Sombras para a luz, mas essa revelou-se ser uma tarefa que ia muito além das minhas parcas aptidões. Tentei desesperadamente manter as minhas emoções empilhadas à distância. Ao entrarmos na Quarta Avenida, olhei apaticamente pela janela e a enormidade do que acabara de fazer atingiu-me lentamente. *Merda, eu abandonei-o.* O único homem que amei na vida. O único homem com que dormi. Arquejei, sentindo-me trespassada por uma dor paralisante e o dique rebentou. Lágrimas indesejáveis escorreram livremente pelas faces e eu limpei-as apressadamente com os dedos, remexendo na mala à procura dos meus óculos de sol. Ao pararmos num semáforo, Taylor estendeu-me o lenço de linho. Não disse nada nem olhou na minha direção e eu aceitei-o, agradecida.

– Obrigada – murmurei. Mas o seu pequeno e discreto gesto de amabilidade foi a minha desgraça e eu recostei-me no luxuoso assento de cabedal a chorar.

O apartamento pareceu-me dolorosamente vazio e estranho, pois não vivia ali há tempo suficiente para me sentir em casa. Fui diretamente para o meu quarto e quando lá cheguei vi um balão muito triste e bastante vazio, em forma de helicóptero, pendurado na cama. Charlie Tango estava exatamente como eu. Arranquei-o furiosamente da cabeceira da cama, rebentando o cordel, e abracei-me a ele. *O que fui eu fazer?*

Deixei-me cair sobre a cama de sapatos e tudo e gemi. A dor era indescritível... era física, mental... metafísica... e estava por toda a parte, a infiltrar-se na medula dos meus ossos. Mágoa. Aquilo era mágoa e fora eu que a provocara a mim própria. No meu íntimo, um pensamento repugnante e inesperado emergiu da minha deusa interior e os seus lábios contorceram-se num esgar... a dor física provocada por um cinto não era nada comparada com aquela devastação. Enrosquei-me, agarrando-me desesperadamente ao balão de papel de alumínio vazio e ao lenço de Taylor e rendi-me à minha mágoa.

EM BREVE DA MESMA AUTORA

As Cinquenta Sombras Mais Negras

EM BREVE, DA MESMA COLEÇÃO:

As Cinquenta Sombras – Mais Negras

O segundo volume da trilogia
de que todas as mulheres estão a falar... discretamente.

Erótica, apaixonante e profundamente comovedora, a trilogia *As Cinquenta Sombras* vai obcecar-te, possuir-te, e ficar marcada na tua memória para sempre.

Perseguida pelas peculiares inclinações e segredos do belo e atormentado Christian Grey, Anastasia Steele liberta-se da sua relação para começar uma nova carreira a trabalhar numa editora em Seattle.

Mas a sua atração por Grey fala mais forte, e não passa um minuto sem que pense nele com desejo. Quando o milionário CEO lhe propõe um novo acordo, Anastasia não consegue resistir. Ambos retomam a sua sensual relação enquanto Anastasia descobre novas sombras no doloroso passado do seu impetuoso, devastado e exigente amante.

Enquanto Grey se debate com os seus demónios, Anastasia vê-se confrontada com a raiva e inveja das mulheres que o amaram, e é obrigada a tomar a mais importante decisão da sua vida.

EM BREVE, DA MESMA COLEÇÃO:

As Cinquenta Sombras – Livre

O terceiro volume da trilogia
de que todas as mulheres estão a falar... discretamente.

Quando a jovem e inocente Anastasia Steele encontrou pela primeira vez o impetuoso e fascinante milionário Christian Grey, começou entre eles um *affair* sensual que lhes mudou a vida para sempre. Assustada e intrigada pelas singulares inclinações eróticas de Grey, Anastasia exige-lhe um compromisso total na relação. Com medo de a perder, ele aceita.

Agora Anastasia e Grey têm finalmente tudo o que desejavam – o amor, a paixão, a intimidade, uma incomensurável riqueza e todo um mundo de possibilidades à sua espera. Mas ela sabe que amar as Cinquenta Sombras dele não será fácil, e que estarem juntos vai implicar ultrapassar barreiras que nenhum deles poderia prever. Anastasia vai ter de aprender a partilhar o opulento estilo de vida de Grey sem sacrificar a sua identidade. E ele terá de aprender a superar o seu obsessivo impulso de tudo controlar, enquanto se debate com os demónios do seu terrível passado.

E quando tudo parece estar conjugado para que ambos consigam finalmente ultrapassar todos os obstáculos, o destino conspira para tornar dolorosamente reais os maiores medos de Anastasia.

Revisão: **Lua de Papel**
Capa: **Jennifer McGuire**
Adaptação da capa: **Maria Manuel Lacerda/Lua de Papel**
Paginação: **Ana Sena**
Produzido e acabado por: **Multitipo**